1, 00

L'homme qui venait de nulle part

Penelope Williamson

L'homme
qui venait
de nulle part

Traduit de l'américain
par Régina Langer

Titre original :
THE OUTSIDER
publié par Simon & Schuster, New York

Cette édition de *L'homme qui venait de nulle part*
est publiée par les Éditions de la Seine
avec l'aimable autorisation des Éditions Belfond
© Penelope Williamson, 1996. Tous droits réservés
© Belfond, 1996 pour la traduction française

Pour Derek, toujours présent, après vingt-cinq ans...

Chapitre 1

Il apparut dans leurs vies aux derniers jours d'un mauvais hiver.
C'était une de ces époques où la campagne du Montana repose,
figée et morne, comme épuisée par le froid. Une époque où la neige
pèse sur la terre, entassant un peu partout d'énormes masses jaunâtres semblables à de vieux bouts de cire échappés d'une chandelle.
Quand les bois de peuplier, tordus par le gel, craquent dans l'air vif.
Quand le printemps n'est plus qu'un souvenir et encore une lointaine
promesse.

Ce dimanche-là, Rachel Yoder n'avait pas envie de sortir de son
lit. Blottie sous l'épaisse couette, le regard fixé sur la fenêtre enca-
drant un ciel gris, elle écoutait, pénétrée d'une immense lassitude,
la plainte des murs battus par le vent.

Elle entendit Benjo occupé à regarnir le feu à la cuisine, perçut
le tintement métallique du fourneau, les craquements des bûches qui
s'embrasent, le raclement de la pelle à cendres.

Puis ce fut de nouveau le silence dans la maison, et elle devina
que Benjo contemplait maintenant la porte fermée de la chambre en
se demandant, inquiet, pourquoi sa mère n'était pas encore levée.

Elle glissa ses jambes sur le sol et frissonna en sentant le froid
se glisser sous sa chemise de nuit. Sans prendre la peine d'allumer
la lampe, elle s'habilla avec des gestes précis et, comme chaque
matin, enfila un corsage et une jupe brun sombre sur laquelle elle
noua un tablier noir. Puis, de ses doigts encore engourdis, elle drapa
en triangle sur ses épaules un châle noir en laine épaisse dont elle
rabattit les deux extrémités autour de sa taille. C'était en quelque
sorte l'uniforme que toute femme appartenant à la communauté des
Justes se devait de porter chaque jour. Les Justes respectaient à la
lettre la loi de Dieu, ils s'appliquaient à suivre la Voie étroite, celle
de la plus stricte obéissance aux commandements de la Bible. Jusque
dans les moindres détails. Et la Voie n'autorisait même pas que l'on

9

se serve d'agrafes, de boutons ou de boutonnières pour fixer les vêtements.

Elle termina par ses cheveux, des cheveux épais, bouclés, si longs qu'ils descendaient jusqu'aux hanches. Un homme lui avait dit un jour qu'ils avaient la couleur de l'acajou poli. C'était le seul homme qui les avait vus tomber librement et, à ce souvenir, un doux sourire se dessina sur les lèvres de la jeune femme. Oh, Ben, il avait tant aimé ses cheveux !

Mais il fallait veiller aussi à ne pas en tirer vanité... Les coiffant en arrière, elle les tordit en une tresse sommaire qu'elle releva et recouvrit de sa *Kapp* blanche, raidie par l'amidon. Scrupuleusement, en tâtonnant, elle s'assura que le pli de la coiffe était bien centré sur le haut de la tête. Jamais Rachel n'avait possédé de miroir, ni dans cette maison ni dans celle de ses parents.

A présent, la chaleur de la cuisine l'attirait. Elle s'arrêta une nouvelle fois dans la lumière froide et sombre de l'aube pour regarder à travers la fenêtre dépourvue de rideaux. De l'autre côté de la rivière se dressait une rangée de pins que l'hiver avait gelés et dont les branchages morts se tachaient à présent de rouille. Les nuages drapés au sommet des collines annonçaient de nouvelles chutes de neige. «*Viens, printemps, viens...*, murmura-t-elle. *L'hiver est si long... Dépêche-toi.*»

Rachel appuya sa joue contre la vitre glacée. Oui, elle désirait ardemment que le printemps soit de retour. Mais avec lui reviendraient aussi d'autres fatigues. Les agneaux naîtraient, apportant un bon mois de rudes soucis et de labeur. Et ce mois-là, contrairement aux autres années, il faudrait qu'elle le vive seule.

Oh, Ben...

Elle serra fortement les lèvres pour chasser ce moment de faiblesse. Son mari connaissait maintenant une vie meilleure, la vie éternelle. Il reposait dans le sein de Dieu, dans la gloire des Cieux. Il aurait été égoïste de sa part à elle de pleurer ce départ. Et puis il y avait leur fils. Pour l'amour de lui, elle devait trouver le courage de s'en remettre à la volonté divine.

S'écartant de la fenêtre, Rachel s'obligea à sourire. Elle ouvrit la porte de sa chambre et pénétra dans la chaleur réconfortante de la cuisine baignant dans une lumière jaune. Debout, près de la table, Benjo était occupé à moudre du café. Dès qu'il entendit le loquet de la porte, sa main eut un sursaut, et des grains de café s'éparpillèrent sur la toile cirée brune. Ses yeux, des yeux trop brillants, se fixèrent sur Rachel :

« Mem ? Tttu... tu es en rrr... en retard. Est-ce qqque tu te sens mmm... mal ? »

Sa gorge nouée se contractait avec effort pour expulser les mots de ses lèvres, des mots qui paraissaient collés à son palais, refusant obstinément de sortir.

Doc Henry répétait souvent à Rachel que, si elle voulait vraiment débarrasser son garçon de ce bégaiement, il faudrait ne plus terminer les phrases à sa place, le laisser se débrouiller tout seul. Mais elle souffrait tant de le voir s'épuiser ainsi qu'il était impossible, parfois, de ne pas voler à son secours.

Elle s'approcha de lui et dit d'une voix douce :

« Je me sens seulement un peu paresseuse ce matin, voilà tout. »

Avec tendresse, elle écarta de ses yeux une mèche de cheveux. Comme il avait grandi ! Déjà dix ans cet été... Bientôt il serait plus grand qu'elle. Les jours coulaient sans qu'elle s'en aperçoive, des jours rythmés par les saisons. La luxuriance du printemps succédait aux terribles hivers : il fallait surveiller l'agnelage, couper le foin, tondre la laine, accoupler les brebis pour que des agneaux naissent à nouveau. Chaque matin on se levait pour enfiler les mêmes éternels vêtements — ceux-là que votre grand-mère, déjà, portait avant vous — et, le dimanche, on se rendait à la prédication pour chanter des cantiques, partager sa foi avec toute la communauté, transmettre sa ferveur religieuse à ses enfants et aux enfants de leurs enfants...

C'était comme cela qu'on vivait chez les Justes. L'existence coulait ainsi qu'un fleuve dans l'océan des années, et la douce similitude des choses entretenait la lente, la calme certitude d'une paix inébranlable.

« Les moutons sont affamés, dit-elle, les voisins doivent les entendre bêler sans arrêt. Il va falloir faire sortir le troupeau du bois. Tu ferais mieux d'aller atteler la voiture à foin pendant que je m'occupe de nos propres ventres vides. Sinon nous serons en retard pour la prédication. (Elle lui ébouriffa de nouveau les cheveux.) Et je vais tout à fait bien, mon Benjo. Vraiment. »

Une sourde mélancolie lui étreignit le cœur tandis qu'elle prononçait ces mots de réconfort et qu'elle lui souriait. Rassuré, il prit ses bottes de caoutchouc posées devant le fourneau, décrocha son manteau et son chapeau de la patère et, d'un pas léger, se dirigea vers la porte. Ben, son père, avait été un homme grand et costaud, avec des yeux et des cheveux d'un noir d'encre. Il portait une barbe épaisse, selon la tradition des Justes. Mais c'était à Rachel que Benjo

11

ressemblait. Il avait ses yeux gris, une ossature fine, même pour son âge, et des cheveux acajou.

Il laissa la porte entrouverte sur son passage, et l'hiver pénétra à l'intérieur de la cuisine comme une bouffée de vent aigre. « Mem ? (Benjo tourna la tête en direction de sa mère et lui lança un regard vif.) Pourquoi est-ce que les moutons mmm... mangent tout le temps ? »

Elle sourit à nouveau, plus franchement, cette fois. Benjo, et ses questions impossibles...

« Je n'en sais rien. Mais je suis sûre d'une chose, c'est qu'il faut un tas d'herbe et de foin pour fabriquer toute cette laine... »

Benjo éclata d'un rire heureux et tapa des talons pour enfoncer ses pieds dans les bottes. Puis, battant des bras, il franchit d'un bond la marche qui donnait sur la cour, faisant jaillir au passage des geysers de boue glacée.

Il arrondit les lèvres et émit un sifflement aigu. MacDuff, le chien colley de la maison, bondit aussitôt des fourrés de saule qui bordaient le ruisseau et fonça sur le garçon, le renversant presque dans sa joie de le revoir. Rachel ferma la porte. Le dos appuyé contre le battant, elle resta quelques instants à écouter, attendrie, la cacophonie joyeuse des aboiements et des rires de l'enfant.

La cafetière se mit à crachoter sur le fourneau, et elle courut pour la retirer du feu. Par Judas ! Ils risquaient de manquer la prédication si elle ne se dépêchait pas de faire le petit déjeuner. Et, ici, on ne manquait pas la réunion du dimanche — sauf lorsqu'on était vraiment malade, ce qui arrivait rarement.

Quand le lard chaud grésilla dans la poêle, elle y joignit une épaisse bouillie de farine qui se mit à frire dans l'huile. Le vent gémissait contre les vitres, couvrant presque les cris des bergers qui montaient de la pâture voisine : « O-Vee ! O-Vee ! »

Rachel jeta un coup d'œil par la fenêtre et vit que Benjo avait du mal à conduire le troupeau de brebis portantes, niché à l'abri des peupliers, jusqu'à l'enclos où on les nourrissait. Les stupides animaux s'emmêlaient les uns dans les autres et formaient une masse obstinée et compacte. Avec leurs longs nez à l'arête aiguë et leurs grands yeux à demi cachés par les touffes de laine grise, on aurait pu les prendre, de loin, pour de gros hiboux hirsutes et égarés.

Benjo cessa brusquement d'agiter les bras et se figea, le regard fixé au loin. Quelque chose d'étrange, d'imprévu, dans son attitude alerta le cœur de Rachel. Elle s'avança plus près de la fenêtre, la poêle grésillante à la main. Son souffle traça sur la vitre un nuage de buée qu'elle dut effacer pour mieux voir.

C'est alors qu'il lui apparut. Grand, vêtu d'un long manteau et d'un chapeau noirs.

Il n'y avait rien de particulièrement menaçant dans cette silhouette et, cependant, elle crispa ses doigts sur le manche de la poêle. Un coup de vent, plus rageur que les autres, fit vibrer la vitre. Elle frissonna.

Il marchait d'un pas lent et lourd, comme quelqu'un qui titube après avoir abusé du whisky.

Personne ne venait jamais ici, dans cette vallée montagneuse où tout semblait éloigné de tout. Et surtout pas sans buggy ou sans cheval. Ici, un homme à pied n'était pas un homme — c'est, du moins, ce que pensaient les étrangers. Les étrangers, c'était pour la communauté ceux de l'extérieur, ceux qui ne partageaient pas les austères principes des Justes.

Rachel laissa sa poêle et sortit, abandonnant la quiétude chaude de la maison pour se risquer dans l'air glacé. Elle rejoignit Benjo et tous deux, en silence, observèrent l'homme qui s'approchait d'eux en chancelant. MacDuff aussi le regardait, le nez pointé vers le vent, un grondement sourd s'élevant de sa gorge.

« C'est peut-être un voyageur qui a cassé son chariot, dit finalement Rachel. Ou un cow-boy dont le cheval s'est mis à boiter. »

Dans la pâture, la neige avait ondulé sous l'action du vent, et les vagues gelées formaient comme une mer de glace que brisait chaque coup de botte de l'étranger.

Il tomba sur un genou. Le vent fit voler les pans de son manteau et, contre le ciel couleur d'étain, l'inconnu ressembla à un grand corbeau, les ailes déployées, prêt à s'envoler. Il tenta de se relever, tituba de nouveau, laissant derrière lui une traînée rouge et humide sur le jaune cireux de la neige.

« Il est bl... bl... », s'écria Benjo, trop ému pour réussir à parler.

Mais, déjà, Rachel, rassemblant ses jupes, s'était élancée vers l'homme. Elle le vit s'étaler de tout son long et, cette fois, il ne se redressa pas.

En quelques secondes elle fut auprès de lui, se laissa tomber à genoux dans la neige. Tout essoufflé, Benjo la rejoignit et, en silence, ils regardèrent la mare de sang qui grandissait autour du corps de l'étranger.

Elle posa une main sur son épaule et le sentit tressaillir violemment à ce contact. Il leva la tête, tenta une nouvelle fois de se redresser. Elle lut de la terreur dans son regard, puis ses yeux se révulsèrent et se fermèrent tandis qu'il retombait en arrière. Des rigoles d'un rouge sombre s'étalaient sur le sol, et Rachel vit que le manteau noir était humide et poisseux de sang. Les pas de l'homme avaient laissé un sillage rougeâtre qui menait jusqu'au bois de pins.

La voix rauque, elle lança :

« Benjo, prends le cheval et galope jusqu'à la ville. Tu ramèneras le Dr Henry. »

Le garçon se raidit aussitôt, et ses yeux devinrent comme fous de peur.

« N... Nnn... Non !

— Benjo ! Tu peux y arriver. Doc Henry te connaît. Tu n'auras pas besoin de lui parler. Écris ce que tu as à lui dire. »

Il avait pâli, terrifié. C'était toujours un supplice, pour lui, d'aller à la ville, parmi les étrangers qui le dévisageaient et chuchotaient dans son dos. Parfois même, ils se montraient cruels et se moquaient ouvertement de lui et de son bégaiement.

Comme il ne bougeait toujours pas, elle le secoua par l'épaule et répéta avec fermeté :

« Vas-y ! Il le faut. Cet homme va mourir. »

Résigné, Benjo s'éloigna. Rachel regarda une nouvelle fois l'inconnu. Oui, il était bien en train de mourir. Elle se demanda même comment il avait pu continuer à marcher après avoir perdu tout ce sang. Il fallait qu'elle le transporte à la maison, là où il faisait chaud.

Elle chercha à le soulever mais n'y parvint pas. En essayant de le tirer par un bras, elle vit un flot de sang se répandre sous son corps.

Elle entendit Benjo sortir de la remise leur vieux cheval de trait, une jument docile qu'il montait à cru. Le cheval s'ébroua et partit au trot en faisant claquer ses sabots sur la passerelle de rondins qui enjambait le ruisseau.

Rachel ramassa une poignée de neige et en frotta le visage blême de l'homme. Il gémit et remua. De toutes ses forces, elle le gifla pour le ranimer.

« Réveillez-vous ! »

Il reprit vaguement conscience. Assez pour se redresser sur les genoux. Elle coula alors un bras autour de sa taille et réussit à le remettre sur pied. « Maintenant nous allons marcher jusqu'à la maison. Courage. »

Mais elle doutait qu'il l'ait entendue. Le vent soufflait fort, si fort que l'homme semblait ne plus parvenir à respirer sous les morsures glacées des bourrasques.

Ils cheminèrent enlacés sur la neige. Elle sentait contre sa joue le visage rugueux de l'inconnu, ses longs cheveux lui balayaient les yeux. Il portait un fusil en bandoulière, dans un étui de cuir, et la crosse ballottait contre ses hanches. Il y avait une autre arme aussi, un revolver accroché à la taille.

L'odeur âcre du sang lui donnait la nausée.

Elle réussit à écarter la couette du lit juste avant qu'il ne s'écroule dessus. Il ne l'avait pas lâchée, et ils roulèrent, bizarrement enlacés, sur les couvertures. Sous son poids, elle se raidit, terrifiée à l'idée qu'il pût mourir, là, sur elle. Rassemblant ses forces, elle le repoussa et le fit basculer sur le dos. Une tache d'un rouge brillant commençait déjà à s'étendre sur les draps de calicot.

Non, il n'était pas mort. Elle regarda son visage d'une pâleur sépulcrale, ses yeux fermés, profondément enfoncés dans les orbites. Des traînées livides marquaient ses joues, là où elle l'avait giflé.

Il gisait, mal à l'aise, sur l'étui de son fusil, et elle dut lutter à nouveau pour le faire glisser et ramener l'arme vers elle. Ouvrant grand son manteau, elle regarda ses vêtements, des vêtements plutôt élégants, du genre de ceux que portaient les étrangers à la ville. Mais ils se trouvaient à présent si imbibés de sang qu'elle dut perdre de précieuses secondes pour découvrir où se cachait la blessure. Le bras droit, certainement cassé, avait été maintenu en écharpe de façon sommaire à l'aide d'un foulard de soie noire.

Enfin elle repéra la plaie. L'homme avait au flanc gauche un trou profond, sans doute fait par une balle, et le sang en sortait par saccades. Avec fébrilité, elle déchira la veste et la chemise sanglantes, prit une serviette qu'elle appuya en tampon sur la plaie et pressa de toutes ses forces pour arrêter l'hémorragie. Elle resta ainsi jusqu'à ce que ses forces l'abandonnent et que ses bras se mettent à trembler de fatigue. Mais, quand elle souleva la serviette, elle vit avec soulagement que le saignement avait ralenti.

Abandonnant alors le blessé, Rachel quitta la chambre en courant et sortit dans la cour. Le vent enroula ses jupes autour de ses jambes et fit claquer dans son cou les cordons de sa coiffe. Effrayés à son approche, les poulets qui grattaient dans la paille près de la remise s'éparpillèrent aussitôt en une nuée piaillante d'ailes battantes et de plumes.

Rachel ouvrit les portes de la grange, et l'odeur âpre du bétail la saisit au visage — une odeur de volailles et de moutons, surtout celle des moutons dont la laine avait des relents tenaces, lourds. Ces odeurs faisaient si étroitement partie de la vie de Rachel qu'elle ne les remarquait même plus mais, aujourd'hui, elles lui parurent plus insupportables que d'habitude. Son estomac se noua, et une nausée âcre lui piqua la gorge.

Non, cela ne venait pas des moutons. C'était le sang. Il y avait tant de sang. Elle serra les paupières, comme pour chasser cette vision ; mais, même les yeux fermés, le sang était encore là, obsédant.

A la hâte, elle ramassa toutes les toiles d'araignées qu'elle trouva, en songeant que, si Ben était encore en vie, il n'y en aurait pas eu autant. Elle aurait tellement voulu qu'il soit là, auprès d'elle, pour s'occuper de l'homme qui, en ce moment même, agonisait dans leur lit !

Elle rapporta les toiles d'araignées à la maison, enfouies au creux de son tablier pour que le vent ne les emporte pas. Elle avait presque peur, maintenant, de retourner dans la chambre, persuadée qu'il serait mort entre-temps.

Mais il vivait encore, gisant dans une immobilité terrifiante pendant que son sang continuait de s'épancher, goutte à goutte, sur le plancher en bois de pin.

Elle versa de la térébenthine dans la blessure. Il eut un sursaut, et la peau de son ventre se contracta, mais il ne reprit pas conscience. Rachel étala les toiles d'araignées sur la blessure et les maintint avec une compresse propre. Puis, s'écartant du lit, elle s'assit lentement dans son fauteuil à bascule, ses mains tachées de sang sagement posées sur les genoux, la paume en l'air.

Fermant les yeux, elle vit encore et encore du sang. Alors elle regarda l'étranger qui gisait sur le lit.

C'était un homme jeune, pas plus de vingt-cinq ans. Ses cheveux avaient cette belle couleur brun sombre qui est celle de la terre fraîchement labourée. La peau était pâle comme du lait, sans doute à cause de tout ce sang versé.

Le visage était beau, de ceux qui retiennent le regard, avec de hautes pommettes sculptées, un nez long et étroit, des yeux très écartés, frangés de cils longs et épais. Elle ne se souvenait pas de leur couleur, seulement de la terreur qui les avait envahis lorsqu'elle avait touché le bras de l'inconnu.

Dans la communauté, c'était *Mutter* Anna Mary qui savait soigner par la seule imposition des mains. Rachel avait appris de son arrière-grand-mère à soigner les blessures mais elle n'avait pas le don de guérir, ce don-là appartenait à Dieu et il ne semblait pas avoir été disposé à le lui conférer. Son arrière-grand-mère disait que ceux qui pouvaient guérir en imposant les mains recevaient cette grâce de leur foi, parce qu'ils savaient ouvrir leur âme aux prodiges de la grâce. Comme un tournesol déployant ses pétales pour recevoir la chaleur et la lumière du soleil.

Rachel se leva lentement et revint vers le lit. Elle posa les mains sur l'homme comme elle avait vu si souvent son aïeule le faire. Elle ferma les yeux, imagina que son âme s'entrouvrait comme une fleur, écartant chaque pétale, l'un après l'autre, pour se tourner vers le soleil.

Elle sentit sous ses doigts palpiter la poitrine du blessé et crut entendre, de plus en plus fort, les battements de son cœur résonner à l'intérieur, aspirant et refoulant le sang, aspirant, refoulant, aspirant, refoulant, sans cesse, encore et encore, tandis qu'elle évoquait en pensée la vie jaillissant comme une rivière en crue, pulsant à travers ce corps affaibli pour l'arracher au néant.

Mais, quand elle rouvrit les yeux et les posa sur le visage de l'homme, elle vit ses lèvres bleuir et la peau se pincer à l'approche de la mort.

« Allons ! Laissez-vous faire ! Ouvrez la bouche ! »

Rachel poussa la tétine en caoutchouc entre les lèvres de l'étranger et inclina le biberon pour que le lait coule plus facilement. « Voilà... Voilà..., chantonna-t-elle, buvez maintenant, buvez tout, comme un bon petit *bobbli*. »

Elle regarda par-dessus son épaule comme si elle craignait qu'on la surprenne dans cette situation. Judas ! A quoi pensait-elle donc en chantant cette berceuse pour enfant, et à un étranger, par-dessus le marché ? Elle ne savait pas ce qui l'avait poussée à faire une chose aussi stupide que d'essayer de le nourrir ainsi, comme elle le faisait avec les agneaux.

Simplement, il lui semblait que c'était important, qu'il fallait tenter de remplacer tout ce sang perdu, sinon l'homme mourrait à coup

17

sûr. Elle avait sauvé bien des agneaux orphelins de cette manière, en les nourrissant d'un mélange de lait, d'eau et de mélasse.

Pourtant, pas plus qu'auparavant, l'étranger ne semblait vouloir reprendre vie. Assise à côté de lui sur le grand lit blanc en fer, Rachel regarda, désolée, le lait s'échapper des lèvres et ruisseler sur le menton. Submergée par la lassitude, elle se força à réagir, se cala contre les montants du lit, et tira le corps de l'étranger vers elle. Il était si lourd, si lourd. Maintenant, il gémissait. Alors elle prit sa tête entre ses mains, la posa sur sa poitrine et se mit à lui frictionner la gorge, comme elle faisait avec les agneaux quand ils ne voulaient pas boire.

Le blessé s'agita faiblement à ce contact. Quand elle essaya à nouveau de le faire boire, il se laissa faire, tel un enfant affamé, et but avec avidité.

Elle l'attira plus étroitement contre elle, baissa la tête et posa sa joue contre ses cheveux.

Elle était dehors, dans la cour, en train de guetter, quand Benjo arriva avec le docteur. Le phaéton cahotait sur les ornières gelées en se balançant sur ses hautes roues. Il s'arrêta juste devant Rachel dont le visage se refléta contre le noir brillant des parois de la voiture. Sa coiffe était toute de travers, et des mèches de cheveux pendaient en désordre sur ses épaules. Une traînée de sang séché zébrait sa joue comme un tatouage de guerre indien.

« Oooh... Ooh-là » cria le Dr Lucas Henry pour arrêter le cheval.

Il toucha le bord de sa toque en castor, et sa moustache se retroussa en un drôle de sourire. Comme d'habitude, le whisky donnait à son teint un éclat rosé et luisant.

« Eh bien, Mrs. Yoder, comment va ? »

En parlant, il semblait avaler la moitié de ses mots mais elle s'était toujours demandé s'il ne le faisait pas exprès, prenant un malin plaisir à simuler une méchante ivresse, surtout devant un membre de la communauté des Justes.

« Sûr que ça souffle dur, ce matin, reprit-il, on a besoin de ses deux mains et d'un pot de colle pour garder son chapeau sur sa tête ! »

Rachel hocha la tête et regarda Benjo, monté sur la jument, qui attendait à côté du buggy. Son visage était terriblement pâle, une fine ride creusait son front. Mais il n'avait plus l'air d'avoir peur.

Elle lui sourit pour qu'il sache combien elle lui était reconnaissante d'avoir surmonté ses angoisses, combien elle était fière de lui. Pourtant elle dit simplement : « Nos pauvres brebis n'ont toujours pas été nourries, Benjo... »

Les grands yeux du garçon se tournèrent vers la maison puis revinrent se poser sur elle. Mais il ne dit rien et, sautant de la jument, il la conduisit à la grange.

Le médecin ôta son chapeau et s'inclina en un salut quelque peu exagéré. « Un vrai plaisir de vous voir, chère Mrs. Yoder. »

Cette attitude embarrassa la jeune femme. Ils n'avaient pas coutume, chez les Justes, de faire des mondanités. Après un instant d'hésitation, elle finit par lui répondre d'un hochement de tête.

Avec son grand manteau écossais vert et bleu, son visage maigre, rougi par le vent, et ses yeux intelligents, Doc Henry ressemblait à un oiseau au plumage criard.

« Ah oui, j'oubliais, reprit-il, moqueur, vous n'êtes pas bavards, chez vous... »

Il la regarda quelques instants puis, haussant les épaules, laissa échapper un soupir résigné en enroulant les rênes autour du levier de frein. Quand il voulut sauter du buggy, il trébucha et faillit s'étaler de tout son long. Péniblement, il retrouva son équilibre, et son visage eut une sorte de grimace entendue. « Enfer et damnation ! Ce n'est pas la peine de me regarder d'un air aussi réprobateur, ma chère... (Il lui tapota le bout du nez d'un air sentencieux.) Bon, d'accord, je ne suis peut-être pas très sobre, et sûrement pas autant que vous, les Justes. Mais n'allez pas non plus dire que je suis ivre-mort. Non, non... Tout juste un peu gris, en somme... »

Comme elle ne parlait toujours pas, il lança, agacé :

« Bon sang, *sœur* Rachel ! Pourquoi croyez-vous que Dieu vous a donné une langue si vous ne vous en servez pas ! »

Elle le regarda, désorientée, comme chaque fois qu'il se mettait à débiter des inepties et des blasphèmes. Mais, ce qu'elle savait, c'est qu'il le faisait exprès, comme tous les étrangers quand ils se retrouvaient avec des Justes. Pour provoquer leurs réactions, peut-être même leur colère.

Mais la colère était interdite chez les Justes. Alors elle répondit à Doc Henry comme n'importe quel membre de la communauté le faisait devant un étranger agressif : elle lui tourna le dos et repartit en silence vers la maison.

Doc Henry poussa un nouveau soupir et lui emboîta le pas en vacillant.

Il la rejoignit sur le seuil.

« Votre petit gars a réussi à me faire comprendre que vous aviez des problèmes... qu'une sorte de diable était arrivé chez vous, habillé tout en noir... un vrai démon, à ce qu'il paraît, et qui pisse le sang. (Il fit mine d'arborer un air tragique.) Vous croyez que c'est le prince des ténèbres ? Ou peut-être un incube ?

— Ce n'est pas un diable, c'est l'un des vôtres. Un étranger. Et il a reçu un coup de revolver.

— Alléluia ! Elle parle ! s'exclama-t-il en levant les bras avec une telle exubérance qu'il faillit de nouveau perdre l'équilibre. Bon, et c'est grave ?

— Je crois qu'il va mourir. J'ai lavé la blessure avec de la térébenthine et l'ai enveloppée dans des toiles d'araignées. Et puis je lui ai donné à manger avec une tétine, comme je le fais avec mes agneaux. Pour remplacer le sang, tout ce sang qu'il a perdu. »

Elle tint la porte ouverte pour le laisser entrer. C'était un homme grand et mince et, lorsqu'il était ainsi tout proche, elle pouvait voir les fines ridules qui sillonnaient sa peau luisante. Il se dégageait de lui une odeur de whisky, aussi aigre qu'une vieille sueur.

Il posa sur elle des yeux couleur de châtaigne dorée, des yeux pleins de moquerie.

« Quelle merveilleuse femme vous êtes, sœur Rachel ! L'incarnation même de l'ingénuité, de la pureté, surtout quand vous vous montrez si charitable à l'égard d'un pécheur mourant. Vraiment, je m'étonne qu'à vous toute seule vous ne soyez pas parvenue à ressusciter ce misérable... »

Elle répondit calmement, en se contentant d'exprimer ce qu'elle ressentait au fond de son cœur : « J'ai essayé de le soigner, c'est tout. J'ai mis les mains sur lui, mais le Seigneur ne m'a pas répondu car ma foi n'est pas assez forte. »

Il détourna le regard, secoua la tête, faisant tressauter sa moustache :

« Vraiment ? Mais alors, quelle foi faut-il donc ? »

Elle ne répondit pas. Quand ils pénétrèrent dans la cuisine, l'air chaud du fourneau embrasa leurs visages, et l'odeur de la friture, mêlée à celle du sang, les saisit à la gorge. Rachel attendit que le docteur ôte son manteau et sa jaquette, et elle alla les accrocher soigneusement à la patère, près du feu.

A présent, les gestes de Doc Henry devenaient un peu plus précis tandis qu'il dégrafait ses boutons de manchette en or, les glissait dans les poches de son gilet de brocart et roulait ses manches de chemise au-dessus des coudes. D'ordinaire, il s'habillait de façon voyante, tel un coq de combat qui se pavane fièrement. Mais, aujourd'hui, il avait l'air fatigué. Son col dur était jauni aux coins par la sueur séchée, et sa grande cravate de soie grise pendait, dénouée. Quant à ses beaux cheveux qu'il coiffait habituellement avec soin, ils étaient hirsutes et ressemblaient à de l'étoupe.

Il se lava les mains sur la pierre de l'évier puis entra dans la chambre sans demander le chemin. Il connaissait bien la maison. Il y était venu le jour où l'on avait ramené le corps sans vie de Ben.

Ce jour-là, il n'avait rien pu faire. Rien, en vérité, pour un homme que les étrangers avaient pendu.

« Je me demande comment il peut encore être en vie », dit Rachel.

Le médecin avait écarté la compresse pour examiner la blessure. Le sang qui sourdait encore faiblement de la plaie brillait sous la lampe.

« Pendant la guerre contre les Sioux, j'ai vu des hommes percés de davantage de trous qu'une grille de garde-manger, dit Doc Henry en sortant ses instruments de sa trousse. Et, pourtant, ils s'accrochaient à la vie. On se demande bien pourquoi, d'ailleurs... A leur manière, ils défiaient toutes les lois du bon sens et de la logique scientifique... ! »

Il approcha la lampe pour mieux examiner la blessure.

« La balle a rebondi sur une côte et s'est logée dans la rate. J'aurai besoin d'eau chaude et de davantage de lumière. »

Rachel se hâta vers la cuisine pour tirer de l'eau au réservoir du fourneau. Lorsqu'elle revint dans la chambre, elle trouva le Dr Henry la tête penchée en arrière, un flacon en argent aux lèvres. Elle vit sa pomme d'Adam qui montait et descendait au rythme des gorgées.

Doc Henry croisa son regard et abaissa le flaçon en s'essuyant la bouche. Il rougit — exactement comme Benjo quand elle le surprenait les doigts plongés dans le sucre, songea Rachel.

D'un geste brusque, elle posa à terre une grande cuvette en émail et le seau d'eau chaude, dont le contenu éclaboussa le plancher. Puis elle quitta la pièce et réapparut quelque temps plus tard avec la lampe à pétrole. Le médecin s'était redonné une contenance en s'affairant avec ses instruments chirurgicaux soigneusement alignés sur la table de nuit. Elle vit que ses mains tremblaient et que ses yeux, lorsqu'il les leva vers elle, étaient bien trop brillants.

Pour mieux éclairer le lit, elle fixa la lampe à l'un des montants et régla le pas de vis. Elle se retournait à peine vers le docteur quand celui-ci lui jeta dans les bras la cartouchière de cuir et le holster de l'étranger.

« Vous feriez mieux de ranger ça quelque part. »

Son souffle empestait le whisky, et Rachel retint une grimace. Le poids de la ceinture la surprit. Elle la saisit maladroitement, et le revolver glissa hors de son étui graisseux pour aller heurter le sol avec un bruit mat. Presque aussitôt quelque chose se fracassa contre le mur de la chambre, faisant voler en éclats le plâtre. L'air lui-même parut exploser sous le choc et s'embraser dans un vortex de flammes et de fumée.

Rachel poussa un cri perçant. Les flammes s'évanouirent, mais une horrible odeur de poudre flottait encore dans la chambre. L'*odeur de l'enfer*, pensa-t-elle en baissant les yeux vers l'arme à terre. C'était comme si le sol s'était ouvert sous ses pieds, comme si le diable lui-même était sorti de son royaume pour se mettre à blasphémer...

Non, réalisa-t-elle. Ce n'était pas le diable qui jurait tel un damné. C'était Doc Henry. Il se baissa et ramassa le revolver encore fumant. Raidie par la peur, les oreilles sifflantes, elle le regarda vider les balles qui restaient dans le chargeur. Puis il lui tendit à nouveau l'arme en riant.

« J'allais vous demander de poser ce satané feu quelque part où il ne risquait pas de nous tuer... Mais vous ne m'avez pas attendu pour faire des bêtises. »

Rachel baissa les yeux pour contempler l'arme, si froide, si noire, si pesante. Comme la mort... Elle ne pouvait se résoudre à la toucher encore une fois. Voyant qu'elle ne bougeait pas, le médecin eut un grognement d'impatience. Irrité, il lui prit la cartouchière des mains et glissa le revolver dans son étui. Puis il balaya la pièce des yeux et repéra l'armoire en bois de pin. Rachel tressaillit. Ben l'avait construite de ses mains la première année de leur mariage. Pour elle. Pour son confort. Et cela malgré le règlement des Justes qui exigeait qu'on ne s'encombre pas de meubles inutiles et que l'on se contente d'accrocher ses vêtements à des patères.

Elle s'aperçut alors que le docteur parlait.

« Un holster huilé et une détente trafiquée... », disait-il en tournant et retournant l'arme dans ses mains.

Rachel recula, effrayée à l'idée que quelque chose de dangereux, de terrible, se produise à nouveau, même s'il n'y avait plus de balles dans le chargeur.

« On dirait que c'est un homme fichtrement dangereux que vous avez ramené dans votre sainte maison, Mrs. Yoder. (Il fit un geste en direction de l'armoire.) Je peux ?»

Elle acquiesça silencieusement en désignant le fauteuil à bascule où elle avait suspendu le fusil de l'étranger. «Il y en a un autre...», dit-elle, la voix légèrement tremblante.

Doc Henry rangea le revolver, le fusil et les cartouches dans l'armoire. Il revenait vers le lit quand Rachel, penchée sur le blessé, s'aperçut qu'il y avait une troisième arme — plus petite, celle-là — glissée dans un holster calé sous l'épaule de l'étranger. Doc Henry parut éprouver une certaine satisfaction à expliquer à Rachel qu'il s'agissait d'une arme de poing à canon scié. L'homme portait aussi un couteau à cran d'arrêt glissé à l'intérieur de sa botte et que Doc Henry appela un «cure-dents de l'Arkansas».

Il laissa échapper un sifflement de surprise.

«Eh bien, sœur Rachel... On dirait que votre pauvre petit agneau perdu n'est qu'un desperado de la pire espèce...»

Il déposa le reste de l'attirail dans l'armoire et referma la lourde porte de pin. Le bruit métallique du loquet résonna dans le silence de la chambre. «Il transporte assez de matériel pour mettre en déroute une armée entière...» Le docteur jeta à Rachel un regard ironique. La situation semblait l'amuser. Mais elle ne savait pas ce qui lui paraissait le plus drôle : elle ou le tueur qui reposait, là, dans le lit.

Ensemble, ils entreprirent de le déshabiller. Un agneau égaré, avait dit Doc pour plaisanter. Et c'était bien ainsi qu'elle avait traité l'étranger... Ainsi qu'elle traitait tout ce qui était sans défense et qui avait besoin de soins. Ben aussi aimait la taquiner sur sa façon de se dévouer corps et âme à ses chers agneaux, surtout les orphelins qu'elle élevait comme leur propre mère, en les berçant contre son cœur, en les nourrissant au biberon, ou encore en leur aménageant un berceau dans de grandes boîtes à biscuits qu'elle plaçait près du feu pour qu'ils puissent se réchauffer. Ben disait que la seule chose qu'elle ne pouvait pas faire pour eux, c'était respirer à leur place. Et lorsque l'un d'eux mourait, le cœur de Rachel se brisait, et elle se mettait à pleurer. Alors Ben s'impatientait.

Ils ôtèrent tous les vêtements de l'étranger, et son corps nu et blanc apparut sous la lampe. Un corps qui ne ressemblait en rien à celui d'un agneau... Rachel contempla la poitrine musclée de l'homme, ses longues jambes, son ventre plat et ferme, sa lourde virilité qui reposait dans la fourrure sombre de l'entrejambe.

Elle croisa le regard du médecin qui l'observait et se sentit rougir.

« Il n'y a pas de mal à admirer l'œuvre de Dieu, sœur Rachel », dit Doc Henry en esquissant un demi-sourire.

Il souriait encore tandis qu'il retirait une paire de lunettes de sa poche pour en nettoyer soigneusement les verres à l'aide d'un mouchoir blanc. Il accrocha ensuite les branches l'une après l'autre derrière ses oreilles. Rachel le regardait faire. Elle avait l'impression que ses mouvements s'inscrivaient au ralenti dans l'espace, comme ceux d'un nageur évoluant sous l'eau. Dans le calme oppressant de la chambre, on entendait la plainte du vent se glisser sous la porte de la cuisine et le tic-tac de l'horloge, amplifié par le coffre métallique de la pendule.

Et puis il y avait aussi le souffle rauque et saccadé de l'homme, sur le lit.

Les longs doigts de Doc Henry se faufilèrent dans la poche de son pantalon rayé et se refermèrent sur le flacon d'argent. Rachel saisit son poignet avant qu'il ait porté la bouteille à sa bouche. Elle sentit les muscles se raidir sous ses doigts.

« Écoutez, plaida-t-il, j'ai besoin d'une ou deux gorgées pour me calmer les nerfs. Je vais avoir plus de mal à extraire cette maudite balle qu'à tresser la queue d'une mule.

— Vous avez assez bu, Doc. »

Il la fixa quelques instants de son regard trouble avant de dégager son poignet. « Je crois que je vous préfère encore quand vous jouez les muettes, ma chère Rachel... » Mais il remit le flacon dans sa poche.

Il s'approcha du lit, en soupirant profondément.

« Par malheur, je n'ai pas de chloroforme pour l'endormir. Mais on dirait qu'il est déjà loin... si loin, même, que j'ai bien peur qu'un seul coup de scalpel ne l'achève. »

D'une main légèrement tremblante, il saisit le scalpel et pressa la lame sur la peau blême du blessé. Aussitôt, le sang coula, et la chair s'ouvrit. Rachel détourna les yeux.

Elle entendit le docteur fouiller sur la table de nuit, à la recherche d'un autre de ses instruments barbares. Les bruits familiers du vent et de l'horloge se mêlaient à leurs respirations oppressées. Soudain, l'étranger gémit. Rachel sursauta en entendant le médecin se mettre doucement à rire. « Ça ne fait pas du bien, hein, mon vieux..., murmura-t-il. C'est bien. Tant que tu souffres, c'est que tu es vivant. »

L'homme exhala une nouvelle plainte, le corps parcouru d'un violent spasme. « Ne restez pas plantée là comme un poteau, femme ! lança Doc Henry. Maintenez-le ! »

Elle se pencha et saisit l'étranger par les épaules. Sa chair était froide et dure sous ses doigts. A son côté, le médecin s'affairait à fouiller dans la plaie, creusant la chair sanglante. Rachel déglutit. Une perle de sueur s'échappa de sa coiffe et roula le long de son cou.

Doc Henry émit un grognement et leva vers la lumière deux longues pinces d'argent entre lesquelles la balle était emprisonnée. « Une 44-40 », dit-il. « Probablement tirée par une Winchester. Regardez... elle est un peu aplatie au bout. C'est parce qu'elle a ricoché sur l'os de la côte. »

Il jeta la balle dans la cuvette d'eau rougie de sang. « Vous ne vous sentez pas bien, sœur Rachel ? demanda-t-il en la regardant. Et si vous avaliez une gorgée de cette boisson du diable ? (Il sourit en secouant la tête.) Allons... mieux vaut que vous n'en buviez pas. Mais n'allez pas vous trouver mal maintenant ! J'ai encore besoin de vous... »

Elle dut l'aider à recoudre la plaie. Doc Henry appelait ça « suturer ». Il travaillait avec une aiguille courbe qui ne ressemblait pas à celle dont se servait *Mutter* Anna Mary pour sa tapisserie. Un jour, Rachel avait aidé son arrière-grand-mère à recoudre son petit frère Lévi qui s'était ouvert le mollet avec une faucille. Elle n'avait pas du tout eu mal au cœur cette fois-là, alors que maintenant une sueur froide lui trempait les cheveux sous sa coiffe et que son estomac n'était plus qu'une boule de nœuds.

Doc Henry pansa la blessure et jeta un coup d'œil au bras cassé de l'étranger. Ses mains ne tremblaient plus. Il doit se sentir plus sûr de lui, songea Rachel, et il n'a plus besoin de whisky.

Il fit claquer bruyamment sa langue et secoua la tête. « Une fracture compliquée du radius... On dirait que cet idiot a essayé de la remettre lui-même. Votre agneau perdu se prend sûrement pour un dur. »

Sans doute..., pensa Rachel, mais il avait certainement fallu beaucoup de courage à cet homme pour redresser tout seul son bras cassé. Elle se demanda si c'était arrivé avant ou après qu'on lui eut tiré dessus. Qui avait tiré ? Et pourquoi ? Elle se rappela cette terreur folle dans ses yeux. Que fuyait donc cet étranger ?

D'affreux hoquets s'élevaient de la cour et traversaient les murs de la maison, des murs solides, faits de rondins en peuplier recouverts d'argile. Le bon Dr Lucas Henry vomissait le whisky dont il avait gavé son estomac pour se donner du courage. Il vomissait sa peur, qui faisait si souvent trembler ses mains et rendait parfois son sourire cruel.

Assise dans son fauteuil à bascule, les mains posées sur les genoux, Rachel regardait l'homme couché dans le lit. Ils avaient emprisonné son bras cassé dans un plâtre, nettoyé le sang qui maculait sa peau, et revêtu son corps blanc d'une des chemises de nuit de Ben. Les yeux du blessé demeuraient bizarrement enfoncés dans les orbites, mais ses lèvres avaient repris un peu de couleur.

Rachel entendit grincer le levier de la pompe dans la cour puis des bruits d'eau. Doc Henry devait recouvrer peu à peu ses esprits...

Quelques instants plus tard, le médecin poussait la porte de la chambre. Il s'arrêta sur le seuil, grand, mince, d'une élégance un peu désuète avec ses vêtements trop colorés, ses cheveux plaqués, encore dégoulinants d'eau, une cigarette plantée au coin des lèvres. Il eut ce sourire oblique que Rachel commençait à bien connaître.

« Est-ce qu'elle n'est pas mignonne, notre petite sœur, assise, là, dans son fauteuil, l'air aussi content qu'un lapin dans un champ de luzerne ? »

Elle lui rendit son sourire. « Il vivra... », dit-elle.

Doc Henry eut un haussement d'épaules. « Pour aujourd'hui peut-être..., répondit-il nonchalamment en exhalant un nuage de fumée. Mais les loups sauvages tels que lui ne font jamais de vieux os. Ils finissent toujours par ramasser la balle qui les abat pour de bon. »

Drôle de médecin que Doc Henry, songea Rachel en l'écoutant. Il ne semblait guère se soucier de voir cet inconnu continuer ou non à vivre. Il avait fait son devoir, le reste n'était plus de son ressort. Lucas Henry n'était pas le genre d'homme facile à comprendre. Et pourtant, au printemps dernier, tandis qu'elle était assise dans ce même fauteuil à côté du lit, tenant la main de son mari mort, il était demeuré avec elle et lui avait dit des mots de réconfort, parce qu'il avait deviné qu'elle ne pouvait plus supporter le silence et la solitude.

Les paroles prononcées ce jour-là par Doc Henry n'avaient pas vraiment d'importance en elles-mêmes. Elles étaient là pour remplir le vide pesant de la pièce, pour chasser les ombres de la mort.

Il lui avait dit qu'il était né la même année qu'elle. Puis ils avaient découvert que c'était le même jour, ce qui leur faisait chacun trente-quatre ans aujourd'hui. Cette coïncidence avait tissé entre eux un lien étrange, comme si leurs deux vies devaient depuis toujours se croiser, comme si chacune d'entre elles était responsable de l'autre.

Tout le monde, dans le Montana, avait laissé un foyer derrière soi. Celui de Doc Henry était en Virginie et, souvent, il mentionnait cet endroit dans sa conversation. Il racontait aussi qu'il avait fait sa médecine comme soldat dans les rangs de la cavalerie.

C'était un homme à part. Non parce qu'il avait délibérément choisi de vivre loin du monde, ainsi que Rachel et les siens, mais plutôt parce que le monde lui-même l'avait enfermé dehors, parce qu'il le tenait à l'écart. Lucas Henry était une âme affligée et solitaire.

Elle le regarda sortir le flacon en argent de sa poche et boire à grandes rasades. « Strictement dans un but médical... », dit-il en souriant. Il fit un geste en direction du lit. « Ce desperado-là a aussi besoin de se refaire, ma sœur. Continuez donc à lui donner votre biberon, celui que vous réservez à vos chers agneaux. Mettez-y un peu de ce vin de rhubarbe que vous fabriquez, vous autres, les Justes. »

Elle acquiesça d'un signe de tête puis, soudain, le sens réel de ses paroles la frappa.

« Mais... je pensais que vous l'emmèneriez avec vous en ville...

— Non. A moins que vous ne vouliez réduire à néant tout ce que nous venons de faire...

— Mais...

— Changez souvent son pansement. Je vous laisserai tout l'alun dont vous aurez besoin. Ah, et par pitié, ne recommencez pas à nettoyer sa blessure avec de la térébenthine ! Je vous donnerai à la place un peu d'acide phénique. Arrangez-vous pour qu'il reste tranquille. Pas question qu'il se remette à saigner. »

Le médecin s'approcha du lit et saisit le poignet de l'étranger pour sentir le pouls. Rachel vit que le blessé avait une main longue et fine et des doigts d'une ossature si mince qu'on aurait dit ceux d'une fille.

Le médecin la retourna d'un geste brusque. « Regardez ça, sœur Rachel. Douce et jolie à l'extérieur mais, à l'intérieur, quel gâchis. Ce garçon a dû être drôlement maltraité autrefois. Et voyez ce doigt. Il faut des heures de tir pour que se forme un cal, là où la peau est au contact de la détente. Croyez-moi, cet homme a abattu son premier adversaire à l'âge où d'autres ne sont pas encore sevrés... Et, depuis, il a continué sur sa mauvaise pente. »

Il reposa sur le lit la main couverte de cicatrices.

27

« Il a des marques sur les chevilles et sur le dos, comme si on l'avait attaché avec des chaînes et sauvagement fouetté. C'est peut-être arrivé en prison... »

D'un geste empreint d'une grande douceur, il écarta les cheveux noirs qui barraient le front pâle de l'étranger. « Je me demande s'il vous remerciera de l'avoir sauvé... Voilà un homme prisonnier des griffes du diable, ma chère Rachel ; n'est-ce pas aussi votre avis ? » Il leva les yeux vers la jeune femme, et elle vit que son visage exprimait une émotion puissante, un tourment intérieur sur lequel elle ne parvenait pas à mettre de nom. Il reprit : « Vous autres, vous êtes tellement certains que Dieu vous sauvera du péché... Croyez-vous donc être Ses seuls élus ? »

Rachel secoua la tête. Curieusement, elle aussi aurait voulu toucher les cheveux de l'étranger, effleurer son front avec la même douceur. « Personne ne peut être sûr de son salut, répondit-elle avec lenteur. Nous pouvons seulement suivre la volonté éternelle du Seigneur et espérer que les choses tournent au mieux. »

Il la contempla fixement, les sourcils froncés, comme si elle était un puzzle dont il ne pouvait assembler les pièces. Pourtant, Rachel avait toujours pensé qu'il était un des rares étrangers capables de comprendre le peuple des Justes ou, tout du moins, de l'approcher sans les préjugés habituels de ses congénères. Ceux qui ne voyaient que leurs drôles de vêtements démodés, leurs habitudes austères d'un siècle révolu et qui en riaient.

Doc Henry, lui, ne voyait que la paix dans leurs cœurs, et cela l'effrayait et l'attirait à la fois.

D'un brusque mouvement, il rejeta ses épaules en arrière, comme pour se libérer d'un fardeau invisible. Puis il se mit à rire. « Les choses tournent rarement bien, sœur Rachel. Ce qui fait que l'enfer doit être drôlement encombré... »

Il s'écarta du lit et commença à ranger ses instruments dans sa trousse. Dès lors, il ne parla plus guère, sauf pour dire qu'il reviendrait dans un ou deux jours examiner le patient. Rachel demeura silencieuse. Elle ne pouvait même plus regarder l'homme endormi sur le lit, cet inconnu qui portait les terribles stigmates d'une violence aveugle.

Elle accompagna Doc Henry dans la cour. Le vent, rude et froid, s'engouffra dans les pans de son long manteau et fit tourbillonner les jupes de la jeune femme. Elle fut surprise de trouver Benjo encore en train de nourrir les brebis, alors qu'il lui semblait que des heures s'étaient écoulées.

Doc Henry s'installa dans son buggy et se retourna pour jeter un dernier regard en direction de la maison. La lueur de la lampe ruisselait de la fenêtre et venait mourir en une flaque jaune sur la neige maculée de boue.

« Ce garçon-là, dit-il, est un vrai chat sauvage... même s'il est beau comme un matin de juillet. »

Il effleura la joue de la jeune femme avec douceur, comme lorsqu'il avait caressé le front de l'étranger. « Faites attention, sœur Rachel. Il arrive parfois que les puissances des ténèbres l'emportent... »

Chapitre 2

Il n'y avait rien qui fasse autant pleurer les yeux que l'odeur aigre des moutons. Même lorsque le vent soufflait fort, assez pour arracher l'écorce des arbres, Rachel Yoder pouvait encore sentir les âcres relents de ces monstres laineux tandis qu'ils s'agglutinaient en bêlant et en cognant leurs museaux osseux contre les lattes en bois du traîneau. Debout sur le plateau, Rachel leur lançait de pleines fourchées de foin.

Elle dut plier les jambes pour garder son équilibre quand Benjo fit repartir le traîneau cahotant dans les ornières gelées de la pâture. Les muscles de ses épaules et de ses bras lui faisaient mal chaque fois qu'elle se penchait pour ramasser le foin humide. Mais c'était une douleur agréable. Elle avait toujours aimé travailler en plein air, bien plus que de rester à la maison pour cuisiner, faire la lessive ou le ménage, le travail des femmes, en somme. Et, pour Rachel, le plus difficile d'entre tous. Puis, presque par habitude, elle adressa une prière muette au Seigneur afin qu'Il lui pardonne de se montrer aussi volontaire.

Benjo tira sur les rênes et le traîneau grinça en s'arrêtant. Rachel piqua sa fourche dans une botte de foin et sauta à terre. Du revers de la main, elle balaya la poussière qui lui piquait le front et les yeux.

« Muh... Mem ? »

Elle se tourna lentement vers son fils en prenant soin de garder une expression aussi sereine que possible, car elle avait perçu de la crainte dans sa voix et voulait le rassurer.

Il se tenait à côté du cheval, sa petite main osseuse agrippée au collier du harnais comme pour mieux s'arrimer à la terre. A côté de la solide carcasse poilue de la jument, il paraissait terriblement fragile. Le vent rabattit les larges bords de son chapeau.

« Mem... L'étranger... C'est un... un... hors-la-loi ? »

Elle s'approcha et contempla tendrement son petit visage pâle et cerné. « Je ne sais pas, dit-elle. Peut-être...

— Est-ce que... qu'il tt... tirera sur nnn... nous ? »

Il cognait si fort sa langue contre ses dents que sa tête en était parcourue de spasmes et que les muscles de sa gorge se contractaient, retenant chaque mot prisonnier.

Rachel posa sa main sur l'épaule de son fils pour l'apaiser. « Chut... Tout doux, Benjo, Écoute-moi... L'étranger n'a aucune raison de nous tirer dessus. Il sait bien que nous ne lui voulons pas de mal. »

Il bascula sa tête en arrière pour plonger ses yeux dans ceux de sa mère, des yeux couleur de plomb, comme les nuages au-dessus d'eux. Rachel lut dans ce regard toutes les questions inexprimées de l'enfant. Car il savait bien, lui aussi, qu'il n'était pas nécessaire de vouloir du mal aux étrangers pour qu'ils vous persécutent. Ben Yoder, son père, n'avait rien fait, et pourtant il avait fini au bout d'une corde.

Comme il était dur, parfois, d'accepter la volonté de Dieu...

Les lèvres du garçon se serrèrent et, soudain, les mots jaillirent tous en même temps. « Je ne les laisserai pas te faire de mal, Mem ! »

Elle pressa ses frêles épaules du bout de ses doigts puis l'attira contre son cœur. Elle savait bien qu'il aurait fallu lui dire de ne pas se révolter, quoi qu'il arrive, devant la volonté divine. Mais, cette fois, ce fut sa gorge à elle qui se noua, empêchant les mots de sortir.

La brebis posa son long nez noir contre la cuisse de Rachel en poussant des bêlements plaintifs venus du plus profond de sa gorge. « C'est le foin que tu es censée manger, espèce d'idiote, pas moi ! » lança Rachel en riant et en enfonçant ses doigts dans l'épaisse toison huileuse.

C'était une vieille brebis, si vieille qu'elle n'avait même plus de dents pour mâcher l'herbe la plus tendre. On aurait dû déjà l'abattre à la dernière saison, mais Rachel n'en avait pas eu le courage. Pas plus qu'elle n'avait voulu la conduire à l'abattoir pour la voir finir en ragoût... C'était une brebis bien trop douce, une tendre mère qui avait donné le jour, année après année, à de beaux et forts petits. Elle méritait de finir ses jours tranquille.

L'animal leva ses grands yeux ronds et sombres vers la jeune femme en bêlant tristement. Rachel avait toujours pensé qu'il y avait dans ces yeux une immense sagesse, comme si la brebis possédait non seulement tous les secrets du monde mais aussi ceux du ciel. Une fois, elle l'avait dit à Ben mais il avait ri. Les moutons ne figuraient-ils pas parmi les créatures les plus stupides de Dieu ?

« Moi, je crois que tu sais bien des choses..., murmura Rachel en caressant le nez osseux de la brebis. Mais tu ne peux pas nous les dire... »

Les autres moutons étaient affairés à manger le foin étalé sur le sol tandis que Benjo ramenait le cheval et le traîneau à la remise. Le chien MacDuff sur les talons, Rachel parcourut l'enclos, se faufilant dans le troupeau pour examiner toutes les brebis dont les ventres laineux étaient ronds et lourds. Mais il s'en fallait encore d'un bon mois avant qu'elles ne commencent à mettre bas.

D'ici là, espérait Rachel, le temps se serait un peu réchauffé... Elle regarda les nuages qui se bousculaient dans le ciel et soupira. En attendant, il fallait encore s'attendre à de la tempête...

Le vent s'engouffrait dans les peupliers et gonflait ses jupes comme des draps sur une corde à linge. Rachel se sentait toute drôle. A la fois triste et solitaire. Ben lui manquait tellement... Les jambes de la jeune femme vacillaient de faiblesse, comme si elle avait bu un peu du whisky de Doc Henry.

Porté par le vent, elle entendit un hennissement suivi du roulement d'un chariot franchissant le pont de bois.

Pour les étrangers, tous les Justes se ressemblaient avec leurs vieux chariots et leurs vêtements ternes et austères. Mais il n'en allait pas de même entre les Justes. Dès que le léger chariot bâché de toile brune tourna dans la cour, Rachel sut qui était ce visiteur. Ce matin-là, elle n'était pas allée à la prédication et ses voisins, sa famille, avaient dû s'inquiéter. Un seul, pourtant, n'aurait pas manqué de venir voir ce qui se passait.

Noah Weaver.

Curieusement, Rachel ne parvint pas à aller à sa rencontre, et ce fut Benjo qui sortit de la remise en courant pour accueillir Noah. Elle le vit agiter fébrilement les bras et désigner la maison pour expliquer ce qui était arrivé ce matin-là.

Il commençait à nouveau à neiger, et le garçonnet conduisit le cheval de Noah, toujours attelé, dans la grande remise. Rachel claqua des doigts pour appeler MacDuff et, le chien sur ses talons, quitta enfin l'enclos. Dès qu'il vit Benjo, MacDuff s'élança joyeusement vers lui en pataugeant dans la boue. Rachel pensait parfois qu'il était davantage le gardien de Benjo que celui du troupeau.

Elle traversa la cour enneigée, le dos bien droit, la tête baissée pour se protéger de la morsure des flocons glacés. Noah Weaver l'attendait, les mains sur les hanches, le vent soulevant sa longue barbe. Quand elle s'arrêta devant lui, leurs regards se croisèrent et demeurèrent rivés l'un à l'autre tandis que leurs souffles exhalaient des volutes blanches dans l'air froid.

Les yeux de Noah Weaver étaient d'un brun chaleureux. Il avait un visage rude, un nez bosselé et une épaisse barbe rousse qui reposait sur sa poitrine comme une fourchée de foin. Rachel connaissait si bien cette silhouette familière qu'elle eut envie de l'entourer de ses bras dans une étreinte de bienvenue.

Au lieu de cela, elle resta plantée devant lui, les mains nouées derrière le dos, n'osant même pas sourire.

Une nouvelle buée blanche sortit de la bouche de Noah.

« *Vell*, notre Rachel ?

— J'ai fait de la bouillie frite pour le petit déjeuner. Tu en veux ? »

Il lui sourit de toutes ses dents, et elle s'enhardit alors à lui rendre son sourire. Ils se dirigèrent côte à côte vers la maison, et le vent chassa vers eux de la neige fondue qui leur piqua les joues comme des aiguilles. A travers la vitre, la lumière de la cuisine était comme un phare bienveillant montrant le chemin, se dit Rachel. Tout à l'heure encore, alors qu'elle levait les yeux vers le ciel lourd et gris, elle s'était sentie si perdue, si seule. Mais à présent elle s'était reprise. Il y avait Noah à ses côtés et, là-bas, la chaleur du foyer qui les attendait.

Le vent redoubla de violence et Noah agrippa d'une main son chapeau pour l'empêcher de s'envoler. « Ça se réchauffe un peu », dit-il alors, et Rachel se mit à rire. Il n'y avait que Noah pour trouver quelque chose de bon dans le climat du Montana.

Il entendit son rire et un autre sourire éclaira son visage. « Je voulais dire... enfin, ça pourrait être pire, n'est-ce pas ? Il pourrait encore tomber bien plus de neige.

— Et le blizzard se mettre à souffler..., enchaîna Rachel. Ce qui risque d'arriver d'ici au printemps.

— Allons, ne te plains donc pas du temps qu'il fait. »

Il s'arrêta un instant pour s'appuyer contre la balustrade du porche et en profita pour dénouer les lacets de ses lourds brodequins en cuir. « Attends... Mes semelles risquent de salir ta cuisine. »

Elle le regarda se déchausser sur le seuil de la porte. Il avait dû se hâter de venir chez elle juste après le prêche pour voir ce qui se passait. Dans la mesure où l'on pouvait dire de Noah qu'il se *hâtait*. C'était un homme qui faisait tout lentement... Lent dans sa pensée, sa parole, ses actes, il prenait son temps pour aller quelque part mais, une fois qu'il y était, un baril de poudre n'aurait pas réussi à l'en déloger.

Il entra à pas feutrés dans la cuisine en faisant glisser ses grands pieds sur le sol comme un ours. Rachel eut un pincement au cœur en voyant un gros orteil pointer par un trou de sa chaussette. Il avait bien besoin d'une femme pour prendre soin de lui.

Elle le vit parcourir la cuisine du regard, comme s'il s'était attendu à y trouver l'étranger assis à la table, en train d'avaler son souper du dimanche. « Eh bien ? Où est l'*Englischer* ? » dit-il en retroussant bizarrement les lèvres, comme si ce dernier mot était une obscénité.

Les Justes parlaient toujours le *deitsch* entre eux, un dialecte issu du vieil allemand, leur langue d'origine. Ils ne consentaient à prononcer des mots d'*englisch* qu'avec les étrangers, et seulement lorsque ceux-ci se montraient suffisamment amicaux.

Rachel se retint de mettre un doigt sur ses lèvres, comme si l'étranger qui reposait à côté risquait d'entendre leur conversation.

Sans un mot, elle conduisit Noah dans la chambre. L'étranger dormait, parfaitement immobile, sa longue main osseuse reposant mollement sur le drap. Comme à chaque fois qu'elle posait les yeux sur lui, Rachel fut frappée par l'étonnante harmonie de son visage. Pourtant, ce n'était pas l'habitude des Justes d'accorder de l'importance à la beauté. Mais il était impossible de ne pas remarquer celle de l'inconnu.

Elle sentit Noah se raidir à son côté et sut que lui, au moins, réagirait comme elle et comme n'importe quel Juste lorsqu'un étranger indésirable pénètre dans leur communauté, dans leur monde.

Noah ne prononça pas une parole jusqu'à ce qu'ils se retrouvent tous deux au milieu de la cuisine en se regardant comme ils l'avaient fait dans la cour. Mais, cette fois, personne ne souriait.

Lentement, il secoua la tête, comme s'il voulait indiquer une direction de la pointe de sa barbe. « Dans ton lit, Rachel ?

— Il était blessé et saignait à mort. Que devais-je faire ? L'abandonner dans un coin comme un tas de vieux sacs ?

— Est-ce que j'ai dit ça ? »

Elle lut du reproche dans ses yeux.

« Pardonne-moi, Noah. Je crois que je suis simplement fatiguée. Et effrayée aussi. » Il lui sembla qu'elle se retrouvait à nouveau dans l'enclos, giflée par le vent, solitaire et accablée sous le poids du ciel.

Il retira sa veste et la suspendit à la patère du mur. Puis il ôta son chapeau ; il s'apprêtait à l'accrocher, mais sa main demeura suspendue en l'air. Il réfléchissait.

Quand, enfin, il se tourna vers elle, grave, solennel, il ressemblait tout à fait à ce qu'il était en réalité : le diacre de l'église, un gardien de leur communauté. Et, en tant que tel, il lui incombait de s'assurer que tous respectaient les stricts principes religieux, la voie étroite. La voie des Justes.

« Cet *Englischer*, là... dit-il en pointant le menton en direction de la chambre. Il est impur. Il pue le monde du dehors et le diable qui est au-dedans de lui.

— Tu ne le connais pas.

— Et toi ? Que sais-tu de lui ? »

Elle ne trouva rien à répondre. Tout ce qu'elle avait appris de l'étranger, c'était qu'il portait de drôles de marques sur son corps. Des traces de fers et de coups de fouet. Et, aussi, sur ses doigts, la marque de la détente. Noah avait raison. Ce n'était que du mauvais.

Il la fixa, le visage creusé de rides profondes et Rachel soutint son regard, la tête haute, le dos bien droit. Le silence retomba sur eux, seulement troublé par le grondement de la neige qui venait fouetter le toit de tôle au-dessus de leurs têtes.

Elle s'écarta de lui et se dirigea vers le fourneau pour remplir une assiette de bouillie frite sur laquelle elle versa du sirop de sorgho. Elle s'apprêta à la poser sur la table avec un gobelet de métal quand sa main s'arrêta en plein mouvement. Une douleur douce-amère traversa sa poitrine à la pensée de ce qu'elle allait faire. Mais elle se ressaisit et plaça l'assiette sur la table, à côté d'un gobelet en fer-blanc.

Elle devina le regard de Noah posé sur elle, interrogateur. Détournant vivement la tête, elle prit la cafetière sur le fourneau.

Quand elle revint vers lui, elle le trouva assis, la tête penchée, absorbé dans une prière silencieuse. La douleur revint, et elle pensa à toutes les fois où elle avait vu Ben, assis exactement à cette place, devant la même assiette, le même gobelet.

Noah avait de larges épaules, aussi larges que des enclumes, qui tendaient les coutures de sa chemise de flanelle et semblaient remplir toute la cuisine. Mais ses cheveux n'étaient pas noirs comme ceux de Ben. Ils avaient plutôt la couleur brun-roux des pommes cuites.

Autrefois, quand ils étaient enfants, ils avaient été de bons amis,

Noah, Ben et elle. Mais maintenant, lorsqu'elle y pensait, Rachel trouvait étrange que ces deux garçons chahuteurs aient aussi facilement accepté dans leurs jeux une petite fille timide et maigrichonne, de trois ans plus jeune qu'eux. A l'époque, déjà, Ben et Noah étaient très différents. Noah... lent, régulier, solide, un peu raide. Ben, comme du vif-argent, toujours prêt à rire ou à se mettre en colère, parfois imprudent et presque sauvage.

Elle versa le café dans le gobelet et le regarda manger en silence, selon la coutume des Justes, le regard fixé sur les assiettes d'argile peintes qui s'alignaient sur l'étagère contre le mur. Les couleurs en étaient si belles qu'on aurait dit un arc-en-ciel dans la cuisine. Rachel les avait peintes elle-même en s'inspirant des fleurs sauvages qui couvraient la vallée au printemps. Elle avait eu l'intention d'en peindre une douzaine mais elle s'était arrêtée à la cinquième quand Noah lui avait démontré qu'elle en tirait beaucoup trop de fierté et de plaisir et que c'était aller contre la voie étroite que de trouver du plaisir dans ce qui n'était pas strictement utile.

Mais, ce jour-là, Ben était entré dans une colère terrible contre Noah, à cause de ce qu'il avait dit à Rachel pour l'obliger à abandonner sa peinture. Est-ce que Dieu n'a pas fait certaines choses de ce monde pour qu'elles soient belles ? Ben avait crié si fort que les jolies assiettes en tremblaient.

La fourchette de Noah cliqueta dans le silence tandis qu'il la reposa dans l'assiette, une assiette toute simple, celle-là, en fer-blanc. « Le garçon a dit que tu avais fait venir le docteur pour soigner l'étranger.

— Il avait une balle dans le côté et il fallait la retirer. »
Noah but une gorgée de café. « Oui, mais... cela ne fait pas un an que... c'est arrivé...

— Que Ben est mort, tu veux dire.

— Ja... Et faire revenir le docteur chez toi aussi souvent, le mêler ainsi à ta vie et à celle de ton garçon, ça ne peut pas être bon. »
Soudain impatientée par cette éternelle habitude qu'il avait de faire la leçon aux autres, elle répliqua . « Lucas Henry n'est pas venu ici pour une visite mondaine. Et ce n'est pas un méchant homme. Il prétend se moquer des choses sacrées mais seulement parce que ça lui fait mal d'y penser.

— On ne peut pas boire à la coupe de Dieu et à celle du diable. On ne peut pas s'asseoir à la table de Dieu et à celle du diable. »
Rachel réprima un soupir. Pour que le diacre Weaver se mette à citer les Écritures, il fallait qu'il juge la situation vraiment sérieuse.

Pointant sur elle un doigt accusateur, comme si elle était encore une enfant qui méritait d'être réprimandée, il ajouta :

« Un de ces jours, tu iras trop loin, Rachel. Et alors tu souffriras à cause de tes manières orgueilleuses et volontaires. »

Elle baissa la tête, comprenant l'avertissement. Si elle ne se corrigeait pas, il l'obligerait à s'agenouiller devant toute la communauté pour confesser publiquement ses péchés. Mais, au fond de son cœur, elle n'était pas sûre de se résigner à un tel acte d'humilité, même si c'était pour sauver son âme.

« Ben aussi était pareil, toujours à la frange de la loi, pour voir jusqu'où il pouvait pousser les choses. Il te donnait le mauvais exemple. »

Elle releva brusquement la tête. « Ben aimait et craignait Dieu, Noah. »

Il ne dit rien pendant de longues minutes, gardant la bouche serrée et l'air sévère. Puis il soupira en tirant sur sa barbe. « *Ach*, Rachel, je disais cela seulement à cause du docteur. Il ne peut pas être un ami pour toi.

— C'est un médecin, voilà tout. Je ne sais pas soigner une blessure par balle et il est venu pour cette raison et pour aucune autre. Et il n'est pas mon ami. »

Dès qu'elle eut prononcé ces dernières paroles, elle les regretta. Car même si ce n'était pas un mensonge, ce n'était pas non plus l'exacte vérité. Doc Henry avait coupé lui-même la corde au bout de laquelle Ben se balançait, et il avait ramené son corps à la maison. Il avait rempli la chambre désespérément vide de mots chaleureux et réconfortants, il l'avait prise dans ses bras pour la consoler et elle avait posé son visage baigné de larmes contre la soie précieuse de son gilet.

Peut-être que Lucas Henry n'était pas vraiment un ami. Mais il était quand même une relation à part.

Elle entendit Noah exhaler un profond soupir. Il regardait fixement le pot de saindoux et la boîte de gros sel posés devant lui.

« Rachel... »

Il prit l'assiette entre ses grosses mains calleuses et la leva en regardant la jeune femme. « Tu as placé cette nourriture pour moi sur cette table, à la place exacte occupée autrefois par Ben. Je crois que...

— Je l'ai fait sans réfléchir, Noah », répondit-elle vivement avant de lui donner le temps de poursuivre, de prononcer des mots ineffaçables.

Et pourtant, Rachel le savait, elle ne disait pas l'exacte vérité. Que Dieu lui pardonne ! En invitant Noah à s'asseoir à la place de Ben, elle lui avait laissé entendre qu'elle était disposée aussi à le laisser partager le reste de sa vie, à prendre la place de son mari dans son lit et dans son cœur. Oh oui, elle y avait pensé, et elle avait agi à cause de cette pensée. Mais, maintenant, en y réfléchissant, elle comprenait que c'était une erreur. Non, ce n'était pas ce qu'elle voulait...

Noah reposa lentement l'assiette et saisit sa main. « Je sais ce que tu penses, sœur Rachel, mais ce n'est pas déloyal vis-à-vis de Ben. Cela fera bientôt un an qu'il est mort. Et ton garçon a besoin de la fermeté d'un père pour le guider. »

Et surtout, pensa Rachel, l'Église désapprouvait qu'une femme encore jeune aille son propre chemin sans un mari pour l'accompagner. Car la Bible dit : « *La tête de la femme, c'est l'homme.* »

Quand ils étaient jeunes, tous les trois, Noah, Ben et elle, ils ne se quittaient jamais et pensaient qu'il en serait toujours ainsi le restant de leurs vies. La vie des Justes était comme le cours tranquille et inexorable d'un fleuve, sans changement, sans fin. Et puis il y avait eu ce jour où Noah s'était perché en haut d'une meule de foin dans la grange de son père, pour jeter des grandes fourchées sur le plateau du chariot. Pour plaisanter, Rachel s'était glissée furtivement derrière lui pour le pousser, mais il s'était retourné au dernier moment et l'avait attrapé par les cordons de son tablier. Ils avaient roulé dans le foin en une mêlée de bras et de jambes tandis que les brindilles leur piquaient le nez et que le soleil déversait sa lumière sur eux.

Et puis la tête de Noah avait occulté le ciel et ses lèvres s'étaient plaquées durement sur celles de Rachel. Elle se souvenait encore parfaitement de ce baiser et de ce qu'il avait éveillé en elle. De la peur, aussi, et du désir. Le désir de voir Ben en faire autant...

Alors, un peu plus tard, elle était partie à sa recherche et l'avait trouvé près du point d'eau où ils aimaient pêcher. Il sommeillait, étendu à plat sur la rive herbue, la tête nichée dans ses bras repliés. Il faisait chaud ce jour-là et sa chemise trempée de sueur lui collait à la peau. Rachel se tenait là, à la regarder. Elle vit qu'il avait roulé les jambes de son pantalon sur ses mollets ronds et musclés, couverts de fins poils sombres. Elle ne se souvenait pas avoir remarqué ce genre de détails auparavant.

Elle s'était assise à son côté et avait tendu la main pour toucher ses cheveux noirs, là où ils bouclaient à la base du cou. Ben avait ouvert les yeux et il avait souri. « Noah Weaver m'a embrassée sur la bouche », lui dit Rachel. Il sourit de plus belle, jusqu'à ce que ses joues se creusent de fossettes profondes. Puis il s'était redressé d'un mouvement rapide et gracieux. Il bougeait toujours comme cela, avait pensé Rachel, comme un jeune chat sauvage.

« Je peux pardonner cela, dit-il après un moment, en étudiant de près son visage. Ce n'est pas grave. Tant que tu ne vas pas plus loin avec lui et que tu n'oublies pas que c'est moi que tu dois épouser. »

Elle avait fait la grimace. « Humm. Est-ce que tu ne crois pas que j'ai aussi mon mot à dire, Benjamin Yoder ? »

Il s'était approché d'elle, jusqu'à ce que leurs bouches se touchent presque, et elle avait senti contre ses lèvres la chaleur de son souffle quand il avait dit : « *Ja, Meedel*, tu as quelque chose à dire, en effet. Le jour où je te ferai ma demande, tu répondras : *Oui...* »

Et il l'avait attirée contre lui pour l'embrasser. Elle avait entendu un drôle de gémissement sortir de quelque part, comme la plainte du vent quand il souffle à travers les chevrons de la remise. Et puis elle s'était aperçue que ce gémissement venait d'elle.

Ben l'avait lâchée si soudainement qu'elle était tombée de tout son long sur ses coudes. D'un bond, il s'était levé, avait ramassé sa perche et son panier de pêche avant de s'éloigner sans précipitation, comme en flânant. Elle était restée étendue, là, sur le sol, la bouche brûlante, désespérément vulnérable, comme si elle avait été toute nue. Elle se disait qu'elle le détestait, mais sans trop y croire, en sachant déjà tout au fond d'elle que c'était lui son préféré.

Et Noah... Ce cher Noah. Il le savait, lui aussi. Il l'avait toujours su. Maintenant, des années plus tard, il se retrouvait là, dans sa cuisine, et il la regardait de ses yeux bruns en essayant de déchiffrer son cœur, comme s'il espérait encore y lire un aveu si longtemps attendu.

Elle avait vu ce même regard s'éteindre le jour où elle s'était tenue devant Dieu au bras de Ben pour prononcer ses vœux de jeune mariée. Elle l'avait vu creusé par l'angoisse la nuit où la femme de Noah était morte en couches. Et, ce fameux été où tous ses moutons étaient morts après avoir mangé une plante empoisonnée, les yeux de Noah, comme aujourd'hui, avaient brillé de ce même éclat fiévreux, mystique, des yeux où luttaient à part égale la foi et le désespoir.

A cause d'elle, maintenant, à cause de ce geste stupide avec l'assiette, Noah reprenait vie comme une plante sous la pluie, et ses yeux étincelaient, telles des bougies de Noël...

Bien sûr, il serait facile de se représenter une vie à ses côtés. Tous les jours, il prendrait place à la table et parlerait de la journée écoulée. Ou bien il irait s'agenouiller avec elle dans la paille pour assister au miracle cent fois renouvelé de la naissance d'un agneau. Et, pendant la prédication, ils se tiendraient l'un à côté de l'autre, proches et solidaires, échangeant parfois un regard complice ou un sourire.

Mais quand elle essayait de penser à lui à d'autres moments de la journée, le soir, par exemple, tout devenait différent. Elle l'imaginait entrer avec elle dans la chambre à coucher, la regarder se déshabiller avant de s'étendre à ses côtés dans le lit. Elle croyait déjà sentir sur elle le poids de son corps, entendre ses gémissements tandis qu'il...

Fermant les yeux, elle laissa échapper un profond soupir. Alors qu'elle tendait la main pour reprendre l'assiette, il lui saisit le poignet : « Rachel...

— Noah, ne dis plus un mot, je t'en supplie. Je... je ne suis pas prête. »

Il la laissa aller et, poussant sa chaise, se leva, le visage vide et uni. Puis, avec les mêmes gestes lents et précis, il reprit son chapeau et son manteau et se dirigea vers la porte. Quand il se retourna pour la regarder, elle vit qu'il s'était ressaisi et qu'il s'apprêtait à jouer à nouveau son rôle de diacre.

Mais elle ne se sentait pas disposée à écouter un autre sermon. Alors, lui tournant le dos, elle s'affaira à l'évier avec la vaisselle.

« *Ach, vell*, notre Rachel..., commença-t-il. Tu dis que l'*Englischer* était blessé, qu'il perdait son sang et que Dieu n'aurait pas voulu qu'on le laisse mourir ainsi. Alors... tu as bien fait... »

Elle se contenta d'un haussement d'épaules et il reprit d'un ton plus léger : « Tu vois, je peux même admettre, certaines fois, que tu as raison... »

Elle sentit qu'il tentait à nouveau de se rapprocher d'elle et elle se raidit, les sens aux aguets, en lui tournant toujours le dos.

« Nous, les Justes, nous tâchons de garder notre cœur pur, poursuivit Noah, nous nous tenons à l'écart de toutes ces choses qui peuvent corrompre l'âme. Ben aussi voulait cela, mais il disait qu'il ne fallait pas s'opposer au changement ni tourner le dos au monde et à ceux qui l'habitent. Mais il avait tort. »

Rachel posa l'assiette métallique sur l'évier avec une telle brus-

40

querie que le fer-blanc tinta bruyamment contre la pierre. Elle se retourna d'un trait vers Noah, si rapidement que les rubans de sa coiffe lui giflèrent les joues.

« Ne t'avise plus de blâmer Ben devant moi, Noah. »

Il lui jeta un regard stupéfait et son visage s'empourpra. On aurait dit qu'il la voyait pour la première fois, qu'elle n'était plus la Rachel qu'il avait connue depuis toujours.

Il fit entendre un drôle de petit rire rauque.

« *Aw, Rachel*..., articula-t-il enfin. Tu ne changeras donc jamais. Même Ben n'a pas réussi à te changer, ni en bien ni en mal. »

Il y eut un silence. « J'ai vu en montant que ta provision de bois de chauffage commençait à diminuer, reprit-il. Je t'enverrai mon garçon dans un jour ou deux avec sa hache. »

Le sourire qu'elle lui retourna était un peu fragile. « Ce serait gentil de ta part. Je veux dire... si Mose veut bien accepter ce surcroît de travail...

— Le garçon fait ce que je lui demande », énonça Noah avec sévérité.

Le silence retomba une nouvelle fois sur eux, lourd et glacé comme une chute de neige en décembre. Finalement, las d'attendre des mots qui ne venaient pas, Noah se détourna et partit.

Dès que la porte se fut refermée sur lui, Rachel alla vers la fenêtre. La neige fondue recouvrait la cour d'une couche verglacée de plus en plus épaisse. Elle regarda Noah grimper dans son chariot et rester assis, là, un long moment, les épaules courbées contre le vent, une main agrippée au bord de son chapeau.

Elle eut soudain envie de courir vers lui pour le consoler et lui dire : « Je t'épouserai, mon Noah, et tu pourras alors obtenir tout ce que tu as toujours désiré. Et moi... moi, je n'aurai plus Ben mais j'aurai au moins un bon mari, un compagnon dévoué... »

Pourtant, elle ne bougea pas. Elle restait plantée, là, dans la cuisine, à contempler Noah arc-bouté sous la neige, à écouter les murs gémir sous le vent.

Ce soir-là, il neigeait encore, et la neige martelait le toit de tôle de chocs sourds. Le vent s'engouffrait dans le tuyau du fourneau et faisait ronfler le feu.

Rachel se sentait terriblement lasse. Elle massa sa nuque crispée puis fit glisser le châle qui recouvrait ses épaules. Elle dénoua son tablier, ôta sa coiffe amidonnée et la posa à sa place, sur l'étagère.

41

Quand elle leva les yeux, elle aperçut son reflet dans la vitre obscurcie par les ténèbres de la nuit. La femme qui lui renvoyait son image était bien différente de celle que l'on avait l'habitude de voir. C'était une autre Rachel, plus libre, plus jeune, avec ses longs cheveux qui tombaient en un flot épais jusqu'aux reins.

Elle s'assit dans son fauteuil à bascule qui grinça doucement sous son poids. L'étranger reposait toujours sur le lit, masse immobile et silencieuse. Une couette douillette le recouvrait, ornée d'une grande étoile blanche qui se découpait sur un fond bleu sombre. Sous la lueur parcimonieuse de la lampe, on aurait dit que l'étoile s'était détachée du ciel pour venir s'échouer là, sur ce lit.

Rachel écouta la lampe à pétrole gargouiller doucement. C'était un bruit réconfortant, un bruit qui évoquait le foyer. Dans un moment, elle irait rejoindre Benjo pour dormir avec lui puisqu'elle avait cédé sa chambre à l'étranger. Il faudrait sans doute chasser le chien qui aimait tant se lover au creux des lits.

Elle laissa aller sa tête en arrière et se passa les doigts dans les cheveux. La peau de son crâne la démangeait, comme à chaque fois qu'elle retirait sa coiffe. Dans un moment, elle irait se coucher. Dans un moment...

Elle ferma les yeux et soupira profondément.

Et la musique vint à elle...

Le tambourinement de la neige sur le toit s'accordait avec le rythme syncopé des battements de son cœur. Le sifflement aigu du vent s'accouplait avec les gémissements graves des rondins de bois dans les murs...

La musique devint plus sauvage. Rachel entendit les notes cuivrées de trompettes lointaines, puis des cymbales aux échos étincelants. Elle sursauta sous l'impact des accords tronitruants et serra ses paupières zébrées de traits de lumière et d'éclairs dansants qui palpitaient en mesure avec les cascades de notes.

Jamais la musique n'avait été si sauvage, si terrifiante.

Si terriblement défendue.

Car il n'y avait pas de place pour la musique dans la vie des Justes, sauf lorsqu'il fallait entonner les cantiques à la prédication du dimanche. Mais Rachel savait que jamais elle ne pourrait se passer d'elle. Tout au long de son existence, la musique l'avait accompagnée. Elle lui était aussi nécessaire que de respirer.

Elle ne savait pas d'où elle venait. Ni pourquoi. Peut-être était-ce le chant de la terre, le froissement d'aile d'un grillon, le roulement du tonnerre, les craquements secs des peupliers couverts de glace ou, encore, le ronronnement d'un chat. Oui, sûrement, c'était de là que venait la musique.

Quand on allait dans le monde des étrangers, à Miawa City, on entendait parfois de drôles de sons qui s'échappaient du saloon. Quelqu'un, un jour, avait expliqué à Rachel que cela provenait d'un piano mécanique. Mais elle n'avait pas trouvé belle cette musique-là. Elle préférait les joyeuses et délicates mélodies qui résonnaient dans ses oreilles chaque fois qu'elle prenait le temps d'écouter, les yeux fermés. Parfois, ce n'était plus des mélodies mais un déferlement de sons puissants qui vibraient comme si le ciel n'était plus qu'un énorme tambour.

Personne ne savait, pour la musique. Il ne fallait pas que quelqu'un le sache. Même à Ben, elle n'avait rien dit. Si jamais l'Église l'apprenait, Rachel était sûre d'être punie et on lui demanderait de se confesser de son vice, à genoux, devant toute la communauté, d'avouer qu'elle avait ce plaisir caché.

Mais la musique, c'était sa manière à elle de prier. Souvent, les mots étaient difficiles à trouver, et puis ils paraissaient creux à côté de toutes les émotions qui emplissaient le cœur. La musique savait faire bien mieux que parler. Elle connaissait toutes les nuances de l'âme. Parfois, elle n'était qu'un chant de joie, qu'une formidable louange. D'autres fois, elle devenait implorante, elle gémissait, pleurait, suppliait. Et puis, à d'autres moments, elle se faisait terrible, rageuse et elle tempêtait, protestait, hurlait sa douleur et sa colère.

La musique était comme une messe. Parce que, quand elle venait, Rachel savait que le Seigneur venait aussi. Elle pouvait presque *sentir* sa présence en même temps que la musique et elle savait qu'Il entendait et comprenait tous ces sons qui sortaient de partout pour remplir l'univers de leurs puissantes vibrations.

Des nuits entières, elle était restée, comme aujourd'hui, assise dans son fauteuil, les mains sagement croisées sur ses genoux, seule avec la musique et avec le Seigneur. Et le temps coulait lentement, doux comme du miel, léger comme les nuages.

Les premiers mois qui avaient suivi la mort de Ben, Rachel était retournée s'asseoir dans ce fauteuil, mais la musique n'était pas venue. Elle avait attendu, soir après soir, dans la chambre vide, le cœur glacé de chagrin, mais n'avait rien entendu d'autre que le silence, un silence noir et dur comme du granit. La musique était partie, la laissant seule avec son désespoir. Elle avait presque perdu la foi à ce moment-là, cette foi qui l'avait réconfortée et aidée depuis l'enfance. Comment Dieu avait-Il pu permettre cette iniquité ?

Et pourtant, la musique avait retrouvé son chemin, tout comme Dieu trouvait toujours le sien pour rejoindre les cœurs égarés. Un soir, il y eut des échos lointains, des bruissements, des bribes de sons, comme les murmures parfumés des pommiers sous une brise de printemps. La nuit suivante, elle avait espéré de nouveau et la musique était revenue, bien plus forte, cette fois. Une cascade d'accords merveilleux avait ruisselé dans ses oreilles et transporté son âme de plus en plus haut, jusqu'à la demeure de Dieu.

Et Rachel Yoder s'était réconciliée avec Lui.

Mais, cette nuit-là, dans la chambre où reposait l'étranger, *sa* chambre à elle, il n'était plus question d'harmonies enchanteresses. Au fil des minutes, la musique s'était mise à gronder, à gonfler, pour exploser en un tumulte violent et furieux qui partait se fracasser contre les murs.

Et puis, comme toujours, les bruits cessèrent d'un seul coup et la pièce retomba dans un silence encore vibrant d'échos. Sauf que Rachel n'avait encore jamais entendu un silence comme celui-là, un silence aussi blanc qu'un soleil de midi.

Lentement, elle ouvrit les yeux.

Il était réveillé...

Rachel retint son souffle. Les murs de la chambre vacillèrent autour d'elle. L'étranger gisait toujours sur le lit, parfaitement immobile. Sous la lampe, on voyait la sueur luire sur ses joues et ses yeux briller d'un éclat étrange.

Il la regardait.

Un court instant, elle eut peur, puis elle se ressaisit. Non... c'était stupide. Il ne lui voulait pas de mal, simplement il était désorienté dans cette chambre inconnue.

Elle se leva et vint à lui. Il fallait le réconforter, l'apaiser. Après tout, ils se connaissaient déjà un peu. Elle l'avait tenu dans ses bras, nourri avec un biberon, elle avait baigné son corps nu. Et pourtant... quand elle se retrouva tout près de lui, Rachel comprit pourquoi l'on disait que les yeux étaient le miroir de l'âme. Dans la lumière avare de la lampe, les yeux de l'étranger luisaient comme ceux d'une bête féroce. On y lisait des peurs anciennes et terribles, le souvenir d'actes sauvages et barbares.

Elle frissonna et fit un pas en arrière, mais il lui agrippa le bras d'une poigne étonnamment forte. A chacune de ses respirations, un sifflement rauque sortait de sa poitrine.

« Où est mon revolver ? »

Rachel ouvrit la bouche, mais aucun son ne parvint à en sortir. Après une profonde inspiration, elle réussit enfin à parler.

« Nous l'avons rangé. Dans l'armoire.

— Allez le chercher. »

Ses doigts, si longs, si minces, resserrèrent leur étreinte. Il était doué d'une force étonnante, malsaine...

« Si je vous donne votre arme, vous tirerez sur moi.

— Je tirerai sur vous si vous ne me la donnez pas immédiatement. »

Elle le crut, bien qu'il soit couché là, blessé et avec un bras cassé. Ses yeux montraient qu'il était capable de tout.

« Je le ferai dès que vous me lâcherez. »

Elle secoua sa main mais il tenait bon. Soudain, il la lâcha si brusquement qu'elle perdit l'équilibre et trébucha.

La porte de l'armoire grinça en s'ouvrant. Rachel s'agenouilla pour récupérer la cartouchière de cuir. Elle avait vu le docteur vider le revolver de ses balles mais il lui faisait toujours aussi peur. Elle le fit glisser du holster graissé et son poids la surprit. La crosse en bois avait le doux poli d'un manche de hache.

Elle pensa que l'étranger s'était rendormi car il gisait à nouveau, totalement immobile, les yeux fermés. Mais lorsqu'elle lui tendit l'arme, il la saisit avec une rapidité terrifiante. L'objet se nicha au creux de sa paume aussi naturellement qu'un pied dans une chaussure. Aussitôt, il sembla respirer plus librement.

Hypnotisée, Rachel contempla le revolver dans sa main, priant pour que l'étranger ne s'aperçoive pas qu'il n'y avait plus de balles. Les doigts toujours refermés autour de la crosse, il la fixait, les yeux grands ouverts, sans ciller. Et toujours cette peur folle dans le regard.

« Où suis-je ?

— Vous êtes en sécurité. »

Elle se pencha au-dessus de lui et s'apprêta à poser une main sur son front, comme elle le faisait avec Benjo lorsqu'il s'éveillait, terrifié, après un cauchemar. Mais quelque chose en elle freina son geste. Au lieu de cela, elle dit : « Rendormez-vous. Je vous répète que vous êtes en sécurité. »

L'étranger ferma les yeux. Quand il les rouvrit, son regard était aussi lisse, aussi uni que la surface d'un étang par un chaud jour d'été. C'était un regard vide, songea Rachel. Comme si tout ce qu'il y avait eu dedans était retombé à l'intérieur.

Il releva un coin de la bouche, peut-être pour sourire... mais il ne devait pas savoir sourire. Ses yeux parcoururent à nouveau la pièce à demi plongée dans la pénombre.

« Cet endroit n'existe pas », murmura-t-il.

Rachel effleura sa joue du bout des doigts.

« Allons... Taisez-vous maintenant, et dormez. Il fait déjà nuit dehors. »

Lorsqu'elle se pencha pour baisser la mèche de la lampe, ses longs cheveux frôlèrent la poitrine et le visage de l'homme. Elle se sentit soudain happée vers le bas et vit qu'il avait enroulé une mèche autour d'un de ses doigts et tirait dessus, l'air désorienté et surpris. Puis ses paupières se refermèrent et il ouvrit les doigts. Soulagée, Rachel se redressa.

Avant d'éteindre la lampe, elle lui lança un dernier regard. Il s'était endormi d'un seul coup, une main serrant toujours la crosse du revolver.

La flamme, en mourant, lécha le pétrole et bleuit. Puis l'obscurité engloutit la chambre.

Rachel franchit le seuil, abandonnant le blessé à la nuit et à ses ténèbres.

Maintenant, elle savait qu'il avait les yeux bleus.

Chapitre 3

Il était à peine midi et Rachel avait déjà toute une journée de corvées derrière elle. De la crème aigre attendait dans un seau d'être barattée, il y avait un pudding aux pommes à cuire, les draps à mettre à tremper. Sans oublier de récurer le sol de la cuisine après toute cette neige fondue qui y avait laissé des traces.

Mais, d'abord, il fallait s'occuper de l'étranger.

Rachel glissa un paquet de pansements propres sous son bras et remplit une cuvette en émail d'eau vinaigrée. Doc Henry lui avait dit d'aller voir le blessé trois fois par jour pour nettoyer sa plaie avec de l'acide phénique. Il avait eu une forte fièvre depuis ce premier jour où il était arrivé. Mais il ne s'agitait pas, ne divaguait pas, comme on aurait pu s'y attendre. La plupart du temps, il restait étendu sur le lit sans bouger, à transpirer. Deux fois seulement, il était sorti de sa torpeur et ses yeux fous avaient balayé la pièce tandis qu'il pointait son six-coups sur un ennemi imaginaire.

Depuis que Rachel lui avait rendu son revolver, il ne l'avait plus quitté un seul instant. On aurait dit que ses doigts s'étaient enracinés dans le bois de la crosse. Doc Henry avait conseillé de le laisser faire, puisque cela semblait tant le rassurer. Il n'était revenu qu'une fois mais il lui avait donné des ordres comme un nouvel évêque. Faites ceci, faites cela. Plus facile à dire qu'à faire, pensa Rachel.

Elle poussa la porte de la chambre juste au moment où le chien MacDuff se mit à aboyer dans la cour. L'homme dans le lit sursauta violemment. La gueule noire de son colt se pointa en direction de la jeune femme.

Rachel poussa un cri et leva la cuvette devant son visage pour se protéger. Dans le mouvement, de l'eau vinaigrée gicla sur sa robe. Elle se recroquevilla et ferma les yeux. L'air devint lourd et silencieux. On n'entendait plus que les gouttes d'eau qui s'écoulaient, une à une, sur le sol.

Au bout d'un moment, elle trouva le courage d'abaisser la cuvette pour risquer un œil à travers le bord ébréché. L'étranger braquait toujours son six-coups droit sur elle...

MacDuff aboya de nouveau, et le corps de l'étranger se tendit tout entier. Le canon du revolver ne dévia pas, mais Rachel aurait juré que le doigt de l'homme s'était resserré sur la détente. Il la fixait de ses yeux fous, sauvages.

« *Lieber Gott !* Ne tirez pas !

— Ce chien... Pourquoi est-ce qu'il aboie ? »

Elle tenait sa tête si raide que ce fut un miracle qu'elle ne se mette pas à grincer comme une pompe rouillée lorsqu'elle la tourna pour regarder par la fenêtre. MacDuff courait le long du bois de saules et de peupliers qui bordait le ruisseau. Rachel vit une touffe de poils gris disparaître dans un trou.

« C'est seulement notre colley qui chasse un lapin », expliqua-t-elle d'un ton aussi apaisant que possible.

Le canon du colt se releva et on entendit un claquement métallique déchirer le silence. La main qui tenait l'arme trembla puis se détendit tandis que l'étranger se laissait retomber sur l'oreiller, le visage en sueur.

Le cœur de Rachel battait à tout rompre dans sa poitrine, tel un tambour de guerre indien. A cause de cet homme. De cet étranger et de son six-coups.

Brusquement, le regard du blessé retourna à la fenêtre et fixa la silhouette de Benjo en train de courir. Les aboiements du chien l'avaient entraîné hors de la grange et il le poursuivait à son tour en faisant tourner sa fronde au-dessus de sa tête, comme un lasso.

La main se crispa à nouveau sur le revolver.

« Qui est-ce ? »

Rachel crut qu'elle allait être malade. « M... mon fils. Ne... ne lui faites pas de mal, je vous en supplie ! »

Encore un silence qui lui parut une éternité. Dehors, Benjo actionna sa fronde et le lapin roula à terre.

Maintenant, l'homme regardait Rachel avec une concentration effrayante, tangible. Et soudain, sans crier gare, il se mit à sourire. « On dirait qu'il y aura du ragoût de lapin pour le souper. »

Déconcertée, Rachel ne parvenait pas à échapper à ce regard terrifiant, à ces yeux d'un bleu pâle et froid. Un froid qui brûlait. *Lieber Gott, lieber Gott !* pensa-t-elle, affolée. Et si cela avait été Benjo et non elle qui était entré dans la chambre...

Une vague de fureur la traversa. « Quelle sorte de personne êtes-vous donc ? cria-t-elle en avançant vers le lit. *Englischer, lit-*

terlich und schrecklich ! Vous pointez ce maudit objet sur des gens innocents ! J'ai déjà un trou dans mon mur fait par une de vos balles et je n'en veux pas d'autres. Ni dans un mur ni dans le corps de mon fils ou de moi-même. J'ai bien envie de... »

Sa voix mourut quand elle comprit qu'elle était en train de hurler. Elle vit les lèvres de l'étranger se relever drôlement aux coins.

« Vous avez envie de quoi, lady ? De me donner une fessée ? »

Rachel baissa les yeux. « Hmm. Je devrais le faire, oui. » D'un geste brusque, elle posa la cuvette sur le plancher et jeta le rouleau de pansements sur la table de nuit, à côté de la Bible reliée en cuir noir et des bouteilles d'acide phénique et d'alun laissées par Doc Henry. Puis, d'une main redevenue ferme, elle abaissa le drap et roula la chemise sur la poitrine du blessé. La chemise de Ben.

« Qu'est-ce que diable... ? »

Il chercha à remonter le drap, mais elle l'arrêta.

« Quoi que vous ayez, mister, j'en ai déjà vu beaucoup. »

Le sang avait coulé encore et formait une tache en étoile sur la toile blanche du pansement. Elle se pencha pour dénouer la bande qui enserrait la poitrine. Ses bras sentirent les muscles durs au-dessus des côtes. Le blessé était encore fiévreux. Il respirait toujours avec difficulté, son corps recouvert de sueur était chaud au toucher.

Il s'agita à ce contact et poussa un soupir grinçant. Levant les yeux, elle croisa son regard méfiant qui détaillait sa coiffe empesée, sa robe brune et austère.

« Qu'est-ce que vous êtes ? Une sorte de nonne ?

— Quelle idée ! Je suis une fille de la communauté des Justes. »

Ses yeux ne la quittaient pas, des yeux bleus et tranchants comme des éclats de glace sur la rivière, en hiver.

« Je ne sais pas si j'ai jamais entendu parler de ça », dit-il en se remettant à sourire.

Ses dents étaient blanches et régulières. « En fait, je ne sais pas ce que vous êtes... Un peu guindée et sainte-nitouche, en tout cas. Mais *juste*... ? »

Curieux, pensa Rachel, cette façon d'essayer à présent de se montrer amical alors que, quelques minutes plus tôt, il n'avait pas hésité à la mettre en joue avec son revolver. De toute façon, son sourire ne la rassurait pas. C'était un sourire bien trop séduisant. Un sourire de chacal.

Voyant sa mine renfrognée, il poussa un soupir volontairement exagéré. « Tout compte fait, vous avez *vraiment* l'air d'une sainte-nitouche.

49

— Je ne connais pas ce mot, répondit-elle avec simplicité. Il n'y a rien à dire de particulier sur nous, les Justes. Nous élevons des moutons, nous suivons la Voie étroite, la voie que le Seigneur nous a montrée. Nous travaillons dur, nous prions ensemble et nous avons foi en Dieu et en sa miséricorde pour prendre soin de nous.

— Et le fait-Il ? Est-ce que votre Dieu prend soin de vous ? »

C'était une question que seul un étranger pouvait poser. Un Juste connaissait la réponse dès sa naissance.

Le silence les enveloppa de nouveau et le regard de l'homme se reporta vers la fenêtre. Rachel s'affairait à déplier les pansements propres. « Vous... vous n'êtes pas d'ici, n'est-ce pas ? demanda-t-elle enfin.

— Non.

— Vous ne faisiez que passer dans notre région, c'est ça ? »

Il émit un curieux grognement que Rachel ne sut pas interpréter. Il faisait moins de sourires aussi, maintenant. Peut-être parce qu'il n'aimait pas qu'on le questionne.

« Je vous demande cela parce que s'il y a des personnes qui vous attendent quelque part, elles pourraient bien se faire du souci pour vous. Je pourrais leur faire dire que... »

Elle s'arrêta, espérant qu'il comprendrait par lui-même.

Mais il ne prit pas la peine de répondre. Rachel commençait à éprouver une certaine sympathie pour les étrangers qui se sentaient toujours tellement frustrés quand un Juste ne répondait que par monosyllabes à leurs questions. Elle jeta un autre coup d'œil dans sa direction et vit qu'il examinait les moindres recoins de la chambre, sans doute pour se faire une meilleure idée de l'endroit où il se trouvait.

Sa maison ressemblait à presque toutes les maisons de Justes qui peuplaient la vallée. Une simple structure en rondins de peupliers avec un toit de tôle. A l'intérieur, seulement trois pièces. Une *Kuch* — une cuisine — et deux chambres à coucher à l'arrière. Pas de rideaux aux fenêtres, pas de tapis sur le sol, pas d'images encadrées ou de chromos sur les murs. Rien qu'une simple maison de Juste.

Tandis qu'il détaillait ainsi le décor, le visage de l'étranger n'exprimait rien de bon ou de mauvais. Son regard croisa celui de Rachel et l'air, soudain, se fit plus pesant au-dessus de leurs têtes. Elle ne savait pas comment se comporter avec lui. Bien sûr, il n'était pas question de lui sourire mais, au moins, pouvait-elle risquer un peu de gentillesse, comme on doit le faire vis-à-vis de tout hôte qui séjourne à la maison.

50

Elle essuya sa main sur son tablier et la lui tendit, de ce geste franc et direct qui était habituel aux Justes. « Cela semble un peu tard pour faire les présentations, surtout quand on sait que vous avez déjà proféré des blasphèmes sous mon toit, que vous avez pointé votre arme sur moi et trempé de sang mes meilleurs draps. Je m'appelle Rachel Yoder. *Mrs.* Yoder. »

Il la regarda un long moment de ses yeux pales et froids mais, cette fois, sans agressivité. Son pouce caressait lentement la crosse du revolver tandis que le silence s'éternisait et qu'elle restait là debout la main tendue.

Finalement, il abaissa son arme et saisit sa main dans la sienne. « Toute ma gratitude, ma'am. Et mes excuses. »

Ils demeurèrent ainsi quelques minutes, paume contre paume. Rachel fut la première à se dégager. « Je les accepte, répondit-elle. Et, pendant que nous y sommes, dites-moi donc votre nom. Ainsi, Benjo et moi n'aurons pas à en inventer un quand nous parlerons de vous. »

Il fit attendre sa réponse.

« Vous pouvez m'appeler Caïn », dit-il enfin.

La jeune femme retint un cri. *Et maintenant tu seras banni de la terre, toi qui as versé le sang de ton frère.*

Comment pouvait-on donner un tel nom à son enfant ? pensat-elle, troublée. Non, c'était impossible. Il avait dû le choisir luimême, peut-être à l'instant, pour se moquer d'elle.

Elle pensa au cal sur son doigt qui tenait la détente. Caïn... un nom de tueur.

Son visage dut refléter le cours de ses pensées car elle le vit tordre bizarrement sa bouche en un sourire contrit. « Si vous ne l'aimez pas, trouvez-en un autre. Du moment que ce n'est pas insultant. Ce Benjo, c'est votre mari ?

— N... non. (Sa voix s'étrangla.) Il s'agit de... mon fils. »

Il continuait de l'observer avec cette horrible fixité dans le regard et elle sentit le rouge lui monter aux joues.

« Alors vous êtes veuve, c'est ça ? »

Rachel ouvrit la bouche pour mentir mais toute une vie consacrée à respecter les commandements de Dieu l'en empêcha. « Oui, mon mari est mort l'année dernière. »

Il ne lui dit pas qu'il était désolé pour elle, comme l'auraient fait la plupart des étrangers. En fait, il ne dit rien du tout. Son regard avait une nouvelle fois dérivé vers la fenêtre pour contempler la barrière usée de l'enclos, la ligne sombre des peupliers au bord du ruisseau, les prairies tachetées de neige et, au loin, les collines hérissées de rochers, splendides et solitaires, qui se découpaient contre le bleu intense du ciel.

Le silence mettait les nerfs de Rachel à vif. On aurait dit un fil de fer barbelé trop tendu entre les deux poteaux d'une clôture.

« Vous ne m'avez pas encore dit d'où vous veniez, finit-elle par dire. Où vous habitez. »

Tout en prononçant ces mots, elle songea qu'il lui était impossible d'imaginer un lieu de vie pour un homme tel que lui. Elle ne réussissait pas à se le représenter marchant derrière une charrue ou jetant du foin à un troupeau de brebis.

Il consentit enfin à détourner les yeux de la fenêtre.

« Je n'ai nulle part d'endroit à moi. »

Il parut sur le point d'ajouter quelque chose mais il fut interrompu par le roulement d'un chariot franchissant le pont de rondins. Aussitôt, il saisit son revolver et le pointa vers la porte.

Le cœur de Rachel s'emballa de nouveau. Judas ! Cet homme était si nerveux qu'il lui communiquait son anxiété... Elle s'approcha de la fenêtre et vit le chariot à ressorts des Weaver pénétrer dans la cour. C'était Mose, le fils de Noah, qui tenait les rênes.

Elle revint près du lit. L'étranger tremblait tant qu'il pouvait à peine continuer à tenir le six-coups. Sa respiration s'était accélérée et sifflait dans sa poitrine. Ses yeux fiévreux avaient repris leur éclat sauvage. Bizarrement, Rachel songea en le regardant à une image du Livre de la Légende dorée. On y voyait un martyr chrétien brûlant sur un bûcher, ligoté à un poteau, ses mains jointes levées vers le ciel dans une dernière prière tandis que les flammes le consumaient.

D'un geste doux et ferme à la fois, elle l'obligea à s'étendre. Elle pouvait le sentir frémir sous ses doigts.

« C'est seulement Mose, dit-elle. Le garçon de mon voisin qui vient me couper un peu de bois. »

Il respirait si mal qu'il dut s'y reprendre à trois fois avant de réussir à parler. « Ce... ce voisin et son garçon, ils savent que je suis ici ?

— Toute la vallée le sait. La nouvelle a volé comme un essaim de mouches, d'oreille en oreille. Ici, si quelqu'un tousse le dimanche, il apprendra deux jours plus tard par la rumeur qu'on vient juste de l'enterrer ! »

Elle avait espéré le distraire de sa peur en plaisantant mais il demeurait immobile, tous les sens aux aguets, le regard braqué vers la fenêtre.

« Et qu'est-ce qu'ils disent ? insista-t-il. Ces gens de votre communauté. Qu'est-ce qu'ils disent sur moi ? »

Rachel vit Mose mettre le frein à son chariot avant de sauter à terre. Il ôta son chapeau, passa sa main dans ses cheveux châtains et fit rouler ses épaules, comme un cheval qui se gratte. A dix-sept ans, il promettait d'être aussi grand que son père.

« Les Justes disent que vous êtes un de ces drôles d'*Englischer* qui s'est fait tirer dessus et qui est arrivé ici, à moitié mort. Ils disent que c'est seulement par la grâce de Dieu que vous avez survécu, même si vous avez bien mérité ce qui vous arrive avec vos maudites manières. Mais tout le monde prie pour vous et pour que vous retrouviez le chemin de la Lumière et de la Vérité. (Elle fit une pause et reprit :) Quant à ce que racontent les étrangers, ça, je l'ignore. Vous pouvez sûrement l'imaginer mieux que moi. Maintenant, si vous voulez bien cesser de vous agiter comme un balancier de pendule, je vais enfin pouvoir soigner votre blessure. La journée avance et je n'ai pas encore fini mes corvées. »

Il posa les yeux sur elle, des yeux trop brillants à cause de la fièvre.

« Vous êtes une étrange créature », dit-il.

Il fit un geste pour montrer la chambre et ajouta : « Tout ceci est étrange, d'ailleurs.

— Il n'y a rien d'étrange. Vous êtes dans la maison d'un Juste, voilà tout. Nos manières n'ont rien de bizarre pour Dieu. Et maintenant, restez tranquille. »

Elle prit une paire de ciseaux dans le tiroir de la table de nuit et commença de couper les pansements souillés. Tout en s'affairant, son cerveau continuait de fonctionner à pleine puissance.

Elle lui avait menti en lui disant qu'il était ici en sécurité. Menti sans le vouloir, bien sûr. Il n'y avait pas un seul lieu de sûr de ce côté-ci du Ciel pour un homme tel que lui. Et peut-être même qu'il n'y en avait pas non plus de l'autre côté...

Autour de la plaie, la chair était sombre et à vif. Du sang suintait à cause de tous les mouvements saccadés qu'il venait de faire. La chair. C'était un peu effrayant de la savoir si vulnérable alors qu'elle était le vaisseau de la vie, le temple de l'âme. Seul le pouvoir de Dieu avait permis que cet homme restât en vie. Il vivait parce que Dieu l'avait guidé jusqu'ici, à travers les collines et les pâtures, là où on pouvait le soigner.

Soudain, Rachel réalisa avec horreur que si l'homme n'était pas en sécurité ici, elle et Benjo ne l'étaient pas non plus. En l'accueillant sous ce toit, ils mettaient leurs propres vies en danger.

La gorge nouée, elle demanda : « Celui qui vous a fait ça... est-ce qu'il va vous poursuivre jusqu'ici ? »

Aucun muscle ne bougea dans le visage du blessé. Son regard n'exprimait rien. Il l'a sûrement tué, pensa Rachel pour se rassurer. Oui, il avait tué l'homme qui lui avait tiré dessus...

Mais la peur montait en elle, une peur terrible qui l'étourdit et manqua de la faire vaciller. Chez les Justes, on apprenait à ne jamais se retourner contre celui ou ceux qui vous avaient fait du mal. On s'abandonnait complètement à la volonté de Dieu, on se soumettait à sa parfaite miséricorde.

Non pas ma volonté, Seigneur, mais la tienne.

Elle roula une bande propre et tamponna le sang autour de la blessure. « Vous n'avez pas besoin de pointer votre revolver au moindre bruit ou à l'arrivée de quelqu'un, dit-elle lentement. Aucun étranger ne vient jamais ici. »

Tout en parlant, elle appuyait la bande sur la plaie pour éponger le sang. Elle appuyait de plus en plus fort sans même s'en rendre compte. « Nous, les Justes, nous ne faisons de tort à personne, et encore moins aux gens sans défense et malades. »

Il grimaça. « Et cependant vous me faites mal à cet instant même, lady. Vous m'étrillez comme si j'étais une vache... »

Il eut à nouveau ce sourire charmeur de brigand, mais cette fois Rachel en fut moins troublée. Elle commençait à mieux connaître sa nature sauvage, ce mélange de séduction et de violence dont, manifestement, il savait fort bien se servir.

« La Bible dit, Mr. Caïn, que les péchés d'un homme le rattrapent toujours. »

Et, sur ces mots, elle renversa la bouteille d'acide phénique sur la plaie béante.

Il serra les dents sans se plaindre, mais elle sut à la façon dont sa peau frémissait qu'elle lui avait fait mal. Un sentiment de honte envahit Rachel. Voilà sans doute ce que Noah voulait dire lorsqu'il parlait de la corruption apportée par le monde extérieur. Depuis qu'elle avait parlé avec l'étranger, elle n'était déjà plus tout à fait la même.

Elle acheva les soins sans plus prononcer un mot et sans oser croiser une nouvelle fois le regard de l'étranger. Au moment de partir, elle vit qu'il avait les yeux fixés sur la balle posée sur la table de nuit, celle que Doc Henry avait extraite de la blessure.

« Le docteur a retiré ça de votre rate », dit-elle.

Il se décida enfin à abandonner son précieux revolver pour prendre le minuscule obus de bronze entre ses doigts. Il le leva vers le soleil qui coulait de la fenêtre et le regarda avec respect, comme s'il s'agissait d'une pépite d'or. Puis sa main se referma, et Rachel vit qu'il regardait l'armoire dont la porte était restée entrouverte. C'était là que Doc Henry avait déposé la cartouchière...

Retenant son souffle, elle crut qu'il allait lui demander de lui rendre ses munitions. Mais il se contenta de braquer sur elle ses yeux bleus et vides en agitant sa main fermée.

« Cette balle-là a bien failli être la dernière pour moi... »

Mose Weaver gratta ses pieds sur les planches rugueuses du porche pour ôter de ses bottes en cuir à talons le fumier qui restait collé sous les semelles. Il souleva son derby noir flambant neuf pour remettre encore une fois de l'ordre dans ses cheveux pommadés, remonta son pantalon à carreaux et leva le bras pour frapper à la porte.

Mais le battant s'ouvrit brusquement, avant même qu'il ait eu le temps de le toucher. Mrs. Yoder lui jeta un regard scrutateur puis porta la main à sa bouche en un geste extasié.

« Est-ce que ce n'est pas notre Mose ? Vrai, qu'il est élégant dans ses vêtements ! Il brille comme un toit sous le soleil de l'été... »

Mose laissa retomber son bras et rougit jusqu'à la racine des cheveux. « Je... Eh bien... Je suis venu couper votre bois, ma'am.

— Ma foi, je n'en attendais pas moins de toi. C'est fort gentil de ta part, mon garçon. Surtout que je sais que, chez toi, ton père te fait travailler du matin au soir. »

Elle plissait les yeux en le regardant, comme si elle riait sous cape. « Tu as l'air drôlement chic, tu sais. »

Il tendit le cou pour jeter un œil à l'intérieur de la cuisine mais elle se déplaça et s'appuya au montant de la porte, lui barrant la vue. « Tu as sans doute acheté ces beaux habits par correspondance ?

— Oui, ma'am. Je les ai commandés sur catalogue avec l'argent de la tonte de l'été dernier. » Il fit une nouvelle tentative pour voir la cuisine et aperçut un seau à lait et un tamis posés à terre et, sur la table, une boîte de farine et un chapelet de pommes sèches. Après tout ce qu'il avait entendu dire, il s'attendait presque à trouver l'étranger caché là, vêtu de son long manteau noir et bardé de pistolets six-coups à crosse de nacre tandis que le sang se déversait hors de son corps par des plaies béantes.

Mrs. Yoder sortit en tirant à moitié la porte sur son passage. Une odeur âcre de vinaigre flottait dans son sillage, une odeur qui piqua désagréablement le nez de Mose. Elle doit être en train de faire des conserves dans de la saumure, pensa-t-il. Pourtant, ce n'était pas la bonne époque de l'année pour cela.

En tout cas, il n'avait encore rien pu voir de l'étranger. Les gens disaient que c'était une sorte de desperado, un hors-la-loi avec des yeux cruels, comme ces portraits que l'on voyait sur les affiches où il y avait écrit : « *Mille dollars, mort ou vif.* » On racontait que le docteur avait sorti de son corps une balle encore fumante et aussi qu'il avait un six-coups dans son holster. Mose aurait bien voulu voir ce colt. Juste pour faire peur, ensuite, à Gracie, sa petite amie. Parfois, quand il s'y prenait bien, Gracie lui permettait de la prendre dans ses bras et il lui arrivait même de poser sa tête sur sa poitrine en se pelotonnant contre lui.

Mose réalisa soudain que Mrs. Yoder était toujours là, le sourire aux lèvres, à se demander sans doute ce qu'il attendait pour se mettre au travail.

Fourrant ses mains dans ses poches, il trébucha quand le talon de sa botte se prit entre deux lattes de bois du porche. « Je vais aller couper du bois, Mrs. Yoder... »

Il s'éloignait en direction du billot lorsqu'elle le rappela. « Mose, pourquoi est-ce que tu ne viendrais pas frapper à ma porte quand tu auras fini ? Je te donnerai un morceau de pudding aux pommes sèches à rapporter chez toi. »

Il se retourna pour lui adresser son plus beau sourire et toucha le bord recourbé de son derby dans un salut qu'il espérait à la fois élégant et viril.

Bon, pensa-t-il, elle ne l'avait pas *vraiment* invité à entrer mais tout espoir n'était pas encore perdu. Peut-être réussirait-il tout de même à apercevoir le desperado. Mince ! Peut-être même qu'il aurait la chance de lui parler. Gracie serait drôlement impressionnée quand il lui raconterait toute l'histoire.

Naturellement, son père serait furieux. Pour Noah, tout ce qu'un garçon de leur communauté avait à faire, c'était de vivre à l'écart du monde, de se protéger de toutes ses influences diaboliques. Noah croyait toujours que l'on risquait à chaque instant d'être damné. Comme si la pureté d'une âme pouvait être souillée rien qu'en côtoyant les étrangers ! Pour le diacre Noah, l'âme était comme un râteau qui rouille si on le laisse trop longtemps exposé aux intempéries...

Mose jeta un nouveau coup d'œil à la maison et plissa les yeux pour se protéger de l'éclat du soleil qui se reflétait sur le toit en tôle. Mrs. Yoder avait disparu. Elle lui avait dit qu'il était chic dans ses nouveaux habits, elle avait même dit qu'il brillait comme ce toit, là, au soleil.

Il sourit à cette pensée.

Il y avait eu dernièrement un tas de bavardages à propos de son père et de Mrs. Yoder. Ce n'était un secret pour personne que le vieux s'intéressait à elle depuis des années. Mais Mrs. Yoder n'avait pas l'air d'y trouver son compte, même avec Mr. Yoder mort et enterré depuis presque un an. Mose voyait bien que son père était triste et abattu depuis quelque temps.

Il aurait bien aimé qu'ils se marient, tous les deux. Mrs. Yoder était gentille. Et elle avait une jolie façon de sourire et de lui ébouriffer les cheveux en s'inquiétant de savoir si son manteau était assez chaud et en lui donnant du pudding aux pommes sèches. Souvent, il avait imaginé que, si sa mère avait vécu, elle aurait ressemblé à Mrs. Yoder. Mais elle était morte alors qu'il avait un an, en donnant le jour à un deuxième enfant. Tante Fannie était venue, alors, pour tenir la maison et s'occuper de lui, et, ma foi, si elle avait jamais réussi à sourire un jour, il s'en serait souvenu.

Malgré le soleil étincelant, le vent pinçait encore comme en hiver et Mose frissonna quand il ôta sa jaquette à quatre boutons. Mais fendre du bois faisait transpirer et il ne voulait pas abîmer son bel habit neuf avant que Gracie ne l'ait vu. Elle serait surprise, ça, c'était sûr, car tous les garçons de Justes se devaient de porter une austère veste en toile de sac brune. Mose détestait cela.

Il passa son doigt sur sa lèvre supérieure pour voir si quelque chose commençait à y pousser, mais c'est à peine s'il sentit le picotement d'un seul poil. Il avait acheté une lotion tonique à la droguerie de Miawa City qui garantissait mille prodiges, y compris celui de faire repousser les cheveux d'un chauve. Ça devait forcément marcher aussi pour la moustache, s'était dit Mose. Malheureusement, les résultats se faisaient attendre. Il aurait tant voulu une moustache retroussée de chaque côté, comme les poignées d'un bidon de lait.

Évidemment, le vieux Noah aurait encore piqué sa crise. Déjà qu'il manquait d'exploser de rage à chaque fois qu'il voyait son fils sortir avec ses nouveaux habits achetés par correspondance. Les Justes n'aimaient pas les fantaisies vestimentaires. Et, d'ailleurs, elles leur étaient interdites. Pas question de boutons, de poches, de sur-piqûres et autres enjolivures. Mais Mose s'en moquait un peu et, du reste, il ne contrevenait pas réellement au règlement puisqu'il n'avait toujours pas été baptisé devant toute la communauté. Ce jour-là il devrait prononcer ses vœux et promettre publiquement de suivre la Voie étroite le reste de son existence, de s'habiller comme un Juste, de vivre et de penser comme un Juste.

Cela ne pressait pas...

Mose accrocha soigneusement sa veste neuve à la branche basse d'un pin. D'un doigt rêveur, il en caressa le col de satin broché. On lui avait répété depuis l'enfance de ne pas rechercher ceux du monde extérieur, de ne rien faire comme eux. Pourtant, il aimait bien cette veste. Chaque fois qu'il la regardait, il se sentait transporté d'une joie interdite, un peu comme lorsqu'il plongeait dans l'étang de Blac-kie. C'était la même et enivrante sensation quand sa tête pénétrait dans l'eau et que son corps était aspiré par les profondeurs, de plus en plus fort, de plus en plus loin dans les froids abîmes sombres. La peur se mélangeait au plaisir, elle manquait de prendre le dessus et puis, au moment où il se sentait totalement englouti, il donnait un vigoureux coup de pied au fond et repartait vers la surface, vers la chaleur et la lumière.

Il pensait à tout cela, à ces tentations grisantes et effrayantes, tandis qu'il posait une grosse bûche sur le billot et levait haut la hache au-dessus de sa tête. La lame s'abattit sur le solide morceau de cèdre et le fendit d'un seul coup. Le bois émit un drôle de petit chuintement tandis que des éclats volèrent un peu partout.

Le corps de l'adolescent se mit à se balancer au rythme syncopé des coups de hache. Fendre le bois de chauffage était un dur travail mais Mose aimait bien ça. L'effort l'aidait à extirper de son corps des sentiments énervants qui l'avaient tourmenté tout l'hiver. « Le travail empêche les garçons d'avoir la grosse tête », aimait à répéter le vieux Noah. A chaque problème, il disait : « Travailler dur, voilà la réponse. » Aux yeux du diacre, cela chassait toutes les mauvaises pensées. Il croyait qu'elles s'en allaient en même temps que la sueur.

Seulement voilà. Elles ne partaient pas toutes. Non, pas complè-tement.

La lame se prit dans un nœud, et Mose secoua fortement le man-che. Il grimaça en sentant se réveiller la douleur dans son dos. Il avait encore mal après les coups de fouet que lui avait administrés son père. Noah l'avait puni pour ce qu'il avait fait à Miawa City samedi dernier. Quelle histoire... Mose était furieux de se faire corriger ainsi, comme un gamin. Mais le problème, c'était qu'il n'avait encore ni l'âge ni les moyens de s'opposer à l'autorité de son père.

Ach, vell, Mose savait bien ce qu'il aurait dû faire pour que tout se passe bien : renoncer au monde du diable, épouser Gracie et s'installer le reste de ses jours dans une ferme de la vallée, à mener la vie des Justes. Les choses iraient sûrement mieux, alors, entre lui et son père.

Pourtant, à chaque fois qu'il y pensait, Mose se sentait oppressé, comme s'il suffoquait. Comme s'il se retrouvait enfermé vivant dans un cercueil.

Il lança le bois qu'il venait de fendre sur le tas et prit une autre bûche. A cet instant précis, une pierre siffla à ses oreilles et alla heurter violemment le tronc de l'arbre voisin.

« Hé ! » cria Mose en se retournant, l'air renfrogné.

Benjo Yoder s'approcha en courant, le colley sur les talons. Tous deux ruisselaient de l'eau du ruisseau dans laquelle ils avaient pataugé. Le pantalon du garçon était trempé jusqu'aux genoux et sa veste brune hérissée de chardons.

Mose mit les poings sur les hanches en pointant le menton vers la fronde de Benjo.

« Tu dois te croire aussi fort que David contre Goliath, avec ce truc-là.

— J... j'ai... ttt... tué un rat musqué. »

Triomphant, l'enfant leva le bras pour montrer son tableau de chasse. Mose contempla avec indifférence les pattes palmées de l'animal, sa longue queue aplatie, sa fourrure d'un beau marron luisant. Du sang gouttait de sa tête brisée.

« Beuh... », fit Mose en reculant devant l'odeur forte de l'animal. Il examina le trophée en faisant la grimace. « Bah... Viens me voir le jour où tu auras réussi à mettre un grizzly dans ta besace... »

Le sourire de Benjo s'effaça. Voyant qu'il l'avait vexé, Mose détourna les yeux, un peu coupable d'avoir pris le garçonnet comme cible de sa mauvaise humeur.

Il tendit le bras pour le prendre par l'épaule. « Bon... Tu nous le sers quand à dîner, ce rat musqué ? »

Benjo retrouva instantanément son sourire. Il fit un pas en arrière et lança la carcasse mouillée en l'air. Les deux garçons la regardèrent voler contre le ciel et atterrir avec un bruit mou dans les branches épaisses d'un prunier sauvage. MacDuff aboya et se lança à sa poursuite mais sa course fut détournée par l'irruption d'un lapin qui l'entraîna de l'autre côté de la grange.

« Alors, comme ça, tu chasses au lieu d'aller à l'école ? lança Mose.

— Ce... sss... sont les vv... vacances chez les étrangers.

— Hum ! Je n'en suis pas si sûr. Mais je parie que ta mère ne le sait pas. »

Le petit Benjo était l'un des rares enfants de la communauté à fréquenter une école d'*Englischer*. La plupart des Justes ne s'intéressaient pas à ce que l'on apprend dans les livres. Ils pensaient que c'était une perte de temps pour leurs enfants destinés à mener une vie de paysans. Mais l'Église n'interdisait pas formellement d'aller en classe. Une des rares choses qui ne soient pas interdites, pensa amèrement Mose.

A l'évocation de l'école, Benjo était soudain devenu sourd et muet. Le visage fermé, il enroula sa fronde et l'enfouit dans sa poche. Mose plaça une autre bûche sur le billot, cracha dans ses mains et rejeta les épaules en arrière pour s'apprêter à asséner un nouveau coup. Au même instant, il leva les yeux et vit que Benjo lançait un regard soucieux vers la maison.

Mose abaissa aussitôt la hache.

« A quoi est-ce qu'il ressemble ? » demanda-t-il brusquement.

Le garçonnet sursauta. Mose n'avait pas eu besoin de préciser de qui il parlait. Toute la vallée bavardait à ce sujet depuis trois jours.

« Mem dit que je ne dois pas l'approcher, répondit Benjo. Elle dit qq... qu'il est nerveux.

— Vraiment ? (Mose étudia l'enfant d'un regard scrutateur.) Pas plus que toi, il me semble... »

Le gamin se redressa. « Je n'ai pas peur de lui. »

Mose eut envie de lui demander s'il avait l'intention d'affronter le six-coups du desperado avec sa misérable fronde mais il se contint, craignant une nouvelle fois d'humilier l'enfant. Parce qu'il était de constitution chétive et qu'il bégayait, Benjo était la cible de toutes les moqueries, surtout de la part des étrangers. Mose lui-même se montrait parfois cruel avec lui, même s'il le regrettait toujours ensuite. Il s'était dit une fois qu'il éprouvait peut-être de la jalousie à l'égard du petit, parce qu'il avait la chance d'avoir une femme comme Rachel Yoder pour mère.

Du coup, il ne trouva plus rien à dire. Il rajusta la bûche sur le billot et frotta ses mains contre son pantalon.

« Mm... Mose ?

— Quoi ?

— Est-ce qqqq... qqqq... »

Impatienté, Mose laissa échapper un soupir. « *Ja, vell*, mon gars. C'est pour aujourd'hui ou pour demain ? »

Benjo gonfla ses joues et les mots obstinément collés à son palais sortirent tout d'une traite en se bousculant. « Est-ce que tu es réellement allé au saloon, samedi dernier ? Tu as *vraiment* bu de cette boisson du diable ? »

Mose se redressa tout entier, la hache à la main. Le visage soudain empourpré, il parcourut les alentours d'un regard inquiet comme s'il craignait de voir son père surgir brusquement des hautes herbes pour lui administrer une nouvelle correction.

« Et alors ? finit-il par dire. Qu'est-ce que ça peut bien te faire ?

— C'est vrai, n'est-ce pas ?

— Puisque je t'ai déjà dit que j'en avais bu, que te faut-il de plus ? »

Il enfonça la hache dans le billot et s'essuya le front avec la manche de sa chemise pendant que Benjo, tout excité, se lançait dans une série de « comment ? », « où ? », « pourquoi ? » et autres questions du même ordre.

Malgré tout, Mose aimait bien qu'on lui demande de reparler de ses aventures dans le grand bastringue de Miawa. Le seul fait d'y repenser réveillait en lui toute la saveur de cette extraordinaire journée. Jamais il n'oublierait ce mélange d'excitation et de panique au moment où il avait poussé la porte de *La Cage dorée*. Il avait cligné des yeux devant l'épaisse fumée des cigares, plissé le nez en reniflant les odeurs mêlées du tabac, de la bière et des uniformes rancis des fédérés, des uniformes qui n'avaient pas été lavés depuis des lustres — peut-être même jamais.

Il vit que le sol était couvert de sciure et, dans le calme soudain qui suivit son entrée, les semelles de ses bottes flambant neuves crissèrent étrangement tandis qu'il s'avançait d'un pas hésitant vers le bar. Il se sentait tellement intimidé qu'il marchait les yeux baissés, pour ne pas risquer de croiser les regards des autres clients. Arrivé au comptoir, il leva enfin les yeux et fut surpris d'apercevoir son reflet dans le grand miroir à cadre doré, sur le mur du fond. Il trouva qu'il avait l'air chic dans son nouveau costume et que le derby, sur sa tête, était du plus bel effet. Habillé ainsi, il ne ressemblait plus du tout à un Juste, pensa-t-il rasséréné.

Jusqu'à ce qu'il entende un ricanement dans son dos...

Dans le miroir, il vit une demi-douzaine de tables éparpillées derrière lui. Les murs étaient décorés de bois de cerfs et d'une tête d'élan mangée aux mites. Un homme au crâne déplumé tapait sans conviction sur les touches d'un piano désaccordé tandis qu'une femme auréolée de cheveux cuivrés fredonnait, penchée sur son épaule. Mose fut stupéfait de voir quelqu'un exposer autant de peau nue... Quatre hommes paressaient près d'un poêle ventru en tenant sur leurs genoux des chopes de bière. Tous contemplaient Mose avec des yeux ronds comme si des cornes s'étaient mises tout à coup à lui pousser sur la tête.

Le barman aussi le regarda tout en frottant la surface du comptoir avec un chiffon. Il lança un jet de salive brune dans le crachoir de cuivre et dit : « Alors, petit. T'es un Juste, hein ? Ça se voit comme le nez au milieu de la figure. Qu'est-ce qui a bien pu te faire sortir de ton zoo ? »

Quelques rires accueillirent cette plaisanterie, et Mose sentit son corps se recroqueviller sous sa belle jaquette neuve.

« Je voudrais un verre de votre meilleur whisky, s'il vous plaît. »

Le barman gloussa et cracha une nouvelle fois un bout de chique dans l'urne de cuivre. « Un verre de votre meilleur whisky, siou-plaît... », répéta-t-il en singeant la petite voix timide de Mose et en étirant ses grosses lèvres rouges et épaisses en un drôle de rictus. Pour se rassurer, Mose se dit que cela devait être une sorte de sourire. « Tu as vingt-cinq *cents* ? »

L'adolescent fourragea dans sa poche pour en extraire une pièce. Aussitôt, le barman posa devant lui une bouteille et un verre. « Voilà le meilleur des jus de tarentule de ce côté-ci de l'enfer, petit. Une seule gorgée et tu seras guéri de tous tes maux ! »

L'homme versa jusqu'à ras bord un liquide ocre qui rappela à Mose la couleur des marécages. Il leva prudemment le verre, prit une profonde inspiration et se prépara à entrer en contact avec le diable.

La première gorgée fut comme une coulée de feu dans son gosier. Mose éternua, cracha et frissonna de tout son corps.

La seconde gorgée passa un peu mieux... Le barman l'observait en silence. Puis il se remit à astiquer son comptoir.

Les hommes assis autour du poêle regardaient la scène. Au bout d'un moment, ils reprirent leurs occupations qui semblaient consister exclusivement à fumer, mâchonner, cracher et blasphémer. Un autre client, un peu plus loin, mastiquait avec application de grosses bouchées de pain recouvert de sardines. On pouvait en sentir l'odeur jusqu'au comptoir.

Mose commençait à être déçu. Il se dit que le monde des pécheurs n'était pas tel qu'on le lui avait décrit. On n'y voyait ni luxure, ni vices abominables, ni toutes ces choses effrayantes qu'il avait imaginées.

C'est à ce moment-là que la femme aux cheveux rouges et à la peau nue s'avança vers lui pour lui demander s'il voulait acheter une danse...

« Voilà comment ça marche, expliqua Mose à Benjo. Si tu donnes encore vingt-cinq *cents* au barman, il te tend un jeton en fer. Toi, tu le redonnes à la dame et elle le glisse dans son... enfin, elle le prend, quoi. Et alors on danse. »

La réalité avait été un peu différente, mais Mose ne voulait surtout pas ternir son merveilleux récit avec des détails sans importance... En fait, plutôt que de danser — ce qu'il ne savait pas faire —, il avait sautillé gauchement sur le plancher couvert de sciure, la femme aux cheveux rouges dans les bras. Oh, ce souvenir... Il l'avait trouvée aussi douce et duveteuse qu'un oreiller en plumes d'oie.

« Tu sais, ces dames-là, quand elles dansent, elles sont aussi légères que des drapeaux dans le vent. »

Benjo, fasciné, le dévorait des yeux et Mose se sentit gonflé de fierté. Il aimait parler de sa grande aventure. Soudain, un détail le frappa.

« Au fait, comment sais-tu que je suis allé à *La Cage dorée* ? »

L'enfant rougit légèrement. « Je... j'ai entendu ton père en parler à Mem. Il a dit que tu lui avais bb... brisé le cœur. »

La bonne humeur de Mose s'évanouit instantanément. *Brisé le cœur...* Ça, c'était bien Noah tout craché. Ce que le diacre ne disait pas, c'est qu'il lui avait chèrement fait payer son incartade, à grands coups de lanières sur le dos.

« Bah, fit Mose avec un haussement d'épaules. Le vieux a seulement peur que je me mette un jour à fréquenter le bastringue et à ressembler à un *Englischer*... »

Il renifla avec dédain, comme si cette seule idée lui paraissait risible. Un doute, pourtant, le traversa fugitivement. Sa courte mais inoubliable expérience au saloon lui avait révélé que certaines choses pouvaient se montrer suffisamment tentantes pour vous pousser à en désirer d'autres auxquelles on n'avait pas pensé avant.

« Qqq... quel goût ça a ?

— Quoi ? Le whisky ? (Mose eut un petit gloussement entendu.) C'est comme si on avalait du feu. Ça chauffe drôlement et ça pique l'estomac, après.

— Et ça sss... sent comment ?

— Hein ? Ben... je sais pas. Ça sent le whisky. »

Benjo hocha gravement la tête, comme si cette réponse ne faisait que confirmer sa propre expérience. Amusé, Mose réprima un sourire.

« Et cette dame aaa... avec qui tu as ddd... dansé, qu'est-ce qu'elle sentait ?

— Par tous les saints ! » Mose tourna la tête pour s'assurer qu'aucune oreille indiscrète n'écoutait. Il s'appuya sur le manche de sa hache et approcha son visage tout près de celui du gamin. « C'est une question que tu ne dois pas poser..., chuchota-t-il avec sévérité.

— Pourquoi pas ? »

Parce qu'elle sentait la sueur et la vieille poudre de talc, voilà pourquoi.

« Parce que tu n'es qu'un sale petit curieux et que tu es bien trop jeune », répliqua Mose avec mauvaise humeur.

Il n'avait aucune envie d'assombrir sa belle histoire en évoquant des réalités trop prosaïques. « Et parce que tu fourres toujours ton nez morveux partout où il ne faut pas.

— Ttt... ton ppp... père a dit à Mem que ton nez de morveux *à toi* était fourré dans la poitrine nue de la dame ! lança Benjo en se redressant de toute sa petite taille.

— Bon sang ! »

Mose abattit sa hache sur la bûche avec une telle force que des éclats volèrent jusqu'à leurs visages. Benjo s'écarta vivement.

« Je ne sais pas pourquoi je perds mon temps avec toi, Benjamin Yoder. Si tu ne cesses pas de venir m'ennuyer, je n'aurai pas fini de fendre ce bois avant l'année prochaine !

— Jjj... je ddd... je demandais seulement quelle odeur elle avait », balbutia Benjo en bégayant tellement que Mose ne comprit rien de ce qu'il disait. De toute façon, il avait décidé de l'ignorer pour de bon, maintenant.

Benjo sortit sa fronde et ramassa une pierre. Il chercha le regard de Mose mais celui-ci fit mine de s'absorber dans sa tâche. Alors il fit tournoyer sa fronde au-dessus de sa tête de toutes ses forces et lâcha la corde. Le caillou fendit l'air comme un obus et alla percuter de plein fouet un pin voisin.

Mose n'avait même pas regardé.

Benjo poussa un profond soupir et se résigna à partir d'un pas lourd. Il était presque arrivé à la maison quand Mose se décida enfin à lever les yeux, espérant que le gamin se retournerait une dernière fois. Mais Benjo ne se retourna pas et disparut dans la pénombre du porche.

Irrité, Mose jeta son chapeau et se donna une claque si forte sur la cuisse qu'il réussit à se faire mal. *Par tous les diables, Mose Weaver, tu es bête à manger du foin !*

Il avait été si occupé à répondre aux questions de Benjo qu'il avait laissé échapper sa chance d'en poser lui-même. Le gosse devait savoir toutes sortes de choses intéressantes sur l'étranger, par exemple si on le recherchait, et pourquoi, et si c'était vrai qu'il avait tué plein d'innocentes victimes, et combien d'armes il transportait sur lui.

Mais, par-dessus tout, Mose mourait d'envie de savoir quelle sorte d'élégants habits le desperado portait ce fameux jour où on avait tiré sur lui.

Chapitre 4

Cette nuit-là, Rachel vit que la fièvre qui consumait l'étranger était tombée dans ses poumons et elle pensa qu'il ne vivrait pas assez longtemps pour voir le soleil se lever.

Il suffoquait comme un noyé, et c'était horrible d'entendre les gargouillements et les râles qui sortaient de sa gorge. Rachel en arrivait à retenir sa propre respiration pour écouter si chacun de ces hoquets étranglés allait être le dernier.

Cela lui faisait mal de le voir partir comme ça. Un peu plus tôt, quand il pouvait encore avaler, elle avait réussi à lui faire ingurgiter un peu de jus d'oignon. Puis elle avait ôté sa chemise trempée de sueur et lavé son corps nu avec de l'eau vinaigrée. Sa peau était si brûlante que l'eau avait fait de la buée tout autour, et Rachel s'était mise à prier.

Elle ne priait pas pour demander à Dieu de sauver la vie de l'étranger car elle savait bien que son destin n'appartenait qu'au Seigneur. Elle priait pour qu'Il ait pitié de son âme. Car Rachel avait appris depuis longtemps qu'on ne pouvait pas sauver toutes les brebis perdues.

Une fois, au cœur de la nuit, elle crut qu'il s'était réveillé. Il avait cherché à s'asseoir et elle s'était approchée tout contre lui pour poser une main sur son épaule et apaiser son angoisse. Il respirait avec tant de violence qu'elle se demanda comment ses côtes ne s'étaient pas encore brisées après de tels efforts. Les fils de la plaie s'étaient rompus et le pansement était rouge de sang sous la lumière tremblotante de la lampe. La mort approchait, avait pensé Rachel, et d'ailleurs, l'étranger ne se préoccupait même plus de tenir son arme.

Et puis, tout à coup, il avait lancé en avant sa main valide pour la prendre par le cou, comme s'il voulait l'étrangler.

« Salopard ! gronda-t-il, je vais te tuer, salopard ! »

Ses doigts s'étaient resserrés avec une force inouïe autour de son cou, plongeant profondément dans sa chair et la blessant. Alors elle s'était agrippée à son poignet pour tenter de le repousser mais il n'avait pas lâché prise.

Elle suffoquait et ses oreilles commencèrent à bourdonner tandis que le sang lui montait à la tête. La pièce s'était mise à tourner et la lumière à s'obscurcir petit à petit.

Et puis il l'avait lâchée. Il le fit si brusquement que la jeune femme s'écroula sur sa poitrine ensanglantée. La gorge meurtrie, elle poussa un petit cri et aspira l'air à pleins poumons avant de s'écarter rapidement du lit, folle de peur.

Il s'était évanoui à nouveau, mais les râles n'avaient pas cessé. Le cœur battant à tout rompre, haletante, elle l'avait contemplé, hypnotisée. Elle se sentait paralysée par un mélange d'horreur et de pitié. Ce n'était pas tant les mots impurs qu'il avait prononcés. Elle en avait déjà entendu auparavant, quoique jamais de la bouche d'un Juste. Mais c'était son regard. Tout à l'heure, quand elle s'était retrouvée si proche de son visage, il l'avait fixée avec, dans les yeux, une haine insondable. Qu'avait-il donc vécu de si effroyable pour en conserver encore aujourd'hui la trace maudite ?

Elle ne sut pas combien de temps elle était restée ainsi pétrifiée avant de s'apercevoir que la fièvre, à présent, secouait le blessé de frissons d'une violence incroyable. Elle sortit de sa torpeur et courut à lui pour l'envelopper dans la couette. Mais il continuait de trembler si fort que le lit de fer s'était mis à vibrer avec des grincements métalliques. Alors, en dernier recours, elle retira ses chaussures et, tout habillée, avec son châle et sa coiffe, se glissa dans le lit pour prendre l'étranger dans ses bras et le réchauffer contre son corps.

Le seul homme nu qu'elle avait tenu aussi étroitement serré contre elle, c'était Ben. Elle avait toujours été étonnée de l'impressionnant contraste entre le corps massif et puissant de Ben et le sien, si petit et fragile en comparaison. Mais elle aimait se blottir contre lui, sentir le duvet de sa poitrine et de ses jambes sur sa peau, et son poids l'écraser en une douce et rassurante douleur. Elle se rappelait combien il lui était agréable de caresser son dos, de sentir sous ses doigts le jeu des muscles sous la peau lisse. Dur et doux à la fois, c'était cela un homme.

Ce souvenir réveilla en elle une souffrance suraiguë, insupportable.

Un homme qui ressemblait à cet étranger a tué mon mari, pensa-t-elle. Un homme comme lui l'a pendu à une corde en riant et en se moquant. Mon Ben... mourir aussi misérablement, à cause de la cruauté des étrangers. Des étrangers comme celui qu'elle tenait, là, dans ses bras. Cet homme qui disait s'appeler Caïn...

Non, non, c'était le diable qui lui soufflait de pareilles pensées. Cet étranger-là ne lui avait pas fait de mal et il n'avait pas à souffrir des péchés de ses frères. Ce n'était pas lui qui avait tué Ben. Si elle se mettait à penser ainsi, elle deviendrait comme lui, pleine de rage et de haine.

Plus tard, quand le gris de l'aube commença à poindre à travers la fenêtre, elle tenait encore serré contre elle le corps traversé de frissons du blessé. Soudain, elle vit ses paupières rougies par la fièvre se soulever à demi.

« Ne me quittez pas », murmura-t-il d'une voix rauque.

Et tout le chagrin du monde, toute la solitude du monde se lisaient dans ses yeux bleus.

Il ne mourut pas cette nuit-là. Ni la suivante.

Le lendemain, Doc Henry revint à la ferme. Il écouta la poitrine de l'étranger avec un drôle d'instrument en forme de trompette qu'il appelait stéthoscope. Les sourcils froncés, il secoua la tête en disant : « Ceux qui prétendent que ce sont toujours les meilleurs qui partent les premiers n'ont jamais vécu au Montana. »

Avant de partir, il donna du Laudanum à la jeune femme en lui disant que c'était « pour aider son agneau perdu à mourir parce que là où il allait, il y aurait sûrement assez de souffrances encore qui l'attendraient ».

Au cours de la troisième nuit, Rachel s'endormit une ou deux fois tandis qu'elle priait à genoux à côté du lit. Quand elle se réveilla, à l'aube, elle se retrouva à demi couchée sur le lit, la main de l'étranger dans la sienne. Épuisée, désorientée, elle sentit que quelque chose avait changé. Puis elle réalisa que la chambre était plongée dans le silence. Les tremblements, les râles de l'étranger avaient fait place à la lente et calme respiration d'un sommeil profond.

Un pâle soleil hivernal filtrait à travers la vitre, soulignant les contours de son corps nu, comme une frange argentée autour d'un nuage. Cela lui donnait un aspect irréel. En le regardant, on aurait dit une statue de pierre, une statue païenne.

Cette pensée la fit sourire. Elle se dit qu'elle pouvait enfin contempler cet homme en éprouvant un peu moins de peur. Un peu, seulement. Car l'angoisse était toujours là.

Rachel se remit sur ses pieds, courbatue, endolorie, et contempla une nouvelle fois le visage du blessé, apaisé par le sommeil. Il lui sembla étrange qu'un visage puisse lui paraître aussi familier. En fait, il y avait entre cet homme et elle une curieuse affinité. Pas de celle provoquée par l'amitié ou la compassion, non. C'était un étranger et, comme tel, tout les séparait. Mais elle avait la conviction que ce n'était pas un hasard s'il était venu dans sa maison.

Naturellement, c'était un signe de vanité de penser une chose pareille. Parce qu'elle avait sauvé deux fois sa vie, elle s'imaginait maintenant avoir un droit sur lui, alors qu'il n'appartenait qu'à Dieu. Ou plutôt au diable. Car cet homme-là vivait entouré d'armes de mort, il portait dans son cœur le péché maudit de la haine. En vérité, ses péchés devaient être si nombreux et terribles qu'on ne pouvait même plus leur donner un nom.

Et pourtant, puisque Dieu était le Créateur de toutes choses, il ne pouvait sûrement pas avoir créé une âme totalement exclue du rachat...

Le menton coincé au-dessus d'une pile branlante de petit bois, Rachel poussa d'un coup de hanche la porte de la cuisine. Elle était presque arrivée à hauteur de la caisse à bois quand s'éleva de la pièce voisine une plainte sourde et profonde.

Instantanément, elle lâcha les bûches qui s'éparpillèrent en rebondissant sur le sol de la cuisine et courut vers la chambre, une prière sur les lèvres. Juste ciel, elle ne pourrait plus le sortir d'un autre accès de fièvre, non, elle ne s'en sentait plus capable...

Mais il n'était pas en train de mourir. Si quelque chose semblait bien sur le point d'expirer — de plaisir, cette fois — c'était Mac-Duff, étendu de tout son long sur le lit tandis que la longue main de l'étranger lui grattait le ventre. La couette était constellée de marques de pattes boueuses et de bave.

Rachel marcha droit sur le lit en agitant les bras et en criant en *deitsch* : « *Geh raus ! Geh veck !* »

Le chien fit un bond, comme mordu par un serpent, et sauta à bas du lit. La queue basse, il rampa vers Rachel. Elle eut honte de s'être emportée et plongea ses doigts avec affection dans l'épaisse fourrure du colley. L'étranger la regardait, la tête légèrement penchée. Pour la première fois depuis que la fièvre s'était emparée de lui, il semblait avoir enfin recouvré tous ses esprits.

« *Geh veck* », répéta doucement Rachel en poussant le chien hors de la pièce. Elle leva les yeux vers l'étranger. « *Guten Morgen !*... Bonjour ! »

Il la contempla un long moment avant de lui adresser un de ces brusques sourires dont il avait le secret. « Bonjour...

— Je suis désolée que MacDuff vous ait réveillé. » Lisant de la surprise dans ses yeux, elle ajouta en soupirant : « Ce MacDuff, quel poison de chien ! »

Le sourire de l'homme s'accentua.

« Qui a eu l'idée de coller un nom pareil à ce malheureux animal ?

— Il s'appelait déjà ainsi quand nous l'avons reçu d'un éleveur écossais qui habitait la vallée voisine. Après, Doc Henry nous a dit que ce nom venait d'une pièce racontant une histoire terrible, celle d'un roi assassiné. Mais c'était déjà trop tard. Le chien ne répondait plus qu'à ce nom-là. »

L'étranger se mit à rire, un rire doux qui se termina en crise de toux. Il eut de nouveau cet air étonné, comme s'il n'avait pas vraiment réalisé qu'il était en train de rire.

Le silence retomba. Mal à l'aise, Rachel s'efforça de trouver des mots pour dissiper la gêne qui se réinstallait entre eux.

« Comment vous sentez-vous, Mr. Caïn ? » lança-t-elle enfin.

Par tous les saints, c'était vraiment difficile de l'appeler ainsi ! Mais peut-être finirait-elle par s'y habituer, comme avec le chien MacDuff.

« Je me sens assez fatigué et endolori pour en conclure que je vous dois toute ma gratitude. Combien de temps ai-je été malade, cette fois ?

— Deux jours et trois nuits. Et vous feriez mieux de réserver vos remerciements à Dieu car c'est un miracle que vous soyez encore en vie.

— Je suppose qu'une personne aussi pieuse que vous sait de quoi elle parle... Pourtant, la première fois que j'ai repris conscience, j'ai bien cru que vous alliez me jeter le contenu de votre cuvette à la figure... »

Rachel réprima un sourire. Ce diable d'homme avait parfois une manière bien à lui d'exprimer les choses... Par Judas ! Elle ne savait vraiment pas quoi faire de lui. Et cette façon avec laquelle il la regardait... Peut-être était-il intrigué par sa coiffe, ses prières et tout le reste. Elle s'éclaircit la gorge et dit :

« Eh bien ? Comment allez-vous ? *Vraiment*, je veux dire...

— Je me suis réveillé avec la gorge tellement sèche que j'ai bien cru ne plus jamais réussir à émettre le moindre son. Par chance, j'ai trouvé un pichet d'eau miraculeusement posé à côté du lit, à portée de main. Merci... *mon Dieu*. (Il leva les yeux au ciel en imitant une dévotion exagérée.) Et maintenant, reprit-il avec un sourire de bandit, j'ai tellement faim que je pourrais avaler un grizzly tout entier. Pensez-vous que le Seigneur me réserverait un autre miracle à la cuisine ? »

Rachel se couvrit la bouche de la main pour retenir un rire. Secouant la tête, elle fit un pas en arrière puis sortit de la pièce.

Et c'était comme si elle sortait d'un rêve, comme si elle s'éveillait dans un endroit inconnu. Elle se tenait là, au milieu de la cuisine, dans *sa* maison, celle où elle vivait depuis des années. Et voilà que maintenant, elle jetait des regards ahuris autour d'elle, qu'elle ne reconnaissait plus rien...

Elle porta une main tremblante à son front. Je suis fatiguée, pensa-t-elle, et puis cet homme m'effraie.

Jusque-là, pourtant, les étrangers ne l'avaient jamais vraiment intimidée. Certes, il fallait se montrer prudent avec eux. Surtout quand ils se mettaient à commettre des péchés. Alors, même s'il fallait se résigner devant la volonté de Dieu, on pouvait s'attendre à tout. Comme quand ils avaient pendu Ben.

Mais la peur que lui inspirait l'étranger était particulière. Elle venait de plus loin... C'était comme si cet homme menaçait l'essence même de son être, comme s'il avait le pouvoir d'ébranler ses racines les plus profondes.

Impatientée, elle s'obligea à repousser de son esprit ces pensées impies. L'homme avait faim. Dans ce cas précis, au moins, elle savait ce qu'elle avait à faire.

Elle prépara un bol de céréales et le lui apporta. Il s'était un peu redressé sur ses oreillers et ce simple effort avait marqué son visage. Il transpirait, le visage aussi blanc que le drap.

Rachel approcha le fauteuil à bascule du lit et s'y installa. Elle dénoua les cordons de la coiffe et les rejeta par-dessus ses épaules. Puis elle attendit un moment, le bol de céréales entre les mains, au cas où l'étranger aurait voulu réciter silencieusement une courte prière avant de manger, comme le faisaient les Justes.

Mais il ne priait pas. Il regardait les céréales trempées dans le lait chaud avec une grimace qui le fit ressembler à Benjo. Une nouvelle fois, Rachel sentit un sourire poindre sur ses lèvres, et elle pinça la bouche pour se donner une contenance.

Finalement, elle plongea la cuillère dans le bol et l'avança vers l'étranger. Il referma ses doigts autour de son poignet en disant : « Pas la peine de me donner la becquée, lady. Je peux y arriver tout seul. »

Troublée, elle dégagea son poignet doucement et se contenta de tenir le bol pendant qu'il mangeait. Il y avait quelque chose de cruel dans la ligne de ses mains, dans la force précise de ses gestes et, à chaque bouchée avide, il trahissait la sauvagerie qui se lovait au fond de lui.

Elle observa la frange épaisse des cils, l'ombre qu'ils jetaient sur les hautes pommettes. Jamais elle n'avait vu un homme aussi beau.

Et elle pensa à la citation que Noah avait prononcée à la cuisine, quelques jours auparavant : *On ne peut pas boire en même temps à la coupe de Dieu et à celle du diable.*

Une heure plus tard, elle se tenait dans la cour, sur le traîneau, occupée à nourrir les brebis quand, soudain, elle entendit Benjo hurler à l'intérieur de la maison.

Presque aussitôt, elle le vit jaillir dehors comme une bombe et traverser la cour dans une gerbe de boue. Il ne s'aperçut même pas que son chapeau était tombé en route.

Rachel piqua sa fourche dans une botte de foin, sauta du traîneau et courut à sa suite.

Elle le rejoignit près du ruisseau, tout tremblant, la mine effrayée et coupable.

« Benjo... »

Tendrement, elle l'enlaça et attendit qu'il reprenne son souffle. « Benjo... que s'est-il passé ?

— Rrrr... rrr... rien... »

Il tenta de s'échapper mais elle le retint fermement et le prit par les épaules pour le forcer à la regarder. « Qu'est-ce que l'étranger a fait ? Est-ce qu'il a porté la main sur toi ?

— Nnnn... non. (Il secoua la tête avec nervosité.) Il n'a rien fait... »

Puis, d'un mouvement brusque, il se dégagea et s'enfuit en courant, MacDuff toujours sur ses talons. Songeuse, Rachel le regarda s'éloigner. Il avait eu peur, pensa-t-elle, mais on ne tirerait rien de plus de lui. Benjo n'aimait pas parler de ses problèmes...

Elle traversa la cour en direction de la maison et ne prit même pas le temps d'essuyer ses bottes avant de pénétrer dans la cuisine pour gagner, en trois enjambées, la chambre à coucher. Quoi qu'il ait pu faire, elle était en colère contre l'étranger et comptait bien le lui dire.

Mais, quand elle pénétra dans la chambre, elle s'immobilisa en le voyant absorbé dans la contemplation stupéfaite d'une de ses coiffes qu'elle avait laissée accrochée au montant du lit en attendant de la laver. Il la faisait tourner entre ses mains en la levant vers la lumière, examinant avec intérêt la blancheur amidonnée du tissu.

« Qu'avez-vous fait à mon fils ? »

A contrecœur, le regard de l'étranger se détourna de la coiffe pour se poser sur Rachel.

« Je n'ai jamais vu un gamin parler comme lui. On dirait qu'il a une grenouille collée au fond de la gorge. »

Il parlait d'une voix traînante, comme si tout cela n'avait aucun intérêt pour lui. La jeune femme s'approcha du lit. « Pourquoi avez-vous effrayé mon enfant ? »

Il posa la coiffe sur le lit et passa rêveusement un doigt le long d'un ruban. Puis il la regarda bien en face. « Si quelqu'un devrait être effrayé, c'est bien moi. Je me suis réveillé et je l'ai trouvé là, à me regarder, soufflant au-dessus de ma tête comme une forge. Tout ce que j'ai fait, c'est de pointer un doigt sur lui... (Sa bouche s'incurva en une espèce de sourire.) Enfin... c'est bien possible que j'aie dit aussi : *"Bang !"* »

Rachel croisa ses bras contre sa poitrine pour réprimer un frisson. Ce qu'il avait fait là, c'était cruel...

Il continuait de la regarder, calme et tranquille. Cette manière qu'il avait de vous sourire paresseusement et, juste après, de darder sur vous des yeux froids et durs, c'était tout lui.

Puis, manifestement lassé, il reporta son attention sur la coiffe et recommença à en caresser les bords amidonnés.

« Je n'aime pas les surprises, Mrs. Yoder, dit-il lentement. Il vaudrait mieux que votre garçon le sache. »

Il y avait une étrange lassitude dans sa voix, et le cœur de Rachel fut touché par la pitié. Comme ce devait être terrible de toujours se tenir sur le qui-vive, songea-t-elle. De ne jamais se sentir en sécurité, nulle part et avec personne.

« Si vous passez votre temps à nous faire des frayeurs comme ça, Mr. Caïn, je ne vois pas comment nous pourrions adopter la bonne attitude...

— Votre petit doit faire attention avec moi, insista-t-il en détachant chaque mot. (Il posa les yeux sur elle.) Mais il n'a pas besoin d'avoir peur. Et vous non plus. »

Il leva soudain le bras et Rachel se figea aussitôt, craignant qu'il ne la touche. Mais il fit quelque chose de plus étonnant encore : il suspendit sa main au-dessus de la bible posée sur la table de nuit.

« Je vous le jure, Mrs. Yoder, dit-il, sur ce livre que vous avez là.

— Malheureux ! Ne faites pas ça ! »

Sans réfléchir, elle plaqua vivement sa main sur les lèvres de l'étranger pour l'obliger à se taire. Immédiatement, elle ressentit une secousse parcourir son bras, comme lorsqu'on pose sa paume sur une vitre, l'été, quand l'orage se déchaîne dehors.

« Vous ne devez pas jurer comme ça sur la bible. Un vœu est quelque chose de très grave. On ne peut l'adresser qu'à Dieu et il vous lie pour le reste de votre vie. »

Puis, soudain gênée, elle ôta sa main pour l'enfouir dans la poche de son tablier. L'étranger la fixait de son regard bleu et intense. Il l'observa avec curiosité quelque temps puis finit par laisser échapper un soupir. « C'est bon, fit-il. Une simple promesse suffira, alors ? Si je vous dis que je ne vous ferai aucun mal, ni à vous ni à votre garçon, me croirez-vous ?

— Et pourquoi ne vous croirais-je pas ? répondit-elle avec simplicité.

— Je pourrais n'être qu'un bandit... Un voleur, un joueur, un menteur, aussi.

— Je pense que vous avez été tout cela déjà, Mr. Caïn », dit Rachel d'une voix unie.

Il se mit à rire en secouant la tête. « Lady, je dois reconnaître que vous marquez un point ! »

Elle le dévisagea, essayant de comprendre. Cet homme paraissait incapable d'imaginer que l'on puisse lui faire confiance. Sûrement parce que, lui, ne faisait confiance à personne.

« Si *vous*, vous croyez que vous ne nous ferez aucun mal, alors *nous*, nous vous croyons, Mr. Caïn. »

Elle retourna au traîneau, reprit sa fourche et continua à nourrir les brebis affamées. Mais d'étranges pensées tournaient dans sa tête, comme des mouches tournant autour d'une lampe.

Plus tard, alors qu'à genoux, elle récurait la cuisine, elle repensa à ce que l'étranger avait fait à Benjo.

Benjo... Rachel se faisait tellement de souci pour lui. Elle savait qu'il avait le cœur triste et solitaire. Mais il ne se confiait à personne, même pas à sa mère. Elle savait bien que Ben lui manquait. Comment faire pour qu'il accepte ce qui était arrivé à son père ?

Comment lui faire comprendre que c'était la volonté de Dieu, alors que son propre cœur à elle saignait encore ?

Mais d'autres choses aussi troublaient le garçon. Il grandissait, changeait. Maintenant, il arrivait qu'il se mette à lui désobéir, à faire des choses qu'il n'aurait jamais osé accomplir quand Ben était encore là. Comme de manquer l'école, par exemple. *Ach, vell...* Les Justes ne faisaient pas grand cas de ce qu'on apprenait dans les livres et, depuis la mort de Ben, Rachel n'avait plus accordé beaucoup d'importance à l'école des *Englischer*.

Et voilà que maintenant cet étranger était arrivé dans leur vie pour créer de nouveaux soucis au petit garçon. Rachel se demanda comment elle allait pouvoir convaincre l'enfant de ne pas avoir peur. Après tout l'étranger l'effrayait encore un peu, elle aussi. Si Ben avait été là, tout serait différent...

Elle cessa de frotter le sol et ferma les yeux. Une larme roula sur sa joue et alla s'écraser contre le plancher encore humide, suivie d'une autre, et encore une autre... Finalement, Rachel lâcha la serpillière et, enfouissant son visage entre ses mains, éclata en sanglots.

Il fallait bien qu'un jour aussi difficile que celui-ci apporte encore sa part de mauvaises surprises. Il était donc inévitable que Jakob Fischer vînt leur rendre visite...

Des visites, il y en avait déjà eu bien assez durant ces trois derniers jours. Tous les voisins avaient pointé leur nez, les uns avec une casserole de ragoût, les autres pour proposer un service, comme le jeune Mose qui était revenu à la charge et avait déjà fendu assez de bois de chauffage pour les six prochains mois d'hiver. Et tous, naturellement, ne désiraient qu'une seule chose : apercevoir l'étranger.

Mais Jakob Fischer était le plus curieux d'entre tous. En vérité, il avait tellement la manie de se mêler de tout et de fourrer son nez dans les affaires des autres que les Justes le surnommaient « Jakob le Fouineur ».

Rachel était en train de mettre un *Apfelstrudel* dans le four quand la porte de la cuisine s'ouvrit en grinçant. Le long nez de Fischer pointa : « Je suis venu voir cet étranger que vous avez chez vous », dit-il comme s'il s'agissait d'un nouveau bélier qu'elle venait d'acheter.

Et, sans même attendre sa réponse, il se dirigea droit vers la porte de la chambre. Il avait à peine passé la tête dans l'entrebâillement qu'il se mit à pousser un beuglement si fort que l'air en trembla. Une seconde plus tard, il sortait comme une flèche de la maison, son long nez pointé en avant, sa barbe blanche flottant au vent. Jakob Fischer hurlait encore en atteignant la barrière de l'enclos. Rachel ne comprit pas toutes les paroles qu'il proférait mais elle l'entendit crier de toute la force de ses poumons qu'il avait vu le diable et que le diable lui avait montré des crocs aussi grands et luisants que des couteaux à découper.

Elle poussa un soupir, s'essuya les mains sur son tablier et alla voir dans la chambre.

L'homme qui disait s'appeler Caïn était tranquillement adossé à ses oreillers et tenait contre ses lèvres un long tube plat en métal. Le soleil couchant filtrait par la fenêtre et faisait luire l'objet tout en baignant la pièce d'une lueur rougeâtre, évoquant le chaudron de l'enfer. Rachel comprit alors pourquoi Jakob Fischer avait cru voir les crocs du diable...

Toute l'affaire lui parut soudain très drôle. Elle mit sa main devant sa bouche mais ne put retenir son rire qui éclata en petits hoquets étouffés.

L'étranger retira le tube métallique de sa bouche et darda sur elle des yeux faussement candides, comme Benjo quand elle le surprenait en train de faire une bêtise.

« Qu'est-ce que j'ai encore fait ? » fit-il négligemment.

Elle détourna les yeux et tenta de se redonner une contenance un peu plus sérieuse.

« C'est ce Jakob Fischer..., dit-elle quand elle réussit enfin à reprendre son souffle. Je crois bien qu'il s'attendait à vous voir avec des cornes et des sabots fourchus mais, tout ce qu'il a vu, ce sont vos crocs géants qui luisaient. Il ne se prend pas pour n'importe qui, ce Jakob.

— Est-il seulement quelqu'un ? » demanda innocemment l'étranger.

Rachel pouffa à nouveau et, pour se ressaisir, prit une profonde inspiration. « Chez nous, les Justes, quand nous voyons une personne se donner de grands airs, nous disons qu'elle se prend pour *quelqu'un*... »

En fait, ils le disaient aussi de ceux qui ne respectaient pas les règles, mais cela, l'étranger ne l'aurait probablement pas compris. Un homme tel que lui vivait de toute façon en dehors de toute règle...

Il continuait de l'étudier du regard mais, cette fois, son expression était amicale. Pourtant, on ne savait jamais vraiment ce qu'il pouvait bien penser.

« D'où est-ce que ça vient ? demanda-t-elle en désignant l'objet en métal.

— De la poche de mon manteau. »

Son manteau... Elle l'avait accroché à la patère du mur, loin du lit.

« Vous n'auriez pas dû vous lever », dit-elle, soudain inquiète. Son regard s'arrêta sur le revolver posé sur la table de nuit. « Je n'ai pas envie d'avoir à vous soigner pour une autre poussée de fièvre. »

Il sourit en continuant de jouer avec le tube en fer.

« Mais qu'est-ce que c'est donc ? » insista Rachel, incapable de retenir plus longtemps sa curiosité.

Il lui tendit l'objet pour qu'elle l'examine. « Vous n'avez encore jamais vu d'harmonica ? Je l'ai gagné aux cartes. »

Rachel n'avait aucune idée de ce que pouvait être un harmonica. Tout ce qu'elle espérait, c'est qu'il ne s'agissait pas d'un nouvel instrument de mort, comme son couteau ou les revolvers.

« Je pensais qu'on gagnait plutôt de l'argent aux jeux de hasard, dit-elle finalement.

— Le type n'avait plus un sou. Tout ce qui lui restait, c'était son harmonica.

— Puisque c'était vraiment la dernière chose qu'il possédait, pourquoi la lui avez-vous prise ?

— Si je ne l'avais pas fait, il aurait considéré cela comme une insulte. »

Rachel essaya de comprendre cette drôle de logique puis renonça. Les étrangers avaient toujours de bien curieuses façons de se comporter. Elle vit l'étranger porter l'objet à sa bouche et en tirer un son plaintif. On aurait dit le chant rauque de l'élan appelant une femelle. Rachel en eut la chair de poule.

« Oh ! s'écria-t-elle. Cela fait de la musique ! »

Il haussa légèrement les épaules. « Le problème, c'est que je ne connais qu'un seul air : *Oh, Susannah !* Et encore, pas très bien...

— Vous voulez bien me le jouer ? J'aimerais l'entendre. Rien qu'une fois. »

Elle était si excitée qu'elle en oubliait sa réserve. Assise dans le fauteuil à bascule, les mains sagement croisées sur les genoux, elle attendait, impatiente comme une enfant à qui on avait promis un dessert.

Il l'observait à travers ses paupières closes. « Je ferai peut-être quelques fausses notes mais, enfin... allons-y. »

Rachel ferma les yeux et écouta. Des notes plaintives se mirent à flotter dans la pièce, on aurait dit le vent se prenant dans les tôles du toit. Cela miaulait et grondait, c'était joyeux, gémissant. Irréel et magique.

Quand il s'arrêta, elle rouvrit les yeux en s'exclamant : « Oh, c'était magnifique !

— Je peux vous apprendre à jouer, si vous voulez. »

Rachel se raidit. « Non, c'est impossible. La musique jouée sur les instruments du monde extérieur, comme cet... harmonica, est interdite chez nous. Cela ne peut s'accorder avec la Voie étroite que nous nous attachons à suivre. En vérité, je n'aurais jamais dû vous demander de jouer. Pas ici. Pas dans la maison. C'est contraire aux règles.

— Quelles règles ?

— Les règles de notre vie. »

Il l'observa attentivement et elle crut voir une lueur moqueuse dans ses yeux. « Et je suppose que vous ne voulez pas non plus que ce type trop curieux qui traînait ici tout à l'heure en pensant qu'il est *quelqu'un* vous surprenne en train de faire une entorse au règlement, c'est ça ? »

Elle secoua la tête en s'efforçant de garder son sérieux.

« Qu'est-ce qui sent si bon ? demanda-t-il brusquement.

— Un *Apfelstrudel*. Vous aimez ça ?

— Peut-être, si je sais ce que c'est.

— Une tarte aux pommes et à la cannelle. Je l'ai faite pour mon Benjo, pour le consoler après la peur que vous lui avez faite ce matin. Il a détalé tel un lièvre, comme il fait toujours quand quelque chose le perturbe. Il va se cacher dans un coin jusqu'à ce qu'il se sente mieux. Mais il reviendra quand il aura faim, et alors j'aurai un bon gâteau pour lui dans le four.

— Je me demande comment vous trouvez encore le temps de faire de la pâtisserie après toutes les corvées que vous accomplissez pendant la journée. Je n'ai encore jamais rencontré de femme capable de travailler aussi dur que vous.

— A l'évidence, vous n'avez jamais été marié, Mr. Caïn. Sinon, vous sauriez que les journées des femmes sont toujours aussi chargées que les miennes... »

Elle n'avait encore jamais vu un visage changer d'expression aussi vite. L'étranger blêmit et sembla se vider tout entier de son sang.

Quelque chose passa au fond de ses yeux, quelque chose qui ressemblait à une profonde mélancolie.

Rachel chercha désespérément à rompre le silence qui était retombé sur eux.

« L'oisiveté est la source de tous nos vices dans ce monde, dit-elle enfin. Satan exerce son pouvoir sur les oisifs et les conduit à pécher de toutes sortes de manières. Prenez le roi David. Eh bien, il était étendu à paresser sur sa terrasse quand il est tombé dans l'adultère. »

Ce n'était peut-être pas exactement le genre de choses qui intéressaient l'étranger mais, au moins, Rachel avait atteint son but. La tristesse avait disparu de son visage.

« Vous n'avez donc jamais péché, Mrs. Yoder ? » demanda-il, amusé.

Elle sentit qu'elle rougissait un peu. « Non, naturellement. C'est-à-dire... je m'efforce de ne pas m'écarter de la Voie... alors je ne pèche pas.

— Moi, si. »

Elle le fixa, étonnée. « Que... que voulez-vous dire ?

— Moi, je m'en éloigne sans cesse, de votre "Voie". Si loin qu'il m'arrive même, certaines fois, de sentir les flammes de l'enfer me brûler la peau... »

Naturellement, il plaisantait. Elle avait découvert qu'il aimait bien plaisanter. Comme Ben. Lui aussi, il...

De fines volutes de fumée noire entrèrent par la porte ouverte et rampèrent dans les airs comme des rubans de deuil.

« Judas Iscarioth ! Mon gâteau ! » cria-t-elle en sautant si vite sur ses pieds que le dossier du fauteuil alla rebondir avec fracas contre le mur.

Et, tandis qu'elle sortait en courant de la chambre, elle entendit le rire de l'étranger s'élever derrière elle...

Chapitre 5

Il se tenait debout sur le porche, le bout de sa botte négligemment appuyé contre le rebord du mur, le pouce coincé dans la cartouchière de cuir qui pendait lourdement sur sa hanche. Son chapeau jetait une ombre sur son visage et tout son corps avait une attitude paresseuse, relaxée.

Et pourtant, l'air était si chargé d'électricité autour de lui qu'on aurait dit qu'il allait se mettre à crépiter, comme lors d'un jour d'orage.

A le voir là, debout, en train de la regarder, Rachel sentit son cœur tressaillir dans sa poitrine. Elle venait de courir après les brebis pour les chasser hors de l'enclos et était déjà hors d'haleine. Mais ce qui lui avait définitivement coupé le souffle, c'était de le voir comme cela, tout habillé et armé, sur le porche de la maison.

Elle traversa la cour pour le rejoindre et franchit l'ombre profonde projetée par la grange sur le sol. La gelée du matin craqua sous ses chaussures comme des coquilles d'œuf.

Elle s'arrêta au pied des marches et le regarda. Le bord de son chapeau dissimulait les yeux de l'étranger mais elle vit que ses lèvres étaient étroitement serrées.

« On dirait que ces fichus moutons connaissent le secret pour vous faire courir, Mrs. Yoder... »

Rachel se sentit inquiète. Elle ne savait que penser. Voilà qu'il ne craignait plus de se montrer dehors avec tous ses revolvers qui brillaient au soleil. Que lui voulait-il donc ?

Elle gravit les dernières marches à sa rencontre. « Parfois, je me dis que ce serait plus facile de détourner ce ruisseau que de réussir à persuader ces créatures stupides d'aller là où je veux. J'aurais dû prendre mon chien métallique. »

Il repoussa le bord de son chapeau. « Un chien métallique ? Qu'est-ce qui ne va pas avec votre vrai chien ? A part sa manie de chasser les lapins, évidemment... »

Elle souleva le fil de fer qui servait à suspendre les bidons de lait vides et le secoua de toutes ses forces. Les bidons s'entrechoquèrent si bruyamment que les brebis agglutinées contre la barrière s'égaillèrent aussitôt dans la pâture, affolées et bêlantes.

« Le voilà, mon chien métallique », dit Rachel.

L'étranger se mit à rire.

Il avait un rire grave, aussi épais que du sirop de sorgho. Rachel le dévisagea, stupéfaite. Il se tenait là, devant elle, bardé de toutes ses armes de mort, avec son flanc troué par une balle, son bras plâtré, sa mâchoire menaçante. Et puis, sans crier gare, il se mettait à rire comme un enfant devant une bande de moutons idiots.

Elle sentit une sorte de vertige la saisir.

« Vous n'auriez pas dû sortir du lit, Mr. Caïn.

— Un jour de plus à rester étendu sur le dos à compter les nœuds des planches et je serais devenu dingue. Aussi dingue qu'une bande de punaises affolées dans un lit.

— Il n'y a pas de punaises dans mon lit, Mr. Caïn ! » protesta Rachel.

Il ne répondit pas tout de suite et frotta sa joue rugueuse. Ses yeux étaient légèrement plissés, comme s'il lui réservait encore une de ces taquineries dont il semblait avoir le secret.

« Celui qui dirait ça serait un menteur. Non, ma'am, il n'y a pas de punaises dans votre lit. C'est le lit le plus propre, le plus moelleux que j'aie jamais vu. Mais on s'y sent seul. *Vraiment* seul. »

Elle enfouit ses deux mains dans la poche de son tablier, gênée par ce qu'il venait de dire. *Seul...* C'était indécent, ce qu'il venait de dire. Indécent et pervers.

Mais elle se dit alors que c'était peut-être elle qui voyait la perversité là où il n'y en avait pas. Tout ce que l'étranger faisait ou disait semblait procéder d'un calcul, on n'y sentait jamais vraiment poindre de la spontanéité, et encore moins de la sincérité. Elle se demanda soudain ce qu'il pouvait bien penser d'elle et fut certaine que c'était quelque chose de pervers.

Il se redressa, et sa botte racla le sol avec un bruit sourd. Puis il avança d'un pas vers la jeune femme, la dominant de toute sa hauteur. Elle se rendit compte qu'il était plus grand qu'elle ne l'avait imaginé. Plus grand et, aussi, tellement élégant avec ses pantalons de fine gabardine enfilés dans une paire de bottes en cuir noir luisant, avec son Stetson noir et sa veste vert foncé. Et aussi avec... la chemise de Ben. Juste ciel, il portait une chemise de Ben.

Il vit son regard et dit aussitôt : « Quand j'ai voulu m'habiller, j'ai trouvé tous mes vêtements sauf ma chemise. Alors j'en ai pris une de votre mari. Si cela vous ennuie, je peux... »

Elle se reprit vivement et secoua la tête. « Non, non, Ça n'a vraiment aucune importance... De toute façon, votre chemise était déchirée et tachée de sang. »

Déchirée par une balle, tachée par son sang... C'était une chemise ornée de petits plis avec de minuscules boutons de perle sur le plastron et un col pour glisser une cravate. La chemise de Ben n'avait ni col, ni boutons, ni plis. C'était une chemise de Juste.

Il se tourna un peu gauchement et dut appuyer son bras valide contre le mur pour se rétablir. « Verriez-vous un inconvénient à ce que j'apporte une chaise ici, sous le porche ? J'aimerais profiter un peu du soleil, mais je doute de réussir à rester longtemps debout. »

Quand elle avait changé son pansement, ce matin-là, Rachel avait constaté que la blessure avait encore un vilain aspect et qu'elle était toujours aussi rouge que le cou d'un dindon. Et après deux semaines passées au lit avec de la fièvre, il n'y avait rien d'étonnant à ce qu'il se sente encore un peu branlant.

« Vous ne devriez pas être debout du tout, dit-elle sur le même ton de reproche qu'elle employait pour gronder Benjo. Doc Henry ne serait pas content. »

Malgré tout, elle prit une chaise dans la cuisine et la porta dehors, sur le porche. Il la lui prit des mains et la posa contre le mur. Mais, quand il voulut s'asseoir, il trébucha une nouvelle fois, et elle dut passer un bras autour de sa taille pour l'aider à ne pas perdre l'équilibre.

Un court instant, ils demeurèrent ainsi enlacés, puis l'étranger se laissa tomber sur la chaise et elle fit un pas en arrière en évitant de le regarder.

Il appuya ses épaules contre les rondins mal équarris de la maison et leva son visage vers le soleil. Le vent, chargé de froidure, fit claquer la jupe de Rachel contre la botte noire et luisante de l'étranger. Elle lui jeta un bref regard à travers ses cils. Il ressemblait tellement aux gens du monde extérieur, assis, là, avec ses vêtements élégants. Il était si différent de ceux d'ici, dans la vallée. C'était vraiment dommage que sa belle chemise ait été abîmée. Sur lui, la chemise en flanelle de Ben avait l'air d'un chardon sauvage dans un plant de tulipes.

Elle se demanda si l'âme de cet homme était aussi déchirée et souillée que sa chemise, et si elle pouvait un jour être sauvée.

Les jupes de Rachel se balançaient tandis qu'elle tournait et retournait le blaireau dans le pot à barbe pour faire mousser le savon. Un doux parfum de laurier s'échappait de la jolie coupe en porcelaine de Chine et flottait dans la cuisine. De l'endroit où il était assis sur le porche, l'étranger observait la scène.

« Est-ce que je vous agace, Mrs. Yoder ? »

Rachel tourna le blaireau encore plus vigoureusement. « Pourquoi cette question, Mr. Caïn ?

— Ma foi, vous avez l'air si... énergique, tout à coup... »

Il se frotta rêveusement le menton. « C'est gentil de votre part de proposer de me faire la barbe, reprit-il. Seulement, d'après mon expérience, il n'est pas prudent de laisser une femme énervée s'emparer d'un objet tranchant... » Il eut à nouveau son sourire de bandit mais, cette fois, Rachel s'efforça de l'ignorer. Elle posa le blaireau, prit une serviette qu'elle plongea dans une cuvette d'eau bouillante et la tordit. Puis elle s'approcha de l'étranger et l'appliqua sur son visage, étouffant du même coup ses protestations.

Mais il avait raison. Elle était énervée. Pourtant, faire la barbe était une opération qu'elle connaissait bien. Tous les hommes Justes avaient des barbes épaisses sur le menton, mais devaient toujours garder le cou et la lèvre supérieure imberbes. Un hiver, Ben avait eu une forte grippe et Rachel l'avait rasé tout le temps de sa maladie pour qu'il reste pur devant Dieu.

Alors, ce matin, quand elle avait vu l'étranger se gratter le menton parce qu'un début de barbe y poussait, elle lui avait proposé de le raser aussi, parce qu'elle savait bien qu'avec un bras dans le plâtre il n'y serait jamais arrivé seul.

Maintenant, pourtant, elle se sentait tendue. Il ne la quittait pas des yeux tandis qu'elle ouvrait le rasoir Perfection de Ben et en aiguisait la lame contre une lanière en cuir. Elle en vérifia l'affûtage avec le gras du pouce et une goutte de sang perla sur sa peau. Elle fit la grimace, suça la blessure et entendit l'étranger déglutir péniblement.

Retirant la serviette, elle lui barbouilla de mousse les joues et le menton. Les poils du blaireau étaient aussi doux que des cheveux de bébé. Le savon sentait bon le laurier et une légère vapeur, chaude et humide, s'élevait dans l'air.

Rachel attendit que l'étranger ferme enfin les yeux pour lancer tout à coup : « Lorsque je verrai le sang jaillir, je saurai que je vous ai rasé trop fort. »

Immédiatement, les yeux de l'homme s'ouvrirent tout grands, et il lui jeta un regard stupéfait. La jeune femme éclata d'un rire si spontané qu'elle ne réussit plus à l'arrêter. Elle rit si fort qu'elle dut poser le blaireau pour croiser ses bras autour de son ventre. Jamais elle n'avait ri comme cela depuis la mort de Ben.

Lorsqu'elle fut enfin calmée, elle risqua un œil vers lui. Il essayait de prendre un air offensé, mais sa bouche le trahissait.

« Vous vous moquez de moi ? »

Elle approuva solennellement de la tête.

Il fit un signe en direction du rasoir. « Montrez-moi donc comment vous le tenez. J'aimerais voir si votre main tremble. »

Elle prit le rasoir et, délibérément, fit étinceler la lame finement aiguisée au soleil. Cela déclencha une nouvelle crise d'hilarité et, cette fois, l'étranger rit aussi.

Le silence qui suivit les mit tous deux mal à l'aise, comme si le seul fait d'avoir partagé ce moment de gaieté avait tissé entre eux une intimité dont ils ne savaient plus comment se débarrasser.

Le rasoir crissa doucement contre la peau. D'une main sûre, Rachel repoussa avec la lame la mousse et rasa de près le visage de l'homme, dégageant petit à petit les pleins et les creux des joues, du nez, du menton. La première fois qu'elle l'avait vu, elle lui avait trouvé l'air jeune. Mais, à présent, il semblait étrangement vieilli, comme s'il avait vécu plusieurs vies.

Une fois, elle lui avait demandé son âge, et il lui avait répondu qu'il ne le savait pas.

Tandis qu'elle se penchait un peu plus pour suivre le contour des mâchoires, son ventre effleura l'épaule de l'étranger. A ce contact, elle recula brusquement et s'aperçut qu'il la regardait. Non, à la réflexion, ce n'était pas elle qu'il regardait, c'était quelque chose derrière elle. Ou, plutôt, *à l'intérieur* d'elle...

Baissant les yeux, elle vit alors qu'il avait encore dans la main sa pelote à épingles. La veille, elle était venue un instant s'asseoir dans la chambre pour repriser une chaussette de Benjo et l'homme avait regardé fixement sa pelote à épingles, un petit coussinet de velours rouge qui avait la taille et la forme d'une petite pomme sauvage. Une frivolité qu'elle n'aurait sans doute pas dû se permettre dans sa vie de Juste...

Soudain, il lui avait demandé de la lui prêter un instant. Il avait retiré avec soin toutes les aiguilles de la pelote, une à une, et puis il s'était mis à la presser entre ses doigts — ceux de son bras cassé — encore, et encore. Fascinée, elle l'avait regardé comprimer la petite boule rouge, la relâcher, la serrer à nouveau, de toutes ses forces. Elle voyait bien, pourtant, à la façon dont il pinçait les lèvres, que cela lui faisait mal...

« Pourquoi ? » avait-elle demandé.

Mais il était resté muet, et elle avait fini par comprendre qu'il n'aimait pas qu'on lui demande quoi que ce soit. A chaque question, il était comme les moutons qui s'enfuient tout le temps au moindre mouvement.

Elle lui essuya le visage avec une serviette propre.

« Voilà, Mr. Caïn, c'est fait. »

Il saisit l'extrémité d'un des rubans de sa coiffe et tira légèrement dessus. « Pourquoi portez-vous tout le temps cette chose ?

— Nous l'avons toujours fait. Cela fait partie de l'*Attnung*, des règles de notre vie. Nous avons une coiffe pour le jour et une autre pour la nuit. »

Sauf qu'elle n'avait pas toujours porté sa coiffe de nuit quand Ben vivait encore. Il aimait tant le contact de ses cheveux et la façon dont ils s'enroulaient autour de leurs deux corps enlacés. Quelquefois, Ben demandait à Rachel de laisser la lampe allumée, rien que pour les voir. « *De l'acajou poli* », voilà ce qu'il répétait toujours. Elle se disait alors que cette petite entorse aux règles n'avait rien de grave.

Et maintenant, voilà que l'étranger la regardait comme s'il avait su ce que Ben et elle avaient fait, comme s'il avait deviné toutes les fois où elle n'avait pas porté sa coiffe de nuit...

« Avez-vous déjà vu un feu de prairie ? demanda-t-il soudain. Et cette façon qu'ont les flammes de lécher le ventre des nuages, de les éclairer par en dessous en les colorant d'écarlate et de pourpre ? Cette première nuit où j'ai ouvert les yeux, dans votre chambre, j'ai cru revoir ces feux-là. Je pensais que c'était un rêve, mais en réalité il s'agissait de vos cheveux que vous aviez laissés tomber librement sur vos épaules. Pourquoi Dieu ou n'importe qui d'autre, d'ailleurs, pourrait-il vouloir cacher quelque chose d'aussi joli ? »

Rachel sentit un frisson de plaisir lui traverser le corps. Elle aimait entendre dire que ses cheveux étaient jolis. Seulement, c'était un péché d'éprouver de la fierté. Voilà qu'elle se prenait, elle aussi, pour *quelqu'un*...

Elle commença à rassembler les accessoires de rasage de Ben. « A vous écouter, dit-elle, je soupçonne que le diable a proféré les mêmes bêtises pour persuader Ève de goûter le fruit défendu. »

Il retroussa les coins de sa bouche en un sourire qui n'avait rien de saint. « Ma foi, peut-être bien. » Croisant son regard, il fit rouler la petite boule de velours rouge dans sa main valide et la lui tendit, comme un présent en disant :

« Mais je pense qu'Ève a tellement aimé le goût de la pomme que le diable n'a pas eu besoin de s'y reprendre à deux fois pour qu'elle la mange tout entière... »

Rachel était assise sur les marches du porche, les bras noués autour de ses jambes repliées, la tête rejetée en arrière. A travers ses paupières closes, le soleil ressemblait à un ballon rouge et palpitant. Le vent contenait un soupçon de tiédeur. On sentait déjà poindre le dégel de la terre au printemps.

Elle ouvrit les yeux et se sentit aspirée vers le ciel. Un ciel immense, bleu, vide.

Elle étendit les jambes à plat, s'appuya sur ses coudes et tourna son regard en direction de l'étranger. Il était assis, toujours aussi immobile qu'une statue, sa chaise appuyée contre le mur en rondins, ses longues jambes allongées.

Rachel songea qu'elle avait encore bien du travail à faire : cuire le pain, faire la lessive et, oh, un million d'autres choses encore. C'était de la paresse que de rester là, assise, à rêvasser. Et puis, Benjo ne tarderait pas à rentrer de l'école, et Rachel n'était pas sûre qu'il serait heureux de voir l'étranger assis, là, sous le porche. Depuis qu'il l'avait effrayé, le gamin se tenait prudemment à l'écart. Pourtant Rachel se sentait plus tranquille, à présent. Elle voulait croire l'étranger quand il disait qu'il ne leur ferait aucun mal.

Ils n'avaient pas échangé une parole depuis un bon moment. Mais cela ne faisait rien. Rachel était habituée au silence. Chez les Justes, on considérait le bavardage comme une chose impie. Les mots inutiles déplaisaient à Dieu. Seulement Rachel n'était pas certaine que ce silence-là, entre eux, venait de la paix de l'esprit. C'était plutôt un vide, dur et brutal.

Dans la pâture, deux brebis s'ébrouèrent soudain et commencèrent à sauter et à lutter, tête contre tête, en bêlant plaintivement. L'étranger souleva légèrement le bord de son chapeau pour les regarder.

« Cet hiver, nous n'avons pratiquement perdu aucun mouton », dit Rachel.

Chose étrange, elle qui n'avait jamais été dérangée par le silence éprouvait maintenant le besoin de parler. Pour remplir le vide, peut-être.

« Évidemment, il y a eu toute cette neige, voilà quelques semaines.

Une mauvaise période, en vérité. Mais, les autres hivers, c'était pire. Le blizzard tue les moutons parce qu'ils se serrent si étroitement les uns contre les autres pour se réchauffer qu'ils meurent étouffés. »

Il ne dit rien, mais elle savait qu'il écoutait.

« Sauf quand il y a du blizzard, reprit Rachel, les moutons aiment bien l'hiver. Ils ont chaud dans leur bonne fourrure de laine, et puis il n'y a pas de mouches pour les énerver. Ils n'ont même pas besoin de chercher leur nourriture tout seuls parce qu'une créature à deux pattes vient leur apporter de grosses fourchées de foin deux fois par jour, et par tous les temps. »

Elle replia de nouveau les genoux et les enlaça de ses bras. Quand elle tourna la tête pour le regarder, les rubans de sa coiffe frôlèrent ses épaules en un doux bruissement. Elle vit qu'il souriait. Enfin... de cette sorte de sourire imperceptible que trahissaient ses yeux et sa bouche, un de ces sourires qui vient vraiment du cœur.

« Oui, ils semblent bien avoir du bon temps », remarqua-t-il simplement.

Rachel hocha la tête. Son regard se reporta sur la cour de la ferme, balaya la grange, les meules de foin hautes et bien nettes, les abris pour les agneaux, l'enclos. C'était une bonne ferme, bien entretenue, avec beaucoup d'herbe et un ruisseau qui coulait presque toute l'année. Et aussi un joli bois de peupliers et de saules pour donner de l'ombre l'été et abriter du vent, l'hiver.

Les brebis avaient cessé de se battre pour revenir à leur occupation favorite : manger. Rachel avait toujours aimé les regarder mastiquer lentement ou sommeiller debout, dans la pâture. Elles incarnaient la douceur de vivre, le cours inexorable et serein du temps.

Et tandis qu'elle était assise, là, étreignant ses genoux, à contempler la ferme, les meules de foin, le troupeau, tout se mit à miroiter dans une lumière blanche, éclatante, et la lumière explosa pour se transformer en une mélodie qui se gonflait, se gonflait, et montait vers le ciel comme une flèche.

Une joie inexprimable emplit le cœur de Rachel. Une joie si intense qu'elle jaillit de ses lèvres en paroles vibrantes de bonheur : « Une journée comme aujourd'hui, c'est tellement *bon*, n'est-ce pas, Mr. Caïn ? Cela donne envie de louer Dieu, de lui rendre grâce pour nous avoir donné la vie et nous permettre de profiter de toutes ces merveilles. »

Les mots flottèrent dans un silence vide. Posant de nouveau les yeux sur lui, elle croisa son regard bleu qui la fixait. Aussitôt, il détourna les yeux et s'absorba dans la contemplation des collines, au loin. Une ombre glacée traversa son visage comme un souffle de vent sur la surface d'un lac. Rachel eut l'impression que ses paroles avaient réveillé en lui quelque chose de sombre et de douloureux, le souvenir d'une blessure profonde.

Elle eut soudain envie de se lever et d'aller vers lui pour poser une main contre sa joue. Simplement.

Mais elle n'osa pas bouger. On n'improvisait pas avec un homme tel que l'étranger.

« Qu'est-ce qui vous a amenés dans ce coin ? dit-il soudain. Je veux dire : votre communauté.

— Le Seigneur. »

Elle avait répondu sans même réfléchir, parce que c'était quelque chose de si évident. « Nous avons été guidés par les voies mystérieuses de Dieu, Celui par qui les miracles arrivent. Au début, nous formions une grande communauté de Justes et nous vivions dans l'état de l'Ohio. Mais il y eut des dissidences. Enfin, c'est le mot que vous employez pour cela, je crois. Certains d'entre nous se laissèrent contaminer par le monde extérieur et se mirent à contrevenir aux règles, à introduire dans leurs vies des objets profanes comme des paratonnerres ou des auvents de protection pour leurs chariots. Ils se laissaient mener par l'orgueil, posaient pour des photographies ou portaient des boutons, des bretelles, et même des cols ! »

L'étranger renifla. « Seigneur... Et, les cols, ce n'est pas rien. J'ai connu bien des hommes qui se sont crus les maîtres du monde rien que parce qu'ils portaient une lavallière en soie ! »

Rachel lui jeta un regard sévère. « Vous ne devriez pas rire de choses que vous ne comprenez pas. »

Il gardait un visage impassible, mais elle savait bien qu'il riait à l'intérieur.

« Ce qui est arrivé, continua-t-elle après un court instant d'hésitation, c'est que mon *Vater*, mon père, a reçu la grâce d'une puissante vision. Il a vu cette vallée-ci dans un rêve, et il nous a conduits ici pour que nous demeurions à l'écart du péché. Le jour où nous avons célébré notre premier office du dimanche, le tirage au sort a désigné mon père comme évêque et tout le monde a su, alors, que c'était bien Dieu qui nous avait conduits sur ces nouvelles terres. Seulement... »

Elle s'arrêta pour lui lancer un regard, pour savoir s'il écoutait. Mais il restait assis, là, à regarder les moutons, le visage inexpressif.

« Seulement le sol était trop sec pour la culture, acheva-t-elle.

« — Cette région est à une trop haute altitude pour qu'il puisse vraiment pousser quelque chose », dit l'étranger.

Ce commentaire la surprit. Elle tenta une nouvelle fois de l'imaginer marchant dans un champ derrière une charrue mais c'était vraiment une image trop irréelle.

« Êtes-vous un fermier, Mr. Caïn ?

— Seigneur, non ! Jamais de la vie ! »

Elle attendit pour voir s'il avait quelque chose à ajouter, quelque chose qui la renseignerait un peu mieux sur lui, sur sa vie.

Voyant qu'il était redevenu silencieux, elle reprit le cours de son récit.

« Alors Ben, mon mari, a eu l'idée d'essayer l'élevage des moutons. Mais bien que la Bible parle de troupeaux de moutons et que le premier fils d'Adam, Abel, ait été un berger, il a fallu à mon *Vater* des jours et des jours de prières pour accepter cette idée. Il était le chef de notre Église et ne voulait pas nous écarter de la Voie. Vous savez, nous avions toujours cultivé la terre, jusque-là. Alors, élever des moutons, c'était vraiment un gros changement qui ne pouvait pas se décider à la légère. Mon père s'est fait beaucoup de cheveux blancs à ce sujet.

— On dirait que ce n'était pas un facile, votre vieux.

— Non, vous ne comprenez pas. Il n'y a qu'une seule manière de suivre la Voie étroite, de vivre comme un Juste. Mais Ben, lui, disait que si Dieu nous avait donné un cerveau, c'était pour que nous nous en servions. Il avait une façon à lui de voir tous les aspects des choses, notre Ben. »

Elle fit un geste en direction de la maison. « C'est comme cette fenêtre, là, derrière vous. Quand vous regardez à travers depuis la cuisine, vous n'avez qu'une seule vision du monde. Mais quand vous vous trouvez dans la cour, alors vous pouvez regarder à l'intérieur et voir la cuisine. C'est la même vitre et, pourtant, vous êtes passé de l'autre côté, vous voyez *autrement*. Ben faisait toujours ça. Il aimait considérer les deux côtés des choses. Les nôtres disaient parfois de lui qu'il était un peu dérangé à cause de ça. »

Une vague de tristesse l'envahit, et elle ferma les yeux. Elle ne voulait pas pleurer devant cet homme. Ben... c'était son chagrin à elle, son intimité la plus profonde.

Elle déglutit et inspira aussi profondément que possible pour apaiser la souffrance qui lui tenaillait le flanc. « Je bavarde, je bavarde, dit-elle d'une toute petite voix, et voilà que le bonheur s'est envolé tout d'un coup. » Malgré tous ses efforts, les larmes lui brouillèrent la vue.

« Il vous manque », dit lentement l'étranger.

Il contemplait toujours les moutons comme s'il n'y avait pas de spectacle plus fascinant au monde que de les regarder manger.

Puis il demanda avec douceur — une douceur qui la fit tressaillir : « Comment est-il mort ? »

Elle se couvrit le visage de ses mains, puis les laissa retomber sur ses genoux avec un bruit mou. Jamais encore elle n'avait parlé à haute voix de la mort de Ben. Ni avec son *Vater* ni avec sa Mem, et encore moins avec ses frères. Pas même avec Noah. Le Seigneur avait rappelé Ben dans sa maison. A quoi bon, maintenant, parler de la manière dont ça s'était fait.

L'étranger vit son visage et déclara très vite : « N'y pensez plus. Ce n'est pas à moi de...

— Ils l'ont pendu, voilà ce qu'ils ont fait. Les étrangers ont pendu mon mari en affirmant que c'était un voleur de bétail. »

Elle le regarda, pensant qu'il allait dire quelque chose de compatissant, mais il demanda seulement : « C'était vrai ? »

Elle se redressa, choquée que l'on puisse envisager une chose pareille. « Ben se serait plutôt coupé une main que de prendre une chose qui ne lui appartenait pas. »

Elle avait prononcé ces mots avec rudesse, à cause de toute cette colère qui continuait de couver en elle. « Les étrangers de la vallée, ils ne nous aiment pas à cause de notre manière différente de vivre. Alors il leur arrive de se montrer méchants avec nous — oh, des petits riens, comme d'envoyer des pétards sur nos chariots quand nous traversons la ville, ou de déchirer nos jupes avec leurs éperons lorsque nous marchons dans la grande rue. Ils se moquent de nous à voix haute et nous lancent des gros mots mais, en général, ils ne nous veulent pas vraiment de mal. Sauf cet éleveur, cet Écossais du nom de Fergus Hunter. Il possède d'immenses terrains sur l'autre versant des collines, là-bas. »

Elle regarda la barrière montagneuse, à l'horizon, comme si elle pouvait voir à travers la grande maison blanche de l'Écossais, avec ses pignons et ses balcons sculptés. Avec ses corrals et ses kilomètres de clôtures, ses vastes écuries en bardeaux de cèdre et ses milliers de têtes de bétail qui réclamaient tant de place pour paître...

« Autrefois, reprit-elle, la voix lointaine, cette vallée était déserte, et Mr. Hunter avait l'habitude de lâcher ses troupeaux partout où bon lui semblait. On disait de lui, à l'époque, que c'était le roi du bétail. Cela lui est monté à la tête et, ensuite, il s'est fait appeler "baron Hunter", comme s'il était réellement porteur d'un titre de noblesse. (Elle avala sa salive et poursuivit :) Hunter n'a pas aimé que notre communauté de Justes vienne s'installer ici. Il considérait ces terres comme les siennes. Au début, il a essayé de nous faire partir en incendiant nos granges et en détruisant nos clôtures, ou encore en empoisonnant les trous d'eau dans lesquels buvaient nos moutons. Et puis, au bout de quelque temps, il a arrêté toutes ses manigances, et nous avons cru qu'il avait été touché par la grâce du Seigneur et avait renoncé à nous persécuter. »

Avec application, elle effaça un pli dans son tablier. « Mais voilà qu'il y a un an, environ, Mr. Hunter a décidé de séparer les terres en deux et de tracer une frontière. Il nous a dit que si nous la franchissions, nous finirions dans un cercueil. »

L'étranger laissa échapper un profond soupir, comme s'il connaissait déjà par cœur ce genre de scénario.

« Bien sûr, vous ne l'avez pas cru...

— Oh non, ce n'est pas ça. Nous l'avons cru. Mais nous ne voulions pas quitter cette vallée, même avec les nouvelles limites territoriales imposées par Mr. Hunter. Ce n'est pas dans nos manières de rechercher la confrontation avec les étrangers qui nous veulent du mal. Tout ce que nous désirions, c'était de continuer à vivre selon notre foi. Malheureusement, il ne nous est pas toujours possible d'éviter de souffrir dans ce monde rempli de péchés et de violence.

— *Comme l'agneau que l'on mène à l'abattoir, comme devant les tondeurs une brebis muette...* C'est dans Isaïe, je crois. »

Elle le dévisagea, stupéfaite.

« Mais vous connaissez la Bible, Mr. Caïn ! »

Il gardait les yeux fixés sur la ligne des collines, au loin. « Un homme peut être amené à connaître le doux parfum d'une prairie au printemps, dit-il lentement, il peut expérimenter l'ivresse que l'on éprouve en montant un cheval magnifique ou, encore, en tenant dans ses bras une très belle femme. Oui, il peut connaître toutes ces choses, Mrs. Yoder, sans jamais les comprendre. »

Rachel ne sut pas bien ce qu'il cherchait à lui dire, et cela la déprima. Il semblait perdu dans ses pensées et, soudain, elle se demanda si l'histoire qu'elle était en train de lui raconter pouvait bien l'intéresser. En quoi un homme tel que lui se souciait-il de la mort d'un Juste, un pauvre éleveur de moutons du Montana ?

Elle voulait tout de même finir son récit, ne serait-ce que pour la mémoire de Ben.

« Et puis, Mr. Hunter a engagé un homme, un "inspecteur" pour son bétail, comme il disait. Et cet homme a prétendu que des veaux disparaissaient... »

Elle essaya un petit rire de mépris, mais ne parvint qu'à émettre un drôle de son étranglé. « En réalité, les vaches de ce Hunter venaient toujours brouter sur nos pâtures. Un matin, au printemps dernier, nous en avons trouvé tout un troupeau en train de paître avec nos moutons. Ben s'est mis en colère. Il se mettait vite en colère, mon Ben, mais ça ne durait jamais, il se calmait aussi vite. Ce matin-là, il a dit qu'il allait dire son fait à Mr. Hunter parce qu'il laissait vagabonder ainsi son bétail. Et Ben avait toujours le mot vif quand il était fâché. »

C'était la dernière image qu'elle avait eue de lui. Assis à califourchon sur leur vieille jument, lançant des cris pour rassembler le troupeau en faisant tourner un lasso au-dessus de sa tête. Elle l'avait taquiné en lui disant qu'il avait l'air d'un cow-boy comme ça, et qu'on aurait pu le mettre sur la couverture d'un de ces livres d'aventures à quatre sous que les étrangers achetaient. Mais Ben avait à peine souri. Il était préoccupé par les vaches de chez Mr. Hunter.

Elle ferma les yeux, mais il n'y avait plus de larmes en elle. Seulement un grand vide, un vide qui la brûlait, qui la consumait petit à petit.

Une autre image la hantait, mais cette image-là, elle ne l'avait pas vue *réellement*. C'était celle de Ben en train de se balancer au bout d'une corde, ses grandes mains inertes pendant le long de son corps. La corde, en frottant contre la haute branche, grinçait en cadence. On était en avril. Il devait déjà y avoir des bourgeons sur cette branche...

Elle rouvrit les yeux et contempla la forêt de pins qui couvrait les versants de la colline, en face. C'était là qu'il y avait l'arbre. Là que se trouvait le ranch de Fergus Hunter.

L'étranger demeurait silencieux. D'un mouvement vif, elle se tourna vers lui et reprit, la voix vibrante de colère : « Vous savez ce que Hunter a dit ? Il a dit qu'il était désolé. *Désolé*... Il est venu à la ferme avec le shérif, et le shérif a expliqué que c'était une erreur ; qu'un homme, dans cet État, a le droit de protéger son bétail et d'agir comme bon lui semble s'il pense qu'on le lui vole. Et puis, Mr. Hunter a dit que c'était vraiment une terrible tragédie, et qu'il était désolé.

— Des explications que vous n'avez pas crues, naturellement, commenta l'étranger avec placidité.

— Ben n'est plus là, c'est tout ce que je sais, Mr. Caïn. »

Il regardait sa main posée sur sa cuisse. Il la regardait intensément, comme s'il pouvait voir à travers la peau et les muscles, jusqu'à l'os. « Quand on est mort, on est mort », dit-il simplement.

Non, pensa Rachel, ce n'est pas vrai. Ben l'avait quittée mais il vivait toujours, il était parti rejoindre Dieu. C'est vrai qu'il y avait ce vide terrible en elle, mais il disparaîtrait un jour. Elle le remplirait de moments de foi, de moments de travail. Avec des dimanches tout vibrants des cantiques à la gloire de Dieu, avec le rythme inspiré de la prédication, avec les repas chaleureux partagés, ensuite, avec les voisins et la famille. Il y aurait ces dizaines, ces centaines de matins passés à donner le foin aux moutons, à coiffer la tignasse indisciplinée de Benjo avant l'école ; et ces après-midi à cuire le pain, à écouter le vent du Montana secouer les peupliers. Et puis les nuits... toutes ces nuits où elle resterait assise dans le fauteuil à bascule, laissant la musique entrer à grands flots dans son âme. Et alors la paix reviendrait, la douce sérénité du temps qui passe.

« La mort est douloureuse, dit-elle autant pour l'étranger que pour elle-même. Mais seulement pour ceux qui restent. La Bible dit : *Le Seigneur donne et le Seigneur reprend.* Dans notre chagrin, il est facile de ne considérer que ce qu'Il prend, en oubliant tout ce qu'Il donne. Car Il nous donne tant, Mr. Caïn. Il nous donne les moutons qui aiment l'hiver et une matinée comme celle-ci, si belle, pleine de promesses du printemps. Il m'a donné les années de bonheur que j'ai partagées avec Ben. Et Il m'a donné aussi notre fils. »

Elle prononçait tous ces mots parce qu'elle savait qu'ils disaient la vérité, parce qu'elle espérait qu'ils l'aideraient. Et, pourtant, le vide demeurait en elle.

« Je les tuerai pour vous, si vous voulez.

— Quoi ? »

Elle se rendit compte qu'elle venait de crier. Quand elle le regarda, elle vit qu'il était toujours assis là, sur la chaise, les jambes allongées, immobile comme s'il dormait. Mais sa voix était aussi froide qu'une terre gelée en hiver. « Je tuerai ce Mr. Hunter et son inspecteur de bétail qui a pendu votre mari. »

Il parlait de toutes ces terribles choses avec une aisance confondante. *Je les tuerai si vous voulez.* Mon Dieu, pensa Rachel, aidez-moi ! A cause de ce vide qui brûle en moi, à cause de cette envie de les faire payer pour ce qu'ils ont fait à Ben.

« Tuer ne résout jamais rien, dit-elle, la voix tremblante. La vengeance n'appartient qu'au Seigneur. »

93

Encore des mots vrais, mais qui ne remplissaient pas le vide. Pas comme ceux que venait de prononcer l'étranger et qui réveillaient un désir malsain en elle, le désir de se venger. Ce désir-là, c'était comme une chose noire et sale, comme un peu de mort au fond de soi.

L'étranger portait son revolver bien en évidence sur sa hanche, la crosse en avant. Il le saisit de la main gauche et le fit glisser du holster, lentement, avec amour. « Le Seigneur prend, Mrs. Yoder... Mais *cela* le fait aussi. »

Il pointa le canon vers le ciel, comme pour tirer sur les geais qui venaient toujours piller le potager de Rachel. Mais c'était à elle qu'il offrait son revolver. Son revolver et son expérience de tueur.

Elle sauta sur ses pieds et se rattrapa de justesse à la balustrade, manquant de peu de dégringoler en bas des marches.

« Ne dites pas ces choses terribles ! »

Il releva à peine la tête pour lui jeter un coup d'œil par-dessous les bords de son chapeau. Elle pouvait enfin voir ses yeux à présent. Ils étaient vides comme un désert sans fin.

« Allez-vous-en ! » cria-t-elle comme s'il la menaçait.

Il ne broncha pas et se contenta de continuer à la regarder de son regard vide.

« Je vous proposais juste ça parce que je pense que je vous dois quelque chose, Mrs. Yoder, parce que vous m'avez recueilli et soigné comme vous l'avez fait. Si vous changez d'avis...

— Je n'en changerai jamais ! Jamais ! »

A cet instant précis, le vent se souleva et fit claquer sa jupe et grincer le toit de tôle. Le vent redevenait froid, on ne devinait plus l'approche du printemps dans l'air. Rachel serra les bras contre sa poitrine en frissonnant.

Puis elle se détourna de lui et s'éloigna dans la cour, se forçant à marcher lentement, la tête bien droite. Elle alla jusqu'à la grange, y entra et resta là, les bras ballants, la tête vide, à regarder la poussière danser dans un rayon de soleil, à respirer l'odeur du foin et des animaux.

« Je ne changerai jamais d'avis », répéta-t-elle à voix basse.

Et ce fut comme si elle prononçait un vœu.

Chapitre 6

Le fer chuinta en glissant sur la coiffe de batiste encore humide, laissant dans son sillage un pli aussi aigu qu'une lame de couteau, et une légère odeur de roussi s'éleva de l'amidon chaud.

Rachel posa le fer sur le fourneau et rangea avec précaution la coiffe fraîchement repassée sur le bord de la table, à côté des trois autres, alignées comme des poulets bien blancs et prêts à rôtir.

D'un coup d'œil, elle regarda par la porte entrouverte. La brise matinale s'était transformée en chinook, un vent chaud et sec comme l'herbe en été. Le soleil luisait faiblement dans un ciel pâle et faisait fondre les lambeaux de neige jaunâtres sur les champs.

Le vent apportait dans la cuisine l'odeur de la terre humide qui venait se mêler à celles de l'amidon, de la vapeur, et du fer chaud. De là où elle se tenait, Rachel ne pouvait apercevoir que l'une des bottes luisantes de l'étranger. Toute la journée, il restait assis là, sous le porche, et c'était bien un miracle s'il n'avait pas de nouveau attrapé la fièvre.

Il se tenait toujours le dos étroitement pressé contre le mur en rondins, afin que rien ne puisse le surprendre par-derrière. Elle savait que, sous le chapeau, les yeux de l'étranger surveillaient inlassablement le chemin. Peut-être pensait-il y voir un jour quelqu'un arriver au galop et alors il pointerait son revolver et le tuerait d'une seule balle.

Je les tuerai si vous voulez.

Toute sa vie, elle n'avait connu que des choses simples : de simples plaisirs, des gens sans histoires, de simples chagrins. Et puis il était arrivé en titubant à travers la pâture et voilà que, maintenant, elle avait des pensées tortueuses, dangereuses.

La Bible dit : *La lumière a brillé dans les ténèbres mais les ténèbres n'en ont pas voulu.* L'étranger vivait dans l'obscurité. Il était la nuit. Et ce que Rachel n'avait pas compris jusqu'alors, c'est que la nuit pouvait avoir sa propre beauté, irrésistible, envoûtante.

Je les tuerai si vous voulez.

Elle risqua un nouveau coup d'œil dehors, puis alla chercher le fer sur le fourneau et reprit son repassage.

Pour chasser l'obscurité, pensa-t-elle, il faut allumer une lanterne. Le Seigneur a dit : « *On n'allume pas une lampe pour la mettre sous le boisseau, on la met sur le lampadaire où elle brille pour tous ceux qui sont dans la maison. Ainsi votre lumière doit briller devant les hommes afin qu'ils voient vos bonnes œuvres et glorifient le Père qui est dans les Cieux.* »

Elle montrerait la lumière à l'étranger.

Lissant son tablier, elle rentra une mèche de cheveux qui avait glissé hors de la coiffe et sortit sous le porche. Elle se plaça bien en face de lui et le vent chaud vint enrouler sa jupe autour de ses jambes.

« A propos de ce dont nous parlions hier, Mr. Caïn... »

Il repoussa son chapeau et la regarda.

« Je me souviens fort bien de notre conversation, Mrs. Yoder. Et je suppose que vous êtes là maintenant, devant moi, pour me la reprocher encore.

— C'est de la vie en général que je voudrais vous parler. De la vie et de la mort décidée par Dieu. Et aussi de nos péchés dont nous devrons Lui rendre compte. Ce qu'a fait Mr. Hunter, il devra en répondre, mais seulement à Dieu. Comme vous, comme moi, comme nous tous quand notre heure sera venue.

— Bah. Je ne crois pas que ce sera Lui qui m'appellera et qui réclamera mon âme, à ce moment-là.

— Non, non, vous vous trompez. »

Elle se cala fermement sur ses pieds face à lui afin qu'ils puissent se parler les yeux dans les yeux, sans détours, dans la lumière de la vérité.

« Dieu nous donne la paix et la joie. Et aussi le pardon et la vie éternelle. Il n'est pas trop tard pour unir votre âme à Lui. »

Il se pencha soudain en avant et approcha son visage tout contre le sien, si près d'elle qu'elle eut envie de reculer, mais elle ne le fit pas. Il ne souriait pas — et, de toute façon, Rachel ne se fiait pas à ses sourires. Pourtant, il y avait de la tendresse dans ses yeux, dans cette manière qu'il avait de la regarder. Le vent les enveloppait de sa tiédeur.

« Peut-être bien que c'est *vous* qui vous trompez, Mrs. Yoder », dit-il lentement. Il parlait avec une telle douceur qu'elle faillit se laisser emporter par elle et oublier le sens des mots. « Voyez-vous, il me plaît, à moi, d'être damné. Je me vautre dans mes péchés comme un porc gras dans la boue. »

Rachel retourna la paille du poulailler pour y chercher les œufs. Elle finit par en trouver un qu'elle ajouta aux deux autres nichés au creux de son tablier. La récolte était maigre aujourd'hui. La ferme abritait une douzaine de poules Bantam, mais il y en avait toujours une ou deux qui couvaient et les autres vagabondaient.

Elle se hâta de traverser la cour, son tablier relevé, et franchit les ruisselets d'eau qui s'échappaient des tas de neige fondue. L'étranger l'observait, assis sur le porche, immobile et silencieux, comme toujours.

Il me plaît d'être damné, avait-il dit. Elle ne pouvait imaginer que quelqu'un pense une chose pareille. Pour la première fois, elle réalisait à quel point il était différent d'elle. Pourtant, elle ne renoncerait pas avec lui. Elle ne le faisait jamais dans sa vie.

Quand elle passa à côté de lui, elle vit qu'il triturait de nouveau la pelote en velours rouge. « Elle ne me servira plus à grand-chose, dit Rachel, maintenant que vous avez écrasé tout son rembourrage. »

La main s'arrêta, une fraction de seconde. « Le monde est plein de pelotes à épingles. Je vous en donnerai une autre. »

Elle s'arrêta, une main sur sa hanche et se retourna pour regarder la cour. Le vent tiède caressa son visage et fit voleter les rubans de sa coiffe. « C'est vraiment dommage que vous ne puissiez aussi facilement aller au magasin de la ville vous acheter une autre âme. Ou, encore, en choisir une toute neuve sur catalogue. Parce que ce n'est qu'en menant une vie chrétienne que l'on peut se purifier et se sauver. Et cela fait partie d'une vie chrétienne que d'aimer ceux qui nous haïssent et de ne pas chercher à se venger de nos ennemis. »

L'étranger baissa la tête en soupirant. « Allons-nous débattre encore de cela, Mrs. Yoder ?

— Oui, Mr. Caïn, en vérité.

— Très bien, alors. Pour commencer, les ennemis dont nous parlons ne sont pas mes ennemis mais les vôtres. En second lieu, je vous ai dit que ce serait moi qui me chargerais de tout.

— Vous prendriez la vie d'un homme que vous ne connaissez pas ?

— C'est ce que je fais tout le temps. »

Elle fut si choquée par ces paroles qu'elle lâcha un coin de son tablier, et les œufs, un à un, allèrent s'écraser sur le plancher du porche.

Elle contempla les œufs cassés, puis leva les yeux vers lui.

« Vous ne ferez pas ça à Mr. Hunter. Vous ne le ferez pas. »

Il haussa les épaules avec insouciance. « Je vous l'ai proposé, et vous avez refusé. Tant que cet homme ne viendra pas me chercher, je resterai tranquille. »

Les yeux de Rachel se reportèrent sur la bouillie jaune et blanc, à ses pieds. Elle se sentit soudain très lasse. « Qu'est-ce que je vais... », commença-t-elle faiblement.

Il l'interrompit. « Je mange mes œufs brouillés, Mrs. Yoder. »

Elle lui tourna le dos et pénétra dans la cuisine pour aller chercher un seau et une serpillière. Elle se tint un instant au milieu de la pièce, à réfléchir, puis ressortit, les mains vides.

« Il faut que vous sachiez que nous tous, les Justes, avons prié pour l'âme de Fergus Hunter.

— Hmm. Et, bien sûr, il vous en est terriblement reconnaissant... »

Elle ignora sa remarque et reprit :

« Mais, pour l'instant, c'est pour vous que je prie, Mr. Caïn, que je prie de toutes mes forces. »

Le rouleau de bois écrasait la boule de pâte, d'avant en arrière, encore et encore, avec une telle vigueur qu'un petit nuage de farine s'éleva dans l'air.

Rachel s'arrêta un instant pour réfléchir, toujours agrippée au rouleau. Puis elle se redressa, essuya ses mains pleines de farine sur son tablier et sortit sur le porche. « La Bible nous dit aussi, Mr. Caïn : *Si quelqu'un te frappe la joue droite, tends-lui la joue gauche.* »

Il tourna vers elle son visage impassible. « Chaque fois que j'ai tendu l'autre joue, Mrs. Yoder, j'ai reçu un nouveau coup. Enfant, on m'a parlé de ces Écritures que vous ne cessez de me rabâcher. Je crois me rappeler de Jésus-Christ disant qu'il fallait aimer ses ennemis. Mais un jour que *ses* ennemis à lui étaient particulièrement mal disposés, ils l'ont accroché à une croix jusqu'à ce qu'il en meure. Voilà ce qui arrive, lady, quand on tend l'autre joue. »

Elle tressaillit à ce blasphème. « Jésus est mort afin de nous sauver.

— Vraiment ? Et votre mari ? Pourquoi est-il mort ? »

Elle se détourna brusquement, mais il la saisit par le bras. « Ne vous sauvez pas encore une fois. Je ne le ferai plus, je vous le promets.

— Je ne me sauve pas. J'ai des gâteaux dans le four... Vous ne ferez plus... quoi ?

— Vous agacer, comme ça. Comme on éperonne un cheval sauvage pour le dompter.

— Vous avez... Et moi, je me suis dit que... »

Elle éclata brusquement de rire, et il laissa retomber son bras. Ils étaient trop différents, l'étranger et elle ; et les mots, aussi nombreux soient-ils, ne parviendraient pas à combler l'abîme entre eux. D'ailleurs, était-ce bien nécessaire ? Elle se rendait compte, tout à coup, que ce n'était pas lui qu'elle s'efforçait d'arracher à l'obscurité, c'était *elle*. A cause de ce vide brûlant qui la tenaillait de ces terribles pensées qui avaient rampé en elle, de la diabolique semence de la vengeance.

Mais elle avait cherché la Lumière, et la Lumière était venue à elle. La semence du diable s'était desséchée, elle était morte avant d'avoir pu développer dans son âme son effrayante puissance.

Elle rit de nouveau, le cœur plus léger. « *Cherchez, et vous trouverez. Frappez, et l'on vous ouvrira* », a dit le Seigneur.

« Vous ne pourrez jamais briser ma foi, Mr. Caïn, dit-elle. Et encore moins avec des éperons ! »

Et elle se mit à rire de nouveau.

Noah Weaver entendit rire Rachel.

Il marchait dans le petit bois de pins jaunes et de mélèzes qui séparait sa ferme de la sienne. Il avançait lentement, d'un pas décidé, ses lourds brodequins laissant de profonds sillons dans la couche pâteuse des aiguilles de pins et de la neige fondue. Ses pensées tournaient autour de ces vents du chinook qui le mettaient toujours mal à l'aise. On aurait dit le souffle du diable, cette façon qu'ils avaient de souffler le chaud en hiver.

L'écho d'un rire lui parvint alors à travers les arbres. Il sursauta et l'un de ses talons dérapa sur la terre fangeuse, lui faisant perdre l'équilibre. Il tomba si lourdement sur son postérieur que ses dents s'entrechoquèrent. Un cri moqueur s'éleva au-dessus de sa tête et, levant les yeux, Noah vit l'éclair noir et blanc d'une pie qui disparut dans la cime des pins.

Il se remit lentement sur ses pieds, grimaça, le corps tout endolori, et se sentit soudain vieux et las. Puis il brossa le fond de son pantalon et remit son chapeau sur sa tête. La forêt était redevenue silencieuse, à peine entendait-on la neige fondue tomber, goutte à goutte, des branches.

Noah sortit du bois et s'approchait de la grange quand il entendit de nouveau le rire de Rachel. Il ralentit et regarda en direction de la maison.

Elle était appuyée contre la balustrade du porche, les mains posées bien à plat sur la rambarde en pin. Sa jupe voletait au vent et les rubans de sa coiffe dansaient. Elle parlait avec l'étranger. Riait avec lui.

L'étranger était assis sur l'une des chaises de la cuisine, le dos contre le mur. Mais Noah le regarda à peine. C'était Rachel qu'il regardait.

Si souvent, au cours des années, il l'avait observée ainsi, en secret. Chaque fois qu'il venait parler avec Ben de la tonte, des foins ou de l'agnelage, c'était en réalité Rachel qu'il désirait voir. Il restait dans la cour à parler avec Ben, un œil sur la porte, espérant qu'elle sortirait, priant pour qu'on l'invite à boire une tasse de café ou peut-être à manger une part de tarte.

Quand cela arrivait, il la regardait s'affairer à ses corvées ménagères, allant de l'évier au fourneau, marchant de cette démarche souple qui faisant danser sa jupe autour de ses hanches étroites. Il aimait regarder la manière dont son dos se courbait, souple et net comme un saule, quand elle se penchait sur la table pour verser le café dans sa tasse et, alors, il la remerciait d'un sourire, et elle lui souriait en retour.

C'était tout ce qu'il avait jamais eu d'elle. Et, chaque fois, il s'était senti un peu volé, un peu vide, parce que quelque chose lui manquait. Un court instant, oh, juste un court instant, il s'imaginait qu'elle était à lui.

Il s'approcha lentement de la maison. L'étranger devait l'avoir déjà repéré car il fit un petit signe, et Rachel s'arrêta de parler et se retourna.

« Noah ! »

Son visage s'éclaira en le voyant. Mais quand elle l'eut regardé avec plus d'attention, elle fronça les sourcils et demanda : « Que se passe-t-il ? »

Noah entendait encore l'éclat de son rire résonner dans ses oreilles. En fait, il le sentait même lui traverser le corps tout entier, et cela le troublait et le mettait mal à l'aise. Comme ce vent chinook bien trop chaud pour la saison.

Les marches fatiguées grincèrent sous son poids tandis qu'il se rapprochait d'elle. Elle le regardait, le corps bien droit, la tête redressée. Il se sentait toujours tellement pataud à côté d'elle, trop grand, trop rude.

« *Vie gehts ?* » dit-il.

Elle avait dû faire des gâteaux car ses manches étaient roulées jusqu'aux coudes, et il y avait de la farine sur ses bras. Sa peau était si pâle qu'on pouvait voir le fin réseau de veines bleues courir dessous.

Il savait que c'était grossier de sa part de parler *deitsch* devant l'étranger. Même si l'homme venait du monde extérieur, il n'en demeurait pas moins un hôte dans la maison de Rachel et devait être traité courtoisement. D'ailleurs, Noah vit bien que Rachel le regardait, une lueur réprobatrice dans ses yeux gris. Ses yeux avaient toujours révélé ses pensées, comme la girouette indiquant la direction du vent.

« C'est gentil de venir faire une petite visite, Noah », dit-elle en articulant distinctement les mots *englische*.

Il eut l'impression d'être redevenu un grand *dopplich* d'enfant à qui on faisait la leçon. « Mr. Caïn, reprit-elle, voici Noah Weaver, mon voisin et aussi un ami très cher. »

Noah attendit, tout en ne sachant pas très bien ce qu'il devait attendre. Peut-être que Rachel ajoute : « Voici l'homme que je vais épouser, monsieur l'Étranger. » Sauf qu'il n'y avait aucune chance qu'elle dise ça. Noah lui avait demandé d'être sa femme, mais elle n'avait pas dit « oui ». Et ce n'était guère réconfortant de savoir qu'elle n'avait pas dit non plus « non ».

Il se tourna lentement pour regarder enfin l'étranger de plus près. Il était assis, là, tout élégant et fier dans ses vêtements du monde extérieur, comme un dindon qui se pavane dans un poulailler. Son visage était aussi lisse et uni qu'un derrière de bébé. Noah sentit le nœud dans son estomac se relâcher un peu. Rachel ne pouvait sûrement pas trouver attirant un visage pareil, un visage sans barbe.

L'étranger aussi contemplait Noah à travers ses paupières à demi fermées. Il avait des yeux d'un bleu pâle et froid et une expression impassible, vide, comme une prairie en hiver. Soudain Noah sentit les poils de son cou se hérisser quand il vit la main de l'étranger posée sur le revolver qui pendait de sa hanche. Il devait déjà tenir sa main ainsi depuis qu'il l'avait vu sortir de derrière la grange.

101

« Bonjour, dit l'étranger. Bel après-midi, hein ? »

Il parlait avec un accent traînant comme les gens du Sud. Peut-être qu'il venait du Texas, ou de l'Arizona. Noah n'était pas d'humeur à faire des politesses. Pas avec un homme tel que celui-là, un homme qui laisse sa main toujours posée sur son instrument de mort.

« Vous avez eu bien de la chance de vous faire tirer dessus par ici, monsieur l'Étranger », répondit-il avec froideur.

Il vit l'homme retrousser curieusement les coins de sa bouche, comme s'il grimaçait un sourire.

« La chance a toujours deux visages, Mr. Weaver. »

L'étranger jeta un coup d'œil à Rachel et Noah vit une lueur traverser ses yeux, mais il ne sut comment l'interpréter. « C'est vrai que Mrs. Yoder m'a sauvé la vie, reprit-il de sa voix traînante, mais maintenant il faut que je l'écoute me sermonner toute la journée à cause de mon âme noire. »

Et, à cet instant, Noah sentit qu'il se passait quelque chose entre eux, entre l'étranger et sa Rachel. Il pensa aux feux de Saint-Elme, l'été, quand les orages de chaleur allument des étincelles autour des cornes du bétail.

« Si j'étais venu agoniser près de votre ferme, Mr. Weaver, reprit l'homme en noir, je suis certain que, *vous*, vous m'auriez envoyé tout droit au diable. Pour mon salut, j'imagine... »

Et, tout en parlant, il regardait Noah de ses yeux bleus insolents. Noah s'éclaircit la gorge. « Aucun de nous ne sait s'il sera sauvé ou non avant d'arriver de l'autre côté, monsieur l'Étranger. Aussi ne nous préoccupons-nous pas du salut des autres. Nous laissons cela à Dieu. Et je vous rappelle que nous n'acceptons pas de personnes converties dans notre Église.

— Oh, vraiment, Noah ! s'exclama Rachel. Comme si Mr. Caïn en avait envie ! Il plaisantait, voilà tout. »

Était-ce de cela qu'ils étaient en train de rire quand il les avait entendus, tout à l'heure ? De Dieu et du salut des âmes ? Noah n'aimait pas cette conversation. Il se sentait comme mis de côté. Et un peu effrayé, aussi. Son regard balaya la grange, la cour, la pâture, à la recherche de repères rassurants. Péniblement, il chercha quelque chose à dire.

« Tes brebis vont bientôt mettre bas, Rachel. »

Elle regarda en direction de l'enclos où les moutons mâchonnaient le foin éparpillé. Le vent chaud courait sur les plis amidonnés de sa coiffe. « Non, non, pas encore. »

Noah en fut irrité. Bien sûr, il savait bien qu'elle avait raison, que les brebis n'étaient pas encore tout à fait prêtes. Mais une femme ne doit pas contredire un homme. Surtout pas devant un autre homme. Un étranger, de surcroît.

« Mais si elles mettent bas pendant que vous êtes encore là, Mr. Caïn, reprit-elle en se tournant vers l'étranger, un sourire aux lèvres, nous verrons si nous pourrons faire de vous un bon agneleur.

— Lady, ça ne doit pas être si terrible que ça, répondit l'homme de sa voix paresseuse.

— Oh, ne croyez pas ça. C'est terrible. Bien plus terrible que vous ne pouvez l'imaginer. »

Et, au grand mécontentement de Noah, elle se mit de nouveau à rire.

Il se demandait ce qui se passait. D'où venait cette Rachel qu'il ne connaissait pas ? Combien de fois n'avait-il pas dit, à la prédication, qu'un rire trop enjoué, une réplique trop spirituelle trahissaient un esprit suffisant et une conduite qui déplaisait à Dieu ? Il se demandait maintenant si Rachel avait vraiment écouté ses paroles. Elle avait toujours été rebelle. Il lui fallait un mari fort pour la guider. Et Noah songea avec amertume qu'il aurait fait bien mieux que Ben, à cet égard.

Il jeta un regard maussade à l'étranger.

« Maintenant que vous voilà debout et bien-portant, je suppose que vous allez bientôt partir.

— Mr. Caïn n'est pas suffisamment rétabli, intervint Rachel. Il n'est pas encore capable de se tenir à cheval.

— Il peut marcher. C'est comme ça qu'il est venu, c'est comme ça qu'il peut repartir. »

Des yeux gris orageux flambèrent vers lui. « Noah ! »

Le diacre grommela dans sa barbe tandis que l'étranger esquissait un sourire tranquille. « J'ai bien peur, ma'am, que votre bon voisin et ami très cher ne fasse pas grand cas d'un filou tel que moi. »

Rachel faillit éclater de rire encore une fois. Noah vit des lumières danser dans ses yeux alors qu'elle se pinçait les lèvres pour se retenir.

Il reporta son regard vers l'étranger, vers cette face mielleuse de Satan, et une vague de haine se forma dans son ventre comme un mauvais gaz. Il fut étonné par la violence de cette haine. Étonné et honteux.

Fermant les yeux, il chercha désespérément une pensée qui le ramènerait à Dieu. *Celui qui dit qu'il est dans la Lumière et qui hait son frère marche dans les ténèbres*, dit le Seigneur.

Noah se redressa. Tout ce qu'il trouva à dire fut : « J'ai une roue de chariot à la maison qui a besoin d'être cerclée. » Il chercha à tâtons la balustrade du porche, et ses grands pieds trébuchèrent sur les marches boueuses. Il faillit glisser et tomber de nouveau sur son derrière.

Puis, aussi dignement qu'il le put, il traversa la cour à grandes enjambées sans se retourner. La voix de Rachel s'éleva dans son dos. « Noah ? » Mais il fit mine de n'avoir rien entendu.

Quand il atteignit enfin l'ombre de la grange qui le dissimulait aux regards, il se retourna vers la maison. Rachel se tenait au côté de l'étranger, la tête penchée, une main sur la hanche, l'autre cherchant à retenir les rubans de sa coiffe qui volaient. L'étranger dut lui dire quelque chose, car elle se courba vers lui et donna une petite tape sur le bord de son chapeau.

Et elle se mit à rire.

Noah essaya de respirer profondément mais sa poitrine était si lourde, si oppressée qu'on l'aurait crue écrasée par des tonnes de coton.

Il ne l'avait jamais entendue rire depuis que Ben s'en était allé. Et maintenant cet *Englischer* était venu, avec son revolver, ses yeux froids et ses sourires faciles.

Maintenant cet étranger est là, et il fait rire ma Rachel.

Assis, nu, sur un banc de roches, Mose Weaver contemplait l'eau noire et profonde, six pieds en dessous de lui. Le vent agitait les branches des saules et des pruniers sauvages et faisait onduler les herbes aquatiques qui bordaient l'étang de Blackie. Mose sentait sur sa peau sa caresse, trompeusement chaude. Il savait bien que l'eau, en bas, serait glaciale.

Il se décida enfin et, après une profonde inspiration, plongea en raidissant son corps. L'eau noire et profonde se referma sur lui et l'aspira vers le fond. Il donna un grand coup de pied et remonta à la surface avec un hoquet.

Judas Iscarioth ! C'était vraiment glacial, là-dedans ! Il se força à faire deux fois le tour de l'étang à la nage et ressortit, tout frissonnant.

Il s'étendit à plat ventre sur un lit d'herbes marécageuses et poussa un profond soupir. Le chinook le réchauffait et séchait sa peau encore hérissée par la chair de poule. A cette époque de l'année, pensa Mose, l'eau était plus froide qu'une grenouille mais elle était

104

bien plus pure qu'en été quand il y avait tous ces roseaux pleins de serpents qui encombraient la surface, et ces myriades d'insectes avides de vous sucer le sang.

Mose s'étira et respira avec bonheur l'odeur de l'humus et de la terre humide. C'était une sensation délicieuse que d'être étendu là, à ne rien faire. Évidemment, il faudrait en payer le prix, ensuite, quand le père constaterait que la clôture n'était toujours pas réparée. De toute façon, même s'il l'avait réparée aujourd'hui, il y aurait eu aussitôt une autre corvée à faire, et une autre, et encore une autre. Le vieux était sur son dos tout le temps, et il n'arrêtait pas de lui dire que le Seigneur détestait l'oisiveté, et ceci, et cela. Alors il écrasait son rejeton de tâches aussi dures les unes que les autres. Mose se disait souvent que les chevaux de trait, pour finir, se reposaient plus que lui.

Il soupira, s'étira de nouveau. Les yeux fermés, il se sentait délicieusement bercé par le vent chaud, comme s'il flottait. Les branches de saule craquèrent derrière lui. Un caillou plongea dans l'eau avec un gargouillis.

Mose leva les yeux, et son cœur partit au galop.

Une fille le regardait, debout au milieu des rochers, tout auréolée d'un blanc vaporeux. Elle portait un chapeau de paille sur sa tête avec un ruban de satin blanc noué sous son menton. Une ombrelle en dentelle tournoyait derrière son épaule et jetait une tache d'ombre dansante sur l'herbe.

L'adolescent sauta sur ses pieds et se souvint alors qu'il était nu. Fiévreusement, il se baissa pour tâtonner à la recherche de ses vêtements, trouva sa chemise et la roula piteusement en boule devant ses parties intimes.

La fille se mit à rire mais Mose ne l'entendit pas, tellement il haletait.

« Désirez-vous que je me retourne ? dit la fille.

— Je...

— Dépêchez-vous d'enfiler votre pantalon pendant que je regarde ailleurs. Vous êtes aussi rouge qu'un framboisier ! »

Elle se détourna dans un frou-frou de jupes soyeuses. Mose la regardait, figé comme une statue. Sa robe n'était pas aussi blanche qu'il l'avait cru tout d'abord, elle s'ornait de fines rayures cannelle, de la couleur des bonbons qu'on vend à l'épicerie de Miawa City. Le tissu de soie formait une sorte de pouf sur son derrière puis retombait en cascade sur ses hanches, comme une chute d'eau mousseuse. La fille avait la taille la plus fine que Mose ait jamais vue. Il aurait pu l'entourer de ses mains, et encore, en croisant les doigts.

Il reprit enfin ses esprits et, affolé, enfila si vite son pantalon qu'il glissa les deux pieds dans la même jambe, de sorte qu'il dut se trémousser avec maladresse pour se dégager. Sa chemise se prit dans l'une de ses oreilles et il faillit se pocher un œil en la décrochant. Quant à ses bretelles, elles étaient tout emmêlées. Découragé, Mose les laissa pendre sur son pantalon et enfila sa veste en toute hâte.

L'ombrelle s'abaissa et le bord d'un chapeau de paille apparut sous la frange de dentelle. « Vous êtes décent, maintenant ? »

Mose déglutit si fortement que sa gorge émit un drôle de bruit en s'étranglant. Il avait l'impression d'avoir avalé un œuf d'oie tout entier, avec la coquille et le reste.

« Euh, *ja*. Oui, miss. Désolé, miss. »

Elle virevolta dans un autre froufroutement soyeux et releva légèrement ses jupes, révélant le bord en dentelle d'un jupon. Puis elle s'avança vers Mose, replia son ombrelle et vint s'accroupir au bord de l'étang. Elle retira ses gants de dentelle et exhiba des mains fines et blanches qui avaient l'air aussi douces que du duvet d'oie. Arrondissant ses doigts, elle prit un peu d'eau et la porta à ses lèvres.

Mose la regarda boire, fasciné. Il la vit relever la tête et lui adresser un sourire si étincelant qu'il en fut aveuglé. « J'aimerais bien passer un moment ici avec vous, dit-elle, mais cela m'ennuierait de tacher ma robe. Serait-ce trop vous demander, monsieur, de me prêter votre veste ? »

Il manqua de déchirer son vêtement, tant il se dépêcha de l'arracher de ses épaules. Puis il l'étendit sur l'herbe boueuse pour qu'elle puisse s'y asseoir. Sa belle veste à quatre boutons avec son beau col de satin gaufré. Mais cela ne faisait rien. Il n'y pensait même pas. Tout ce qu'il voulait, c'était se montrer galant avec la dame, comme un vrai gentleman.

Elle s'assit délicatement en ramenant ses jambes sous elle et poussa un profond soupir. Une bouffée sucrée monta jusqu'aux narines de Mose. Quand elle rejeta la tête en arrière, ses lourdes mèches de cheveux roulées à l'anglaise dansèrent sur ses frêles épaules. Elle avait les cheveux d'un beau jaune pâle, juste de la couleur du blé mûrissant.

« C'est un endroit très joli, cet étang, fit-elle. Parfois, je viens ici, l'été, pour des pique-niques. Mais, le plus souvent, je m'y promène seule quand j'ai un peu de vague à l'âme. Quelquefois, même, je pousse jusqu'à la prairie. Les autres filles, elles, mettent rarement le nez dehors mais, moi, j'aime ça. J'aime me promener. »

Elle avait parlé doucement, avec aisance, et sa voix coulait comme l'eau fraîche d'une rivière. Mose vit qu'elle avait des canines un peu saillantes qui lui gonflaient légèrement la lèvre supérieure quand elle souriait.

« Est-ce que vous allez vous aussi vous promener dans la prairie ? demanda-elle en le regardant.

— Oui, miss. »

Il se dit que le fait de pousser un troupeau de moutons d'une pâture à l'autre pouvait bien être considéré comme une promenade, tout compte fait.

La poitrine de la jeune femme se souleva et laissa échapper un nouveau soupir heureux.

« J'aime beaucoup la campagne, par ici. Elle est si vaste, si ouverte. Pas comme là d'où je viens, en Floride. Il y a des marécages, là-bas, et il y fait si chaud que l'horizon semble s'engloutir dans la terre. »

Elle lui jeta un autre coup d'œil, et le soleil se refléta dans ses yeux. « Il fait chaud, ici, en été, n'est-ce pas ?

— Oui, miss. »

Mose se sentait aussi benêt qu'un grand *Schussel*, planté là à secouer la tête comme un jouet mécanique. Il se disait que les bonnes manières exigeaient qu'il restât là, à ne rien faire, jusqu'à ce qu'elle l'invite à s'asseoir à côté d'elle. Il se balançait d'un pied sur l'autre, à la regarder, à espérer, à ne pas savoir quoi faire. Il pensa que même les moutons devaient être plus doués que lui pour la conversation.

Finalement, voyant que rien ne venait, il se décida à se laisser tomber sur le sol, près de la jeune femme. Elle tourna la tête vers lui et lui adressa un autre sourire aussi radieux qu'un jour de printemps.

« Et quel est votre nom, mon garçon ?

— Euh, Mose. Mose Weaver. »

Elle plissa son joli petit nez constellé de taches de rousseur. « Mose... Quelle sorte de nom est-ce donc ? »

Il déglutit. « En fait, c'est Moses. Moïse, quoi. »

Elle hocha la tête gravement, comme si cette précision était de la plus haute importance. « Moi, je m'appelle Marilee. C'est mon vrai nom. Pas comme les autres filles qui se donnent de grands airs en s'affublant de prénoms prétentieux. »

Mose essuya sa main moite sur son pantalon et saisit la main qu'elle lui tendait avec grâce. Elle avait des doigts si fins, si fragiles, qu'on aurait dit une aile de colibri. « Je suis en-chan-té de faire votre connaissance, miss Marilee », articula-t-il en s'efforçant de ne pas trébucher sur les mots.

Il se dit qu'elle était la plus jolie chose qu'il ait jamais vue, avec son visage en cœur, ses pommettes hautes et bien dessinées, ses lèvres rouges, si rouges qu'on aurait dit qu'elle venait de manger des cerises. Sa peau était comme de la crème fraîche.

« Est-ce que vous travaillez... à *La Cage dorée* ? » demanda-t-il en butant sur les mots.

Voilà qu'il se mettait à bégayer comme Benjo, maintenant !

« Ciel ! s'exclama la fille, j'espère bien ne jamais tomber si bas ! »

Elle leva le menton avec fierté. « Je travaille à la *Red House*, mon garçon. »

Elle posa sur lui ses beaux yeux lumineux et tendit la main pour effleurer la peau nue de Mose qu'on voyait à travers sa chemise entrouverte. Aussitôt, il fut parcouru d'un frisson qui lui creusa le ventre. Une certaine partie de son corps à laquelle il ne voulait pas penser se raidit étrangement.

« Je ne crois pas vous y avoir jamais vue », dit-il en avalant péniblement sa salive.

Mose connaissait la *Red House* — la Maison rouge. C'était un bâtiment qui se trouvait à la lisière de Miawa City, entre le ruisseau et le cimetière. Il n'était pas vraiment rouge, en fait, mais plutôt d'un gris de suie. On l'appelait ainsi à cause de la lanterne rouge en forme de locomotive qui était accrochée au-dessus de l'entrée et qui restait allumée toute la nuit.

Il avait déjà eu de longues discussions avec d'autres garçons Justes à ce sujet. Tous se demandaient ce qui pouvait bien se passer derrière cette porte. L'été dernier, le vieux Ira Chupp — celui qui avait perdu sa femme il y avait cinq ans de cela — s'était agenouillé un dimanche devant toute la communauté pour confesser qu'il y était allé et qu'il avait péché avec des jézabels. En réalité, il n'avait pas vraiment dit comment s'appelait l'endroit mais tout le monde savait qu'il s'agissait de la *Red House*.

« En fait..., reprit-il, intimidé, je... je n'y suis jamais allé. Mais, maintenant que nous avons fait connaissance, je veux dire... que nous avons un peu parlé, eh bien, peut-être que j'irai un jour là-bas. »

La fille eut un petit rire de gorge.

« Vous êtes un Juste, n'est-ce pas ? Certes, vous n'êtes ni habillé ni coiffé comme eux, mais vous devez appartenir à leur communauté. Je me trompe ? »

Mose se sentit à nouveau rougir, et son cœur se contracta douloureusement dans sa poitrine. Il eut honte d'être un Juste et il eut honte d'avoir honte.

« Je n'ai pas encore adhéré à l'Église, murmura-t-il sans oser lever les yeux sur elle. Il est... euh, possible que je décide de ne jamais le faire. »

La fille eut un haussement d'épaules insouciant qui déplaça ses boucles avec un mouvement soyeux. « Au moins vous avez le choix. La plupart d'entre nous n'ont jamais vraiment le choix. »

Elle avait un petit sac de perles qui se balançait au bout d'une chaîne dorée accrochée à sa taille. Elle l'ouvrit et en tira un mince cigare brun sombre ainsi qu'une pochette d'allumettes. Elle craqua une allumettte et porta la flamme à l'extrémité du cigare en s'abritant du vent de sa jolie main courbée en creux.

Mose l'observait tandis qu'elle aspirait, aspirait, jusqu'à ce que ses joues se creusent et que le tabac se mette à rougeoyer. Puis elle renversa la tête et exhala vers le ciel un long ruban de fumée bleue.

« Vous en voulez une bouffée ? » dit-elle en lui tendant le cigare.

Sûrement, elle croyait qu'il était un de ces gentlemen chics qui fumaient et buvaient, et savaient tout faire avec aplomb. Mais le dos de Mose frémit d'avance quand il pensa aux coups qu'il allait recevoir ce soir. Le vieux Noah allait voir que la clôture n'était pas réparée, et il respirerait sur lui le parfum de la femme. Et alors, certainement, il lui administrerait une de ces raclées dont il avait le secret.

La fille sourit en le voyant glisser avec précaution le cigare entre ses lèvres et aspirer fort, comme il l'avait vue faire. Un flot de fumée envahit ses poumons, et il se mit à tousser comme un damné. La fille lui tapota gentiment le dos, en réprimant un petit rire. « Là... là, mon garçon. Vous êtes devenu aussi vert qu'un crapaud ! (Désignant l'étang, elle ajouta :) Si vous devez vous mettre à vomir, faites-le donc dans l'eau ! »

Mose pensa que c'était bien ce qui risquait de lui arriver, tant ses poumons lui faisaient mal. Son estomac se tordait comme une truite sortie de la rivière et des larmes lui montèrent aux paupières tandis qu'autour de lui le monde se mettait à tanguer bizarrement.

Il cligna les yeux, loucha vers la jeune femme et finit par reprendre le dessus. L'image se stabilisa, et il la vit, assise en train de fumer paisiblement, sa poitrine se soulevant régulièrement en faisant bouger l'ourlet en dentelle de son corsage.

Les yeux de Mose se posèrent sur la chair tendre et laiteuse qui surgissait du décolleté. Seigneur, pardonne-moi, pria-t-il. Il aurait dû avoir le courage de s'arracher les yeux plutôt que de voir ce qu'il était en train de voir, plutôt que de penser ce qu'il était en train de penser. Le diable avait refermé ses griffes autour de son âme, il allait faire de lui un damné.

La fille jeta ce qui restait de son cigare dans l'eau et se releva en secouant sa jupe. Elle remit ses gants et, d'un petit coup sec, déploya son ombrelle.

« Il se fait tard, dit-elle. Je ferais mieux de rentrer. »

Mose sauta sur ses pieds. « Je vous remercie de m'avoir prêté votre veste, Mr. Mose Weaver, continua-t-elle. Vous êtes vraiment très gentil. »

Ses jupes tournoyèrent en bruissant tandis qu'elle s'éloignait à travers l'entrelacs de rochers, de saules et de pruniers sauvages. Le pouf soyeux qui surmontait son postérieur se balançait à chacun de ses pas.

« Hé ! Attendez ! » cria Mose.

Il ramassa sa veste en hâte et courut à sa suite. Pendant quelque temps, ils cheminèrent en silence sur la piste creusée d'ornières qui courait à travers la prairie. Mose vit un cabriolet léger qui attendait au bord du chemin. Il était peint en vert et s'ornait de coussins garnis de franges. Un fringant cheval bai y était attelé.

« Le vent tombe, dit la jeune femme. Il va faire froid avant que je n'aie eu le temps de rentrer. Voudriez-vous m'aider à relever la capote ?

— Bien sûr ! »

Mose aurait volontiers traversé la mer de Chine avec elle si elle le lui avait demandé.

Pendant qu'il dépliait et installait la capote, il essayait de former dans sa tête les mots qu'il brûlait d'envie de prononcer. Il avait la bouche sèche et son estomac lui donnait l'impression d'avoir avalé un sac de sauterelles.

« Pourrais-je venir vous rendre visite, miss Marilee ? » finit-il par bredouiller.

Elle le regarda, le visage sérieux. Le temps parut se suspendre et Mose retint son souffle.

« Vous avez de beaux yeux, dit-elle. On ne vous l'a jamais dit ? Ils sont si sombres qu'on dirait des grains de café.

110

— Vous avez de beaux yeux, vous aussi... »

Il s'efforça de trouver les paroles capables de les décrire. Elle avait des yeux bleus comme le ciel, bleus comme les jacinthes sauvages, comme...

Il vit alors qu'elle avait grimpé dans le cabriolet et pris les rênes dans ses mains. Il réalisa trop tard qu'il aurait dû l'aider à monter.

Quand elle le regarda à nouveau, il crut lire dans son regard de la tristesse. Elle ne semblait plus du tout avoir envie de sourire, maintenant.

« Vous pouvez venir me voir si vous le désirez, Mr. Mose Weaver, dit-elle lentement. Mais, si vous le faites, je vous en prie, prenez d'abord un bain, voulez-vous ? Je ne connais rien de plus écœurant que l'odeur du mouton. »

Il regarda l'arrière du cabriolet s'éloigner en cahotant le long de la piste, jusqu'à ce qu'il disparaisse, aspiré par l'océan d'herbe verte.

Puis il porta à son nez un pan de sa veste, sa veste qu'il trouvait si chic. Elle sentait le mouton et, que Dieu lui pardonne, elle sentait aussi le tabac...

Chapitre 7

Benjo frotta le poignet de sa chemise sur sa bouche maculée de beurre et de morceaux de pommes. Il tendit la main au travers de la table pour saisir un autre beignet mais sa mère attrapa le plat avant lui et le mit hors de sa portée.

« Termine d'abord ta salade de betteraves, Joseph Benjamin Yoder, dit-elle en lui assenant sur les doigts un petit coup de fourchette. Ensuite, tu demanderas poliment qu'on veuille bien te donner un autre beignet. Et, pour l'amour du Ciel, sers-toi de ta serviette pour t'essuyer la bouche ! »

Benjo, lugubre, contempla son assiette encore pleine de porc salé aux lentilles et de betteraves. « Oui, Mem. »

Le silence retomba dans la cuisine et l'on n'entendit plus que le tic-tac de l'horloge et le cliquettement des fourchettes heurtant les assiettes en fer-blanc. Deux jours venaient de s'écouler depuis que l'étranger avait quitté le lit. Mais c'était la première fois qu'ils prenaient leur repas tous les trois ainsi.

Chez les Justes, le repas était en général un moment de prière et de recueillement, et cela semblait convenir tout à fait à l'étranger. Il n'avait pas dit un seul mot depuis qu'il avait approché une chaise pour prendre place à une extrémité de la table, celle qui se trouvait près du mur. Pendant que Rachel et Benjo priaient en silence, comme à chaque repas, pour remercier le Seigneur, il n'avait pas esquissé un geste, gardant respectueusement la tête baissée. On ne pouvait pas non plus lui reprocher ses manières, car il mangeait avec beaucoup de distinction. Presque trop, se disait Rachel, un peu comme s'il se forçait, comme s'il n'avait appris les règles en usage que très tard.

Benjo se tenait tranquille, lui aussi, quoique avec de bien moins bonnes manières. Il fixait l'étranger de ses grands yeux de chat et Rachel pouvait presque y lire toutes les questions qui s'y bousculaient.

Les repas étaient supposés être un temps de silence et de pieuse contemplation, mais Ben et elle avaient toujours admis que leur petit garçon parle pendant le souper. Ils espéraient ainsi qu'il se débarrasserait plus vite de son bégaiement en discutant avec eux. Pourtant, aujourd'hui, Rachel songea qu'ils auraient peut-être dû se montrer un peu plus sévères. Noah l'avait avertie à plusieurs reprises qu'elle gâtait trop son garçon.

Benjo prit une profonde inspiration, gonfla ses joues et émit un drôle de gargouillement qu'il s'efforça de transformer en mots : « Cccc... Hmm... Co... combi... bien... » Découragé, il s'arrêta, la gorge nouée.

« Tu parlerais plus facilement si tu finissais d'abord ce que tu as dans la bouche, Benjo », dit doucement Rachel.

Le gamin mâcha avec effort une bouchée de haricots, l'avala et reprit sa respiration.

« Comb... combien de gens a... avez-vous tué, mister ? »

L'étranger posa sur lui ses yeux impassibles.

« Assez pour me créer des problèmes le reste de mon existence, dit-il lentement.

— Est-ce... que c'est ppp... pour ça qu'ils vous ont enf... enfermé en prison ? »

De surprise, Rachel lâcha son beignet qui tomba sur ses genoux. Elle se demanda comment son fils avait pu avoir connaissance des marques sur les chevilles et les poignets de l'étranger. On aurait dit que le bruit s'en était déjà répandu dans la vallée, porté par le vent du Montana.

L'étranger contemplait l'enfant à travers ses paupières à demi fermées. « Voyons..., dit-il enfin. Laisse-moi me souvenir... Peut-être bien que tout cela a commencé le jour où je n'ai pas mangé ma salade de betteraves alors que ma mère m'avait ordonné de le faire. »

Rachel sentit une folle envie de rire monter dans sa gorge, et elle enfouit son visage dans sa serviette. Benjo lui jeta un regard prudent, piqua sa fourchette dans une betterave et fit la grimace. Puis, croisant le regard de l'étranger toujours posé sur lui, il se mit à mastiquer, mastiquer, en devenant tout rouge.

« Je pp... pense que c'est parce que vvv... vous avez tué un homme, articula-t-il après avoir enfin avalé ce qu'il y avait dans sa bouche. Q... qu'est-ce qu'il vous avait fff... fait pour que vous le tu... tuiez ?

— Je crois que c'est parce qu'il m'avait posé une question de trop », répondit l'étranger avec sérieux.

Benjo écarquilla ses grands yeux, laissa tomber sa fourchette et rougit de plus belle. Avec effort, il reporta son regard sur son assiette, piqua une autre betterave et la fourra dans sa bouche.

Rachel pinça les lèvres pour réprimer un sourire. Elle n'en était pas sûre mais, dans la lumière déclinante du soir qui venait de la fenêtre, il lui semblait que des petits plis s'étaient formés autour des yeux de l'étranger. L'homme aimait plaisanter, elle l'avait déjà constaté. Et il savait s'y prendre.

Mais rien ne pouvait arrêter la curiosité de Benjo. Il se trémoussa sur sa chaise et prit une nouvelle inspiration. Rachel sut qu'une autre question allait faire surface.

« Il est temps de faire tes corvées du soir, Joseph Benjamin, dit-elle.

— Mmm... mais...

— Mais tu y vas. Maintenant. »

L'enfant poussa un profond soupir, repoussa sa chaise et alla décrocher son chapeau à la patère. Puis il sortit, les épaules arrondies et le menton bas, en faisant claquer la porte derrière lui.

Il n'était pas plus tôt dehors que Rachel regrettait déjà son absence. Avec toutes ses questions, le petit aurait peut-être réussi à arracher à l'étranger quelques réponses. Il y avait tant de choses qu'elle aussi aurait voulu savoir !

Ces deux derniers jours où il était resté assis sous le porche, l'étranger n'avait même pas manifesté le désir de visiter les lieux. Quand il avait recommencé à faire froid, trop froid pour rester dehors, elle l'avait installé à la cuisine et, parfois, ils avaient un peu bavardé pendant qu'elle accomplissait ses tâches.

Mais même lorsqu'il était en train de lui parler, il demeurait en alerte, les yeux sur la porte, attentif comme un couguar prêt à bondir. Elle se demandait comment il pouvait vivre ainsi, toujours tendu, toujours aux aguets. Il émanait de lui une intensité presque insupportable.

La chaise de Rachel grinça quand elle se leva de table pour ramasser son assiette et celle de Benjo. En se dirigeant vers la pierre à évier, elle vit en passant que l'assiette de l'étranger était encore à demi pleine.

« Je pense, Mr. Caïn, que vous feriez mieux de finir vos betteraves, sinon je vais devoir envoyer chercher le shérif. »

Il regarda son assiette et fit la grimace, comme Benjo. Puis il leva les yeux, croisa le regard de Rachel et esquissa un de ses sourires insolents. « Je vous en prie, ma'am, j'aimerais tellement avoir encore un de vos délicieux beignets... »

Elle prit le plat de gâteaux et le mit hors de sa portée, comme elle l'avait fait avec Benjo. « Oh non, vous n'en aurez pas. Ne vous imaginez pas que vous êtes le seul à ne pas avoir à respecter *mes* règles, Mr. Caïn », plaisanta-t-elle en sentant qu'il allait se mettre à rire.

Et, tout à coup, il jaillit de sa chaise comme un diable de sa boîte...

Rachel fut si surprise qu'elle recula en s'emmêlant les pieds dans une chaise. Sur le point de perdre l'équilibre, elle chercha à se retenir au bord de la table et lâcha le plat qui tomba avec un grand bruit métallique, tandis que les beignets s'éparpillaient dans tous les coins de la cuisine en roulant sur le sol.

Paniquée, elle pressa le poing contre sa bouche pour ne pas crier et regarda l'étranger, les yeux écarquillés.

Il avait son revolver à la main...

« Qu'est-ce que... », commença-t-elle, haletante.

C'est alors qu'elle entendit le hennissement d'un cheval.

« Allez voir ce que c'est », dit-il en pointant le canon de son arme en direction de la fenêtre.

Il avait l'air parfaitement calme, mais ses yeux étaient sauvages. Rachel avait déjà croisé un regard tel que celui-là, un jour qu'elle avait vu de près un coyote en train de dévorer un agneau à peine né. Juste avant que Ben ne l'abatte d'un coup de fusil, le coyote les avait regardés avec des yeux comme ceux de l'étranger.

Elle déglutit avec peine et sentit son cœur s'emballer dans sa poitrine. « C'est... probablement un voisin, dit-elle faiblement.

— Allez voir, bon sang ! »

Les jambes de Rachel vacillaient tandis qu'elle se dirigeait vers la fenêtre. Elle vit alors dans la cour un homme aux larges épaules descendre de cheval et attacher le rouan à la barrière. Il portait un long cache-poussière maculé de boue et un Stetson brun, tout taché de transpiration.

« C'est Getts, dit-elle dans un souffle. Le shérif du comté voisin. »

Aussitôt, elle fit volte-face pour regarder l'étranger, effrayée de ce qu'il pouvait penser. « Ce n'est pas moi qui l'ai envoyé chercher, ce n'est pas moi ! »

Mais il ne parut pas se soucier de ce qu'elle disait. Il s'approcha à son tour et se pencha à la fenêtre pour mieux voir. Une grimace tordit sa bouche et il poussa un petit soupir. Rachel vit que la sauvagerie avait disparu de ses yeux, des yeux qui étaient redevenus froids et vides.

Il fit un pas de côté et arma le chien de son revolver. Dans le calme de la cuisine, le cliquetis de l'arme résonna comme un coup de tonnerre.

« Ne le tuez pas ! implora Rachel. Je vous en prie, promettez-moi de ne pas le tuer ici, devant mon fils. »

Il lui décocha un sourire déplaisant, un sourire qu'elle jugea franchement diabolique. « Comme vous voudrez, lady, répondit-il en traînant exagérément sur chaque mot. Si je dois tuer un fils de chienne, soyez certaine que je prendrai d'abord la peine de l'attirer de l'autre côté de votre clôture...

— Vous avez dit une fois, Mr. Caïn, que vous pensiez me devoir quelque chose. Et vous avez aussi promis de ne pas nous faire de mal. Si vous étiez vraiment sincère, alors vous ne laisserez pas votre violence immonde nous corrompre. »

Il tourna soudain la tête vers elle pour la fixer de ses yeux glacés. Puis, aussi soudainement qu'il avait sorti son revolver, il tendit la main et la posa sur le visage de Rachel. Lentement, doucement, ses doigts effleurèrent sa joue, suivirent le contour de la mâchoire et se posèrent sur ses lèvres. « Je ne le tuerai pas ici, Mrs. Yoder. Et pas du tout, si je peux l'éviter. »

Elle recula d'un pas, vacilla légèrement, recula encore.

« Je vais aller voir ce qu'il... ce que le shérif veut », dit-elle dans un souffle.

Puis elle courut d'une traite vers la porte, l'ouvrit toute grande et sortit sur le porche. Le soleil couchant semblait avoir été avalé par les pics rocheux des montagnes à l'horizon. Mais il jetait encore ses dernières lueurs orangées sur les nuages, teintant de jaune la surface des champs. Rachel fouilla du regard l'ombre des bâtiments pour tenter d'apercevoir Benjo. Mais il avait sans doute dû s'enfuir. L'enfant tenait le shérif pour responsable de la mort de son père et Rachel n'était pas loin de penser de même. Un homme qui avait juré de faire respecter la loi aurait dû avoir d'autres solutions à offrir que des explications polies pour justifier ce que l'on avait fait subir à Ben.

Dès qu'il la vit approcher, il toucha le bord de son chapeau pour la saluer. C'était un homme d'âge mûr, avec des yeux d'un bleu délavé au regard fatigué, et une peau toute ridée et tannée par les intempéries. Sa moustache aux longues pointes pendait un peu tristement de chaque côté de sa bouche et son ventre débordait de la

116

ceinture de son pantalon. Il portait des gants de daim sur ses grosses mains noueuses.

« Ces brebis..., dit-il en contemplant le troupeau, elles ne vont pas tarder à mettre bas. »

Rachel regarda à son tour les brebis qui broutaient le foin éparpillé sur la terre de l'enclos. Elles mangeaient de bon appétit, serrées les unes contre les autres. Leurs mamelles n'étaient pas gonflées, et l'on ne distinguait encore aucun signe de naissance imminente.

Elle se demanda ce qui avait incité Noah, et maintenant le shérif, à parler ainsi. Certains hommes avaient peut-être besoin d'accélérer le cours du temps...

« Est-ce qu'il vous a dit qui il était ? » demanda soudain le shérif.

Rachel essaya de se composer une expression innocente. « Il dit s'appeler Caïn. C'est vraiment son nom ? »

Getts acquiesça d'un bref mouvement de tête tout en suçant une extrémité de sa moustache jaunie par le tabac. « Johnny Caïn. Probablement pas son nom de naissance, mais c'est celui avec lequel il a grandi. Son métier est de liquider les gens. C'est un tueur. (Il fit une pause et sembla savourer ce mot.) Son plaisir est de tuer, Mrs. Yoder. »

Rachel frémit. *Son plaisir est de tuer.* C'était cet aspect de lui qu'elle avait eu tout le temps sous les yeux depuis le début, mais elle s'obstinait à ne pas le voir, parce qu'elle ne le *supportait* pas. Parce que cela détruisait l'image qu'elle voulait se faire de lui.

« Êtes-vous venu pour le conduire en prison ? »

Getts eut un haussement d'épaules indifférent.

« Non. C'est un nouveau, pour moi. Pour l'instant, personne ne le recherche. J'ai vérifié. Mais j'aimerais bien lui dire quelques mots. »

Il se dirigea vers la maison et ses lourdes bottes, à chaque pas, faisaient gicler la neige boueuse derrière lui. Pétrifiée, Rachel le regardait s'éloigner, les pensées en déroute. Quand elle le vit grimper les marches et pousser doucement la porte, elle s'élança à sa suite.

Un rayon de soleil couchant éclairait encore le plancher mais le fond de la cuisine demeurait plongé dans une semi-pénombre. C'est là que les attendait l'étranger, assis le dos contre le mur, son colt sur la table, devant lui, sa main reposant légèrement sur la crosse.

« Vous m'aviez promis de ranger votre revolver », dit Rachel inquiète.

Le shérif sourit d'un air entendu.

« Eh bien, cela m'étonnerait que Johnny Caïn fasse jamais une

117

promesse pareille, pas vrai mon garçon ? Il est bien trop prudent. Il sait qu'une étoile de shérif n'est pas une garantie suffisante... »

Tout en parlant, Getts n'avait pas quitté le seuil de la cuisine. Voyant que Caïn ne bougeait pas, il fit un pas en avant, les bras pendants, bien éloignés de ses revolvers.

« Et maintenant, ce que j'ai l'intention de faire, articula-t-il en détachant avec soin chaque mot, c'est d'aller accrocher ma cartouchière à cette patère, là-bas, sur le mur du fond, et d'aller m'asseoir à la table de Mrs. Yoder pour boire une tasse de café. Faut dire, ma'am, qu'il sent bigrement bon, votre café. »

La cuisine ne sentait pas le café, pensa Rachel. Si la pièce sentait quelque chose, c'était plutôt la salade de betteraves et les beignets, toujours éparpillés à terre. Sur le fourneau, la cafetière en émail bleu était froide...

Elle regarda l'étranger. Il avait les yeux fixés sur le shérif et son visage reflétait une curieuse candeur, comme un innocent qui se demanderait ce que pouvait bien lui vouloir un représentant de la loi. Rachel avait déjà remarqué qu'il savait s'y prendre pour berner les gens.

Le shérif tira une chaise et s'y laissa tomber lourdement en poussant un gros soupir.

« Il y a trois cadavres à Tobacco Reef, annonça-t-il sur le même ton calme qu'on emploierait pour parler du temps qu'il fait. Il va falloir que je fasse mon rapport et j'ai comme dans l'idée que vous pouvez m'y aider.

— Je suis toujours disposé à servir la loi », répondit Johnny Caïn avec un sourire des plus aimables.

Le shérif fit la grimace. « Bien, bien, mon garçon. »

Avec des mouvements délibérément lents, il tira de sa poche une pipe en bois d'églantier et une blague à tabac qu'il bourra avec soin. Tout le temps que dura l'opération, personne ne parla. Puis le shérif cala ses lourdes épaules contre le dossier de la chaise et exhala vers le plafond un long ruban de fumée.

« Mon *dad'* était un gars de la montagne, reprit-il, il a même vécu avec les Chippewa pendant un temps. Pour sûr qu'il savait reconnaître les signes pour suivre une piste, mon paternel, et il me l'a enseigné. Je crois bien que je suis devenu aussi bon que les Indiens à ce jeu-là, si vous voulez bien me pardonner cette prétention. »

D'un hochement de tête, il remercia Rachel pour la tasse de café qu'elle venait de poser devant lui, un café froid et huileux. Toujours silencieux, l'étranger ne le quittait pas des yeux.

« Maintenant, voilà comment je me figure que les choses sont arrivées à Tobacco Reef, poursuivit le shérif. L'origine de l'histoire, pour ainsi dire, ce sont ces trois frères Calder qui ont un ranch avec leur *dad'* à l'est d'ici. Il y a une semaine de ça, environ, ces trois gars sont descendus de leurs collines pour aller à Rainbow Springs et ils vous ont repéré au saloon en train de jouer gros au poker. Alors ces trois idiots se sont mis en tête de vous descendre en pensant que, du coup, la réputation des Calder s'en trouverait bigrement rehaussée. Pensez... tuer Johnny Caïn... »

Rachel écoutait, appuyée sur le coffre à bois, un bol de haricots secs sur les genoux qu'elle triait d'une main distraite avant de les faire tremper. Son attention était concentrée sur ce qui se racontait autour de la table. Ce qu'elle entendait, c'était une histoire de violence et de mort, une histoire qu'elle aurait préféré ne jamais connaître. Mais elle ne pouvait pas se boucher les oreilles et puis, tout au fond d'elle, une autre Rachel voulait en savoir plus sur l'étranger.

Le shérif tira une nouvelle bouffée de sa pipe et poursuivit son récit.

« Bref, les trois Calder vous ont attendu dans les rochers de Tobacco Reef. Peut-être que vous avez aperçu le soleil se refléter sur le canon d'un fusil ou peut-être que vous saviez déjà qu'ils seraient là. Parce qu'un gars de votre espèce sait toujours tout. »

Il marqua une pause pour ménager ses effets. Johnny Caïn, silencieux et immobile, écoutait en caressant amoureusement la crosse en bois de son colt.

« Quoi qu'il en soit, reprit Getts, vous leur avez tiré dessus au moment où ils balançaient tout leur plomb sur vous, et c'est comme ça que Rafe Calder s'est retrouvé étendu, aussi mort que l'on peut l'être. (Il se mit à rire en se frappant la cuisse.) Vrai, mort comme du corned-beef, le Rafe, et il l'est toujours, à moins qu'il ait trouvé un moyen de ressusciter. (Il se donna de nouveau une tape sur la cuisse et secoua la tête.) Quel vantard, ce Rafe ! Il fallait toujours qu'il ouvre sa grande gueule. »

L'air dans la pièce était devenu lourd et oppressant. Rachel ne parvenait pas à détourner les yeux du visage de l'étranger, aussi lisse qu'une pierre tombale.

Le shérif se pencha en avant en pointant le tuyau de sa pipe vers Johnny Caïn. « Ma foi, il faut tout de même reconnaître que les Calder étaient de bons tireurs. Planqués comme ils étaient dans les rochers, ils avaient tout le temps de vous viser. C'est pour ça qu'ils ont réussi à avoir votre cheval et vous aussi, par la même occasion.

Votre cheval est tombé et vous avez roulé à terre en vous cassant le bras. »

Il s'agita sur la chaise pour trouver une position plus confortable et se mit à jouer avec la chaîne d'une vieille montre à gousset qui lui barrait le ventre.

« C'est là que ça commence à devenir délicat, continua-t-il sur le même ton serein qu'on adopte pour parler de choses insignifiantes. Ma foi, ces gars Calder, ils n'étaient pas réputés pour être très malins et ils ont cru qu'ils vous avaient fait votre affaire. Vous, vous étiez blessé, naturellement, mais vous faisiez le mort. Alors, ils se sont doutés de rien et ils se sont approchés. Peut-être même bien que l'un des deux vous a donné un coup de pied dans votre bras cassé. Et puis ils se sont rapprochés encore parce qu'ils voulaient vous scalper, ou vous couper le nez ou une oreille — enfin, quelque chose comme ça. »

Rachel tressaillit si violemment qu'elle faillit laisser échapper le bol de haricots. Le shérif se tourna vers elle. « Eh oui, ma'am, c'est comme ça que ça se passe. Ils avaient besoin d'un trophée, vous saisissez ? Pour prouver qu'ils l'avaient bien eu. Qu'ils avaient eu Johnny Caïn. »

Elle se demanda comment l'étranger avait pu endurer cela. Comment il avait pu traverser de pareils instants de terreur. Elle se rappela la panique au fond de ses yeux quand elle s'était approchée de lui, dans la prairie, quand elle l'avait touché pour la première fois.

Le shérif reporta son regard sur Caïn.

« Donc, vous avez attendu. Parce que vous êtes d'une espèce qui sait attendre. Vous avez attendu jusqu'à ce que Jed Calder pose son revolver pour prendre son sale couteau et qu'il se penche sur vous. Et vous lui avez tiré dessus avec ce drôle de petit pistolet que vous tenez caché au creux de votre bras. Dès que vous avez eu Jed, vous lui avez arraché son couteau des mains et vous avez troué les boyaux de son petit frère Stu. Ma foi, vous deviez vraiment en avoir par-dessus la tête de ces rigolos-là parce que vous n'y êtes pas allé de main-morte. On aurait dit que Stu Calder avait été traversé par une pelle à charbon. »

Rachel retint un gémissement derrière ses lèvres serrées. Elle ferma les yeux et vit le sang, tout ce sang qui avait imbibé les vêtements de l'étranger. Ce n'était pas seulement le sien...

« Ma foi, c'est un sacré tiercé que vous avez réussi là », fit le shérif.

120

Il remua la tête, l'air incrédule. « Ces garçons, je les ai vus de mes propres yeux, aussi raides qu'un piquet de clôture et y'a qu'un expert comme vous pour avoir survécu à une chose pareille. Les Calder auraient dû savoir qu'on n'attrape pas un serpent à sonnettes, même endormi... »

L'étranger abandonna enfin son immobilité de pierre et esquissa un lent sourire.

« C'est une bien belle histoire que vous venez de raconter là, shérif.

— Uh, uh. Je suppose que vous allez me dire que vous vous êtes blessé en nettoyant votre revolver et que vous vous êtes cassé le bras en tombant de votre chaise.

— Aucune loi n'interdit d'être maladroit, que je sache. »

Getts frappa si fort la table de son poing que les assiettes s'entrechoquèrent. Rachel sursauta. L'étranger sourit de plus belle.

« Il devrait y en avoir une, grommela le shérif. Pour empêcher les imbéciles de s'en prendre à des gars de votre trempe, Mr. Caïn. Il y a des gens qui disent qu'un meurtre est un meurtre mais je ne suis pas de ceux-là. J'ai connu les frères Calder. Je sais qu'ils étaient bêtes comme des oies et aussi méchants que des scorpions. Leur mort n'est pas une perte pour la civilisation, loin s'en faut. (Il se pencha en avant et tripota l'étoile agrafée à son gilet.) Seulement, quand j'ai accroché ça à ma poitrine, j'ai juré de défendre la loi et de protéger les citoyens de ce pays. Aussi je pense que je trahirais mes devoirs si je ne vous suggérais pas de vous en aller votre chemin dès que vous vous en sentirez capable. Et avant que cette gentille petite vallée ne soit envahie par d'autres idiots comme les Calder, qui se figuraient encore pouvoir se vanter d'avoir descendu un tireur d'élite comme vous. »

Serrant sa pipe entre ses dents, le shérif jeta un regard dur à l'étranger qui demeurait toujours silencieux.

« Vous êtes un coriace, Mr. Caïn. Mais je m'y attendais. »

Il repoussa sa chaise et se leva. « Merci pour le café, ma'am. »

Puis il alla décrocher sa cartouchière, la jeta par-dessus son épaule et sortit sur le porche, Rachel sur ses talons. La lueur rouge orangé du crépuscule avait fait place aux nuées grises du soir. Il allait bientôt faire nuit et le froid était revenu. Rachel s'inquiétait parce que Benjo n'était toujours pas rentré. Elle espérait qu'il attendait, caché dans la grange, le départ du shérif.

Le vent se leva, plia la cime des peupliers et rida la surface de la rivière de petites vaguelettes blanches. Le shérif s'appuya à la barrière de l'enclos et frappa le fourneau de sa pipe contre la rambarde en bois, faisant voler des étincelles dans la brume. Le cuir de la selle grinça quand il monta lourdement sur son cheval. Puis il tapota avec affection l'encolure du rouan, mais Rachel savait qu'il la regardait, elle, et qu'il avait encore quelque chose à lui dire.

« Ce Johnny Caïn... »

Il avait une drôle de manière de prononcer le nom de l'étranger. Il disait « Johnny-Caïn », comme si les deux noms n'en faisaient qu'un.

« Ne laissez pas votre cœur de femme s'attendrir pour lui. Un homme tel que lui n'apporte que le malheur, Mrs. Yoder, et le malheur ne vient jamais seul. Un de ces jours, par chance, il s'en ira. Ils s'en vont toujours. Et il mourra comme il aura vécu. »

Rachel croisa étroitement les bras contre sa poitrine et rejeta la tête en arrière pour le regarder.

« Mais que peut bien faire un homme, si les gens sont sans cesse après lui pour lui tirer dans le dos et lui couper les oreilles ? » demanda-t-elle lentement.

Getts donna une petite tape sur le bord de son chapeau.

« Voici ce que j'en pense, ma'am. Vous et votre garçon avez déjà eu votre compte de chagrins. Quand Johnny Caïn rencontrera son destin, je vous conseille de ne pas être dans les parages... »

Chapitre 8

Johnny Caïn était resté assis à la table, la main sur la crosse de son colt à canon court, noire et lourde chose sur la toile cirée brune. Dans la lumière tombante, la main de l'homme avait une pâleur et une finesse mortellement belles. Oui, c'était bien ainsi qu'elle voyait sa main — une chose horrible dans sa beauté, un instrument de mort.

Rachel décrocha la lanterne à huile et l'alluma. Le grattement de l'allumette déchira le silence oppressant de la cuisine. Ses mains tremblaient tant qu'elle faillit casser le verre de la lampe en le remettant. Quand il heurta le socle en cuivre, il résonna comme une cloche d'église. L'étranger releva la tête. Ses yeux luisaient. Dans la pénombre, on aurait dit deux étoiles froides et lointaines.

Mais son visage... Il était si beau que Rachel en eut le souffle coupé. On ne pouvait rien lire dans ce visage-là. Il savait dissimuler ses secrets.

A moins qu'il n'y ait pas de secrets, songea-t-elle, la gorge nouée. C'était le visage d'un tueur, voilà tout.

Il se mit alors à sourire, d'un sourire énigmatique, cruel.

« Je vous avais bien dit que j'étais le diable, dit-il lentement. Mais vous avez essayé de me démontrer le contraire. Maintenant, vous me regardez comme s'il m'était soudain poussé des cornes sur la tête et des sabots fourchus aux pieds.

— Je sais que vous n'êtes pas le diable, Mr. Caïn. »

Il eut un rire bref et dur. Puis il se leva et glissa son revolver dans son holster de cuir. « Mais vous allez me demander de partir, n'est-ce pas ? Dès que vous aurez trouvé une manière polie de le faire. »

Il la frôla en se dirigeant vers la porte, comme dans un fugitif geste d'adieu. Rachel lui emboîta le pas, sans réellement savoir si c'était pour le retenir ou le regarder partir.

Il s'arrêta si brusquement qu'elle faillit lui rentrer dedans. Alors, elle demanda vivement : « Et s'il y en avait d'autres qui vous atten-

123

dent dehors ? Qui vous guettent dans les collines ou en bas, sur le chemin. Ou dans une prochaine ville, ou derrière un autre rocher... ? »

Il lui tournait le dos et regardait dehors.

« Ça ne sert à rien de se poser toutes ces questions, répondit-il. De toute façon, ils m'attendent. Et je les tuerai tous, comme j'ai tué les fils Calder.

— Mais vous pourriez déposer votre revolver, refuser le combat ! »

Il y eut un bref silence. Puis l'étranger dit, d'une curieuse voix : « Tendre l'autre joue, c'est ça ?

— Oui... »

Il se retourna d'un bloc, si vite que la jupe de Rachel ondula sous le déplacement d'air.

« Seigneur, Rachel ! Et que croyez-vous donc qu'il se passera alors ? Vous pensez peut-être qu'un de ces bâtards qui sont après moi va s'approcher bien gentiment pour me taper sur l'épaule et me dire : "Mille excuses, Johnny Caïn, mais j'ai vu que tu ne portais pas ton revolver aujourd'hui et je me demandais si tu ne voulais pas le remettre avant que j'aille là-bas et que je te tire dans le dos" ?

— Mais tout cela est si injuste ! Vous ne devriez pas avoir à... à *vivre* comme cela ! A *mourir* comme cela ! »

Il eut un nouveau petit rire et s'appuya contre le battant de la porte comme si, tout à coup, il n'avait plus la force de se tenir debout. « Quand il y a deux hommes armés au même endroit, un seul reste : le plus rapide. »

Il leva la main, et elle crut qu'il allait lui toucher la bouche comme il l'avait fait auparavant. Mais il suspendit son geste et fit retomber sa main avec un son doux et triste, semblable à un soupir.

« Vous êtes si douce, Rachel. Vous laissez trop les autres prendre le pas sur vous... »

Puis il détourna une nouvelle fois les yeux pour regarder dehors.

« Je vais faire un tour jusqu'à l'enclos pour jeter un coup d'œil à vos moutons. »

Elle le suivit sur le porche, mais pas au-delà. Le vent avait chassé presque toute la neige sur le sol, et l'herbe de la saison passée surgissait à travers la boue tels de vieux ossements jaunis. Rachel regarda l'homme traverser la cour à pas lents. Il marchait difficilement, et elle sut qu'il souffrait encore de sa blessure.

Elle ne lui avait pas demandé de partir. Il n'avait pas dit qu'il resterait...

Elle savait que quiconque était à la recherche de l'étranger apprendrait très vite qu'il se trouvait ici, dans la ferme d'un Juste. Et il le savait, lui aussi. C'était un risque pour eux tous mais elle pensa qu'il fallait faire confiance au Seigneur, parce qu'Il veillait sur eux.

Elle aperçut alors Benjo qui approchait en traînant les pieds, Mac-Duff sur les talons. L'étranger les vit aussi, et il s'arrêta. Il dit quelque chose à l'enfant et, bientôt, tous trois, les deux hommes et le chien, se dirigèrent vers l'enclos. L'étranger posa une botte sur le barreau de bois et glissa son pouce gauche dans sa poche arrière. Benjo mit lui aussi son brodequin sur le barreau mais il n'avait pas de poche, alors il laissa simplement pendre sa main. Rachel comprit qu'il essayait d'imiter l'allure nonchalante de l'étranger, et cela lui arracha un sourire à travers le voile des larmes qui lui brouillait la vue.

A la manière dont elle voyait bouger la tête du garçon, elle sut qu'il était en train de lui poser à nouveau des questions. De temps en temps, l'étranger regardait l'enfant, et elle se demanda s'il lui répondait.

La pleine lune émergea des nuages et alla se percher au-dessus du toit de la remise. Des lueurs blafardes s'allumèrent dans le ciel du soir. Le temps s'écoulait, aussi lent, aussi doux, aussi paisible qu'il l'avait toujours été malgré les souffrances du monde. Mais, ce soir, Rachel se sentait happée par le vide hurlant du monde, elle avait l'impression de courir au bord d'un précipice.

L'étranger l'avait appelée Rachel. Il n'avait sans doute pas prêté attention à ce détail. Elle, si.

Plus tard, quand il regagna la maison, elle était en train de balayer les restes de beignets sur le sol. Il alla aussitôt se coucher et passa à côté d'elle sans la regarder. Il dit seulement : « Bonne nuit, Mrs. Yoder. »

Le matin suivant, elle était occupée à regarnir le fourneau de bûches quand la porte s'ouvrit toute grande. Elle sursauta et se retourna, le visage rougi par la chaleur du feu. Johnny Caïn se tenait sur le seuil, un seau de lait débordant à la main.

« Vous êtes allé traire ? s'exclama-t-elle, stupéfaite. Avec une seule main ?

— Ce n'était pas très facile, je dois reconnaître. Cette fichue carne n'a pas arrêté de donner des coups de pied. »

Elle prit le seau qu'il lui tendait et le posa sur l'évier. L'étranger sentait le foin et l'air vif du matin.

« Cette "carne" s'appelle Annabelle, dit Rachel avec un sourire. Il faut avoir la main douce avec elle.

— Je m'en souviendrai. (Il fit une pause.) Tant que je resterai ici, je veux dire. »

Rachel étudia son visage du regard mais, comme toujours, il n'exprimait rien.

« Je me disais que, peut-être, vous auriez un sac de couchage à me prêter pour que je dorme dans la remise. Je ne veux pas continuer à vous priver de votre lit. »

Rachel détourna les yeux et donna un coup de cuillère un peu trop vigoureux dans la bouillie de céréales qui chauffait sur le fourneau.

« Nous avons un chariot tout équipé, derrière le parc à agneaux. Vous pourriez dormir là, si vous y tenez. Mon mari le prenait pour mener les brebis paître dans les collines, en été. Il y a tout ce qu'il faut dedans, même une couchette et un fourneau. »

L'étranger émit une sorte de grognement qu'elle interpréta comme un signe d'assentiment. La cuillère en bois tournait de plus en plus vite dans la bouillie. Elle va être aussi dure que de la pierre, si je continue, pensa confusément Rachel.

« Benjo sera ravi d'apprendre que vous avez trait notre vache à sa place. Il n'est pas très courageux pour les corvées. Si je le laissais faire, il paresserait au lit toute la journée. Surtout les jours d'école... »

Cette fois, l'étranger ne prit même pas la peine de grommeler une réponse.

« Il y a du café frais », ajouta Rachel en versant la bouillie dans la poêle pour la faire frire.

Elle leva les yeux et vit qu'il était resté debout, près de la fenêtre. « A propos de ce que nous disions hier soir..., commença-t-il. Je sais que vous ne voulez pas que je mette en danger cette maison. Je veillerai à ce que ni vous ni votre garçon ne soyez mêlés à mes problèmes, soyez-en certaine.

— La vie doit être vécue comme elle vient, Mr. Caïn. Il arrive de mauvaises choses, comme des inondations ou des épidémies. Et puis des bonnes, comme les fleurs sauvages qui refleurissent à chaque printemps. Nous ne pouvons que nous en remettre à la volonté de Dieu. »

Il laissa échapper un petit rire ironique.

« Lady, croyez-vous que votre Dieu se soit jamais inquiété d'un type tel que moi ?

— Oh, par pitié ! »

Elle posa vivement la cuillère en bois et se retourna vers lui. « Vous ressemblez à Benjo, le samedi, quand il pleurniche comme un bébé parce qu'il ne veut pas prendre son bain. Il me dit toujours que, si je l'aimais vraiment, je ne serais pas aussi méchante avec lui. »

Il la regarda un long moment sans rien dire.

« Mr. Caïn, je...

— J'ai vu qu'il y avait dans la remise pas mal d'outils rouillés qui avaient besoin d'être nettoyés, fit-il en tournant son chapeau entre ses doigts. Je vais m'en occuper. »

Ses bottes raclèrent le plancher tandis qu'il se dirigeait vers la porte.

« Mr. Caïn, aimez-vous la tarte au potiron ?

— ... jamais mangé, marmonna-t-il, la main sur la poignée de la porte.

— C'est ce que je fais toujours à Benjo, les samedis, quand il a été gentil et qu'il a pris son bain... »

Un silence paisible s'installa entre eux. Puis l'étranger plissa les coins de sa bouche en un imperceptible sourire. « Vous faites prendre à ce pauvre gosse un bain tous les samedis ? Pas étonnant qu'il pense que vous ne l'aimez pas ! »

Benjo Yoder ne pensait pas à son bain, ce matin-là, en marchant sous les pins et les mélèzes qui couvraient les pentes de Tobacco Reef. Il s'amusait à lire les signes de pistes en se disant qu'il deviendrait peut-être un jour aussi bon qu'un Indien à ce jeu-là.

Des taches noires constellaient le sol tapissé d'aiguilles de pins et l'enfant s'accroupit pour les analyser de plus près. Un ours avait dû couper récemment la piste d'un daim, conclut-il en examinant les excréments. Oui, pour sûr, il devait s'agir d'un ours.

Levant les yeux, il regarda le soleil filtrer à travers les branches d'un arbre. En continuant à monter un peu, la forêt se clairsemait pour faire place à des rochers creusés de cavernes où les ours s'abritaient pour l'hiver. Maintenant que le printemps arrivait, ils allaient commencer à pointer le nez dehors.

Des buissons craquèrent derrière lui.

Benjo se retourna d'une traite, les doigts crispés sur sa fronde,

127

scrutant l'épaisseur dense des taillis. Un souffle d'air fit claquer le bord de son chapeau et agita les feuilles bruissantes. Judas ! pensa-t-il, en laissant échapper un soupir de soulagement. C'était seulement le vent... Il n'aurait pas aimé se retrouver nez à nez avec un grizzly, ni même avec un ours brun. Tout le monde savait qu'au printemps, quand ils se réveillaient, ils étaient de méchante humeur.

Benjo redescendit la pente en suivant la piste, à la recherche d'autres indices révélant la trace d'un ours. Un écureuil décampa juste devant lui et disparut dans les buissons, la queue et les moustaches frémissantes. Benjo repéra le tronc d'un arbre abattu, couvert d'un lichen jaunâtre. Il s'assit dessus, ouvrit sa petite gamelle en fer-blanc et sourit en voyant que sa Mem lui avait préparé son repas favori, du pâté de bœuf aux pommes de terre.

La vieille Gibson à tête de lapin doit être en train de faire sa leçon d'arithmétique à l'heure qu'il est, songea-t-il en se léchant les doigts. Elle doit écrire des rangées et des rangées de chiffres sur le tableau noir, en plissant le bout de son nez retroussé pour ne pas éternuer à cause de la poussière de craie. Ensuite, elle demanderait à un pauvre *Schussel* de la classe de monter à ses côtés sur l'estrade pour terminer l'exercice au tableau. Et, s'il hésitait, il recevrait des coups de règle sur les doigts.

Benjo n'avait rien contre le fait de résoudre des problèmes d'arith-métique, aussi longtemps qu'on ne lui demandait pas d'ouvrir la bouche et de parler devant tous les autres. Parce qu'alors, sa langue enflait, enflait, et devenait aussi dure qu'un vieux bout de cuir, et les autres enfants se mettaient à rire tandis que Face-de-lapin le fixait de ses yeux globuleux en se mordillant la lèvre inférieure avec ses grandes canines qui avançaient. Elle attendait, attendait, mais les mots ne parvenaient pas à sortir, et alors elle lui reprochait de sa voix aigre de n'avoir pas écouté la leçon.

Et pourtant elle n'était pas aussi méchante avec les jumeaux McIver, de véritables pestes à cheveux jaunes avec des yeux mauvais qui louchaient et d'énormes poings durs et noueux. Ils avaient deux ans de plus que lui et n'arrêtaient pas de lui taper dessus en se moquant de son bégaiement. Chaque vendredi, avec une régularité d'horloge, ils lui volaient son chapeau de Juste et couraient jusqu'à la fosse d'aisance. Là, ils disaient à Benjo : « Vas-y, demande-nous bien gentiment de te le rendre, supplie-nous, sinon on le jette dans le trou. » Et alors Benjo les implorait. Enfin... quand sa gorge voulait bien émettre le moindre mot. Quand il n'y parvenait pas assez vite, le chapeau disparaissait dans la fosse. Par deux fois, il avait dû mentir à sa mère pour expliquer pourquoi il était rentré à la maison tête nue. Il lui disait que c'était le vent qui avait trop soufflé et qui avait emporté son chapeau.

Mais, la dernière fois, sa mère ne l'avait pas cru et elle s'était mise à crier en disant que le mensonge était un péché. Judas ! Il avait passé un drôle de quart d'heure. Elle avait l'air si en colère qu'il aurait encore préféré recevoir une bonne raclée et qu'on n'en parle plus.

C'est pour cela qu'il ne voulait plus aller à l'école.

Souvent, il se disait que les McIver n'auraient jamais osé s'en prendre à lui s'il avait encore eu son père. Une fois, il y avait deux ans de cela, sa mère revenait du marché à Miawa City et un cow-boy avait fait exprès de prendre son éperon dans sa jupe pour la déchirer. Mais P'pa avait réagi aussitôt, il s'était jeté sur le cow-boy et lui avait administré une sacrée correction.

Après, le dimanche suivant, le diacre Weaver l'avait obligé à se mettre à genoux devant toute la communauté pour confesser ce péché de violence. Mais Benjo se rappelait avoir écouté son père et sa Mem, ce soir-là, parler à voix basse. Tendant l'oreille, il avait entendu son père dire à Mem qu'il recommencerait s'il le fallait, parce qu'il y avait des indignités qu'aucun homme ne devait supporter.

En pensant à tout cela, la gorge de Benjo se noua et des larmes perlèrent à ses paupières. Cela faisait tellement mal de se dire qu'il était parti pour toujours. Surtout un jour comme aujourd'hui. Il pouvait presque voir P'pa, là, à côté de lui, en train d'examiner la piste en disant : « Regarde, Benjo, cette vieille ourse a mangé des myrtilles. » Et ils se seraient mis à rire. Ils se seraient mis à rire tous les deux.

Les buissons s'agitèrent de nouveau et Benjo plissa les yeux à travers ses larmes pour voir ce qui se passait.

Parce que, cette fois, il n'y avait pas de vent...

Son cœur fit un bond dans sa poitrine, et il écouta les craquements et les bruissements monter des taillis. Sortant sa fronde, il se baissa à la recherche d'une pierre, franchit un gros tas de branches et pénétra dans une petite clairière encombrée de chardons et de mauvaises herbes. Maintenant, on pouvait entendre comme des plaintes étouffées et des gémissements. On aurait dit qu'ils sortaient d'une espèce de trou creusé dans la terre.

Benjo s'approcha lentement, posant avec délicatesse ses brodequins sur l'herbe jaunie. Les gémissements se transformèrent en grondements. Benjo s'approcha du taillis et regarda dans le trou.

Un museau tout hérissé de dents jaillit de l'obscurité comme un diable de sa boîte... Le souffle coupé, Benjo fit un bond en arrière, lâcha sa fronde et tomba sur son derrière. Il resta là un bon moment, les idées en déroute, le souffle court. Puis, reprenant ses esprits, il se remit sur ses pieds. Ce devait être un coyote, pensa-t-il.

Tordant le cou, il risqua un nouveau coup d'œil. Le trou avait l'air profond, il était bordé de saletés, de feuilles pourries et d'aiguilles de pins. Cette fois, le coyote ne lui sauta pas à la figure mais il se contenta de grogner, un drôle de grognement entrecoupé de gémissements lugubres.

Ce n'était pas un trou naturel, constata Benjo, mais une sorte de fosse avec des parois trop abruptes pour que le coyote puisse les escalader. Il se souvint que les Indiens Pieds Noirs en creusaient de semblables autrefois quand ils chassaient dans les bois. Le coyote avait dû tomber dedans et s'ouvrir le flanc sur le tronc pointu placé au fond. L'une de ses pattes était toute tordue et on voyait du sang sur sa belle fourrure grise.

C'était une femelle, pensa Benjo, parce qu'elle avait le ventre tout gonflé, comme quand il y a des petits dedans. Le coyote et l'enfant échangèrent un long regard, puis les oreilles de l'animal s'aplatirent en arrière et une longue plainte s'échappa de sa gorge tandis qu'il tournait et retournait la tête, sans cesse, pour tenter de lécher sa blessure.

Benjo s'assit sur ses talons. Les coyotes étaient des animaux nuisibles, ils tuaient les brebis. Mais cette bête-là allait connaître une mort difficile et cela le rendait triste. Elle mourrait de faim et de soif, à moins qu'un lion des montagnes ne l'attrape avant. Ou peut-être un ours.

Il se redressa et retourna au tronc d'arbre où il avait laissé sa gamelle. Il en vida le restant dans le creux de ses mains et retourna au bord du trou pour le lancer au coyote qui l'avala d'un coup. Puis il tua deux écureuils avec sa fronde et les lui donna. Il fallait trouver un moyen de lui rapporter de l'eau, et aussi une corde pour la faire descendre.

Il se dit qu'en agissant ainsi il ne ferait peut-être que prolonger l'agonie du coyote. Même s'il ne mourait pas de faim et s'il échappait à un autre animal sauvage, il ne pourrait jamais sortir de cette fosse tout seul.

Si P'pa avait été là, il serait sans doute allé chercher la vieille carabine Sharp cachée dans la remise, et il serait revenu pour abattre le coyote en disant que ça en ferait un de moins qui viendrait attaquer les brebis. Mais pas sa Mem. Mem aurait voulu qu'on nourrisse l'animal et qu'on lui donne de l'eau. Elle se serait fait du souci à cause des petits dans son ventre.

Benjo se frotta la figure avec la manche de son manteau et secoua la tête. Judas ! Un moment plus tôt, il était là, assis sur le tronc, à pleurer, et voilà que maintenant il s'inquiétait pour un idiot de coyote.

En fait, il n'arrivait à rien de bon, dans la vie, se dit-il. A rien avec Mrs. Gibson Face-de-lapin, à rien avec les frères McIver. Il était pire qu'une fille.

Ce qu'il fallait faire, c'était retourner à la ferme pour prendre la Sharp dans la remise, et revenir ensuite abattre le coyote. Ce serait une chose miséricordieuse qu'il ferait là. Une chose qu'un homme, un vrai, doit faire.

Il prit le chemin de la maison en courant si vite qu'il dut tenir son chapeau d'une main pour éviter de le voir s'envoler. Ses pieds touchèrent à peine le sol rocheux tandis qu'il sortait du bois de pins par une coulée entre les arbres. Il y avait encore des traînées de neige dans les zones ombreuses et l'herbe grasse collait à ses brodequins.

Il ne vit pas les deux hommes à cheval avant de tomber droit sur eux. Il dérapa en s'arrêtant, les genoux tremblants, le ventre noué, le cœur affolé. Le cheval de tête, un alezan hongre, se cabra de frayeur. Son cavalier le retint en jurant à mi-voix. Benjo vit que c'était un jeune homme, pas plus vieux que Mose, avec un visage maigre et osseux et un long nez qui le faisaient ressembler à un faucon. Le second cavalier éperonna son cheval pour s'approcher de l'enfant. Les bords de son chapeau se soulevèrent, révélant un long visage avec des yeux tombants et une barbe comme celle d'un bouc. Sa bouche ressemblait à une boutonnière, et il...

Benjo retint un cri.

C'était l'inspecteur de bétail de Mr. Hunter. L'homme qui avait pendu son père.

Il le regarda, les yeux écarquillés, la bouche ouverte, décrocher de sa selle un lasso.

« Eh bien... Regardez ce que nous avons là, fit-il en crachant un long jus de tabac sur les brodequins de Benjo. Que je sois damné si nous ne venons pas d'attraper un voleur de bétail ! »

Chapitre 9

Quentin Hunter saisit le bras de l'homme et enfonça fermement ses doigts dans la veste en daim.

« Ça suffit, Wharton ! » dit-il d'une voix unie et lisse comme du goudron, une astuce que lui avait apprise son père pour intimider les gens. « Pose cette corde. »

Les yeux pâles de Wharton se tournèrent vers lui, pleins de sauvagerie et de haine. Il y eut un long silence pendant lequel les deux hommes s'affrontèrent du regard. Puis, avec un lent sourire, Wharton raccrocha le lasso à sa selle.

L'alezan de Quentin fit un écart, et ses sabots glissèrent sur la boue. Le cheval pointa les oreilles et tourna la tête vers le bois de pins et de mélèzes qui escaladait le ravin. Quentin se demanda si le garçon était seul.

En tout cas, il était terrifié. On pouvait entendre son souffle rauque et saccadé. Il se tenait raide comme un balai, arc-bouté contre les rafales du vent, petite silhouette étrange avec ses vêtements grossiers et austères. Quentin reconnut la marque des Justes. Ce peuple qui élevait des moutons au nord de la vallée...

« Toi, là, mon garçon. Que fais-tu ici, si loin de chez toi ? »

Le gamin ouvrit la bouche comme s'il allait crier mais aucun son n'en sortit.

Woodrow Wharton cracha dans l'herbe un long jet de salive jaunie de tabac. Puis il sourit. Un sourire de carnassier, pensa Quentin.

« Allons, Quin. Laisse-moi faire et pendons-le », insista Wharton.

L'alezan fit un nouvel écart. Quentin leva les yeux vers les pins. On n'entendait que le murmure du vent et la respiration rauque du garçon.

« Sais-tu que tu te trouves sur le territoire du Ranch H, petit ? »

Le garçon serra les poings derrière son dos. « Mmuh ! » cria-t-il avec force. Quentin vit de la salive couler au coin de ses lèvres.

Wharton éclata d'un rire méprisant. « On dirait qu'il bêle, comme leurs fichus moutons ! »

L'enfant déglutit, prit une profonde inspiration et recommença : « Mmm... Mm... mon aa... ami ! Il... Il vvv... vous tu... tuera ! »

Puis il détala comme un lièvre, grimpa à toute allure la coulée rocheuse et retrouva l'abri du bois de pins. Il courait maladroitement, les bras écartés, son manteau volant derrière lui.

Voyant que Wharton s'apprêtait à se lancer à sa poursuite, Quentin lui barra la route avec son alezan. « Arrête. Tu lui as fait assez peur comme ça. »

Wharton essuya les gouttes de jus de tabac sur son menton et ricana. « Je savais qu'avoir du sang indien donnait la peau rouge, mais pas que ça rendait mou et veule ! »

Il éperonna les flancs de son cheval et dévala la pente en faisant jaillir des mottes de boue et d'herbe sur son sillage. Quentin le regarda, les sourcils froncés. Ce n'était pas l'insulte qui le préoccupait. Il y était habitué. Non, ce qui l'inquiétait, c'était Wharton lui-même. L'homme était sauvage et cruel, et il se demanda ce qui avait bien pu pousser son père à l'engager. Aucun cow-boy sérieux n'arborerait ainsi une boucle d'oreille en argent, des bottes à cinquante dollars, si serrées qu'on se demandait où il casait ses pieds, et une paire de colts à crosse de nacre ajustés pour être sortis en une seconde de leur étui. Un homme certainement plus habile à manier le revolver qu'à marquer les bêtes.

Il enfonça ses talons dans les flancs de son alezan et le conduisit sur la piste menant au bois de pins. Pendant quelques instants, il poursuivit son chemin en grimpant la butte. Le cheval se frayait difficilement un passage dans les taillis et Quentin devait baisser la tête pour ne pas perdre son chapeau au passage des branches basses. Les sabots de l'alezan s'enfonçaient dans la boue argileuse et rougeâtre. C'était vraiment un coin sauvage, pensa-t-il, en laissant ses yeux errer sur la ligne déchiquetée des pics et sur la prairie immense, en contrebas. Le ciel était si bleu, si immensément vide sous le soleil qu'il était presque impossible de le regarder.

Il s'arrêta au-dessus d'un escarpement. Le vent soufflait si fort qu'il dut nouer les deux cordons de son chapeau pour l'empêcher de s'envoler. Le silence était profond, magnifique. Quentin se dressa sur ses étriers pour contempler le paysage en dessous. Dieu, qu'il aimait ce pays. Comme c'était bon d'être de retour à la maison.

Parfois, il lui semblait que c'était là, sous ce vaste ciel, qu'il sentait le mieux son sang circuler dans son corps, là qu'il respirait vraiment. L'air chargé des parfums de la terre était si vif qu'il lui brûlait les poumons à chaque respiration. Chaque fois que Quentin revenait dans ces lieux solitaires, c'était comme si une main à la fois douce et triste lui étreignait l'âme.

Pendant près de deux ans, il avait essayé de contenter son père en allant étudier dans un collège de Chicago. Et il s'était retrouvé enfermé à déchiffrer des livres toute la journée. Chicago... avec ses grands immeubles couverts de suie qui cachaient le ciel et le soleil, ses cheminées qui vomissaient des flots de fumée noire, les relents âcres qui montaient des gigantesques parcs à bestiaux et l'odeur du sang... cette odeur de sang, omniprésente, qui montait des abattoirs... Chicago, pour Quentin, c'était un avant-poste de l'enfer.

Pourtant, il avait compris quelque chose d'important pendant cet exil. Il n'avait que dix-neuf ans, mais à présent il savait exactement ce qu'il voulait faire de sa vie.

Il voulait vivre ici, au Ranch H. Se réveiller chaque matin et voir les montagnes se découper sur le ciel. Parcourir à cheval la prairie infinie et solitaire pour y regarder paître les buffles au milieu de l'herbe grasse. Il voulait élever du bétail et des chevaux, fonder une famille sur cette terre qui était la sienne.

Au-dessus de lui, un faucon se laissait porter par le vent. Soudain, il vira sur une aile et partit comme une flèche dans le ciel vide et profond. De là où il se trouvait, Quentin pouvait presque s'imaginer qu'il voyait le Miawa tel qu'il avait été autrefois, il y a bien long-temps de cela, quand la terre était encore toute neuve, quand l'homme blanc ne l'avait pas encore asservie à ses désirs. A cette époque, les buffles étaient nombreux dans les hautes vallées et le premier peuple qui avait habité ces lieux, le peuple de sa mère, chassait dans les bois et pêchait dans les ruisseaux. Ces hommes-là n'avaient pas construit de villes. Ils vivaient dans des tipis qui ne laissaient même pas d'empreintes sur le sol, rien qu'un cercle blanc de terre nue dans l'herbe épaisse.

Maintenant, le peuple de sa mère vivait dans une réserve et ache-tait sa nourriture dans un magasin avec des bons délivrés par le gouvernement. Quant aux buffles, il n'en restait plus que des osse-ments dispersés dans les rochers, les bouquets de sauge et les herbes folles.

Son père, lui, était né dans les mines de charbon de Glasgow. Un jour, il lui avait parlé d'une épitaphe qu'il avait lue, autrefois, sur une tombe d'Écosse : *« Ci-gît la seule part mortelle d'un homme. »* La mort... Quentin n'y songeait guère, il était bien trop jeune pour cela. Mais il comprenait ce que voulait dire cette épitaphe. Il y avait, dans chaque être humain, une part périssable et une part immortelle.

Et aujourd'hui, plus que jamais, ce qu'il souhaitait le plus au monde, c'était que ces deux aspects de lui-même s'unissent, ici, sur cette terre, dans un même bonheur, une même liberté.

Quand il fut en vue du ranch, il tira sur les rênes de son cheval pour ralentir l'allure. Au petit trot, il franchit le portail, passa sous la lourde enseigne de bois trouée d'impacts de balles, et s'engagea sur l'allée menant à la maison.

Ce n'était sans doute pas le plus bel endroit du monde, mais il l'aimait. Il aimait ce grand bâtiment blanc avec ses pignons et ses lucarnes, son porche majestueux, ses galeries couvertes. Les peupliers bordant la route n'avaient pas encore de feuilles et semblaient frissonner de froid sous le vent. L'herbe était grise, les corrals boueux et il manquait une aile au moulin à vent.

C'était bon, si bon d'être à la maison.

Il sauta à terre et conduisit l'alezan à l'écurie. Il le bouchonna à l'aide d'un tampon de grosse toile et lui donna une ration supplémentaire d'avoine. En route vers la maison, il aperçut un groupe d'employés du ranch occupés à jouer aux cartes sur le porche de leur baraquement. Il les salua d'un signe de tête en essayant de se rappeler les noms de ceux qu'il connaissait.

Il y avait un fauteuil à bascule sur le perron de la maison et il s'y assit un instant pour retirer ses éperons afin de ne pas laisser de marques sur le beau parquet. Puis il racla la boue de ses bottes sur le grattoir, entra et accrocha son cache-poussière aux cornes de cerf qui ornaient le portemanteau du hall. En passant devant la grande glace, il jeta un coup d'œil à son reflet, rajusta le foulard autour de son cou et lissa du plat de la main ses longs cheveux noirs qui lui tombaient sur les épaules.

Du salon d'hiver lui parvenaient les éclats d'une conversation animée. Il reconnut son père dont la voix était enrouée par la fumée de milliers de cigares. Et le froid murmure de sa femme qui lui répondait.

« J'ai construit ce ranch quand il n'y avait pas âme qui vive dans le coin, sauf des Indiens et des coyotes ! Tu es folle si tu t'imagines que je vais le laisser disparaître comme ça ! »

Sa femme dit quelque chose, mais trop bas pour que Quentin puisse comprendre les mots.

135

Le Baron se remit à crier avec son accent rocailleux d'Écossais :
« Nous avons fait un marché, toi et moi, et pendant dix-huit maudites
années, j'ai tenu parole. Tout ce que tu as à faire, c'est de tenir la
tienne, espèce de garce ! Sinon, pardieu, je... »

Il avait dû s'interrompre, car Quentin n'entendit plus rien. Retenant sa respiration, il attendit, l'oreille tendue. Il savait que le marché
en question le concernait, lui. Cela remontait probablement à l'époque où on l'avait amené, âgé de cinq ans, au ranch après la mort
de sa mère, d'une fièvre de lait. Pour une dame de la bonne société
comme Ailsa Hunter, il n'avait guère dû être facile d'accepter de
prendre sous son toit le fils que son mari avait eu d'une squaw. Elle
avait dû échanger son consentement contre quelque accord
diabolique.

Quentin sursauta lorsque son père parut soudain sur le seuil du
salon. Il se tenait les jambes écartées, les pouces glissés dans les
poches de sa chemise, les joues cramoisies de colère.

Le Baron avait un visage tout en angles, un nez comme un poi-
gnard et une mâchoire découpée à la hache. Sa bouche était recour-
bée vers le bas, telle une faucille. Il avait les jambes un peu arquées
après tant d'années passées à cheval et sa peau était tannée par le
vent du Montana. Couronnant le front plat, son épaisse chevelure
était aussi blanche que du sucre.

Comme chaque fois qu'il discutait avec sa femme, le Baron se
trouvait dans un état d'extrême agitation. Il posa sur son fils des
yeux sombres et durs comme des pierres de rivière.

« Où diable étais-tu ?

— J'ai fait un tour à cheval.

— Je croyais que tu avais décidé de dresser ces broncos qu'on
a attrapés. Tu sais pourtant qu'on en aura besoin pour le rassemblement du troupeau au printemps ! Tu n'es qu'un paresseux, un
propre à rien, mon garçon. Je ne sais pas ce qui me retient de te
botter le derrière !

— Vous ne vous êtes jamais gêné pour le faire jusqu'ici », rétorqua Quentin avec un sourire pincé.

Le Baron l'avait déjà mis à la porte du ranch une bonne demi-
douzaine de fois, mais ensuite il allait le rechercher pour le ramener.
Et Quentin se laissait faire. Parce qu'il aimait le ranch de toutes les
fibres de son cœur. Et à cause de la femme de son père, la femme
qui écoutait dans l'autre pièce.

La main de Fergus Hunter fendit l'air, et Quentin recula sous le
choc de la gifle.

136

« Si tu crois que je t'ai laissé quitter le collège pour tolérer tes habitudes de sauvage dans ma maison, tu te trompes ! Ce n'est pas parce que tu as vécu sous un tipi avec ces Peaux-Rouges à demi nus que tu vas les imiter aujourd'hui !

— Mais je *suis* un sauvage, père, répondit Quentin calmement. Vous êtes bien placé pour le savoir...

— Tu es mon fils, pardieu ! Et tu vas vivre ici comme je te l'ordonnerai ! Demain, tu iras travailler ces broncos en commençant par trier les mâles.

— Oui, sir. »

Son père tourna les talons pour disparaître au détour du hall. Aucun bruit ne venait du salon, mais Quentin savait qu'elle écoutait. Il songea un instant à poursuivre son chemin pour se rendre à la cuisine et y faire quelques ablutions. Peut-être serait-elle surprise de ne pas le voir la rejoindre tout de suite. Peut-être. De toute façon, il ne pourrait s'empêcher d'y aller tout de suite. Et cela aussi, elle le savait bien...

Il s'arrêta sur le seuil du salon et, comme chaque fois qu'il la regardait, son cœur se troubla. La pièce sentait la cire parfumée à la citronnelle qui faisait reluire les lambris de bois satinés. Une soie vert pâle finement rayée recouvrait les murs et s'harmonisait avec les lourds rideaux d'une teinte plus profonde, comme la forêt. Les fauteuils et les chaises étaient recouverts de satin crémeux. Dans un vase doré, un bouquet de fleurs séchées formait une tache blanche décorative sur le manteau de la cheminée. C'était vraiment une pièce élégante. Belle mais froide. Parfaitement assortie à la femme qui s'y tenait.

Elle avait des cheveux d'un noir bleuté comme le plumage d'un corbeau, une peau pâle et translucide, et des yeux si violets qu'on aurait cru des fleurs de serre.

Élégante, belle et froide.

Ailsa MacTier, dixième fille d'un squire de basse Écosse, avait la noblesse dans le sang. Sa famille était pauvre, certes, mais d'excellente souche. Des siècles d'aristocratie avaient forgé une lignée fière et fragile comme du cristal ancien. Qu'est-ce qui avait bien pu conduire une femme comme elle à épouser le fils d'un mineur de charbon pour le suivre dans cette contrée d'Amérique, sauvage et brutale ? C'était un mystère pour Quentin. Mais sans doute était-il lui-même un mystère pour Ailsa.

Il la trouva en train de nettoyer les globes laiteux du lustre en cuivre. Sa robe de soie grise était protégée par des manchons de coton blanc sur lesquels on ne voyait pourtant ni tache ni, même, un seul grain de poussière. Chacun de ses gestes était une merveille de grâce et de fluidité.

Il n'était pas exceptionnel de la voir travailler. Et, cependant, au cours de toutes ces années qu'il avait passées au ranch, Quentin ne se souvenait pas avoir jamais vu sur son ravissant visage la moindre goutte de sueur, ni une seule mèche de cheveux s'échapper de son chignon. Il ne l'avait jamais entendue crier, non plus. Même en colère, elle dissimulait si bien et si profondément ses sentiments qu'aucune trace ne transparaissait. Il ne l'avait jamais entendue rire, non plus. Une ou deux fois seulement, il l'avait vue sourire.

Il aurait donné n'importe quoi pour qu'un de ses rares sourires lui soit destiné. Pour sentir sur sa peau le frôlement de sa main.

Naturellement, elle avait remarqué sa présence, elle savait qu'il était là rien que pour elle. Mais elle ne manifesta pas la moindre réaction. Il aurait pu rester là des heures durant sans qu'elle daigne lever les yeux sur lui.

Quentin avança vers elle, enfonçant ses bottes dans l'épais tapis persan. Il eut soudain conscience qu'il devait sentir la boue et la sueur de cheval.

« Laissez-moi vous aider, Mrs. Hunter... »

Quand il s'adressait à elle, c'était toujours de manière officielle. Et, d'ailleurs, jamais elle ne l'avait incité à lui témoigner la moindre familiarité.

« Merci, Quentin », répondit-elle d'une voix unie, une voix aussi soyeuse et froide que de la neige.

Il lui prit des mains le globe poli et leurs manches se frôlèrent. Puis il grimpa sur l'escabeau pour revisser le globe dans le lustre. Elle le regardait faire avec une expression de parfaite indifférence.

Le délicat carillon d'une horloge Chesterfield égrena sa mélodie dans le silence. Le tissu à franges qui garnissait la cheminée frémit doucement. Quentin tourna la tête et aperçut le reflet d'Ailsa dans le miroir doré.

Il fut frappé de constater que tous deux avaient les mêmes cheveux d'un noir corbeau, et aussi la même silhouette élancée. Après les deux ans qu'il venait de passer à Chicago, Quentin avait le teint plus pâle, presque celui d'un citadin.

Si un étranger était entré dans le salon à cet instant, pensa-t-il, il les aurait pris pour mère et fils...

138

Benjo reposa avec soin la carabine au travers d'une paire de bois de cerfs accrochés tout en haut du mur de la remise. Il essuya ses mains moites sur le fond de son pantalon et poussa un grand soupir. Maintenant qu'il était rentré sain et sauf à la maison, il pouvait enfin cesser d'avoir peur.

Il avait été obligé de monter sur une balle de foin pour remettre l'arme à sa place et il s'apprêtait à redescendre quand il entendit la voix de l'étranger dans son dos.

« Je me demandais justement si cette vieille Sharp était encore capable de fonctionner. »

Benjo se retourna si vite que son pied dérapa et qu'il tomba assis sur le ballot de foin. Le cœur battant à tout rompre, il se laissa glisser sur le sol et leva les yeux vers Johnny Caïn. Aveuglé par les rayons du soleil couchant qui entraient à flots par la porte ouverte, il ne distingua de l'étranger qu'une longue silhouette noire.

« On dirait que tu es allé chasser dans la montagne, ce soir », dit Johnny Caïn.

Benjo fit « non » de la tête en avalant sa salive. Mais il sut immédiatement que l'étranger ne se laissait pas prendre à son mensonge.

« Ta mère était sur le point de mettre toute la vallée à feu et à sang pour te retrouver. Elle était morte d'inquiétude. »

Il prit l'enfant par l'épaule et le propulsa hors de la remise. Mais son geste, bien que ferme, était dénué de violence.

« Les... les gens de Hunter..., bredouilla Benjo. Ils vvv... ils voulaient me pp... pendre. Ils disaient que j'étais un vol... un voleur de bbb... bétail. »

Puis il réalisa que le fait d'avoir failli être pendu n'expliquait pas une journée entière d'absence ; aussi précisa-t-il : « J'ai... couru ppp... pour me cacher. » Et c'était vrai qu'il était resté terré un bon moment dans les taillis avant de revenir à la ferme chercher le fusil et de l'eau pour repartir ensuite dans les collines de Tobacco Reef, vers le coyote.

Ce que l'étranger pensa de cette histoire, il ne le fit pas savoir. Benjo traînait les pieds en le suivant jusqu'à la maison. Il savait que sa mère devait être fâchée.

« J'ai ppp... pensé..., commença-t-il en bégayant tellement qu'il dut s'arrêter pour respirer... que... que vous ppp... pourriez aller ttt... tuer ces gens, ces Hunter. »

Ils s'arrêtèrent au milieu de la cour et l'étranger le regarda par-dessous les bords de son chapeau, en poussant un curieux petit soupir.

139

« Je pourrais le faire, c'est vrai. Mais j'ai promis à ta mère de rester tranquille. »

Benjo soupira à son tour. La porte de la maison s'ouvrit brusquement, et sa Mem jaillit de la cuisine et courut vers lui. Elle le serra si fort contre son cœur que le chapeau de Benjo vola à terre. Fébrilement, elle fit courir ses mains sur lui pour s'assurer qu'il n'avait rien de cassé.

« Benjamin Joseph Yoder ! Tu m'as fait une telle peur que j'ai bien failli en perdre la tête ! Où étais-tu passé ? »

Benjo ouvrit la bouche, mais les mots s'empilèrent et formèrent dans sa gorge un barrage si épais qu'aucun son ne put sortir, pas même l'air. Il se mit à hoqueter et à suffoquer au point que ses yeux se remplirent de larmes. Il se haïssait tant de ne pas réussir à *parler* comme les autres...

« Il est trop secoué pour le moment, intervint l'étranger. Votre Mr. Hunter, celui pour lequel vous vous obstinez à prier, eh bien on dirait que ses hommes ont encore fait des siennes. Ils ont terrorisé le garçon en menaçant de le pendre. »

Benjo n'aima pas l'expression qui se peignit sur le visage de sa mère. Il le vit s'affaisser et devenir couleur d'un vieux fromage. Ses yeux étaient immenses, sombres, remplis de chagrin et de peur.

Elle le prit une nouvelle fois dans ses bras, écarta doucement ses cheveux emmêlés et lui caressa le front.

« Mais, au nom du Ciel, que faisais-tu sur le territoire des Hunter ?

— Jjj... je... pistais un ours.

— Oh, Seigneur ! »

Il fut surpris de l'entendre rire, d'un drôle de rire un peu tremblant. « Rentre maintenant à la maison, Benjo, dit-elle avec douceur. Et lave-toi avant le souper. »

Benjo ramassa son chapeau tombé dans la boue et escalada les marches du porche quatre à quatre. Mais il s'arrêta dans l'ombre, juste devant la porte de la cuisine. Sa Mem et Johnny Caïn lui tournaient le dos, ils regardaient en direction des collines et leurs lèvres bougeaient. Le soleil avait presque disparu à l'horizon mais il laissa encore un reflet rougeâtre dans le ciel et tout était revêtu d'un éclat rosé : la remise et les moutons dans l'enclos, la coiffe de sa Mem, et la chemise blanche de l'étranger, celle qui avait appartenu à son père.

Benjo était trop loin pour saisir tous les mots de la conversation, mais il pouvait cependant en comprendre quelques-uns. Il entendit sa mère dire avec un gros soupir : « Que vais-je faire ? »

Johnny Caïn ne devait pas connaître la réponse à cette question, car il ne répondit rien. Après il y eut un silence, et l'étranger dit quelque chose qui fit bouger Mem. Elle se tourna légèrement vers lui en déclarant : « Non. Jamais. Ce n'est pas une bonne façon d'agir. »

A quoi l'étranger répondit : « Elle n'est pas si mauvaise. Cet homme ne vous fera plus de mal quand il sera six pieds sous terre.

— Mais, alors qu'adviendra-t-il de mon âme ? Qu'adviendra-t-il de moi ? »

Ils étaient face à face, maintenant et, à la manière dont ils se regardaient, Benjo pensa qu'ils étaient en colère. On aurait dit que l'air, au-dessus de leurs têtes, était chargé d'étincelles, comme quand on caresse un chat dans le noir.

La voix de l'étranger résonnait, nette et froide.

« Ils n'abandonneront pas, Rachel. Je connais ce genre d'hommes.

— Parce que vous êtes comme eux.

— Parce que je suis l'un d'eux. Et que des types comme nous sont capables de détruire n'importe quoi, de tuer n'importe qui. »

Elle secoua de nouveau la tête avec violence. « Pas vous. Je ne crois pas que vous ayez jamais tué un enfant. Non, je ne le crois pas.

— Vous serez bien obligée d'affronter la réalité. Il n'y a qu'une manière de nous arrêter.

— Non ! »

Elle leva les mains, comme pour le toucher, mais ils étaient trop éloignés l'un de l'autre. « Non... non. Les voies de Dieu sont parfois difficiles à comprendre mais Il est miséricordieux. C'est à nous de changer. Et à vous. A vous et à tous les hommes qui vous ressemblent. »

L'étranger secoua la tête.

« Vous ne comprenez pas, Rachel. Des hommes tels que nous... seule la mort nous arrête. »

Chapitre 10

Rachel levait bien haut sa lanterne en avançant péniblement sur la boue gelée de la cour. Elle portait encore ses vêtements de jour, son tablier et son châle, mais pas sa coiffe. Ses longs cheveux tombaient sur ses épaules, lourds et épais.

Il était plus de minuit. La lune, ronde, crémeuse comme une roue de fromage, se levait au-dessus des peupliers. C'était la première lune de printemps. Une douce lumière baignait les prés verdissants et auréolait de blanc le chariot où l'étranger, désormais, passait ses nuits.

La jeune femme grimpa les marches et frappa. Quelques instants après, le panneau supérieur de la porte s'entrouvrit et Rachel dit précipitamment : « Ils arrivent, Mr. Caïn. »

Elle pouvait presque sentir le poids de son regard sur ses cheveux. « Je finis juste de m'habiller », répondit l'étranger.

Elle alla l'attendre à quelques pas de là. Quand il la rejoignit, elle constata que ce qu'il appelait « finir de s'habiller » consistait à mettre son chapeau et à fixer sa cartouchière autour de sa taille.

« Qui avez-vous donc l'intention de tuer, cette nuit, Mr. Caïn ? demanda Rachel. A moins que vous ne comptiez intimider les brebis avec vos colts ? »

Il resta silencieux tandis qu'ils se dirigeaient vers les étables. Leurs pas faisaient craquer la boue gelée et l'huile de la lanterne gargouillait doucement. Plus loin, dans l'infinité obscure de la prairie, un coyote se mit à hurler à la lune.

Benjo, flanqué de MacDuff, apparut à la porte des étables, portant lui aussi une lanterne. « Va me chercher de l'eau au ruisseau », lança Rachel.

Le garçon prit deux bidons et se mit à courir vers le bois de peupliers. Rachel pénétra à l'intérieur du bâtiment, l'étranger dans son sillage. Une peu plus tôt, en prévision de cet instant, elle avait accroché plusieurs lampes aux poteaux du corral et alla les allumer.

Une lueur jaunâtre éclaira la paille boueuse, révélant les dos laineux, frémissants, des moutons.

« Mr. Caïn ? Voudriez-vous isoler les brebis prêtes à agneler, s'il vous plaît ? »

L'air indécis, il se tenait au milieu du troupeau bêlant. « Je le ferais bien, Mrs. Yoder, si seulement je pouvais distinguer les unes des autres... »

Elle retint un sourire. « Celles qui ont des tétines raides et dont les mamelles sont gonflées sont prêtes à mettre bas. Tenez, regardez... je crois bien que celle-là sera la première... »

Elle pointa le doigt en direction d'une jeune brebis qui s'était écartée d'elle-même du troupeau pour creuser frénétiquement dans la paille.

« Elle fait son nid, expliqua Rachel. C'est son premier agnelage. Il faudra être vigilant. »

En réalité, Rachel savait déjà quelles étaient les bêtes prêtes à mettre bas. Certaines allaient agneler au cours de l'heure suivante, d'autres auraient besoin d'une assistance toute particulière. La jeune femme connaissait parfaitement chaque brebis, elle devinait, rien qu'en les observant, à quel stade l'animal se trouvait. Jamais elle ne se trompait. Ben disait souvent que c'était parce qu'elle était une femme et qu'elle comprenait mieux que n'importe qui ce qu'allaient endurer les brebis...

L'étranger commença à se déplacer prudemment au milieu des bêtes en se penchant pour examiner leurs mamelles. « Je crains qu'il n'y en ait tout un lot de prêtes, lança-t-il au bout d'un moment.

— Dans ce cas, nous allons avoir une nuit bien occupée. Venez par ici. Cette jeune brebis va se caler entre vos jambes pour pousser. Elle doit se demander ce qui arrive dans son ventre, elle est terrifiée... »

L'animal bloqua sa tête contre les jambes de Caïn et se mit à bêler plaintivement en tordant le cou et en roulant les yeux. On pouvait déjà distinguer la poche placentaire poindre sous la queue et, à travers, une paire de sabots et un minuscule nez rose. Tout va bien, pensa Rachel avec soulagement, le petit se présentait correctement...

Soudain, la brebis s'effondra dans le nid qu'elle avait essayé de creuser dans la paille. Elle travaillait dur, en silence, sa babine supérieure se retroussant à chaque effort. L'étranger avait placé sa jambe à côté d'elle pour qu'elle puisse s'y arc-bouter en poussant. Il tendit

143

le bras, plongea ses doigts dans le toupet de laine entre les oreilles de l'animal, et lui gratta affectueusement la tête.

« Pourquoi est-ce qu'elle ne gémit pas ? »

Le regard de Rachel s'attarda un instant sur ces longs doigts qui bougeaient tendrement, presque amoureusement, sur la tête de la brebis. Il faisait pareil avec la crosse de son revolver, pensa-t-elle soudain. Et, une fois, quand il lui avait caressé la bouche, il avait eu ce même geste à la fois doux et ferme.

« Les moutons sont durs à la douleur, répondit-elle. Mais les brebis peuvent tout de même souffrir beaucoup. Je crois que si elles se tiennent tranquilles, c'est pour ne pas alerter les loups et les coyotes qui pourraient leur rôder autour. »

Elle regarda de plus près le visage de l'étranger et vit qu'il paraissait communier avec l'animal, souffrir avec lui. Une femme savait à l'avance qu'un accouchement serait douloureux. Mais, pour un homme, c'était toujours un choc.

Benjo revint, apportant un morceau de toile de sac et une longue perche munie d'un crochet à son extrémité. La brebis se souleva et se remit péniblement sur ses sabots. Elle se raidit, frissonna de tout son corps, secoua son arrière-train... L'agneau jaillit de la matrice d'un seul coup, comme un plongeur remontant du fond de l'eau, les pattes et le nez en avant. Un sac jaune luisant et chaud.

Rachel déchira la membrane, prenant bien soin de dégager d'abord le museau de l'agneau qui, aussitôt, prit sa première inspiration et émit un *maaa* plaintif. Rachel se mit à rire, soulagée. Benjo lui tendit la toile de sac pour qu'elle essuie rapidement les oreilles du petit animal afin d'éviter qu'elles ne gèlent.

La brebis continuait de bêler frénétiquement, le corps parcouru de grands frissons, sans porter le moindre intérêt à son nouveau-né. Rachel commençait à craindre qu'elle ne soit de ces brebis qui refusent de nourrir leur petit. Mais, soudain, comme si un déclic venait de se produire dans sa conscience, elle tourna le museau vers l'agneau, le flaira et commença de lécher la membrane jaune qui le recouvrait encore à moitié. Ses coups de langue bruyants couvraient presque le ululement du vent, le piétinement des sabots sur la paille et tous les bêlements des autres mères, prêtes à mettre bas.

« Et, tout ce temps, je me suis inquiété parce que vous m'aviez demandé de vous aider à faire ça, dit l'étranger. Ça ne semble pas si difficile, finalement.

— La nuit commence à peine, Mr. Caïn. »

Il rit, et son regard tomba sur la jeune mère qui s'efforçait, à coups de museau, de mettre son petit debout. Sur son rude visage d'homme, Rachel vit passer quelque chose qu'elle n'avait jamais vu, une douceur, une étrange lumière. Il paraissait très jeune, tout à coup, et le mot *heureux* vint à l'esprit de Rachel tandis qu'elle l'observait.

Oui, il semblait heureux...

« Mm... Mem ? »

Elle se tourna vers Benjo, prit le crochet qu'il lui tendait et le glissa sous le ventre de l'agneau. Puis elle le souleva avec précaution jusqu'à ce qu'il balance au-dessus du sol, le nez tourné vers sa mère pour qu'elle le lèche et le flaire. Mais la brebis fit un écart et courut au milieu du corral, semant la panique dans le troupeau bêlant.

« Oh, c'est sûrement une mauvaise mère ! » s'exclama Rachel, exaspérée.

Avec l'aide du chien, Benjo chassa la récalcitrante vers son petit. La brebis pointa le nez vers l'agneau et parut enfin comprendre qu'il s'agissait bien du sien. Rachel souleva avec sa perche la petite bête gigotante et, lentement, s'achemina ainsi vers les étables, suivie par la mère qui bêlait plaintivement.

Les étables étaient de simples constructions longues et basses, divisées en multiples cellules, comme un rayon de miel. Un mélange de paille et de sciure en recouvrait le sol. Une fois installé dans son nouveau logement, le nouveau-né parvint à se mettre debout sur ses petites pattes grêles et noueuses. Rachel le guida vers les tétines de sa mère afin qu'il puisse prendre son premier repas. Mais elle ne s'attarda pas à contempler cette attendrissante scène car, déjà, Benjo l'appelait de l'enclos pour l'avertir qu'un autre agneau était en train de naître.

Dès lors, ils durent faire face à un flot de naissances simultanées, de sorte que l'étranger et elle durent travailler séparément. Parfois, Rachel lui jetait un coup d'œil, mais Johnny Caïn, le tueur d'hommes, semblait s'adapter sans difficulté à son nouveau rôle. De sa voix grave et traînante, il calmait les brebis avec de lentes intonations qui ressemblaient à une berceuse. Chacun de ses gestes était sûr, précis.

Quant à Benjo, il se démenait tant qu'on l'aurait cru partout à la fois. Le cœur de Rachel se serrait en pensant à quel point son père aurait été fier de lui. Toujours équipé du crochet et du sac, il assistait à toutes les naissances, prêtait main-forte et transportait ensuite la paille souillée jusqu'au tas de fumier. Il revenait ensuite apporter du foin frais dans les enclos et donner aux mères un mélange d'eau sucrée et de mélasse pour leur rendre leurs forces.

Il n'y eut, cette fois, qu'un seul agneau mort-né. Rien de comparable, songea Rachel avec gratitude, à cette terrible année qui leur avait causé tant de pertes. Pourtant, tandis qu'elle transportait le petit corps sans vie au-dehors, elle détourna la tête pour que ni son fils ni Johnny Caïn ne voient ses larmes de femme.

Ils travaillèrent ainsi des heures entières, dans un curieux mélange de calme et de frénésie. Rachel était en train de se masser les reins d'une main lasse quand Benjo surgit derrière elle.

« Mmuh... Mmm... Mem ? »

Elle posa doucement une main sur son épaule. « Reprends ton souffle, Benjo. Je t'écoute...

— Tu... tu sais... La vieille brebis au nez tordu. Sss... son petit nn... ne vient pas du tout ! »

Elle courut aussitôt à sa suite et trouva la plus vieille mère du troupeau étendue sur la paille, secouée par de violentes contractions. Elle venait de perdre les eaux et deux minuscules sabots noirs pointaient hors de son ventre.

Rachel s'accroupit dans la paille, et la brebis leva vers elle ses yeux doux au regard serein. Ce regard qui semblait lourd d'une si profonde sagesse.

« Pauvre chère bête..., murmura Rachel. Ton petit se présente tout de travers... »

Elle enfonça ses doigts dans l'épaisse toison grise de la brebis et massa son ventre crispé. « Il va falloir que je le tire, dit-elle à l'étranger qui venait de la rejoindre. Benjo, va me chercher un seau d'eau et un peu de savon dont je me sers pour la lessive. Et une pelote de ficelle, aussi. »

Ils attendirent en silence le retour du garçon, agenouillés côte à côte à regarder la brebis au travail. La seule présence de cet homme donnait à Rachel une nouvelle conscience de sa propre existence. Hâtivement, elle avait tressé ses longs cheveux pour qu'ils ne la gênent pas, et la lourde natte pesait dans son dos. Elle sentait que l'étranger la regardait, elle entendait son souffle, et cela la troublait.

Benjo revint si vite qu'il trébucha et faillit tomber de tout son long en renversant le seau. « Est-ce qqq... que la brebis va mourir ?

— Je ne sais pas, fit Rachel en roulant ses manches au-dessus des coudes. Mais on va tout faire pour la sauver. »

Elle plongea ses bras dans l'eau savonneuse et les frotta vigoureusement. Puis elle enfonça la main dans la matrice de la brebis pour tourner l'agneau qui semblait s'être retourné. L'une de ses pattes arrière lui bloquait la tête. La brebis tendit le cou en avant en roulant des yeux et une violente contraction secoua son corps tout entier. Les muscles, en se nouant, comprimèrent la main de Rachel entre le crâne de l'agneau et l'échine de la mère. Cela lui fit si mal que des larmes jaillirent de ses yeux.

Quand la contraction prit fin, elle retira sa main humide et tachée du sang de la brebis. Les larmes continuaient de couler sur ses joues mais, cette fois, c'étaient des larmes de chagrin car elle savait que la brebis allait mourir.

« La tête de l'agneau se présente mal, et ma main est trop grande.

— Benjo peut le faire », dit alors l'étranger.

Le gamin recula, soudain très pâle. « Nnn... Non !

— Tu n'es pas obligé, Benjo, dit doucement Rachel. Mais pour cette vieille brebis, tu es son seul espoir... »

L'enfant jeta un regard vers l'étranger dont le visage demeurait impassible. Il était déchiré mais, au bout de quelques instants, il se tourna vers sa mère et acquiesça d'un signe de tête.

« Très bien, mon fils. Ce que tu dois essayer de faire, c'est de refermer tes doigts autour du nez de l'agneau et tourner doucement jusqu'à ce qu'il retrouve une bonne position. Tu peux te servir d'un morceau de ficelle pour t'aider. Et puis tu tireras avec lenteur jusqu'à ce qu'il sorte. »

Elle lui prit la main, une petite main d'enfant à laquelle on allait demander un travail d'homme.

« Est-ce qq... que ça va faire mal ?

— Il y a des chances, oui.

— Bbb... beaucoup ?

— Probablement, Benjo, oui, probablement.

— Il peut le faire », répéta l'étranger en posant la main sur l'épaule du garçon et en lui administrant une bonne secousse, comme un homme donne une accolade à un autre. Comme un père encourage son fils, pensa Rachel. Elle vit alors un sourire se dessiner sur les lèvres de l'étranger, le premier sourire franc et innocent qu'elle lui ait jamais vu. Aussi étincelant qu'un soleil d'été.

Le garçon s'efforça de sourire, mais sa bouche tremblait un peu. Il s'étendit à plat ventre et enfila son bras mince dans le corps de la brebis. A chacune de ses contractions, il poussait un cri. Des larmes coulaient sur ses joues, laissant des traînées de poussière, et

147

Rachel dut mettre une main devant sa bouche pour étouffer ses propres sanglots.

Enfin, l'agneau commençait à sortir de quelques centimètres. La brebis s'arc-bouta, poussa un gémissement et donna une dernière poussée. Le petit tomba sur la paille, tout gluant et plein de sang.

Rachel demeura quelques secondes immobile, la main contre la bouche. Aussi vif que l'éclair, l'étranger déchira la fine membrane pour dégager le museau de l'agneau. « Respire, maudit bâtard ! Respire... » Il proférait les mots profanes comme une prière. « Respire... Mais respire donc ! »

Mais l'agneau restait complètement inerte.

Rachel le lui prit des mains et, saisissant une oreille, elle leva le tout et donna une violente secousse en tournant. Une fois. Deux fois.

L'agneau émit un *baaa* indigné. Tout le monde se mit à rire, soulagé, tandis que Rachel s'effondrait sur la paille, serrant tendrement l'agneau contre sa poitrine.

L'étranger jeta à la jeune femme un regard émerveillé.

« Bon sang..., murmura-t-il. Un instant, j'ai cru que vous alliez le tuer ! »

Rachel rit de plus belle. « Non, bien sûr ! C'est ce qu'il faut faire quand ils ne veulent pas respirer.

— Dites plutôt que vous l'avez tellement épouvanté qu'il s'est réveillé de sa torpeur pour protester ! »

Benjo riait avec eux, mais soudain il agrippa le bras de sa mère. « Mem ! Est-ce qq... que... »

Elle effleura son front du bout des doigts. « Il vivra, notre Benjo, il vivra. » Puis, aussi brusquement qu'elle avait éclaté de rire, elle se mit à pleurer.

D'un revers de la main, elle s'essuya la joue et, reposant doucement l'agneau sur la paille, le remit sur ses pieds et tendit la toile de sac à l'étranger.

« Maintenant, frottez-le avec ça, Mr. Caïn. »

Le curieux sourire de l'étranger apparut de nouveau.

« Lady, vous ne laissez jamais un homme inoccupé, n'est-ce pas ? »

Elle lui sourit à son tour et posa les yeux sur la brebis, toujours couchée sur la paille. Aussitôt, son cœur s'emplit de mélancolie. Elle s'agenouilla et, tout en pressant en cadence les deux mains sur la poitrine de l'animal, plongea son regard dans ses yeux immenses et profonds, des yeux qui savaient tant de choses. Elle vit que la vie s'en échappait, inexorablement.

L'étranger comprit ce qui se passait et se plaça de telle sorte que Benjo ne pouvait voir la scène. Tout à la joie de voir l'agneau vivant, il s'était emparé de la toile de sac et le frottait avec entrain. Son visage brillait de fierté.

« Toi, mon garçon, dit alors l'étranger. Viens m'aider à transporter l'agneau dans l'étable, à l'abri du froid. »

Il prit doucement le nouveau-né dans ses bras et, suivi de l'enfant, sortit de l'enclos. Rachel les regarda s'éloigner. Sur son chemin, Benjo se retourna une dernière fois, mais aussitôt l'étranger lui parla pour distraire son attention. Elle savait qu'à un moment ou à un autre il apprendrait la mort de la brebis, mais il ne fallait pas que ce soit cette nuit, non, pas cette nuit.

Quand ils furent hors de vue, elle se tourna à nouveau vers la brebis. Cette chère vieille chose au museau tout de travers qui lui avait donné tant d'agneaux. Une si douce, si bonne mère.

Elle avait les larmes aux yeux tandis qu'elle laissait courir ses doigts dans l'épaisse toison bouclée. Puis elle se pencha sur elle et déposa un baiser sur son nez cabossé.

« Au revoir, ma belle. Au revoir, chère vieille amie... »

A présent, tout était redevenu calme. Le troupeau sommeillait, apaisé, dans la lueur basse jetée par les lanternes. Au-delà des barrières, le ciel commençait tout juste à s'éclaircir.

Rachel prit une profonde inspiration et sentit l'air froid envahir ses poumons. Dans l'aube bruissant de vies nouvelles, le doux bêlement des brebis répondait aux plaintes avides de leurs agneaux. L'air était chargé d'odeurs de lait, de fumier et de sang.

Elle soupira et s'étira, sentant la fatigue lui moudre le corps. Ils étaient venus à bout de la première fournée d'agneaux. Il restait quelques heures de répit avant la suivante. Comme à chaque printemps, quand venait l'agnelage, elle avait le cœur serré, de joie, et aussi de chagrin car il y avait toujours des pertes inévitables. Ses bras étaient douloureux après avoir porté tant d'agneaux dans les étables car, malgré leur faible poids, ils paraissaient plus lourds au bout de la perche.

Elle songea à Johnny Caïn. Il avait manié la perche d'un seul bras, comme en se jouant...

Benjo émergea d'une étroite lucarne ouvrant sur les étables. Il portait un bâton de saule sur lequel il traçait une entaille de la pointe de son canif. Il n'avait pas pleuré quand on lui avait dit que la brebis était morte. Juste serré les lèvres et enfoncé son chapeau pour dissimuler ses yeux. Mais il n'avait pas pleuré.

« Eh bien ? lança Rachel en souriant. Combien de petits, pour l'instant ? »

Le garçon se mit à compter les entailles sur son bâton.

« D... douze, annonça-t-il fièrement.

— Onze... »

L'étranger sortit de l'étable en portant, niché au creux de son bras valide, un petit agneau immobile. Il le tenait aussi précautionneusement que s'il s'agissait d'un objet en verre filé. Mais l'agneau était mort.

« C'est celui de la jeune mère, la première, dit-il lentement. Je suis allé vérifier si tout se passait bien et je l'ai trouvée endormie sur son petit. Elle l'avait étouffé... »

Il se détourna et déposa le petit corps inerte près des autres qui n'avaient pas survécu. Puis, avant de repartir, il lui donna une légère caresse, comme s'il était encore vivant.

Rachel nicha le petit agneau contre sa poitrine et s'efforça d'introduire entre ses babines la tétine de caoutchouc. « Bois, petit, bois donc... », chantonnait-elle en tirant légèrement sur sa queue pour le stimuler. A travers la fenêtre de la cuisine, les premiers rayons du soleil coloraient de rouge le rideau de peupliers qui se découpait dans un ciel pâle et laiteux.

Elle était assise par terre, devant le fourneau, deux grandes boîtes à biscuits remplies de paille de chaque côté d'elle. Il restait encore deux petits à nourrir après cette première nuit d'agnelage. L'un avait un jumeau mais la mère ne pouvait pas nourrir ses deux petits. L'autre, qui dormait paisiblement dans l'une des boîtes à biscuits, était le petit agneau orphelin de la vieille brebis.

La porte de la chambre de Benjo s'ouvrit, et Rachel leva les yeux. L'étranger pénétra dans la cuisine et referma doucement le battant derrière lui.

« Votre garçon était mort de fatigue. Il s'est endormi dès que sa tête a touché l'oreiller. MacDuff est avec lui. »

Dans la lumière neuve du soleil matinal, son visage semblait plus nu, plus ouvert. En le regardant, Rachel fut une nouvelle fois subjuguée par sa beauté. Le diable devait être ainsi, pensa-t-elle. Beau et séducteur. Et plein de secrets. De terribles secrets.

Il vint vers elle et s'accroupit sur ses talons devant le fourneau.

« Vous étiez fière de votre fils, cette nuit, dit-il sans la regarder.

— Oh oui... Il change si vite. C'est un petit homme, maintenant. »

Elle l'observa tandis qu'il secouait les cendres du fourneau et rajoutait du bois. Ses longs doigts se refermaient sur la bûche, et la lueur des flammes faisait ressortir les veines bleues sous la peau si blanche. Ses mains la fascinaient. Chaque fois qu'elle les regardait, elle ne pouvait s'empêcher de penser à tous ces actes de violence qu'elles avaient commis.

Et pourtant, cette nuit, ces mêmes mains avaient donné la vie.

Quand il eut fini, il s'assit à terre, les jambes croisées, à la mode indienne. La bûche, dans le fourneau, craqua, et une bonne odeur de bois remplit la cuisine.

L'agneau tétait plus régulièrement à présent. Un peu de lait tomba sur les genoux de Rachel quand il lâcha la tétine, son petit ventre doux et chaud enfin rassasié.

« Benjo se comporte différemment avec vous, dit-elle alors. Il veut vous montrer de quoi il est capable. »

Elle déposa l'agneau endormi dans la boîte à biscuits. « Je ne sais pas lui inspirer de tels sentiments, reprit-elle. Faire en sorte qu'il se sente un homme... »

Quand il parla, sa voix était dure, rocailleuse. « Détrompez-vous. Vous y parvenez très bien. »

Lentement, très lentement, il tendit la main et, du bout des doigts, lui effleura le cou. Puis il caressa sa longue natte jusqu'à son extrémité bouclée qui reposait sur sa poitrine. Figée, elle vit qu'il la dénouait méthodiquement, lentement. Elle sentit une étrange faiblesse alourdir son cœur. Comme s'il avait cessé de battre.

« Rachel... », murmura-t-il.

Cela ressemblait à un soupir.

Maintenant, il avait défait tous ses cheveux et enroulait une longue mèche autour de ses doigts.

« Rachel... », répéta-t-il dans un murmure si doux qu'on aurait dit qu'il avait seulement *pensé* son nom.

Mais elle l'entendit, et ce fut comme si la musique avait à nouveau éclaté dans sa tête. Elle regarda son visage et y lut les mêmes intenses désirs qui la consumaient. Elle aurait voulu, elle aussi, pouvoir caresser ce visage, suivre les contours de la bouche. Elle aurait voulu poser ses lèvres sur les siennes.

A cet instant, l'un des agneaux poussa un bêlement sonore et indigné. Ils sursautèrent et s'écartèrent l'un de l'autre comme s'ils venaient de recevoir une décharge électrique.

151

Il retira sa main et la posa sur le museau de l'agneau orphelin, le petit de la brebis au nez cabossé. Rachel pensa à cette main, à ce qu'elle avait fait, à ce qu'elle pouvait encore faire. Oh, quel homme terrible et tendre il était !

« Vous feriez bien d'aller dormir un peu », dit-il en soulevant l'agneau comme un chat et en le nichant contre sa poitrine.

Brusquement, il paraissait si concret, si calme qu'elle se demanda si elle n'avait pas rêvé ce qui venait de se passer, si le désir qu'elle avait cru lire sur son visage n'était pas le produit de sa seule imagination.

Il lui prit le biberon des mains. « Je vais m'occuper de celui-ci. Allez vous coucher », répéta-t-il.

Rachel se sentit soudain dépossédée, comme abandonnée. Elle aurait voulu rester avec lui, parler avec lui, sentir sur sa joue sa main caressante. Et le toucher, aussi. Elle aurait voulu le toucher...

Elle se mit debout et sentit ses jambes vaciller prenant seulement alors conscience de sa fatigue écrasante.

A la porte de sa chambre, elle se retourna pour le regarder encore une fois.

Il tenait le petit agneau tendrement blotti contre lui et lui donnait le biberon avec un savoir-faire qui l'étonna. L'agneau tétait si fort que sa petite queue se soulevait à chaque succion. Les yeux de l'homme, son sourire, ses belles mains si puissantes et tendres à la fois, tout était pour l'agneau.

« Johnny », murmura-t-elle, si doucement qu'elle fut la seule à l'entendre.

Chapitre 11

« Oh, mon pauvre petit, qui a bien pu s'en aller en te laissant attaché comme ça ? »

Rachel s'agenouilla dans l'herbe humide de rosée et entreprit de dénouer les nœuds de la corde. MacDuff remua la queue en poussant de petits jappements reconnaissants.

Dès qu'elle l'eut libéré du lien qui l'attachait au poteau de l'enclos, il frétilla autour d'elle en lui léchant les mains. Du regard, Rachel chercha Benjo sur les bords du ruisseau ou dans les prés.

Tout ce qu'elle vit, ce fut les troupeaux de moutons et un castor assis à côté d'un tronc de bois, occupé à peigner sa fourrure à l'aide de ses grands ongles. Elle vit aussi deux oiseaux aux ailes rouges qui voletaient dans les branches de saules.

Mais pas son garçon.

Elle ne pouvait imaginer qu'il ait pu ainsi se sauver le jour de la prédication, ni comprendre pourquoi il avait empêché MacDuff de l'accompagner. Le chien l'avait toujours accompagné partout, même à l'école, parfois...

Inquiète, elle flatta la tête du colley et se releva. MacDuff ne semblait pas s'intéresser à sa liberté nouvelle. Il s'allongea à terre, la truffe entre les pattes, le regard triste. Réprimant un frisson, Rachel songea à ce qui était arrivé à son garçon le jour où il s'était aventuré trop loin de la maison.

Soudain, le chien sauta sur ses pattes et se dirigea avec un aboiement joyeux vers le bois. Presque aussitôt, Benjo jaillit des pins et des mélèzes en courant à toutes jambes. Rachel laissa échapper un soupir de soulagement.

Les épaules de l'enfant s'abaissèrent dès qu'il aperçut sa mère. Il ralentit l'allure et se dirigea dans sa direction, presque à contrecœur. Il marchait lentement, les yeux rivés au sol. MacDuff bondissait autour de lui en frappant l'air de sa longue queue soyeuse.

« Où étais-tu donc ? » lança Rachel d'une voix coupante.

Elle vit que son pantalon de grosse toile était trempé jusqu'aux genoux et plein de boue. Il détournait toujours les yeux, fuyant son regard.

« Joseph Benjamin Yoder, je t'ai posé une question ! »

Il creusa le sol boueux du bout de son brodequin, la tête baissée. Voyant qu'il ne répondait toujours pas, sa mère s'apprêtait à le gronder lorsqu'elle aperçut du sang sur les mains de l'enfant.

« Tu n'es pas allé tuer des lapins avec ta fronde juste pour t'amuser, n'est-ce pas ? »

Il secoua la tête, pâlit, et son visage prit la couleur de la crème aigre. Avec un soupir, Rachel lui donna une petite tape pour le pousser vers la pompe à eau dans la cour. « Va te laver. Je ne veux pas que nous soyons encore en retard pour la prédication. Allons, va... »

Il détala comme un lièvre et, les sourcils froncés, elle le regarda courir vers la pompe, le chien sur les talons. Elle était sûre qu'il mentait mais comment le savoir vraiment ? Elle aurait voulu l'attacher avec une corde, comme il l'avait fait avec le colley, pour le garder sain et sauf à la maison, loin des dangers qui rampaient là-bas, dans les collines. Elle aurait voulu le secouer jusqu'à ce que la vérité sorte enfin de sa gorge nouée.

« Oh, Benjo », murmura-t-elle, découragée.

Elle noua les cordons de sa coiffe noire sous son menton et leva la tête pour contempler le ciel. Il était bleu et vaporeux, comme toujours au printemps.

Elle aimait cette époque de l'année, quand la terre se réchauffe à l'intérieur avant d'exploser en un arc-en-ciel de couleurs. Les saules se constellaient de bourgeons rouges, des myriades de phlox roses jaillissaient dans les prés. Et là-haut, sur le versant des collines, la sauge abandonnait ses tiges grises raidies par l'hiver pour revêtir une chatoyante livrée verte.

La jeune femme se mit à rire en voyant un agneau s'éveiller soudain et sauter sur ses pattes maigres, telle une sauterelle. Dans son élan désordonné, il se cogna contre un jeune mâle qui émit un bêlement indigné. Tout le troupeau s'agita et courut dans tous les sens.

Un hennissement s'éleva de la cour et, en se retournant, Rachel vit l'étranger sortir de la grange en tirant par une rêne la vieille jument.

Elle fit un pas vers lui sous la tiède caresse du soleil.

« N'est-ce pas un jour magnifique ? dit-elle. On dirait que la terre entière se reflète dans le sourire de Dieu... »

Il la regarda sans répondre puis, d'une légère secousse du poignet, obligea le cheval à reculer entre les brancards de la carriole.

« Qu'est-ce qui vous met de si bonne humeur, ce matin ? » finit-il par demander.

Elle vit qu'il peinait pour attacher les rênes au palonnier car il avait toujours un bras immobilisé dans le plâtre. Doc Henry était venu l'examiner quelques jours plus tôt, mais il avait prescrit de garder le bras encore ainsi pendant un certain temps. Elle se pencha pour l'aider à harnacher le cheval, et leurs épaules se frôlèrent. L'étranger sentait bon le savon de laurier et le café.

« Je suis heureuse que vous veniez à la prédication avec nous, Mr. Caïn...

— Hum... Je pense que vous feriez mieux d'attendre pour voir comment cela va se passer, avant de vous réjouir comme ça... »

Cela faisait maintenant deux mois qu'il était entré dans leur vie et un mois s'était écoulé depuis la nuit de l'agnelage. Entre-temps, les dernières traces de l'hiver avaient disparu des ruisseaux et des ravins, les jours s'étaient allongés et l'herbe avait verdi. Chaque dimanche, Rachel et Benjo allaient à la prédication, mais sans l'étranger. Et puis, la veille, alors qu'ils nourrissaient au biberon les agneaux orphelins devant le poêle de la cuisine, elle avait proposé tout à coup : « Venez avec nous au culte, demain, Mr. Caïn... »

Il avait levé ses yeux calmes sur elle et demandé : « Pourquoi ?

— Pour que vous appreniez à nous connaître, pour que vous voyiez comment nous vivons. Et puis, demain, la prédication aura lieu dans la ferme de mon père... »

Le silence retomba entre eux. Puis, avec ce drôle de sourire qui était le sien, il dit lentement : « Allons, Mrs. Yoder, ils n'ont pas envie de me voir. »

Elle ne pouvait pas dire le contraire. Après tout, à quoi cela lui servirait-il qu'il connaisse les coutumes des Justes ? Jamais il ne serait l'un d'entre eux...

Mais, contre toute attente, il dit alors : « Je viendrai. »

Et elle avait demandé à son tour : « Pourquoi ?

— Parce que..., répondit-il, parce que vous me le demandez. »

Et, ce matin, ses joues brillaient comme un sou neuf, rasées de frais, et ses cheveux, encore mouillés, avaient été lavés. Ses bottes étaient cirées, son manteau brossé, et il avait endossé une chemise propre, une chemise de Ben. Sur lui, ces chemises n'avaient pas la même allure que sur Ben. Elles paraissaient plus élégantes, même sans col ni cravate.

155

Il venait avec eux à la prédication, et c'était un de ces jours magiques de printemps. Heureuse, elle le regarda brosser le harnais pour en retirer des brins d'herbe coupés. Son manteau s'entrouvrit et elle aperçut alors la cartouchière de cuir autour de ses hanches.

Aussitôt elle fit un pas en arrière, comme si elle avait été mordue par un serpent. « Mr. Caïn ! Vous ne pouvez pas prendre ce revolver avec vous ! Nous allons à une prédication, pas à la chasse au canard. »

Il la regarda par-dessous les bords de son chapeau. Ses yeux, son visage, avaient une expression implacable, dure.

« Vous en demandez trop, lady.

— Et pourtant, j'insiste. »

Il se détourna brusquement et traversa la cour pour regagner le chariot où il passait la nuit. Il y pénétra sans prendre la peine de refermer la porte et elle pensa : *Maintenant, il s'en va. Il va partir comme il est venu. Il va partir pour toujours.*

Quand il ressortit, il avait sa carabine Winchester à la main mais ne portait plus ses revolvers. Ses hanches paraissaient minces et étrangement nues sans la cartouchière.

Il revint vers elle et dit : « Je la rangerai dans la carriole quand nous arriverons à la ferme de votre père. »

Elle approuva d'un signe de tête, la gorge serrée de tous les mots de reconnaissance qu'elle aurait voulu prononcer.

Benjo arriva en courant et en secouant ses mains encore ruisselantes d'eau. MacDuff courait joyeusement dans son sillage. Le garçon leva des yeux implorants vers sa mère mais Rachel secoua la tête. Avec un gros soupir, l'enfant renvoya le chien garder le troupeau de moutons. Ils montèrent tous les trois dans la carriole et l'étranger fit claquer légèrement les rênes sur la croupe de la jument. Les roues cerclées de métal se mirent en mouvement avec d'affreux grincements tandis que de la boue giclait tout autour.

Ils franchirent le pont de rondins et entamèrent la montée. Rachel se retourna pour regarder le troupeau. Les dernières brebis qui avaient mis bas venaient d'être lâchées dans le pré avec leurs agneaux. Elles semblaient toutes menues, maintenant qu'elles n'avaient plus leurs gros ventres gonflés, et elles dévoraient l'herbe grasse avec avidité.

Une nouvelle saison d'agnelage se terminait. Un nouveau printemps apparaissait. Rachel pensa à tous les dimanches où elle avait fait cela : se retourner pour regarder la ferme pendant que la carriole cahotait sur le pont et grimpait le chemin caillouteux. La première année où ils étaient arrivés dans le Miawa, Benjo n'était encore qu'un bébé et ils le plaçaient dans une grosse boîte à biscuits, comme un agneau, sur la planche, entre elle et Ben. Maintenant, Benjo approchait de l'âge d'homme, et celui qui conduisait le cheval n'était plus son mari ; c'était un étranger.

Car elle n'oubliait pas Ben, elle n'oublierait jamais Ben. Cette façon qu'il avait de la faire rire en la taquinant, la manière dont il se déplaçait avec sa haute taille et sa force pleine de grâce. Pendant dix-huit ans, ils avaient partagé la même vie, le même lit, la même table. Pendant dix-huit ans, ils avaient pris cette carriole, chaque dimanche, pour aller écouter la prédication et elle s'était retournée, comme aujourd'hui, pour regarder la ferme et les agneaux dans les prés.

Mais Ben n'était plus là... Et cet homme, à son côté, avait changé sa vie. Chaque fois qu'elle le regardait, elle se sentait la poitrine douloureuse, le ventre lourd. Comme au temps où Ben lui faisait la cour. Et il suffisait que l'étranger l'effleure de sa main ou prononce son nom pour qu'elle ait l'impression que tout explosait dans son corps.

Et il avait accepté de laisser ses colts à la ferme. Il avait fait cela pour elle. Elle était sûre qu'il l'avait fait pour elle.

Pour une fois, le vent s'était calmé et la nature reposait, immobile et silencieuse. Les roues cliquetaient sur le chemin, les sabots de la jument faisaient rouler les petites pierres à chaque pas.

Benjo regardait l'étranger, les lèvres retroussées, prêt à mener son sempiternel combat avec les mots.

« C'est bbb... bien qqq... que vous veniez a... avec nous au prêche. Vous vvv... verrez tous ces types qui cherchent à... à se marier avec Mem et qui lll... lui font la cour. »

Rachel tourna vivement la tête et enfonça un doigt dans les côtes de son fils. Il fit un saut et se tortilla sur la planche, sans oser la regarder.

L'étranger encouragea la jument par de petits claquements de langue.

« Ta m'man a un lot de prétendants, hein ? »

Benjo approuva vigoureusement de la tête.

« Ddd... d'abord le diacre Weaver... Tou... tout le monde pense que c'est lui qui a le ppp... plus de chances.

— Ben voyons, fit l'étranger avec son drôle de sourire. Un si bon voisin et un ami si cher...

157

« — Oui, mais y a aussi Joseph Zook, reprit Benjo. Sss... seulement il est vieux et les ppp... poils lui sortent du nez et ddd... des oreilles. Et il a de fausses dents qu'il a achetées au magasin...

— Benjo ! » s'exclama Rachel en réprimant une envie de rire. Elle regarda l'étranger et vit que ses yeux bleus souriaient sous les bords du chapeau.

Mais Benjo était lancé, et rien ne semblait vouloir l'arrêter quand il se mettait enfin à parler.

« Et puis yyy... y a Ira Chupp... Sa f... femme est morte il y a longtemps et il se consss... console avec ces jézabels qui vivent dans la *Red House*.

— Joseph Benjamin Yoder ! s'écria Rachel, plus fort, cette fois.

— Et il bbb... boit en douce du vin de rhubarbe, même quand ce n'est pas dimanche. »

L'étranger siffla doucement entre ses dents.

« Pas terrible, ce prétendant-là, dis donc. Il vaut mieux le rayer de la liste. Qui d'autre encore ?

— Euh... Ezra Fischer, reprit Benjo avec excitation. Il est genttt... gentil, mais iii... il est tout petit et il a ddd... des yeux comme des graines de potiron qui lll... louchent. Et il est si pingre qu'il écorcherait une ppp... une puce pour en vendre la peau au bazar !

— Ezra Fischer est un brave homme, intervint Rachel. C'est notre *Vorsinger*, celui qui dirige les chœurs pendant le culte. Il chante comme un rossignol au printemps et il sait iodler, aussi. De plus, il n'est pas pingre. Simplement, il connaît la valeur de l'argent. Ce n'est pas charitable de parler ainsi, Benjo, même si c'était vrai. »

Benjo roula les yeux d'un air innocent. « Mmm... *Mutter* Anna dit la même chose de lui, pourtant ; et elle, personne ne la critique. »

Johnny Caïn échangea un regard avec le garçon et, de la main, il fit mine de rayer un nouveau nom sur une liste invisible.

Rachel administra un petit coup dans les côtes de son fils en se demandant ce qu'il lui avait pris de se lancer dans une telle conversation. On aurait dit qu'il cherchait à arranger le mariage de sa mère. Pourtant, même à son âge, il devait savoir qu'une femme de Juste n'avait pas le droit de s'unir à un étranger.

Elle sentait les yeux bleus de Johnny Caïn posés sur elle et s'en trouva gênée.

« Voilà une bien belle liste de soupirants, en vérité, dit l'étranger en faisant claquer les rênes sur la croupe du cheval. Allons, avance donc, espèce de paresseuse ! Si tu continues ainsi, nous arriverons demain. (Il fit une pause et reprit :) Je pense que tous ces beaux prétendants, y compris le diacre Weaver, ne seraient pas mécontents de mettre la main, par la même occasion, sur votre belle pâture bordée d'un ruisseau. »

Rachel se redressa.

« Il n'est pas dans la manière des Justes de convoiter des biens matériels, Mr. Caïn. Ni d'envier les possessions d'autrui. L'Église nous l'interdit, d'ailleurs. »

Il eut un petit ricanement.

« Vraiment ? Votre Église, avec toutes ses règles, ne changera pas la nature humaine, Mrs. Yoder. Et il est dans la nature humaine de convoiter une belle pâture bordée d'un ruisseau. »

La jeune femme ne répondit pas et garda son regard fixé au loin, sur les montagnes estompées par la brume du printemps. Elle ne pouvait s'empêcher de penser que l'étranger ne se montrait guère galant en prétendant que c'était ses terres, et non elle, que tous ces hommes convoitaient.

Elle se dit que, lui aussi peut-être, s'il avait été à leur place, aurait agi de même. S'il lui avait fait la cour, c'était à cette pâture pourvue d'un ruisseau qu'il aurait pensé d'abord...

Elle se rappela cette première nuit, quand ils avaient travaillé côte à côte dans l'étable et qu'elle avait laissé ses cheveux dénoués. Cette nuit où il l'avait appelée Rachel... Mais, depuis lors, il n'y avait plus eu aucun signe de familiarité entre eux. Elle n'avait plus montré ses cheveux, et il ne l'avait plus appelée Rachel.

Après la première semaine d'agnelage, elle lui avait dit : « Il n'y a pas de raisons pour que vous travailliez si dur, Mr. Caïn. Votre entretien ne me coûte pas tant. Je vous paierai les gages habituels que l'on donne aux employés de ferme. »

Il avait plissé les coins de ses lèvres en une moue moqueuse. « Juste pour voir... A combien s'élèvent ces gages, Mrs. Yoder ?

— Un dollar par jour, nourri, logé.

— Eh bien, ma foi, c'est plus que je n'en ai jamais gagné. Par un honnête travail, je veux dire... »

Il plaisantait, évidemment. Il plaisantait souvent. Et elle l'avait regardé, troublée, ne sachant que penser. Alors, elle avait précisé : « Je vous engage jusqu'à la fin de l'été, quand viendra la saison d'accouplement des brebis. » Pour qu'il comprenne qu'il y aurait une fin. Qu'il ne se mette pas à imaginer qu'une femme Juste, veuve et un peu solitaire, se laissait séduire par ses belles manières.

« Jusqu'à la fin de l'été, Mrs. Yoder », avait-il répondu. Et, alors, elle avait compris *vraiment* qu'il y aurait une fin. Qu'il partirait un jour. Comme cela devait être.

Car tout autre chose était interdite par l'Église...

Tout un équipage de buggies, de carrioles et de chariots à ressorts était garé dans la pâture de l'évêque Isaiah Miller. Aucune famille de Justes ne manquait jamais la prédication, même au plus fort de la saison de l'agnelage.

L'étranger guida la carriole à l'ombre, près des abris à moutons, et un garçon dégingandé accourut aussitôt vers eux pour les aider à dételer. Mais quand il vit Johnny Caïn, il s'arrêta net, les yeux écarquillés de stupeur, les épaules arrondies, comme s'il s'attendait à le voir tirer sur lui.

« Ferme donc la bouche, Lévi Miller, lança Rachel à son jeune frère. Tu finiras par avaler une mouche. »

Le garçon ferma la bouche et rougit. Il fallait dire que Lévi Miller, cinquième et dernier rejeton de la famille Miller, rougissait à la moindre occasion.

Rachel sauta à bas de la carriole et alla embrasser son frère, ce qui le fit rougir encore davantage. Ses yeux gris et ronds comme des dollars d'argent restaient fixés sur l'étranger.

Ce n'était pourtant pas la première fois qu'il voyait le desperado. En fait, même pendant la saison de l'agnelage, la plus chargée de l'année, tous les hommes Justes de la vallée et, aussi, un certain nombre de femmes, avaient trouvé un moment pour venir à la ferme sous un prétexte quelconque et regarder l'étranger. Rachel avait bien raconté des douzaines de fois au moins comment il était arrivé un jour, blessé et sanglant, dans sa pâture. Mais ses visiteurs ne se lassaient pas de l'entendre répéter son histoire.

Ils lui demandaient en *deitsch*, pour que l'étranger ne puisse comprendre : « Comment est-il, Rachel ? Quel genre d'homme est-ce ? » Et, chaque fois, Rachel esquivait la réponse. Savait-elle seulement elle-même qui était *vraiment* Johnny Caïn ?

Malgré son caractère ombrageux, sous des allures faussement désinvoltes et des sourires faciles, l'étranger avait fait preuve d'une remarquable patience en voyant tous ces fermiers Justes qui le regardaient en louchant, épiaient chacun de ses gestes et parlaient de lui dans une langue qu'il ne connaissait pas. Pourtant, à chaque fois qu'il entendait une carriole pénétrer dans la cour, il sortait instantanément son six-coups et gardait la main sur la crosse jusqu'à ce qu'il sache de quelle espèce étaient les visiteurs.

Mais, ce matin, il avait accepté de venir sans ses colts. Pour lui faire plaisir, à elle. Il faisait même semblant de ne pas voir la façon dont le jeune Lévi le regardait, la bouche ouverte, comme une truite pendue à son hameçon.

Elle tapota affectueusement l'épaule du garçon. « Es-tu en train de prendre racine ? Va, et montre à Mr. Caïn où il peut faire paître le cheval. »

Elle rajusta son bonnet bien droit sur sa tête et lissa de la main son tablier. Il ne lui était pas nécessaire de regarder autour d'elle pour constater que tous ceux qui se tenaient dehors avaient immédiatement interrompu leurs conversations pour les regarder avec stupeur, en murmurant à voix basse.

Benjo courut rejoindre les autres garçons de son âge rassemblés près de la mare, à la recherche de têtards, nombreux en cette saison. « Ne va pas tuer des grenouilles avec ta fronde », recommanda sa mère. Mais il fit comme s'il n'avait pas entendu.

Rachel attendit que Lévi et l'étranger aient conduit la jument à la pâture. D'un regard, elle embrassa ce paysage qu'elle connaissait si bien. Le vert des prés brillait avec tant d'intensité qu'on l'aurait cru éclairé de l'intérieur. La clôture en bois de pins descendait jusqu'au ruisseau et cernait une prairie en forme de fer à cheval où paissait un troupeau de brebis avec leurs agneaux. Dans une pâture voisine, plus petite, s'agglutinaient les brebis portantes qui n'étaient pas encore arrivées à terme.

L'habitation de l'évêque comportait deux étages et, contrairement aux autres maisons de Justes, les murs n'étaient pas en rondins de peupliers mais faits de planches sciées. Deux maisons plus petites se blottissaient de chaque côté. Dans l'une habitait Sol, le frère aîné de Rachel. Et dans l'autre, que l'on appelait *Daudy Haus*, résidait *Mutter* Anna Mary, la grand-mère. Les trois édifices étaient reliés par un porche commun.

Isaiah Miller possédait la plus belle et la plus grande ferme de moutons de toute la vallée. Il travaillait en association avec son fils Sol, un homme aimable, solennel, et un célibataire endurci. C'était lui, surtout, qui s'occupait de la ferme. L'évêque passait le plus clair de son temps à prier, étudier les Écritures et veiller sur ses ouailles.

L'étranger revint seul de la pâture et s'approcha de la jeune femme, son sourire de bandit sur les lèvres. Elle se demanda, soudain inquiète, ce que ce sourire qu'elle connaissait déjà trop bien pouvait

161

cacher. Mais, comme à l'accoutumée, le visage de Johnny Caïn ne lui apprenait rien.

Ils s'avancèrent côte à côte vers l'entrée de la grange où devait se tenir la prédication. En passant devant la rangée de voitures, le regard de l'étranger se posa sur un grand chariot gris, aussi imposant et lugubre qu'un corbillard.

« C'est notre chariot à bancs, expliqua Rachel. Nous nous en servons pour transporter les bancs d'un endroit à l'autre, puisque le culte se tient, chaque dimanche, dans une ferme différente. Notre communauté tout entière est une église. »

Elle avait donné ces informations en espérant réussir à l'intéresser davantage aux coutumes des Justes. Ce fut apparemment peine perdue. Il ne fit aucun commentaire et, encore une fois, elle ne sut à quoi il pensait. Elle aurait tant voulu, pourtant, qu'il comprenne que cette vallée et le peuple qui y habitait étaient tout son univers, l'ossature même de sa vie. Mais elle réalisait à présent que cela ne devait avoir aucune importance pour un homme tel que Johnny Caïn.

Elle chercha son père des yeux. De tous ceux qui se trouvaient là, aujourd'hui, il était seul apte à décider si l'étranger pouvait assister au culte. Mais l'évêque se trouvait déjà dans la grange, avec ses deux diacres, Noah Weaver et Amos Zook.

Elle vit ses frères, groupés à l'entrée, engoncés dans leurs costumes du dimanche bien brossés, fixant l'étranger par-dessous les larges bords de leurs chapeaux. Abram et Samuel semblaient les plus hostiles. Sol, dont le cœur généreux semblait incapable de méchanceté, n'avait d'yeux que pour sa sœur. Lui ne chasserait pas l'étranger, du moins pas sans avoir auparavant beaucoup prié et réfléchi. Mais Samuel avait un tempérament plus ardent, il se jetait tête baissée dans la vie et Abram l'imitait toujours. Il l'imitait en tout.

Ce fut Samuel qui, le premier, se détacha du groupe pour s'approcher de Rachel et de son encombrant compagnon. Il s'arrêta devant elle, les mains sur les hanches, sa longue barbe saillant comme une corne de bélier.

« Quelle idée t'est donc passée par la tête, Rachel... L'amener, *lui*, ici ! »

Rachel redressa la tête. Samuel avait toujours l'air d'être en colère contre quelque chose et elle avait appris depuis longtemps que la seule façon d'en venir à bout était de lui résister.

« Mr. Caïn est venu assister à la prédication. Ce n'est pas interdit, que je sache. »

Un reniflement dédaigneux retentit derrière eux. C'était Abram.

Certains pensaient qu'il avait le cerveau un peu dérangé. En réalité, Abram était incapable de penser ou d'agir sans que cela lui soit en tout point inspiré de son frère Samuel.

« Ce n'est pas interdit, répéta Rachel. Et tu renifles comme un cochon malade, notre Abram.

— L'étranger ne comprendra pas un mot de ce que nous dirons, reprit Samuel. Il s'ennuiera.

— Sûr qu'il s'ennuiera, renchérit Abram comme un écho. Il *mourra* d'ennui, même. »

Ils avaient parlé en *deitsch* et, même si l'étranger ne comprenait pas, Rachel sut qu'il devinait l'objet de leur discussion.

« Qu'est-ce que cela peut bien te faire qu'il s'ennuie ? demanda-t-elle en *englisch*. Je lui ai dit qu'il pourrait sortir s'il en avait envie et que nous n'en serions pas offensés. Veux-tu donc lui refuser une occasion de prier et d'adorer Dieu avec nous ?

— C'est un étranger », insista Samuel en *deitsch*.

Abram retroussa ses lèvres. « Un *Englischer*. »

« Aux yeux de Dieu, c'est un homme comme les autres, dit Rachel en *englisch*.

— Plutôt le fils du diable, oui », fit Samuel, cette fois en *englisch* pour être sûr que l'étranger comprenne.

Quatre paires d'yeux gris — les yeux gris de la famille Miller — examinèrent l'étranger des pieds à la tête, et quatre grandes bouches firent la moue. Même celle de Sol. Quant au « fils du diable », il les regardait de ses yeux nonchalants, et son visage inexpressif était aussi impénétrable qu'un masque.

« Rachel a raison », dit finalement Sol.

Il parlait doucement, mais chacun de ses mots avait été mûrement pensé. Et, comme toujours, on l'écoutait.

« S'il veut assister à la prédication, rien ne le lui interdit.

— Bah !, fit Samuel, agacé, avec un geste de la main. De toute façon, il en aura vite assez. A moins qu'il ne finisse par s'endormir ! »

Lévi émit une sorte de hennissement tandis que Samuel et Abram échangeaient une grimace entendue.

Juste à cet instant, comme à un signal donné, les femmes Justes se mirent en rang et pénétrèrent dans la grange. Les enfants accoururent de la mare, les jeunes filles rejoignirent la cohorte des femmes, et les garçons se mêlèrent aux hommes. Benjo semblait rapporter quelque chose dans son chapeau. Il riait et le montrait à Lévi qui se mit à glousser derrière sa main. Sans doute une grenouille que Benjo avait trouvée dans la mare, pensa Rachel en les observant. Sans grande conviction, elle espéra qu'il n'allait pas l'apporter avec lui à la prédication.

Mais une grenouille y aurait été moins mal vue que Johnny Caïn. Elle se tourna vers lui en ressentant soudain le besoin étrange de le protéger. Presque aussitôt, elle se reprocha cette impulsion ridicule. Allons, ses frères ne feraient pas le moindre mal à l'étranger et aucun autre endroit au monde n'était plus sûr pour lui que celui-ci.

« Il faut que j'y aille », murmura-t-elle.

Elle aurait voulu pouvoir poser une main sur son bras, le toucher d'une manière ou d'une autre. Mais elle n'osa pas. « Nous autres, les femmes, nous ne devons pas nous mélanger aux hommes pour le culte », expliqua-t-elle.

Il lui lança un regard profond, un regard qu'elle ne sut déchiffrer. Puis sa bouche se releva en un de ces sourires insouciants où pointait une trace de sauvagerie. « Ne vous inquiétez pas pour moi, Mrs. Yoder. Si j'avais attendu d'être invité, je ne serais jamais allé nulle part de toute ma vie. Mais, aujourd'hui, *vous* m'avez invité, n'est-ce pas ?

— Ce n'est pas qu'ils vous rejettent vraiment, vous savez, dit Rachel, embarrassée, c'est seulement que... »

Mais elle ne sut comment achever sa phrase. Car l'étranger était bel et bien rejeté, en ce moment même, par les siens, par ceux de sa famille. Dieu ! A le regarder, ainsi, aux côtés de ses frères, elle réalisa à quel point ils étaient différents. Samuel, avec ses cheveux et sa barbe noirs comme les ailes d'un merle, sa mâchoire carrée toujours en avant, comme un soc labourant la vie. Abram, l'ombre de Samuel, mais avec une silhouette plus menue, des cheveux et une barbe déjà grisonnants. Sol, presque chauve à présent, sa barbe aussi emmêlée qu'un vieux nid de grives. Et le jeune Lévi, tout en bras et en jambes, à mi-chemin entre l'enfance et la maturité. Chacun avait ses particularités, naturellement, mais, cependant, tous se ressemblaient, tous n'étaient qu'un seul homme, une seule foi, un seul mode de vie.

Ses frères... avec leurs visages honnêtes et ouverts, leurs vêtements de Justes, leurs coutumes sévères, regroupés là, épaule contre épaule, de braves hommes qui craignaient Dieu.

Auprès d'eux, l'étranger semblait venir d'une autre planète. Johnny Caïn et son visage impénétrable, ses manières lentes et calculées, un homme qui ignorait la Voie, qui bafouait la loi divine. Un tueur d'hommes.

« Je dois y aller, maintenant », répéta-t-elle.

Et elle le quitta, courant presque, pour rejoindre les femmes. Elles avançaient en rangs serrés, leurs bonnets noirs soigneusement noués sous leurs mentons. Quand elle aperçut sa mère, Rachel ralentit le pas. Elle vit ses épaules courbées, son regard fuyant. Sadie Miller avait honte. Honte de sa fille. Dans une communauté où la valeur des femmes se mesure à la vertu de leurs enfants, Sadie Miller était devenue, tout à coup, un objet de critiques puisque Rachel, sa Rachel, était l'incarnation même d'une mauvaise éducation. Une fille qui avait accueilli sous son toit un étranger. Et, pis encore, qui l'avait amené à la prédication.

Comme pour la soutenir dans cette épreuve, les deux belles-filles de Sadie l'encadraient étroitement, la tête baissée en une prière silencieuse. Velma et Alta étaient jumelles. Elles se ressemblaient tant que plus personne ne faisait l'effort de les distinguer l'une de l'autre, sauf, évidemment, leurs maris. Les mêmes cheveux pâles comme la lune, la même fossette au menton, la même bouche pincée. Sans oublier leurs voix, identiques elles aussi, haut perchées et criardes, comme celle d'une pintade. Velma et Alta vivaient, respiraient, s'émouvaient en totale synchronisation. Là encore, Abram avait imité son frère en tous points.

Tout près des trois femmes du clan Miller se trouvait Fannie, la sœur de Noah, une vieille fille au visage sévère. Elle tourna la tête pour regarder Rachel et plissa bizarrement la bouche, comme si elle venait d'avaler un criquet.

Rachel sentit sa gorge se nouer. Ce n'était pas tant la désapprobation manifeste de ces femmes qui la heurtait mais, plutôt, cette expression de honte sur le visage de sa mère. Elle resta là, toute seule, sans les rejoindre, abandonnée et chancelante. Le temps de se ressaisir, toutes les femmes âgées, les épouses et les veuves avaient déjà franchi la double porte de la grange. Il ne lui restait plus qu'à se joindre à l'extrémité du rang, dans le groupe des *Meed*, les jeunes filles.

Quand elles passèrent à leur tour sous la porte du haut bâtiment, les *Buwe*, les garçons célibataires en âge de prendre femme, les regardaient par-dessous leurs chapeaux. Les filles tenaient leurs yeux braqués devant elles, mais leurs lèvres se courbaient en de charmants sourires tandis que leurs joues rosissaient. Elles portaient des châles blancs et des tabliers blancs pour marquer leur état virginal. Chaque fois qu'elles passaient ainsi en rangs devant les garçons, c'était leur avenir qui se jouait. Quand commençait la prédication, il ne leur était plus permis de lever les yeux sur leurs soupirants. C'était le temps de la prière, non des élans du cœur, et, si l'un des jeunes gens contrevenait à cette règle, le regard sévère du diacre le rappelait à l'ordre. Voilà pourquoi, chaque dimanche, avant que le culte ne commence, les *Buwe* se plaçaient là, à l'entrée, pour observer les *Meed*. Ils les contemplaient en silence, évaluaient leurs charmes respectifs, misaient sur l'avenir...

Rachel se souvenait de cette époque où, elle aussi, était une *Meed*. Elle se rappelait le bonheur secret de se sentir admirée, désirée. Chaque fois qu'elle passait devant le groupe des *Buwe*, elle tournait effrontément la tête pour saisir le regard choqué de Noah et, ensuite, les yeux souriants et caressants de Ben.

Et parce qu'elle se souvenait de tout cela, Rachel veilla, cette fois, à ne pas tourner la tête. Car, à la place de Ben, un étranger serait là, aujourd'hui, pour la regarder. Pour la désirer, peut-être...

A l'intérieur, le silence pesait, lourd et chaud, comme si une couette de patchwork avait été jetée sur la grange. C'était le temps de l'attente, un temps de recueillement, d'espoir. Rachel huma l'odeur du foin, des vaches et des chevaux qui se mêlait aux effluves de savon, de cirage et d'amidon. Son regard parcourut avec tendresse les rangées de coiffes noires et blanches devant elle.

C'était sa vie... Ici, elle se sentait en sécurité, au milieu de sa famille et de ses amis. Elle s'y sentait à sa place, aimée.

Elle s'installa sur le banc de bois et son regard glissa vers les rangs des hommes. Sol et Samuel encadraient l'étranger, assis, immobile, le visage parfaitement neutre. Deux rangées plus loin, Benjo, les mains croisées sur les genoux, gardait les yeux baissés. Il semblait bien trop calme pour ne pas mijoter quelque chose, songea Rachel, attendrie. Elle le vit alors se retourner, jeter un coup d'œil à l'étranger et pointer le doigt en direction de l'homme assis devant lui avec une grimace comique. C'était Joseph Zook. L'étranger resta de marbre mais une lueur amusée brilla fugitivement dans ses yeux. Rachel réprima un sourire. Son Benjo... Ses pensées dérivèrent et une prière monta dans son cœur. *Oh, Seigneur, je te rends grâce pour m'avoir donné mon fils. Je te rends grâce pour ces moments de bonheur et d'amour.*

Le silence se prolongeait. Puis, soudain, d'un même mouvement, les hommes se levèrent en retirant leurs chapeaux. On entendit des semelles râcler le sol, un bruissement de manteaux.

Puis Ezra Fischer se mit lentement debout. Il avait de petits yeux qui louchaient, trouant la rondeur des joues comme deux petites fos-

166

settes. Son manteau, usé et effrangé aux bords, pendait comme une vieille guenille autour de lui. Tout le monde savait qu'Ezra Fischer attendrait qu'il tombe en loques pour s'en acheter enfin un autre. Un brave homme, pensa Rachel en le regardant, mais certes pas celui qu'elle désirerait épouser...

Il ouvrit la bouche et, pendant quelques secondes, resta muet, comme si la pesanteur du silence était un mur infranchissable. Puis, d'un seul coup, il renversa sa tête en arrière, les yeux tournés vers le ciel, et entama les premières notes d'un hymne de louange. Les autres hommes se joignirent à lui, et leurs voix profondes, graves, riches, s'enflèrent pour monter jusqu'aux poutres du plafond, bientôt rejointes par le chœur des femmes, léger et tendre.

C'était un hymne ancien qui parlait d'exil, d'errance, de terres perdues et promises. Depuis trois cents ans, le peuple des Justes le chantait à chaque réunion, retrouvant dans sa mélancolie et sa douceur toute la nostalgie des paradis lointains. *Car c'est à Toi qu'appartiennent le Règne, la Puissance et la Gloire...* J'aime tant ce chant, pensa Rachel. Il est immuable, comme notre peuple, notre foi, comme nos vies qui coulent lentement, sans changement, suivant la Voie étroite, la Voie qui nous conduira tous un jour auprès du Seigneur.

Assise sur le rude banc de bois, les yeux fermés, la tête penchée en arrière, elle vibrait de toutes les fibres de son corps, étourdie, émerveillée, comme à chaque fois, par la magie de cet instant d'éternité.

Quand elle rouvrit les yeux, elle s'attendait presque à voir Ben, dans les rangs des hommes, qui la regardait avec amour, comme il le faisait toujours. Mais ce fut au visage de l'étranger qu'elle se heurta, à l'étranger qui la regardait avec une sorte d'intensité féroce, presque insoutenable. Elle tourna vivement la tête et tenta de retrouver la paix du recueillement, la totale liberté d'esprit avec laquelle, quelques secondes plus tôt, elle voyageait à travers l'espace jusque dans les bras de Dieu. Mais c'était impossible, à présent. L'étranger et ses yeux de braise l'avaient ramenée sur terre...

Les chants se turent. Alors le diacre Noah Weaver se leva, rigide, sévère, et fit face à la communauté.

Son regard parcourut les rangs, s'arrêtant sur chaque homme, chaque femme, chaque enfant pour vérifier que tous étaient bien en accord avec l'*Attnung*, la Voie étroite et droite. Il comptait les plis des coiffes, guettait la moindre entorse vestimentaire à la règle — boutons, bretelles ou autres accessoires. Son inspection finie, il se dirigea vers le banc de tête où se trouvait sa place. En passant devant Rachel, il la regarda et son visage se tordit en une fugitive crispation de douleur. S'il avait été surpris de voir l'étranger, il avait réussi à ne pas manifester la moindre réaction de contrariété. Mais en voyant sa Rachel assise, là, les mains posées en creux sur ses genoux, des désirs confus, des doutes et des ressentiments remontaient à la surface.

Pendant un long moment, le silence retomba sur la communauté, comme si le chant magnifique qu'elle avait entonné l'avait vidée de toute son énergie. Mais il n'en était rien. Chacun attendait le moment, celui où l'évêque Miller commencerait la prédication. Ensuite, il y aurait encore des sermons, des chants, des confessions publiques, on lirait des prières, commenterait les Écritures.

Isaiah Miller se leva enfin, grand et imposant avec sa barbe noire et laineuse, ses cheveux partagés en deux par une raie bien nette qui faisait ressembler son crâne à un dos de sconse.

Le dos droit, la tête dressée fièrement, ses yeux gris étincelants, il se mit à parler de sa belle voix de basse. Il parla des temps passés, d'une époque où le peuple des Justes avait affronté de terribles souffrances à cause de sa foi. Certains furent brûlés, d'autres lapidés, d'autres, encore, crucifiés ou fouettés. On leur avait coupé la langue, les mains, les pieds. Isaiah psalmodiait chaque phrase, berçant ses auditeurs au rythme lent et régulier d'une litanie. Ce n'était plus seulement un récit, c'était un hymne, à la gloire de la foi.

Les mots familiers, mille fois entendus, coulaient dans le cœur de Rachel comme une musique fluide. Ses sens s'aiguisèrent, vivifiés par cette source claire. Elle sentait, entendait, voyait les plus infimes signes de vie. Elle respira les effluves de la soupe aux haricots cuisant dehors dans un grand chaudron, entendit les poulets picorer dans la cour, les bêlements des moutons dans une pâture lointaine. L'air était épais et lourd, comme avant un orage. La voix de Isaiah, son père, venait frapper ses tympans en cadence, elle s'enfla tel un ruisseau au printemps, gronda tel le vent.

Un murmure, un chuchotement. Un bourdonnement d'abeille, funèbre et grave, traça des lignes colorées et sonores devant ses yeux maintenant grands ouverts. Le murmure se transforma en un chant d'oiseau, le moindre bruissement en une musique de plus en plus douce, de plus en plus enivrante. Bientôt, toutes ces sensations se fondirent en une seule extase, remplie de bruits et de musique qui se répondaient en écho tout autour du cercle de l'éternité.

La musique s'amplifia, éclata au fond d'elle. Éblouie, elle se sentit prise d'un vertige et ferma alors les yeux comme devant un soleil trop aveuglant. Une vague de chaleur courut dans ses veines, apportant avec elle une soif éperdue de vie, d'amour. La chaleur devint désir, un désir si insatiable que, soudain, le voyage intérieur cessa, et Rachel retomba sur terre si brutalement qu'elle en resta étourdie. Car le désir avait donné naissance à une terrible sensation de manque, balayant d'un coup toute la joie ineffable de l'élévation vers Dieu.

Oh Ben, Ben, mon Ben ! Pendu à une branche, comme le dernier des renégats. Si nous sommes vraiment le peuple élu de Dieu, alors pourquoi cette iniquité ? Pourquoi nous fait-Il souffrir autant ?

C'était une pensée impure, elle le savait. Pour écarter ce mal qui s'insinuait en elle, Rachel se concentra sur la voix de son père, cette voix qu'elle aimait tant depuis l'enfance, quand, agenouillée dans la cuisine, elle l'écoutait réciter les prières du matin. Comme elle l'aimait, son *Vater*, si bon et si sévère aussi, projetant sa grande ombre protectrice sur eux tous. Une ombre qui avait gommé la silhouette frêle de Sadie, la *Mutter*, toujours si silencieuse, docile, soumise à la Voie. Tellement soumise qu'elle semblait presque avoir disparu de la surface de la terre. Rachel se demanda soudain si elle avait jamais *vraiment* connu sa mère. Elle regarda en direction de la petite forme recroquevillée sur le banc devant elle. Sadie Miller avait les yeux fermés, la bouche légèrement entrouverte. De fines mèches grises s'échappaient de sa coiffe et son visage paraissait creusé, rempli d'une infinie lassitude. Sadie Miller dormait. Le cœur de Rachel se serra.

Une louche d'eau fraîche circula dans les rangs. Velma la tendit à sa belle-mère sans réaliser qu'elle était endormie. L'eau jaillit sur les genoux de Sadie qui sursauta en ouvrant brusquement ses grands yeux remplis d'étonnement. Elle rougit vivement et tenta malhabilement de remettre de l'ordre dans sa tenue. Rachel aurait voulu que sa Mem tourne la tête vers elle pour pouvoir lui sourire et la réconforter. Mais le regard affolé de Sadie Miller restait obstinément fixé sur la tache d'eau qui s'élargissait sur sa jupe.

L'évêque déclamait d'une voix de stentor, balançant sa tête d'avant en arrière, tandis que la cadence des mots s'accélérait. On aurait dit le galop d'un cheval sur un chemin pierreux.

Sentant poindre la fin du sermon, l'assistance commença à bruisser et à s'agiter imperceptiblement. Benjo remua ses pieds dans la paille en faisant du bruit et reçut une petite tape de réprimande de son oncle Samuel.

Ouvrant les bras, le visage tourné vers le ciel, Isaiah Miller cita une dernière fois les Écritures. *Alors les soldats se saisirent de lui, le frappèrent de verges et lui couronnèrent la tête d'épines. Puis, quand ils se furent moqués de lui, ils le menèrent dehors pour le mettre en croix. Les passants l'injuriaient et le raillaient en hochant la tête et en disant : « Tu en as sauvé d'autres, sauve-toi toi-même ! Il a compté sur Dieu, que Dieu le délivre, maintenant ! » Même les brigands crucifiés avec lui l'outrageaient de la sorte.*

Les yeux de Rachel se fermèrent. Elle vit se dessiner derrière ses paupières trois croix, profilant leurs masses menaçantes contre un ciel sombre et tourmenté. Elle vit un homme dont le sang coulait, torturé, agonisant. Il jeta la tête en arrière en poussant un cri de désespoir.

Et, soudain, elle comprit ce qu'elle avait lu dans les yeux terrifiés de Johnny Caïn, la première fois qu'elle l'avait tenu dans ses bras. Son regard affolé disait, criait : *Mon Dieu, mon Dieu, pourquoi m'as-tu abandonné ?*

Chapitre 12

En sortant de la pénombre fraîche de la grange, Rachel cligna des yeux au soleil et faillit trébucher. Après le calme plein de ferveur du culte, il lui semblait que le monde se précipitait sur elle dans un tourbillon de sons et de mouvements. Elle s'appuya sur la clôture de treillis et regarda l'horizon. Des nuages épais et jaunes comme du lait caillé commençaient à s'empiler au-dessus des montagnes mais, ici, dans la vallée, c'était le printemps. Un ciel bleu pervenche, un chaud murmure de brise. C'est alors qu'elle aperçut un petit cocon qui pendait à la feuille d'une liane. Le cocon de soie frémit, prêt à éclore. Délicatement, Rachel détacha la feuille et la déposa dans le creux de sa main.

Des pas résonnèrent sur la terre sèche, et la jeune femme tourna la tête. C'était l'étranger qui s'approchait d'elle, de cette démarche élégante et fluide qui lui appartenait. Il avait dû rester près de trois heures assis sur un banc inconfortable, à écouter d'interminables prêches et des chapelets de prières. Rachel songea qu'il avait dû s'ennuyer et, surtout, se trouver inconfortablement assis sur les rudes bancs de bois. Il se tenait bien droit, calme, immobile, et elle avait senti tout au long de la prédication son regard posé sur elle comme une caresse.

« Vous ne paraissez pas trop courbatu, Mr. Caïn, dit-elle quand il fut près d'elle. Après un si long moment consacré au salut de votre âme.

— C'était une scène plutôt touchante, je dois reconnaître. Il m'est même arrivé d'être si ému que j'ai failli entonner l'*Alléluia*. »

Il plaisantait, naturellement. Le regard de Rachel se détourna et le silence s'installa entre eux. Puis il dit : « Je n'avais jamais entendu chanter des hymnes ainsi jusqu'alors. Ils m'ont rappelé ces cloches funèbres qui sonnent le glas, lentes, tristes, solitaires. »

Elle se demanda si cela voulait dire qu'il avait aimé ces chants

171

et s'il avait ressenti, ne serait-ce qu'un bref instant, la présence de Dieu au milieu d'eux tous.

Au lieu de cela, elle dit : « Il y a ici certaines personnes que j'aimerais vous présenter.

— Votre mère ? »

Rachel secoua la tête. Non, pas sa mère. Que penserait donc Sadie Miller en voyant sa fille lui présenter Johnny Caïn en disant : « Voici celui que j'héberge sous mon toit, Mem, un étranger, un homme qui tue d'autres hommes... »

Elle s'écarta de la barrière en réprimant un soupir et se dirigea vers la cour, le laissant libre de la suivre ou non.

Les Justes s'étaient rassemblés dans la cour par groupes d'amis ou par familles. Les hommes parlaient de l'agnelage et du mauvais hiver qui ne laissait pas espérer une belle récolte de foin. Les femmes s'entretenaient de travaux de couture ou échangeaient de nouvelles recettes. Mais, dès qu'ils virent Rachel et l'étranger approcher, tous sombrèrent dans le silence.

Ils étaient massés autour de l'énorme chaudron en fonte suspendu à un trépied au-dessus d'un feu. Une vapeur parfumée à la soupe de haricots s'élevait vers le ciel.

Rachel se tourna vers l'étranger : « Avez-vous faim ? »

Il jeta un coup d'œil à la marmite. « Eh bien, pour tout vous dire, mon estomac me tiraille un peu mais, en vous voyant cet air si solennel, je me sens comme un voleur de chevaux que l'on conduit chez le juge. Finissons-en, alors...

— Je vous emmène voir *Mutter* Anna Mary, mon arrière-grand-mère. C'est une *Braucher*, une femme qui guérit le mal avec ses mains. C'est un don qui vient de sa foi, une foi qui soulève les montagnes. Elle est vieille, et très sage. Ne vous moquez pas d'elle... »

Il hocha la tête. « C'est bon, lady. Je serai sage. Je n'ai pas l'habitude de bousculer les vieilles dames, voyez-vous... »

Ils s'approchèrent de la maison de bois et grimpèrent les marches du porche. Assise dans un fauteuil à bascule à l'ombre de la galerie couverte, Anna Mary les regarda placidement venir. Elle était si noueuse, mince, le teint brunâtre, qu'on aurait dit une racine desséchée. Son crâne chauve apparaissait sous la coiffe de travers et sa peau marbrée se tendait sur ses os comme un vieux parchemin usé.

Des yeux pâles comme les cailloux d'un ruisseau se posèrent sur eux. Anna Mary était aveugle depuis plus de cinquante ans.

« Rachel, mon enfant sauvage », murmura-t-elle en tendant la main.

Rachel sourit, émue. Comme toujours, sa chère *Mutter* la reconnaissait rien qu'au bruit de ses pas. Elle s'agenouilla, plaça le fragile cocon dans la paume sèche de son aïeule, et dit : « Je t'ai apporté un cocon, *Mutter*. Je crois que ce sera un papillon bleu quand il sortira. »

La vieille femme sourit tandis que Rachel ajoutait très vite : « Et j'ai amené l'étranger avec moi. Il s'appelle Johnny Caïn. »

Elle se releva pour céder sa place à Caïn, qui se pencha vers Anna Mary pour plonger son regard dans ses yeux laiteux. Elle lui prit la main et demeura silencieuse un long moment.

« Vous avez tué votre frère », dit-elle alors, d'une voix unie.

Voyant qu'il ne répondait pas, elle reprit : « Resterez-vous aussi muet quand viendra l'heure où Dieu vous dira : "Qu'as-tu fait ? Pourquoi as-tu versé le sang de ton frère ?" Êtes-vous donc si plein d'orgueil, Mr. Caïn ?

— Oui. »

Le mot avait jailli de ses lèvres comme un hoquet. Il avait un regard sec et dur. « Je ne m'excuse pas de ce que j'ai fait et je ne cherche pas à changer ce que je suis. »

Le visage ratatiné de la vieille femme était aussi ridé qu'une pomme sèche. Elle le leva vers la tiédeur naissante du soleil de printemps.

« Plus vous courez loin, plus long sera le chemin du retour. Auriez-vous donc si peur du repentir ? Faites attention, Johnny Caïn, de ne pas vous prendre à votre propre piège. »

Elle retira doucement sa petite main de celle de l'étranger et la laissa reposer sur ses genoux. Il y eut un long silence. Parfaitement immobile, l'étranger regardait ces yeux aveugles qui, pourtant, voyaient tant de choses. Anna Mary semblait perdue dans la contemplation de ses paysages intérieurs. Puis elle parla de nouveau : « Cette main a fait plus que sa part...

— Elle a fait sa part de mal, admit l'étranger, le visage impassible. Vos mains à vous, ma'am, font le bien. Vous et moi représentons deux pôles qui équilibrent la nature. Vous soignez, et je tue. »

Rachel berçait doucement le fauteuil de son arrière-grand-mère et ses grincements cadencés se mêlaient aux lointains échos montant de la cour. « Les hommes sont en train de dresser les tables, dit-elle alors. Vous devriez aller les aider, Mr. Caïn. »

L'étranger se redressa lentement, le regard vide.

« C'était un plaisir de parler avec vous, ma'am. »

Ses yeux croisèrent ceux de Rachel un bref instant, puis il se détourna pour s'éloigner. Les talons de ses bottes marquèrent son pas lent tandis qu'il longeait la galerie couverte et descendait les marches du porche.

« Tu l'as renvoyé », dit *Mutter* Anna Mary.

Rachel s'accroupit et posa sa joue contre les genoux de son arrière-grand-mère. Les doigts de la vieille femme caressèrent tendrement son bonnet amidonné.

« Que vois-tu ? interrogea Rachel.

— C'est un homme brisé, dit lentement Anna Mary. Tu me l'as amené parce que tu espérais que je verrais au fond de lui une âme digne d'être sauvée. Et puis, tu as eu peur que je voie trop de choses affreuses et tu l'as renvoyé. Allons Rachel. Cet homme a bien une âme. Même le plus mauvais d'entre nous a une âme. Mais, à cause de ce qu'il a fait, Dieu l'a condamné à ne plus être qu'un fugitif, un vagabond. Il l'a banni de la face de la terre. »

Rachel leva lentement la tête. Elle ne s'était même pas rendu compte que des larmes lui étaient montées aux yeux et coulaient maintenant sur ses joues. « Mais, *Mutter*, pourquoi le Seigneur ne peut-il lui pardonner ? Si tu avais pu voir son regard, le jour où il est venu agoniser chez nous. »

Les yeux fermés, Anna Mary se balançait doucement. Il y eut un silence long, très long, et Rachel se demanda si sa chère aïeule ne s'était pas endormie. Mais, tout à coup, elle dit :

« Caïn a dit au Seigneur : *Ma punition est plus que je ne puis supporter.* » Mais peut-être était-ce ce qu'il méritait. Pourquoi désires-tu sauver cet étranger, mon enfant sauvage ? Pour Dieu, ou pour toi-même ? »

Rachel sentit son visage s'embraser, comme si elle l'avait approché d'un fourneau trop chaud. « Je voudrais seulement comprendre comment il est devenu ce qu'il est aujourd'hui, répondit-elle dans un souffle.

— Et si ce que tu apprenais te conduisait à l'amour, ma Rachel ? »

On entendait des enfants jouer dans la cour et leurs rires tintaient dans l'air léger comme des clochettes de traîneau. Rachel restait sans bouger, sans parler, suspendue dans le temps, dans l'attente de la vérité, comme au moment de la prédication. Aimer un étranger était une chose mauvaise, sûrement. Une chose impossible qui dépassait les mots.

La vieille femme frissonna et émit un profond soupir. Dans sa paume, le cocon frémit de nouveau.

« Regarde, Rachel, dit alors Anna Mary avec un petit rire heureux. Il va bientôt éclore. »

Rachel s'approcha. La chrysalide s'ouvrait lentement.

« Bientôt il pourra voler, *Mutter* », murmura-t-elle.

« Si le temps continue comme cela, il sera aussi chaud que cette soupe quand viendra le moment de la tonte », dit Samuel Miller tandis que Rachel posait devant lui une écuelle de grès remplie à ras bord de soupe aux haricots brûlante.

Ce n'était pas à elle qu'il s'adressait, mais aux autres hommes assis autour de la table. Après le culte, le repas de toute la communauté était un moment d'échanges important. Aussi, à l'inverse des repas quotidiens, il ne se prenait pas en silence. Les femmes mangeaient toujours à part, et seulement après avoir servi les hommes. Elles participaient rarement à leur conversation.

« Ah ah ! Notre Sam craint que sa sueur n'abîme la laine ! » s'exclama Abram en fourrant un gros morceau de pain dans sa bouche.

Les autres hommes se mirent à rire. L'évêque caressa sa barbe comme s'il allait officier une nouvelle fois, mais ses yeux souriaient. « La chaleur de ces journées de printemps est un signe de Dieu pour nous annoncer que l'été est proche. Nous devrions commencer la tonte par les moutons de Samuel. Êtes-vous d'accord, frères en Christ ? »

Les hommes hochèrent la tête en silence. Rachel continuait de servir et, au passage, jeta un coup d'œil à l'étranger. Il était assis à côté de Benjo et plaisantait avec lui à propos du plat de betteraves qui circulait à présent autour de la table. Quand le plat passa sous son nez, Benjo fit une grimace de dégoût et Rachel sourit. Mais le diacre Noah, assis en face, vit la mimique et fronça les sourcils.

Après avoir été admis au repas, Johnny Caïn était à présent complètement ignoré. Tous parlaient *deitsch* et, chaque fois que leurs regards effleuraient l'étranger, ils se détournaient si vite qu'on aurait cru que cette seule vue les avait brûlés. Mais Caïn ne paraissait pas s'en soucier.

Il doit avoir l'habitude d'être partout un étranger, songea Rachel,

175

le cœur soudain serré. Elle entendit un pas derrière elle et sursauta, réalisant alors qu'elle était en train de regarder l'étranger depuis trop longtemps, bien plus longtemps que la bonne règle ne le permettait.

En se retournant un peu trop vivement, elle faillit renverser le bol de soupe que Fannie Weaver tenait dans ses mains. Fannie avait un visage aussi fermé qu'un poing. Sa bouche se tordit en une drôle de grimace.

« Pardonne-moi, dit Rachel. Est-ce la soupe de notre *Vater* ? Donne-la-moi, je la lui porterai. »

Elle tendit les mains pour saisir le bol, mais l'autre femme recula si vite qu'un peu de soupe brûlante se renversa sur ses doigts. Réprimant un petit cri de douleur, elle lâcha le bol et Rachel eut juste le temps de le rattraper, en se brûlant elle aussi la main.

Avec un soupir, elle se dirigea vers l'extrémité de la table où se tenait l'évêque. Désireux d'imiter le Christ en tout point, il avait demandé à être servi en dernier.

Les hommes avaient entamé une discussion animée à propos des travaux de l'été. On parlait de foin à couper le mois prochain, de la laine à tondre puis, en juillet, de la transhumance vers la montagne où les moutons trouveraient de la bonne herbe d'été pour s'engraisser.

Rachel attendit un moment d'accalmie dans la conversation pour poser le bol devant son père.

« Si vous autres, les hommes, avez envie de parler des travaux des champs et des troupeaux, pourquoi ne le faites-vous pas en *englisch* ? Mr. Caïn serait certainement très heureux de participer à vos débats. Car je l'ai engagé à la ferme jusqu'à la prochaine saison. »

Elle aurait arraché ses vêtements pour se mettre à danser, nue, devant tout le monde, qu'elle n'aurait pas provoqué un plus grand choc. Les bouches se pincèrent, les visages pâlirent. Un silence de plomb tomba sur la tablée. Tous les regards convergèrent vers l'évêque Miller, dans l'espoir de le voir réagir.

Mais Isaiah Miller ne prononça aucune parole. Il porta sa cuillère à la bouche, souffla dessus et avala tranquillement sa première gorgée de soupe.

Les frères de Rachel échangèrent un regard soucieux tandis que Noah observait l'étranger puis Rachel. Ses yeux étaient plissés et durs et, au-dessus de la barbe, sa peau avait pris une couleur brique foncée.

Rachel se sentit prise d'un accès de faiblesse, mais elle se redressa et garda la tête bien haute. La tradition n'interdisait pas qu'on engage un étranger dans la ferme d'un Juste. Bien des hommes avaient embauché des bergers basques pour garder leurs moutons, l'été dans la montagne. Et, quand leur communauté vivait encore dans l'Ohio, son père lui-même avait eu l'aide d'une main-d'œuvre étrangère pour la moisson.

Mais elle savait que l'évêque aurait discuté ce point de vue, en précisant qu'il n'avait alors engagé que des jeunes gens, des âmes encore peu exposées à la brutalité et à la corruption de leur monde.

Voyant que le silence s'éternisait, elle reprit bravement :

« J'ai pensé que Mr. Caïn me serait bien utile pour les foins et pour aller garder les moutons dans les collines. »

Noah se mit soudain à rire, un rire qui ressemblait plutôt à une sorte de croassement. « Et il remplacera aussi Ben pour la tonte des moutons ? interrogea-t-il d'une voix aigre.

— Un homme a besoin de ses deux bras pour cela, répliqua Rachel, et je te rappelle que Mr. Caïn a un bras cassé.

— Oh, il a l'air d'aller beaucoup mieux, dit Noah en pointant sa barbe en direction de l'étranger. Un homme du monde extérieur tel que lui, avec tous ses revolvers et ses vêtements élégants, avec toute sa *connaissance* des choses, j'imagine que, pour lui, tondre un mouton de cent livres est aussi facile que de cracher un brin de paille. Pour un homme comme lui, si *élégant* et qui a tant voyagé... »

La discussion se faisait à présent en *englisch*, de sorte que l'étranger pouvait comprendre ce qui se disait et saisir l'insulte à peine voilée dans les propos du diacre. Mais le sourire qu'il adressa à Noah fut tout sucre, tout miel. Rachel fut la seule à apercevoir l'éclat sauvage qui brilla fugitivement dans ses yeux.

« La triste vérité, c'est que, jusqu'à présent, je n'ai pas eu l'occasion de tondre un mouton, répondit Johnny Caïn avec lenteur. (Ses yeux se firent plus froids.) Mais je sais reconnaître un défi quand on m'en lance un. »

Samuel émit un gros rire et pointa un doigt vers l'étranger.

« Allons, frère Noah, voilà que tu essaies de faire honte à un homme incapable d'éprouver le moindre remords ! »

Comme toujours, Abram lui emboîta le pas. « *Ja !* Tu auras autant de mal à tirer de la honte de cette âme-là qu'à séparer la laine du dos de la brebis ! Nous autres pourrions bien en avoir tondu plus de dix avant que l'étranger en ait fait le quart d'une ! »

Rachel sentit la colère la gagner.

« Vous ne pouvez lancer un tel défi, protesta-t-elle, ce ne serait pas juste.

— Qui parle d'un défi ? demanda Noah en lançant un regard méprisant à l'étranger. Je dis seulement qu'il ne tiendra pas le coup une heure à la tonte, voilà ce que je dis.

— Et si j'y arrive ? »

Le diacre ricana et ses lèvres se retroussèrent curieusement, faisant luire ses dents dans la forêt sombre de sa barbe.

« Vous n'y parviendrez pas, monsieur l'Étranger. »

Johnny Caïn souriait toujours. Rachel connaissait bien ce sourire-là. C'était un sourire dangereux.

« Vous autres, le peuple des Justes, saurez sûrement me montrer comment on fait, pas vrai ? dit-il doucement. Est-ce que votre Dieu accorde une récompense à celui qui a réussi à tondre le plus de brebis ? »

Le visage de Noah se crispa de dépit. Il baissa la tête, sachant qu'il venait d'être pris en flagrant délit de vanité devant toute la communauté. Samuel, toujours aussi impétueux, pointa le manche de sa cuillère vers l'étranger et gronda : « P't'être bien qu'avec tous vos revolvers vous pourrez au moins nous servir à garder les troupeaux dans la montagne. Comme ça, vous tirerez sur les coyotes quand ils s'approcheront des bêtes... »

Il partit d'un gros rire. Rachel jeta un regard angoissé à son père et le vit en train d'essuyer vigoureusement le fond de son bol à l'aide d'un morceau de pain. Il ne levait pas les yeux et semblait totalement absent de la conversation.

Le regard de Johnny Caïn balaya la table et s'arrêta sur Isaiah.

« Votre évêque pourrait bien citer vos Saintes Écritures. N'y a-t-il pas un passage qui dit que le bon berger donnerait sa vie pour ses brebis ? »

Un silence rempli de stupeur s'abattit sur la tablée. Puis Samuel, faisant mine d'ignorer la dernière repartie de l'étranger, fit un grand geste du bras pour prendre à témoins tous ses compagnons. « Comme nous avons de la chance, mes frères dans le Christ, d'avoir cet étranger parmi nous ! Il défiera les coyotes ! »

Abram éclata de rire, un rire qui ressemblait au braiement d'un âne. « Oh oui, mes frères ! Les grands coyotes si méchants ! »

Noah tenait ses mains étroitement jointes. La tête penchée, il priait. Il releva soudain la tête et Rachel vit que son visage était plus empourpré que jamais. De honte ou de colère, elle n'aurait su le dire.

Un pichet de cidre circulait autour de la table, chacun en buvant une longue gorgée avant de le repasser à son voisin. Ce fut au tour de Benjo de le prendre pour le donner à Noah. Mais, tendu, pâle, il écoutait la discussion, tenant distraitement le pichet en l'air sans même songer à le poser.

« Avez-vous déjà vu un coyote tuer un agneau, l'étranger ? demanda Noah de sa voix aigre. Il s'attaque d'abord à la gorge, voilà comment il fait. Et la dernière chose que le pauvre agneau voit avant de mourir, c'est le sang, *son* sang, jaillir devant lui. »

Il se mit à rire.

Benjo blêmit de plus belle et fut secoué d'un grand frisson. Le pichet trembla dans sa petite main puis, sous les yeux consternés de Rachel, le pichet, comme au ralenti, pencha lentement, lentement, jusqu'à déverser tout son contenu sur les genoux du diacre.

Le rire de Noah se transforma en beuglement. Il sauta sur ses pieds en heurtant si fort la table au passage qu'elle en trembla. Son bras se leva, prêt à frapper l'enfant qui, instinctivement, croisa ses bras au-dessus de la tête en se recroquevillant.

« Noah ! » s'exclama Rachel en pâlissant.

Mais, en un éclair, la main de l'étranger avait jailli pour saisir le poignet du diacre avant que ce dernier n'ait eu le temps de frapper Benjo. Les deux hommes s'affrontèrent un instant du regard dans un silence épais comme de la mélasse. Noah tenta de se libérer, mais l'étranger le tenait fermement. Benjo se fit encore plus petit et bafouilla misérablement : « Nuh... Nuh...

— Noah ! Ne fais pas ça ! » cria Rachel en se précipitant pour rejoindre son fils. Sortant de son apparente torpeur, l'évêque lui prit le bras et l'arrêta. Puis il jeta un regard sévère en direction du diacre. « Frère Noah ! »

Noah respirait de plus en plus vite, et son souffle oppressé résonnait comme un soufflet de forge. « Les... les Proverbes nous recommandent de ne pas ménager la correction aux indisciplinés, articula-t-il sans quitter l'étranger des yeux.

— Ma fille gâte trop ce garçon, il est vrai, répliqua l'évêque, mais tu n'aurais pas dû te laisser aller au péché de colère et d'orgueil. »

La tête de Noah s'inclina en arrière. Il ferma les yeux et ses lèvres s'agitèrent en une prière muette. Puis son corps fut parcouru d'un grand frisson et il laissa enfin retomber son bras pour le pointer, cette fois, sur l'étranger.

« Vous voyez ! cria-t-il d'une voix tremblante, le diable est parmi nous ! La seule présence de cet homme nous corrompt tous ! Il appartient au monde infernal, il porte le péché en lui ! »

Puis il se détourna brusquement et essaya d'escalader le haut banc de bois pour quitter la table. Mais ses grands pieds s'emmêlèrent, et il tomba dans la poussière sur les genoux.

Il se redressa, piteux, brossa son pantalon et s'éloigna, les épaules courbées, la tête baissée, marmonnant une prière.

Aussitôt, tout le monde se mit à manger sa soupe à l'unisson. Joseph Zook et Ira Chupp reniflèrent dans leur barbe tandis que Mose, le fils du diacre, jetait à son père un regard plein de confusion et de mépris.

L'évêque prit le pain, le rompit et en distribua des morceaux. « Le repas de notre communauté n'est pas un lieu pour de telles choses », énonça-t-il sévèrement.

On n'entendait plus que le cliquètement des cuillères en métal sur les écuelles de grès. Rachel se tenait toujours debout près de son père, frottant son bras à l'endroit où il l'avait empoignée fermement pour l'empêcher de rejoindre Benjo. Levant les yeux, elle croisa le regard de Johnny Caïn. Un regard vide, impassible. Pas un seul instant, malgré les provocations, il ne s'était départi de son calme. Il avait juste empêché Noah de frapper le petit. Et Rachel sentit une vague de gratitude la traverser.

Mais, presque aussitôt, l'anxiété revint quand elle songea que son père, après ce qui venait de se passer, allait sûrement demander à l'étranger de partir.

Les femmes étendirent des kilts par terre pour s'asseoir sous les peupliers qui bordaient la grande maison, à l'est. Rachel prit place près de sa mère et des jumelles. Elle désirait de tout son cœur lui parler mais en la voyant là, assise sans bouger, ses bras en cercle autour de ses genoux repliés, le regard obstinément baissé, elle ne trouva plus rien à lui dire.

Le bébé d'Alta commença à pleurer, et Rachel regarda sa belle-sœur dénouer son châle et ouvrir son corsage pour lui donner le sein.

« Ton enfant tète mieux que le mien », dit Velma en la regardant.

Souriante, Alta déposa un tendre baiser sur le duvet soyeux qui recouvrait le crâne du bébé. « Oh, le tien marchera avant le mien, j'en suis certaine ! »

180

Rachel observa le fils de Velma progresser à quatre pattes sur l'herbe, son petit derrière levé. « Il se prend pour une chenille », dit-elle en riant.

Elle se tourna à nouveau vers sa mère qui continuait de garder les yeux fixés sur les motifs bleus de la couverture, comme étrangère à tout ce qui l'entourait. Le cœur de Rachel se serra, elle se sentit vide et solitaire. Détournant les yeux, elle regarda les nuages qui s'entassaient, là-bas, au-dessus des collines.

Mais, tout à coup, une main légère se posa sur son épaule. Sadie avait enfin levé la tête.

« Quand tu étais petite, dit-elle dans un souffle, tu disais que tu voulais treize enfants... »

La gorge de Rachel se noua. « Vraiment, Mem ? »

Sadie inclina la tête, grave et solennelle. « Treize enfants et cent soixante-neuf petits-enfants... »

Les jumelles se mirent à rire et un sourire se dessina sur les lèvres pâles de Sadie Miller. Un sourire si rapide, si timide que Rachel se demanda après coup s'il avait *vraiment* existé. Jamais, encore, elle n'avait vu sa mère sourire.

« Tu n'avais que trois ans lorsque tu nous as dit cela, reprit Sadie de sa petite voix douce, et ton frère Sol a fait le compte de la descendance que cela te procurerait... (Elle s'arrêta, pensive, et ajouta brusquement :) Nous avons toujours pensé, ton père et moi, que tu choisirais Noah pour mari. »

Surprise, Rachel la regarda.

« Vous ne me l'aviez pas dit, à l'époque.

— C'était ta vie. »

Ma vie... Tant qu'elle demeurerait dans la Voie étroite et droite, pensa Rachel, elle conserverait le droit de choisir. C'est ce qu'elle avait fait depuis toujours.

Le bébé d'Alta se remit à pleurer, et Sadie le prit dans ses bras. Pendant quelques instants, elle parut tout oublier de sa précédente conversation, accordant tous ses soins et son attention à son petit-fils.

Rachel la contemplait, petite et fragile, toujours si discrète, si effacée. Il y avait dans ses yeux la même expression de sagesse et de résignation que Rachel avait lue dans le regard de la vieille brebis au nez cassé.

« Mem, demanda-t-elle alors, est-ce que j'ai tellement changé par rapport à la petite fille dont tu te souviens ? »

Voyant que Sadie ne répondait pas, elle ajouta en posant une main sur sa poitrine : « Ici, Mem, je n'ai pas changé, tu sais. »

Il y eut un long silence, seulement troublé par les babillements des enfants. Déçue, Rachel s'apprêta à se lever quand une main la retint par la manche. C'était une petite main toute ridée et fripée, comme le visage de Sadie qui se levait à présent vers sa fille.

« Il n'est pas trop tard, ma Rachel... »

Rachel tressaillit.

« Que veux-tu dire ?

— Il n'est pas trop tard pour que tu aies encore des enfants... »

La main de Sadie retomba. Baissant à nouveau les yeux, elle se mit à lisser avec application les plis de son tablier.

« Noah... Il a toujours voulu t'avoir. Il t'a toujours désirée... »

Rachel réprima un soupir et se sentit envahie par la lassitude. Son regard erra sur le groupe des femmes, nonchalamment étendues sur les couvertures en patchwork qu'elles avaient cousues elles-mêmes. Plus loin, les hommes flânaient encore à table en discutant tandis que, près de la mare, les enfants jouaient à pêcher des têtards.

Ses yeux avaient dû enregistrer un millier de fois, au moins, des images semblables. Chaque dimanche se ressemblait, chaque geste, chaque parole devait obéir au même rituel. C'était cela, la vie d'un Juste. Cette certitude que rien ne changerait, cette lenteur immuable du temps qui s'écoule toujours dans le même sens. Ce qui était serait toujours, sauf si la volonté de Dieu en décidait autrement.

Rachel comprit alors pourquoi elle tenait tant à ce que l'étranger vienne aujourd'hui. Elle voulait qu'il voie tout cela, sa Mem, son Dad, sa famille, et même Noah et Fannie. Tous appartenaient à son monde, ils en faisaient tellement partie qu'elle ne savait même pas si elle parviendrait à survivre sans eux.

Non, jamais elle ne pourrait supporter de perdre ces trésors-là...

Le cimetière se trouvait sur un versant de colline, près de la grande maison des Miller. C'était un endroit serein, ombragé par les peupliers et les ormes, et couvert d'une herbe bien grasse qui frémissait sous la brise printanière. Autour courait une clôture en treillis pour empêcher, l'hiver, les congères d'envahir le site.

Rachel ralentit le pas. La tombe de Ben se trouvait juste en face de la barrière. Elle s'agenouilla et déposa une brassée de fleurs sauvages cueillies dans la prairie. Les tons mauves de l'aconit se mêlaient au jaune des feuilles de houx et au blanc parfumé des œillets.

D'ordinaire, Benjo l'accompagnait, mais cette fois il avait dû aller se cacher quelque part après l'altercation qui avait opposé Noah et l'étranger. Ben aurait sans doute su où le petit se terrait. Il s'entendait si bien avec lui...

Rachel disposa les fleurs sur la stèle aussi joliment qu'elle put. Ben aimait ce qui était joli. Il lui disait toujours : « *Voici un petit quelque chose pour faire joli...* » Dès que les fleurs sortaient dans les champs après le long sommeil de l'hiver, il en faisait un bouquet pour le lui apporter. *Un petit quelque chose de joli...*

Les gonds de la barrière grincèrent dans son dos et elle se retourna, espérant qu'il s'agissait de Benjo, clignant des yeux sous le soleil qui filtrait à travers les ramures des arbres.

Ce n'était pas Benjo, mais Noah qui s'avançait vers elle. Quand il leva la tête, le bord de son chapeau se souleva pour laisser apparaître des yeux aussi sombres que des plaies dans un visage couleur de cendre.

Sans un regard pour la tombe de Ben, il s'approcha de la jeune femme puis s'arrêta, les bras le long du corps, ne sachant plus que faire. Le silence tomba sur eux, lourd et creux à la fois.

Puis Noah dit : « Que dirait Ben s'il savait que tu t'es laissé séduire par un *Englischer* ? »

Il fit un pas en avant, mais Rachel se détourna. Alors il lui saisit le bras et le tordit pour la forcer à se retourner. Ses lèvres pincées avaient un pli méchant. « Cet étranger, il se prend pour quelqu'un, pas vrai ? Et maintenant, toi aussi, tu le prends pour quelqu'un... »

Elle tenta de se dégager mais il la tenait bon.

« Laisse-moi, Noah !

— *Ja !* Je vais te laisser aller, mais pas avant que je t'aie parlé en Juste. Veux-tu donc te retrouver rejetée par tous ? Même par Dieu ? »

Il la lâcha enfin mais pour lui donner un petit coup sur le haut de sa coiffe.

« Faut-il donc te dire ce que tu dois penser, Rachel ? Et comment tu dois vivre ? Ignorerais-tu les chemins de la Voie ? Rappelle-toi les Écritures : *Le pécheur sème le trouble parmi les amis, parmi les gens qui vivent en paix, il jette la brouille.* Et l'Ecclésiastique nous dit aussi : *N'introduis pas chez toi n'importe qui, car nombreuses sont les ruses de l'intrigant.* »

Rachel s'écarta de lui si vivement qu'elle manqua trébucher et se rattrapa de justesse à l'une des stèles.

« Je n'ai rien fait de mal ! s'écria-t-elle, tremblante. Crois-tu que je viendrais ici, sur la tombe de mon mari, si...

— Ben est mort ! »

Il se rapprocha d'elle, la prit par les épaules et la secoua si fort que les dents de la jeune femme s'entrechoquèrent. « Aw, Rachel, Rachel ! Ben est *mort* ! Mais, toi, tu as une maison à faire marcher, un garçon à élever. C'est la vraie vie d'un Juste qu'il te faut vivre ! »

Il avança son visage si près du sien qu'elle sentait son souffle chaud et rapide sur son front. « Il te faut mettre d'autres enfants au monde pour la gloire de Dieu et de l'Église... »

Puis, désespérément, il plaqua sa bouche sur les lèvres de Rachel, l'étouffant presque. Elle le repoussa de toutes ses forces, mais il la maintenait fermement, les doigts enfoncés dans ses joues. Rachel sentit ses jambes défaillir sous elle. Quand il la libéra enfin, elle vacilla en s'essuyant la bouche. Un goût âcre de sang envahit son palais. Noah l'avait embrassée si fort qu'il lui avait entaillé la lèvre.

« Que tu puisses faire une chose pareille, Noah Weaver..., balbutia-t-elle, et juste sur la tombe de Ben ! Comment... comment oses-tu m'accuser, *moi*, alors que tu te conduis ainsi ! »

Il laissa retomber ses mains et leva la tête pour la regarder. Sa barbe était tout humide de larmes. « Tu ne dois pas... » Il prit une profonde inspiration et enchaîna : « Écoute-moi, notre Rachel ! Je ne te ferai aucun mal, je... je ne te toucherai plus. Mais, je t'en supplie, renvoie l'étranger. Renvoie-le avant qu'il ne soit trop tard. »

Elle secoua la tête et recula encore. Il paraissait si effrayé, si brisé, que sa seule vue lui était insupportable.

Il la contemplait de ses yeux sombres. « Autrefois, je croyais te connaître, murmura-t-il. Mais c'était il y a longtemps... »

Soudain, le visage de Noah pâlit, et une expression d'horreur se dessina sur ses traits, ses yeux écarquillés fixaient un point au-delà de la jeune femme, en direction de la cour.

Rachel se retourna d'un bloc. Un troupeau de plus d'une centaine de bêtes dévalait le chemin menant à la ferme. Les yeux fous, la bave barbouillant leurs museaux, les narines grandes ouvertes, les vaches se bousculaient en martelant le sol dans leur course emballée. Leurs sabots résonnaient sur la terre comme un tambour et faisaient jaillir des mottes de boue séchée et d'herbes.

Dans la pâture, les moutons se retournèrent et s'enfuirent, paniqués, leurs bêlements frénétiques se mêlant au vacarme. Dans la cour de la ferme, les hommes se mirent à crier tandis que femmes et enfants couraient dans tous les sens en se heurtant aux tables et aux bancs. Le troupeau en folie se rapprochait comme le tonnerre, broyant sur son passage les clôtures blanches des pâtures et les jardins potagers.

Et, au milieu du passage, Benjo se tenait figé, les yeux grands ouverts, son petit visage d'une pâleur de craie.

Chapitre 13

Rachel se mit à hurler et se précipita vers la barrière. Une minute plus tard, elle dévalait la colline, courant aussi vite qu'elle le pouvait, sa jupe flottant autour de ses jambes.

« Benjo ! »

Jamais elle n'arriverait à temps jusqu'à son fils, jamais elle ne pourrait le sauver.

« Benjo ! »

Cette fois, ce n'était plus sa voix, mais celle de l'étranger. Rachel le vit courir devant elle si vite qu'il en perdit son chapeau.

La terre trembla sous le fracas des sabots. Comme dans un rêve, Rachel vit l'étranger se précipiter sur l'enfant et le jeter à terre pour le recouvrir de son corps. Le bétail affolé passa au-dessus d'eux comme un train monstrueux, tourbillon confus et grondant de peaux rougeâtres, de sabots et de cornes.

Paralysée, Rachel regardait la scène en souhaitant de toutes ses forces que ce ne fût qu'un cauchemar. Non, cela ne pouvait pas être. Pas son Benjo, piétiné, là, par un troupeau furieux.

Un jour, à Miawa City, elle avait entendu deux cow-boys discuter entre eux d'un homme qui avait été tué par un troupeau emballé. « Ces bœufs, ils ont aplati ce pauv'type comme une galette », disait l'un d'eux. Les mots résonnaient à nouveau dans ses oreilles comme un hymne funèbre. *Aplati comme une galette...*

Elle hurla et hurla encore. Le flot des bêtes mugissantes sembla se séparer en deux, de chaque côté des deux silhouettes emmêlées et recroquevillées dans la poussière. Soudain, Rachel vit une main émerger du tas de vêtements et agiter un petit revolver. Dans le tumulte ambiant, elle n'entendit pas Johnny Caïn tirer droit dans la masse des bêtes qui déferlaient sur eux.

L'un des jeunes bœufs pivota sur lui-même et tomba à genoux. Les bêtes de tête s'écartèrent de lui, mais continuèrent leur course. Un second coup de feu fut tiré et un deuxième bœuf vacilla, puis

186

se dressa sur ses pattes arrière avant de s'écrouler, les quatre pattes en l'air.

Le restant du troupeau se détourna en ralentissant l'allure. Il se jeta sur la clôture en treillis que Sol avait mis tant de soin à construire et alla s'éparpiller dans la pâture, piétinant au passage les moutons affolés qui beuglaient désespérément.

Puis, avec la même soudaineté, le silence tomba comme un rideau de plomb. Rachel contempla les morceaux de clôture disséminés sur l'herbe, les brebis et les agneaux tombés à terre, secoués par les derniers spasmes de l'agonie. Des mains se saisirent d'elle — les mains de Noah —, des doigts serrèrent ses bras. Mais, d'une secousse, elle se libéra et courut vers son fils, toujours étendu dans la boue.

Elle se jeta à genoux auprès de lui et fit courir ses mains sur son corps. Il était chaud, vivant, et remua sous ses doigts.

« Tout va bien. Il n'a rien. »

Les mots lui parvinrent comme à travers un brouillard, déchirant la chape de silence dans laquelle la peur l'avait enfermée. Elle se rendit compte, alors, que les mugissements continuaient, mêlés aux bêlements pitoyables des moutons, aux cris des hommes et aux sanglots des femmes.

Levant les yeux, elle vit la silhouette de Johnny Caïn se dessiner contre le ciel. Une plaie, sous son œil, laissait l'os apparaître. Ses vêtements étaient en lambeaux, découvrant une peau déchirée et sanglante. Sa main, entaillée en plusieurs endroits, tenait encore le curieux petit revolver à crosse de nacre, maculé de sang.

Rachel prit cette main dans la sienne et la porta à ses lèvres en pleurant. Le goût du sang se mêla à celui de ses larmes et elle sentit la chair de l'étranger trembler sous ses lèvres.

Il se dégagea doucement et aida la jeune femme à se relever tandis qu'elle serrait contre elle son enfant encore effrayé. Des cadavres de moutons gisaient en tas sanglants sur l'herbe dévastée. Les bœufs avaient finalement stoppé leur course folle à l'autre bout de la pâture, bloqués par l'épais rideau de pins. Des hommes à cheval, les hommes de Hunter, galopaient entre les bêtes pour tenter de les rassembler. Les bœufs demeuraient nerveux, battant l'air de leurs queues, agitant leurs têtes où roulaient des yeux sombres et humides. Les quelques moutons qui avaient survécu au carnage erraient lamentablement en lançant des cris déchirants. Un homme se mit à fredonner une drôle de mélopée pour apaiser les bêtes. L'air était tendu comme la peau d'un tambour.

Un cavalier s'approcha. Très vite, Johnny Caïn murmura entre ses dents : « Prenez votre garçon et courez à la maison... » Rachel le regarda. Il paraissait si calme mais ses deux bras pendaient, légèrement écartés, le long du corps. Ses yeux ne quittaient pas le cow-boy qui galopait vers eux.

Elle saisit le bras de Benjo qui se mit à se tortiller pour se dégager. Resserrant son étreinte, elle l'attira sur le chemin qui menait vers la maison, vers la sécurité. Là-bas, ses frères, son père, et toute la communauté, regardaient dans leur direction, immobiles et muets. Ils avaient assisté à toute la scène sans crier, sans esquisser un geste. C'était ainsi que les Justes affrontaient les menaces venues du monde extérieur : par le silence et l'acceptation. S'il n'y avait eu l'étranger, songea confusément Rachel, son enfant serait mort.

« Nuh... Nnn... Non... »

Benjo se débattait toujours, et il enfonça ses brodequins dans la boue du chemin pour freiner leur marche. En se retournant pour le réprimander, Rachel distingua les traits du cow-boy qui venait d'arrêter son cheval près de Johnny Caïn. Il avait une barbe en pointe et ses joues gonflées par une chique de tabac étaient desséchées par le soleil. Dans ses mains pointait un fusil à gros calibre, de ceux que l'on emploie pour chasser le lynx ou le couguar. C'était l'inspecteur de bétail de Fergus Hunter. L'homme qui avait pendu Ben...

Elle s'immobilisa, un cri bloqué dans sa gorge, les yeux écarquillés. Benjo cessa de lutter et regarda, lui aussi, blême de peur.

L'homme cracha un long jet de tabac.

« Je m'appelle Woodrow Wharton, dit-il à l'étranger. Vous avez entendu parler de moi ?

— Le contraire serait étonnant », répondit Johnny Caïn de sa voix traînante.

Wharton cala son fusil sur son épaule et se mit à le viser, la tête penchée, le doigt sur la détente. De là où elle se tenait, Rachel pouvait voir ses yeux, des yeux étranges, presque incolores, mais dans lesquels tremblait une lueur insoutenable, comme lorsque le soleil se réfléchit sur la glace.

« Paraît que vous êtes un drôle de quidam, reprit Wharton. Et un tireur bougrement rapide. »

Il retroussa ses lèvres, comme un chien prêt à mordre. Rachel attendit que l'étranger prenne son revolver et le tue, oui, qu'il tue ce monstre qui avait assassiné son mari et lancé son troupeau sur les fermes des Justes. A cause de lui — encore, et toujours lui —, Benjo avait failli mourir.

Mais Johnny Caïn ne bougeait pas. Un autre cavalier venait de quitter le troupeau pour se diriger vers eux. Wharton tourna un instant la tête pour le regarder puis reporta son attention sur l'étranger.

« Mais même le meilleur tireur du monde ne peut rien faire quand il n'est pas armé, pas vrai, Caïn ? » lança-t-il en ricanant.

Toujours aussi imperturbable, Johnny Caïn gardait les yeux fixés sur la gueule noire du fusil.

« On dirait que vous avez envie de vous en servir, sir, dit-il lentement. Allez-vous enfin vous décider, ou comptez-vous nous faire périr d'ennui avec vos discours ? »

Les traits de Wharton se figèrent, et ses yeux devinrent aussi opaques qu'un verre de lait. Nerveusement, il crispa ses doigts sur la crosse de son fusil, prêt à tirer.

Un son étranglé sortit de la gorge de Benjo. Il se libéra de l'emprise de sa mère et courut vers l'étranger, suivi aussitôt par Rachel qui l'appelait, affolée. Quelque chose passa devant ses yeux et déchira l'air. Cela vrombissait comme les ailes d'un oiseau-mouche. Le cheval de Wharton se cabra soudain en hennissant, et un coup de fusil claqua. Le cœur battant, Rachel aperçut une légère fumée blanche s'élever dans l'air. Elle chercha Johnny Caïn des yeux et le vit debout, immobile. Vivant.

Ses yeux se tournèrent alors vers Wharton. Il ne tenait plus son fusil, mais fouillait sous sa veste à la recherche de son revolver tout en essayant, de l'autre main, de contenir son cheval qui continuait de se cabrer.

Elle pensa d'abord que l'étranger avait réussi à tirer sur l'inspecteur de bétail à l'aide de son arme minuscule, cachée contre sa poitrine. Mais ce n'était pas lui que Wharton, à présent, regardait avec fureur. C'était l'autre cavalier qui approchait au galop, un fusil encore fumant à la main.

La poudre fit tousser Wharton. « Sale Peau-Rouge ! grommela-t-il en essuyant ses yeux rougis par la fumée.

— Ça suffit ! » lança l'autre en gardant son fusil pointé sur l'inspecteur de bétail. Il avait une voix douce et sèche, à la fois, comme un vent de plaine.

Wharton secoua la tête, le regard orageux. « Tu oublies de quel côté tu es, mon garçon. Voilà maintenant que tu paniques comme une jeune pucelle. Ces rigolos-là sont des Justes, et tu devrais te rappeler que ton cher P'pa ne veut pas d'eux ici...

— J'ai dit que c'était assez ! » répéta l'autre.

Considérant le sujet clos, il éperonna son cheval et s'approcha de l'étranger. Les deux hommes échangèrent un long regard. Puis le nouveau venu se tourna vers Rachel et son petit garçon, qu'elle tenait étroitement serré contre elle.

Elle s'aperçut alors qu'il était plus jeune qu'elle ne l'avait cru au départ. C'était un adolescent au visage osseux, encadré par de longs cheveux d'un noir luisant. Un foulard de soie couleur de sang entourait son cou mince et brun.

Il les observa de ses yeux sombres, intenses. Inquiète, Rachel caressait les cheveux de son enfant pour l'apaiser et ce simple mouvement semblait fasciner le cow-boy, comme s'il lui rappelait un lointain paradis perdu.

« C'est votre fils ? » demanda-t-il enfin.

Rachel déglutit et hocha lentement la tête.

« Je m'appelle Quentin Hunter, le... fils du Baron », dit le jeune homme sans les quitter des yeux.

Tout en parlant, il flattait l'encolure de son cheval en sueur. « Je suis désolé que votre réunion ait été gâchée par notre faute... » Son regard parcourut la pâture dévastée, s'attarda sur la clôture brisée, sur les cadavres éparpillés des moutons au-dessus desquels, déjà, s'agglutinaient des nuages de mouches.

Sa mâchoire se crispa. « Le bétail est fou à cette époque de l'année, reprit-il après un long silence. Nous étions en train de rassembler les bêtes pour le marquage quand un coq de bruyère s'est envolé en criant. Le troupeau s'est affolé, et nous n'avons pas pu le maîtriser... »

Rachel ne dit rien. Elle ne le croyait pas. Et, de toute façon, quelle importance, maintenant ? Un goût amer, un goût de cendres, lui remplissait la bouche.

Woodrow Wharton les écoutait, les traits déformés par la colère et le mépris. Un homme aussi mauvais que lui ne pouvait pas supporter une telle humiliation, songea Rachel avec angoisse. C'était une âme enténébrée, éprise de meurtres et de vengeance.

« Vous autres, les éleveurs de moutons, feriez bien de songer à vous en aller d'ici ! » lança-t-il d'une voix rauque comme un soufflet de forge.

Éperonnant son cheval, il fit volte-face et s'éloigna sur le chemin en direction du troupeau mugissant. Le fils de Fergus Hunter le regarda un moment puis reporta à nouveau son attention sur Rachel. Elle crut qu'il allait encore lui dire quelque chose, mais les mots semblèrent rester collés au fond de sa gorge. Finalement, il donna une petite tape à son chapeau pour le caler sur sa tête, tourna bride et partit à son tour.

Les hommes du Ranch H étaient parvenus à diriger le bétail hors de la pâture. Plus calmes, maintenant, les bêtes, essoufflées par leur cavalcade, pressaient leurs flancs en une masse compacte et docile. Rachel les regarda s'éloigner dans la prairie, encadrées par les cow-boys qui sifflaient et criaient pour les encourager.

Puis ce fut le silence. Une alouette passa dans le ciel en criant. Un agneau se mit à bêler plaintivement pour appeler sa mère. Les Justes descendirent le chemin à pas lents, murmurant des prières. Sol s'arrêta devant sa clôture saccagée et la contempla d'un regard vide, accablé. La pâture ruisselait de sang, un sang qui brillait au soleil. Lévi s'agenouilla près d'une brebis morte dont les côtes blanches saillaient sous la laine maculée de rouge. Fannie Weaver se mit à geindre et arracha son tablier en le jetant au loin. Puis elle éclata en sanglots hystériques. Sadie la prit dans ses bras et la serra contre sa poitrine.

Rachel s'agenouilla près de Benjo et, à l'aide de son tablier, retira la boue qui lui maculait le visage. Elle se mit ensuite à le couvrir de baisers, laissant enfin son cœur déborder de joie et de gratitude de le voir là, devant elle, sain et sauf.

« Mmm... Mem ! »

Benjo s'arracha à ses mains et courut vers l'étranger qui s'approchait. Il blottit sa petite main dans la sienne et Johnny Caïn la serra gravement.

« Je suis très honoré de te serrer la main, Benjo Yoder, dit-il avec solennité. On peut dire que tu sais manier la fronde comme un vrai champion. »

La poitrine de Benjo se souleva d'aise, et son petit visage s'illumina de fierté. Rachel en eut les larmes aux yeux. Elle comprit enfin que c'était son fils qui avait fait se cabrer le cheval de l'inspecteur de bétail, l'empêchant ainsi de tirer sur l'étranger. Brave petit homme. Brave et loyal, comme l'était Ben.

Tendrement, elle ébouriffa les cheveux de son garçon.

« Je suis fière de toi, mon fils. Mais il faut garder le secret. N'en parle à personne. »

Le petit hocha la tête, le visage grave. Il était assez mûr, déjà, pour comprendre que ce qu'il avait fait n'obéissait pas aux stricts principes des Justes.

« De toute façon, un acte de bravoure n'a pas besoin de mots, dit Johnny Caïn. Le courage parle de lui-même. »

Le visage du gamin brillait de joie. Il se détourna pour cacher son émotion.

« Laissez-moi le tuer, Rachel, dit alors l'étranger.

— *Lieber Gott* ! s'écria-t-elle aussitôt avec une sorte de hoquet. Il n'en est pas question, Mr. Caïn ! »

Mais ces mots sonnaient faux, ils n'étaient que mensonges. Un court instant plus tôt, elle aussi avait souhaité voir Wharton tomber, mort, tué par l'étranger. Elle frissonna, comme si l'on venait de marcher sur sa tombe.

« Il ne faut pas se complaire dans la haine et la vengeance, articula-t-elle, autant pour elle-même que pour l'étranger.

— Pourtant, il ne se gêne pas, lui, pour vous abattre comme des chiens. »

Elle se rappela la gueule noire du fusil pointé sur lui. Les sabots furieux du troupeau piétinant le corps de son fils. Avalant péniblement sa salive, elle dit lentement :

« Nous sommes différents, vous et moi, Mr. Caïn. Vous pensez, vous agissez comme ceux du monde extérieur. Alors que nous, les Justes... nous devons nous en tenir aux principes dictés par notre foi. »

Il semblait ne pas l'avoir écoutée. Avançant la main, il lui caressa doucement la joue. Le contact de ses doigts la fit frémir.

« Vous vous trompez, Rachel. Nous ne sommes pas si différents, vous et moi... »

Elle fit un pas en arrière et détourna les yeux.

« Rachel ! Rachel ! Mon enfant ! »

C'était Isaiah Miller qui venait vers eux, le visage encore bouleversé par l'angoisse. Il prit sa fille dans ses bras et la serra contre son cœur.

« Tout va bien, Dad, murmura-t-elle, heureuse de sentir sa chaleur et son amour chasser le trouble que les paroles de l'étranger avaient éveillé en elle.

— Rachel, le Seigneur a été miséricordieux... »

Cette fois, c'était Noah qui parlait. Elle essaya de lui sourire mais n'y parvint pas. Tout le monde accourait en même temps, maintenant, Samuel et Abram, sa chère Mem et les jumelles, tous si précieux, si chers à son cœur.

Isaiah Miller se tourna vers Johnny Caïn. Il ôta son chapeau en un geste d'humilité.

« Des étrangers ont menacé la vie de mon petit-fils, dit-il gravement. Et vous, un étranger, vous l'avez sauvé. »

Le regard de Caïn alla de Rachel à Isaiah.

« La prochaine fois, je ne serai peut-être pas là. Vous devriez vendre et vous en aller, comme ils vous l'ont demandé. Sinon, ça tournera mal.

— *Ja...* »

L'évêque approuva d'un lent hochement de la tête. « Tout est dans la Bible, dit-il. L'exil, les souffrances. Isaac a dû fuir vers d'autres territoires et creuser de nouveaux puits. Les Philistins sont venus semer le désordre et la violence. Et voilà que vous nous demandez de partir, vous aussi. Mais moi je dis que Dieu veut éprouver notre foi. Ceux qui s'en remettent au Seigneur, envers et contre tout, sont comme la montagne de Sion qui ne peut être déplacée.

— Ce sont des arguments bien faibles devant des hommes tels que Hunter et ses cow-boys », répondit l'étranger.

Noah émit une toux de mépris et tourna les talons pour manifester ouvertement son désaccord. Samuel s'avança et pointa un doigt en direction de l'étranger.

« Vous vous prenez pour quelqu'un, hein ? Vous parlez comme le diable. Mais vous seriez raide mort, à l'heure qu'il est, si Dieu n'avait pas fait se cabrer le cheval de l'inspecteur. »

Benjo sursauta et devint pâle comme un linge. Doucement Johnny Caïn écarta la main de Samuel. Un sourire diabolique se dessina sur ses lèvres.

« Vous l'avez dit, l'ami, approuva-t-il avec sérénité. C'était un vrai miracle... »

Le crépuscule tombait lentement sur la ferme. C'était l'heure des hymnes du soir. Elles s'élevaient vers le ciel sombre, mélopée douce, lancinante, qui se mêlait aux coassements des grenouilles, au bruissement des branches.

Rachel écoutait depuis le porche de la maison paternelle. Chaque fin de dimanche, les jeunes se rassemblaient pour chanter. Au printemps, ils chantaient leur joie de vivre et les espérances de leur âge.

Mais, ce soir, c'était différent. Tout était différent. Des effluves âcres montaient de la pâture où, toute la journée, on avait brûlé les carcasses des brebis tuées par le troupeau de Hunter. Les toisons de laine avaient brûlé comme des torches de poix.

A l'autre bout du porche, *Mutter* Anna Mary faisait un *Brauche* à l'étranger pour soigner sa blessure au visage. De là où elle était, Rachel pouvait distinguer les lèvres de la vieille femme remuer en

193

cadence pendant qu'elle récitait des citations bibliques en recousant la plaie de l'étranger avec du fil à brebis.

« Il est temps que tu rentres, Rachel. »

La jeune femme se retourna. Sol se tenait devant elle, un peu gauche. Il tendit le bras et, de ses gros doigts maladroits, repoussa une mèche qui s'échappait de la coiffe de sa sœur.

Leur père était assis à la longue table de la cuisine. Le reste de la famille et Noah se tenaient debout derrière lui. Mem restait près de l'évier, le dos tourné, occupée à éplucher des pommes de terre, petite silhouette recroquevillée et soumise, comme il en avait toujours été.

« Nous avons discuté, commença Samuel, bien que ce ne soit pas à lui de parler. Tu n'as pas besoin d'engager l'étranger à la ferme. Nous, tes frères, et ton bon voisin Noah, t'apporterons toute l'aide dont tu as besoin. »

Rachel vint s'agenouiller aux pieds de son père, comme elle le faisait enfant. Elle demanda : « Et toi, Père, qu'en penses-tu ? » Isaiah posa ses deux mains à plat sur la toile cirée.

« Je vais te dire ce que je sais, ma fille. Je sais que cet homme n'est pas l'un des nôtres, qu'il ne pourra jamais être l'un des nôtres.

— Mais il n'est pas non plus comme les autres étrangers », protesta Rachel.

Samuel eut un ricanement dédaigneux. A côté de lui, Abram renifla.

« Il ne boit pas la boisson du diable, reprit Rachel, il ne fume pas l'herbe du diable. Il ne blasphème pas, il...

— Il tue, voilà ce qu'il fait ! coupa Samuel avec colère.

— Tu ne comprends pas, mon frère. Il veut arrêter cela. Il le veut vraiment ! »

Tout en parlant, elle essayait de croire que ce qu'elle disait était vrai, que l'étranger voulait *vraiment* s'arrêter.

« Il a apporté un revolver à la prédication, dit Noah d'un ton rude.

— Un revolver qui a sauvé la vie de notre Benjo !

— Peut-être Dieu voulait-il que l'enfant meure... »

Rachel se tourna vers Noah d'un bloc. « Ne dis pas ça ! cria-t-elle. Comment oses-tu parler ainsi ! »

Les joues du diacre se marbrèrent de rouge. Il pinça les lèvres et détourna les yeux.

Isaiah posa une main sur la tête de sa fille.

« Il est vrai que l'étranger a fait du bien pour nous, aujourd'hui, intervint-il, mais il n'en demeure pas moins qu'il n'y a qu'une seule foi pour les Justes. Cet homme n'est pas des nôtres. »

Sous le poids de cette main, Rachel se sentit redevenir une toute petite fille.

« Je n'ai rien fait qui soit contraire à nos règles, Père. J'ai seulement voulu engager un homme à la ferme pour les gros travaux que je ne peux accomplir seule.

— Facile à arranger, lança Samuel. Tu n'as qu'à te remarier. »

Rachel leva la tête. Ignorant ses frères et Noah, elle n'avait d'yeux que pour son père. « Ben est toujours dans mon cœur, Dad », dit-elle doucement.

Samuel eut un petit rire entendu. « Tu es sûre que ce n'est pas plutôt l'étranger qui a su te séduire, petite sœur ? »

Rachel pinça les lèvres.

« Tu as de mauvaises pensées, Samuel Miller. L'étranger dort dans le chariot de berger. »

Samuel leva les bras pour prendre le reste des hommes à témoin. « C'est ce que tu dis ! Mais, la vérité, c'est que notre père a élevé quatre fils, et aucun ne lui a causé autant d'ennuis que toi ! »

Rachel attendit que son père proteste, mais il demeura enfermé dans son silence. Alors, elle s'accrocha à sa veste en grosse toile pour le forcer à la regarder. D'un geste ferme, il la repoussa.

Samuel n'en avait pas fini avec ses récriminations. Il pointa un doigt accusateur vers sa sœur en s'écriant : « Si cet *Englischer* reste cet été, quand finira la saison, il devra partir et toi, te marier ! »

Rachel regarda Noah qui la couvait d'un regard brûlant, désespéré. Il portait son amour pour elle comme un fardeau, comme une maladie qui lui rongeait le cœur.

De nouveau, elle regarda son père dans l'espoir qu'il la défendrait, qu'il la protégerait. Comme rien ne venait, elle courba la tête, résignée.

« C'est bon, dit-elle enfin. Je veux que l'étranger reste cet été avec moi. Et, à la prochaine saison, je me marierai avec Noah. »

Chapitre 14

Le coassement des grenouilles s'élevait dans le crépuscule bleuté, et sa cadence riche et profonde se mêlait au bruissement des herbes hautes sous la brise du soir. La tête baissée, Rachel longeait l'étang à la recherche de fleurs sauvages. Elle se sentait écorchée jusqu'à l'âme.

Elle savait que l'étranger finirait par la trouver, elle souhaitait même de toutes ses forces qu'il la trouve. Mais, quand elle le vit s'approcher, elle lui tourna le dos et se mit à cueillir fébrilement des campanules. Sa jupe et ses chaussures étaient couvertes de terre et elle frissonna dans l'humidité du soir.

D'un seul regard, l'étranger comprit son trouble.

« Qu'est-ce qu'ils vous ont fait ?

— Rien. »

Elle se redressa, les fleurs à la main, mais sans parvenir à le regarder. « Qu'est-ce que vous imaginiez ? Qu'ils m'auraient battue ? » Elle crispa son poing si fort que les campanules, à demi étouffées, penchèrent misérablement la tête. « Oh, reprit-elle d'un ton faussement dégagé, Samuel et moi avons bien eu une petite discussion mais... »

Des larmes se mirent à couler sur ses joues et elle se mordit la lèvre, incapable de jouer plus longtemps la comédie.

« Ils veulent que je m'en aille, n'est-ce pas ? » demanda l'étranger.

Sa silhouette se découpait sur le ciel opalin qui bleuissait de plus en plus au-dessus des montagnes.

« J'ai promis à Noah de l'épouser à la prochaine saison », dit Rachel.

Il demeura silencieux. Comme s'il ne comprenait pas ce qu'une telle promesse avait pu coûter. A moins qu'il ne s'en soucie pas, pensa-t-elle avec un pincement au cœur.

Tenant les fleurs contre elle, Rachel se fraya un chemin à travers les herbes hautes pour se diriger vers le cimetière. L'étranger lui emboîta le pas jusqu'à la tombe de Ben où elle déposa le bouquet de campanules déjà tout fripé. Puis, comme le plus naturel des gestes, il s'agenouilla à ses côtés et la prit dans ses bras. Alors seulement, Rachel s'aperçut qu'elle pleurait.

« Laissez-vous aller, murmura-t-il en la serrant contre lui. Pleurez... Cela vous fera du bien. »

Elle s'accrocha à sa veste comme elle le faisait, enfant, dans les bras de son père, quand le chagrin la submergeait. L'étranger lui caressait les cheveux et le dos pour l'apaiser.

A travers ses larmes, elle s'entendit lui dire :

« Je voudrais tant que vous restiez... »

Appuyé contre les planches inégales de l'étable à agneaux, Mose mâchonnait un brin d'herbe tout en écoutant les plaisanteries et les histoires lestes que les *Buwe*, rassemblés près des chariots, échangeaient entre eux. Des histoires osées, émaillées de tout le vocabulaire interdit que les jeunes garçons pouvaient bien connaître. On s'esclaffait, on surenchérissait, c'était comme ça tous les dimanches après le culte, songea Mose avec ennui. Tous ces gamins se prenaient pour des durs alors que les pires actions qu'ils avaient pu commettre étaient de clouer les brodequins de leur frère au mur de la grange ou, encore, d'enduire de purée de pommes la lunette des cabinets.

Des histoires de gosses, tout ça... La vérité, se dit Mose, c'est qu'aucun d'eux ne savait distinguer la différence entre un pénis et un simple ver de terre. Même avec une lanterne et par nuit de pleine lune. Ils ne connaissaient rien à la vie.

Leurs rires avaient attiré l'attention des *Meed*, encore assises à la grande table. Leurs tabliers et leurs châles blancs luisaient comme des lucioles dans le crépuscule gris. Les filles, naturellement, n'étaient pas censées regarder du côté des *Buwe* mais beaucoup le faisaient quand même.

Pas Gracie Zook, pourtant. De sa vie, elle n'avait enfreint une seule règle.

De là où il se trouvait, Mose pouvait l'apercevoir, sagement assise, le dos bien droit, parmi les autres adolescentes. Elle se tenait toujours la tête un peu haute, ce qui faisait dire à certains que c'était une prétentieuse. Mais Mose savait bien qu'il n'y avait rien de vrai dans ces racontars. Gracie était Gracie, voilà tout.

Il cracha son brin d'herbe et se dirigea d'un pas lent vers la grande table, ses lourdes chaussures écrasant les herbes épaisses sur leur passage. Quand il fut tout près, Gracie veilla à ne pas le regarder. Encore une habitude des Justes. Ne pas montrer ses inclinations, même si tout le monde savait qui fréquentait qui.

Une des autres *Meed* fit craquer une allumette au-dessus de la mèche d'une lanterne et la lumière se répandit comme une flaque sur la table. Maintenant, Mose pouvait voir clairement Gracie, ses jolies boucles couleur de miel qui frangeaient sa coiffe noire, son petit nez retroussé, le creux émouvant au-desus de la lèvre supérieure.

Il la connaissait depuis toujours mais, parfois, sans raison particulière, le seul fait de la regarder, comme maintenant, le mettait dans tous ses états.

Il glissa ses pouces dans la ceinture de son pantalon, se déhancha pour prendre une posture avantageuse et risqua un sourire aussi engageant que possible.

« *Har*, Gracie. »

Elle devint aussi rouge qu'une betterave, mais répondit plutôt froidement. « *Har* à toi aussi, Mose Weaver. »

Il tourna et retourna les mots dans sa tête puis se lança :

« Tu viens faire un tour ? »

Gracie le dévisagea. « Où ça ?

— San Francisco, ça t'irait ? A moins que tu ne préfères Chicago ? »

Gracie consentit enfin à sourire. « Toi, alors...

— Allez, viens. »

Il lui tendit la main et, après un bref instant d'hésitation, Gracie la prit et se leva de table. Ils se dirigèrent vers la rangée de peupliers, à l'ouest de la maison, là où la ligne sombre des arbres se profilait contre le ciel comme une garnison de sentinelles. Mose n'avait pas lâché la petite main rêche de Gracie, gercée par les durs travaux de la ferme. Une main bien différente de celle de miss Marilee...

Mose avait beaucoup repensé à elle ces derniers temps. En fait, il pensait à toutes les filles de sa connaissance, les comparant, les évaluant, essayant de se les représenter nues.

Il pensa aux seins de Marilee, des seins sûrement pleins et lourds, appétissants comme des fruits mûrs et ornés de jolies pointes roses. Les seins de Gracie, eux, devaient être tout petits, à peine de quoi remplir sa main, avec des pointes brunes qui ressemblaient à des glands de chêne. Entre les jambes, Marilee devait avoir une jolie toison dorée, frisée comme le lichen qui recouvre les rochers de l'étang. Rien de tel avec Gracie, pour sûr. Mose imagina son sexe habillé de poils sombres et lisses, comme la fourrure d'une loutre.

Secouant la tête, il s'efforça de chasser ces images sulfureuses. Judas ! Il devenait vraiment dépravé pour songer à de telles choses le jour du Seigneur !

Il risqua un coup d'œil à Gracie, comme s'il s'attendait, d'un seul coup, à la voir nue. Mais la jeune fille était bien empaquetée des pieds à la tête dans sa jupe ample, son tablier, son châle et sa coiffe. Elle gardait les lèvres serrées, comme si elle avait deviné ses mauvaises pensées.

Voyant qu'il la regardait, elle s'arrêta, libéra sa main et se tourna vers lui. « Pourquoi te conduis-tu de manière si déréglée, Mose ? demanda-t-elle soudain.

— Mais je n'ai rien fait ! » protesta-t-il en levant les bras pour prendre le ciel à témoin.

En vérité, il se sentait plutôt coupable, mais il pensa qu'aujourd'hui, il n'en était plus à un péché près.

« Regarde, dit-il en montrant ses vêtements. Je me suis même habillé en Juste aujourd'hui. »

Elle eut une moue sceptique. « Tu sais très bien que je ne parle pas d'aujourd'hui. »

Il commençait à faire sombre, trop sombre pour que Mose puisse distinguer son visage, et c'était mieux comme ça. Il ne voulait pas voir l'expression blessée de ses grands yeux bruns.

Si seulement il parvenait à lui faire comprendre ce qui n'allait pas en lui. Elle était si forte, sa Gracie. Peut-être parviendrait-elle à l'aider à remettre de l'ordre dans le chaos de ses pensées.

« Tu n'as jamais eu envie d'aller au spectacle, Gracie ? Ou au cirque, voir des éléphants et des tigres ?

— La semaine dernière, un puma est descendu de la montagne et il a tué trois de nos agneaux. Connais-tu le cri de ces fauves ? Moi, oui. Quand je l'ai entendu, je suis sortie de la maison en courant et je l'ai vu dans la pâture, en train d'égorger un agneau. Et tu t'imagines que j'ai envie de voir un tigre au cirque ? »

Il leva une main impatiente. « C'est bon, n'en parlons plus. Sais-tu seulement, Gracie, qu'il existe dans ce pays des villes immenses ? New York City, par exemple. Là-bas, on y trouve des gens venus de tous les coins du monde et, aussi, des inventions, comme le téléphone et la lumière électrique. »

Elle le toisa, le dos bien droit, le menton levé.

« La lumière électrique, le téléphone, ce sont des choses diaboliques, énonça-t-elle d'un ton sec. Pourquoi veux-tu avoir commerce avec elles ?

— Peut-être, justement, pour connaître la vérité à propos du diable, pour me rapprocher du bien. »

Elle secoua la tête avec contrariété. « Oh ! Mose, tu ne sais donc pas encore ce qui est bien et ce qui est mal ? Regarde... (D'un geste large du bras, elle désigna la ferme et les champs.) Voilà ce qui est bien. Notre travail, nos familles, et l'Église. La vie que nous construirons ensemble, les enfants que nous aurons. »

Mose réprima un soupir. Gracie avait raison, naturellement. Lui aussi aimait toutes ces choses-là. Ces choses qui représentaient le *bien*. Du moins, les avait-il aimées jusqu'à présent. Mais le temps passait et, avec lui, les pensées, les sentiments, changeaient.

Ils s'assirent dans l'herbe, sous les peupliers. Les cris des enfants qui jouaient près de la mare leur parvenaient, portés par la brise du soir. Mose aperçut Benjo, occupé à jouer avec une luciole.

« C'est quelque chose, ce qu'il a fait, l'étranger, tout à l'heure, dit-il, rêveur. Je voudrais être comme lui. Savoir assez de choses, avoir vécu suffisamment d'expériences, pour me sentir fort et brave le reste de mon existence. Assez brave pour m'avancer dans le monde et regarder en face le diable en personne. »

Gracie réfléchit quelques instants à cette déclaration.

« L'étranger ne regarde pas le diable en face, dit-elle finalement. Il s'assied à sa table pour souper avec lui. Il n'est pas fort et brave comme tu le dis. C'est une âme égarée.

— Et si c'était nous qui étions égarés ? rétorqua Mose, impatienté. S'il n'y avait pas eu l'étranger, Benjo Yoder serait mort à l'heure qu'il est, et tout ce que nous aurions fait, c'est de *prier*. »

Il la prit par les épaules pour la forcer à le regarder. « *Aw*, Gracie. Tu as tant de certitudes ! Et si toutes nos croyances étaient fausses ? Serait-donc un si grand péché si tu décidais, un beau matin, de faire quatre plis à ta coiffe au lieu de trois ? Crois-tu que cela suffirait à t'envoyer en enfer ? »

Agacée, elle se dégagea.

« Ce n'est pas si simple que cela. Et tu le sais bien. »

Mose se mordit la lèvre et s'enferma dans un silence têtu. Gracie ne comprenait pas. Elle ne comprenait rien, finalement. Cette façon que les Justes avaient de vivre leurs principes, sans jamais se remettre en question, sans même se soucier de porter secours à un enfant en danger lorsque cela s'avérait nécessaire, non, ce n'était pas simple. C'était troublant, dérangeant. Pour les Justes, il faut accepter sans faillir tout le *kitenkabutal*, sans quoi on est damné. Ah, les belles convictions que voilà !

Et sa Gracie qui se tenait là, à le regarder de ses grands yeux francs, attendant de lui ce qu'il ne pouvait pas donner. Il se mit soudain à la haïr, presque autant qu'il se haïssait lui-même.

D'une voix sourde, il dit très vite : « Je sais ce que tu veux, Grace Zook, tu veux ce que les filles de chez nous ont toujours désiré : le mariage, une famille. Tu veux que je te demande de m'épouser, que je rejoigne bien sagement l'Église. »

Il se leva brusquement et s'écarta d'elle.

« Tout ce que tu sais faire, reprit-il, de plus en plus nerveux, c'est de confectionner des kilts que tu empiles, bien alignés, dans ton armoire, en espérant qu'un jour, tu pourras les étaler sur le lit conjugal. Eh bien, sache-le, Grace Zook, je ne suis pas encore prêt à me laisser ligoter par les rubans d'une coiffe ! »

Et, sur ces mots, il s'éloigna à grandes enjambées vers la maison, sans se retourner.

Le seau de nourriture était posé à côté de la porte, attendant d'être porté dehors et versé dans l'auge des cochons. Une tâche simple, quotidienne. Pourtant, à chaque fois que le regard de Fannie Weaver se posait sur ce seau, c'était comme si toutes les fibres de son corps se mettaient à hurler en même temps.

Dehors, il faisait nuit, il n'y avait que le ciel noir, le ciel noir et vide du Montana. Même protégée par les solides rondins en bois de la maison, Fannie sentait ce ciel lui peser sur la tête, l'écraser de toute sa ténébreuse immensité.

Le seau était toujours là, comme un reproche silencieux. Si elle l'abandonnait sur le seuil jusqu'au lendemain matin, il sentirait encore plus mauvais, et Noah serait furieux. Elle pouvait apercevoir son frère par la porte entrouverte de la chambre, assis au bord de son lit, la Bible serrée entre ses mains, priant à voix basse dans le cercle de lumière distillé par la lampe.

« Noah ? »

Il leva les yeux à contrecœur, et son regard la traversa fugitivement avant de revenir à la Bible ouverte sur ses genoux. Fannie réprima un soupir, essuya ses mains humides sur son tablier. Si Mose avait été là, pensa-t-elle, irritée, elle lui aurait demandé de porter le seau dehors. Mais, comme toujours, ce maudit garçon courait la campagne.

Elle jeta un regard circulaire à la cuisine, une pièce austère au plancher de pin nu, meublée d'une simple table de chêne et de quatre chaises, d'un lit bas où dormait Mose et d'un fourneau noir et ventru. Une vraie cuisine de Juste.

Fannie ferma les yeux, les rouvrit et s'obligea à faire un pas en avant. Les battements de son cœur remplissaient ses oreilles de tonnerre. Lentement, elle traversa la cuisine et atteignit la porte d'entrée. A peine avait-elle soulevé le loquet grinçant que le vent, aussitôt, se glissa à l'intérieur de la maison, insinuant, aigre. Le vent détestable du Montana.

Prudemment, elle ouvrit le battant et risqua un œil dehors, juste au moment où une chauve-souris s'envolait du toit avec un claquement frénétique d'ailes.

Fannie cria et claqua la porte si fort que toute la maison s'en trouva ébranlée.

« *Vas geht ?* » s'exclama Noah.

Il leva à nouveau les yeux et vit sa sœur traverser la cuisine comme un ouragan, courir à sa chambre et claquer la porte derrière elle avec l'énergie du désespoir.

« Fannie ? »

Appuyée contre le battant, la respiration saccadée, elle resta muette.

Noah frappa à la porte. « Fannie ? *Vie gehts ?* »

Un gémissement sourd lui répondit. Puis ce fut de nouveau le silence. Avec un soupir, Noah s'éloigna de la porte à pas lourds et regagna sa propre chambre.

Fannie se laissa glisser sur le sol et se retrouva assise, les jambes repliées sous elle, la poitrine oppressée. « Je veux être seule ! » dit-elle enfin à haute voix.

Mais elle savait bien que son frère ne pouvait plus l'entendre. C'était pour elle qu'elle parlait. Pour elle seule. Et, d'ailleurs, *qui* l'écoutait ? Elle n'était qu'une ombre dans cette maison, tout juste bonne à travailler, à supporter.

Les mots se bousculaient derrière ses lèvres, amers, suppliants. *Ne me quitte pas, ne me quitte pas... Je me sens si seule... si seule.*

Elle serra les paupières très fort pour retenir ses larmes, mais ce fut peine perdue. Elles se glissèrent à travers ces cils pour ruisseler sur ses joues comme des ruisseaux au printemps, coulant le long du nez, dans la bouche, dans les oreilles, jusque dans la gorge. Elles coulèrent, coulèrent, jusqu'à ce que Fannie ait l'impression de ne plus avoir une seule goutte d'eau dans le corps.

Épuisée, elle chercha son mouchoir, se moucha, puis se remit péniblement sur ses pieds en s'appuyant au mur. Elle n'avait que trente-cinq ans mais elle se sentait aussi vieille que le monde.

La lampe à huile diffusait une douce lumière jaune dans la chambre mais, comme tous les soirs, Fannie prit le chandelier de cuivre, alluma la bougie et s'assit lourdement sur le lit, les yeux fixés sur la flamme.

Elle aimait regarder cette flamme et s'endormir dans sa lueur tremblotante. Noah lui avait dit qu'elle n'était qu'une gaspilleuse de laisser la bougie se consumer ainsi jusqu'à l'aube. Il répétait toujours qu'elle finirait par mettre le feu à la maison. Alors Fannie plaçait le chandelier dans une assiette remplie d'eau et achetait les bougies les moins chères, celles en suif de buffle. Elles sentaient si mauvais que son nez en était tout irrité.

Avec des gestes lents, elle se déshabilla en silence tout en récitant mentalement ses prières. Puis elle se glissa dans les draps froids et rêches, des draps qui sentaient la lessive de soude. Le lit était large, assez large pour deux. C'était un lit plein de vide et de solitude.

Sa chambre ne comportait pas de fenêtre. On ne pouvait voir ni la nuit ni le ciel. Mais Fannie savait bien qu'ils étaient là, bruissant de vies furtives et rampantes, lourds de dangers inconnus et terribles. Oh, mon Dieu, comme elle détestait la nuit.

Elle pria encore un peu jusqu'à ce qu'elle entende Mose rentrer. Enfin, pensa-t-elle. Il n'était pas resté avec cette Gracie Zook toute la nuit. Elle détestait Gracie, avec ses manières hautaines, avec sa jeunesse pleine de convictions. Haïr était un péché, bien sûr. Mais, quand venait la nuit, il était si facile de pécher.

Et, maintenant, Gracie essayait de lui prendre Mose. Exactement comme Rachel avait pris Ben.

Ben...

Elle se mordit les lèvres au sang pour s'empêcher de prononcer ce nom à haute voix. Ses bras se refermèrent convulsivement autour de l'oreiller qu'elle cala contre son ventre, en serrant de toutes ses forces, comme pour mieux supprimer le vide à l'intérieur de son corps, ce vide brûlant qui lui rongeait les entrailles.

Chapitre 15

Cette année-là, la chaleur s'abattit tôt sur la vallée.

Une brume s'était formée dans les montagnes et restait suspendue aux cimes comme la fumée des cigares au plafond d'un saloon. Mais, au-dessus, le ciel flamboyait, si bleu qu'on ne pouvait le fixer longtemps des yeux. Sur les chemins, la boue s'était transformée en une croûte craquelée que les sabots des bêtes, les bottes et les roues des chariots réduisaient en poussière.

Les gens disaient qu'une période de sécheresse s'annonçait et tout le monde priait pour qu'il pleuve, même ceux qui n'avaient que de lointains rapports avec le Seigneur.

Mais il ne pleuvait pas. Ce matin-là, le soleil avait déjà pompé la faible rosée de la nuit et le vent tomba de bonne heure. A midi, une masse d'air lourde comme du plomb étouffait la vallée.

« Ne dirait-on pas un beau jour d'été en ce printemps ? dit gaiement Rachel tout en aidant l'étranger à charger le chariot de pots de fromage caillés. Les cigales chantaient avant même que le soleil ne soit levé. »

Caïn essuya la sueur qui coulait sur son front et grommela quelque chose qu'elle ne comprit pas. La chaleur le rendait grognon, pensat-elle en réprimant un sourire. Il faisait chaud, c'est vrai, mais il y avait ce joli ciel au-dessus de leur tête. Les parfums épicés de l'herbe chaude et de la sauge flottaient au-dessus des pâtures. Devant la remise, un bouquet de jacinthes avait éclos pendant la nuit dans une explosion de rose et de mauve. C'était un spectacle si charmant que le cœur de Rachel se remplissait de joie chaque fois qu'elle posait les yeux dessus.

Lorsqu'il lui fallait se rendre à Miawa City, Rachel se sentait toujours oppressée, inquiète. Elle redoutait les regards des étrangers, leurs quolibets cruels, leur hostilité. Mais, aujourd'hui, tout était différent puisque Johnny Caïn l'accompagnait. L'anxiété avait fait place à l'excitation, le plaisir de vivre une sorte d'aventure.

Benjo les rejoignit et ils s'installèrent tous trois dans le chariot. La jument s'ébranla lentement, ses sabots tambourinant sur le sol dur. Ce fut un concert de grincements, de cliquètements tandis que le chariot vacillait et tressautait au creux des ornières.

Rachel était heureuse de se trouver là, assise près de l'étranger, Benjo blotti contre elle. Les beaux vêtements de Caïn avaient été lacérés sous les sabots du troupeau de Hunter, de sorte qu'il ne portait plus seulement une chemise de Ben, à présent, mais aussi ses pantalons de grosse toile et son feutre. Mais il conservait toujours cette touche d'élégance qui lui était propre : une façon particulière, par exemple, d'incliner le chapeau sur un œil, une allure générale de désinvolture et de grâce. L'étranger portait encore ses bottes à coutures surpiquées, ses bretelles noires et, aussi son revolver.

La vallée du Miawa ondulait sous la chaleur, comme les rayures bosselées d'une planche à laver. Au loin, la ville de Miawa City se nichait au milieu des collines et des buttes rocheuses. Un ruisseau argenté serpentait parmi les saules et les trembles avant de s'aventurer parmi les bâtiments délabrés de la petite ville, des maisons en rondins couvertes de tôle rouillée, que les intempéries avaient pâlies, jusqu'à leur donner la couleur de vieux ossements de buffle.

Une seule route menait à la place centrale mais un poteau indicateur, au sommet de la côte, s'entêtait à renseigner le voyageur sur une route à laquelle il ne pouvait cependant échapper. Caïn ralentit l'allure pour prendre le temps de contempler la petite vallée.

« Et dire que l'on appelle ça une ville », soupira-t-il.

Rachel mit sa main en visière pour se protéger du soleil qui se reflétait sur les tas de boîtes en fer-blanc et de bouteilles accumulées au bord du ruisseau.

« On y trouve pourtant une église, dit-elle, mais le prêtre n'y vient que deux fois l'an, quand il fait sa tournée. Il y a aussi une école avec un mât où flotte le drapeau américain. Un jour, un ivrogne s'est amusé à tirer dessus et on y compte aujourd'hui plus d'étoiles que d'États américains. »

Benjo s'agita sur son siège.

« D... Dis-lui com... comment on a baptisé la ville, Mem. »

Rachel sourit.

« C'était il y a longtemps, avant que l'homme blanc ne vienne s'installer dans cette vallée. Il y avait ici un guerrier Pied-Noir du nom de Mia-Wa qui comptait parmi les plus malchanceux de tous les Indiens. Une nuit, il voulut allumer un feu de camp et mit le feu à toute la prairie. Un autre jour il partit à la chasse au buffle et, pour finir, provoqua la panique dans le troupeau qui s'en alla piétiner tous les tipis du village. Sans parler de cette fois où, tirant sur une gélinotte bien dodue, il rata sa proie et planta sa flèche dans le pied de son chef...

— C... c'est pas comme ça que P'pa racontait... protesta Benjo. Il di... disait que la flèche avait att... att... atterri dans son derrière ! »

Rachel jeta un coup d'œil à son fils. « Quoi qu'il en soit, les autres Indiens furent tellement fatigués par toutes ces catastrophes qu'il décidèrent de bannir à jamais Mia-Wa de la vallée. Mais ne me demandez pas pourquoi ils ont décidé de donner son nom à ces lieux...

— Peut-être, suggéra l'étranger, parce qu'ils étaient si contents de le voir déguerpir qu'ils ont décidé de commémorer l'événement. »

Rachel se mit à rire. Son regard croisa celui de l'étranger, s'attarda, puis se détourna.

Le chariot se remit en marche et longea des tipis en peau d'antilope que quelques Pieds-Noirs moins sauvages avaient installés le long du ruisseau. En passant, Rachel vit de la fumée sortir de l'un d'eux, comme si quelqu'un y fumait la pipe.

Puis ils longèrent le cimetière. Une paire de bottes avait été accrochée à la stèle d'une tombe et se balançait sous le vent. Plus loin se dressait une maison de planches grises à deux étages, entourée d'une double galerie et ornée, sur le devant, d'une lanterne rouge en forme de locomotive. Trois femmes en peignoirs de soie et bigoudis bavardaient, assises sur la rambarde du porche, tels des oiseaux au plumage coloré.

« C... C'est la maison des jézabels », annonça Benjo à haute voix.

Les femmes l'entendirent et se mirent à rire. Rachel attrapa le bras de son fils pointé vers la maison. « Au lieu de te rendre intéressant, chasse plutôt les mouches qui s'en prennent à mes fromages ! »

Le gamin se retourna pour s'emparer d'une branche de saule au fond du chariot et l'agiter de toutes ses forces au-dessus des cageots. Le chariot passa en cahotant devant la maison close et Rachel détourna pudiquement les yeux. Mais son imagination ne se montra pas aussi disciplinée. Des images dansèrent dans sa tête, des images de péché. Elle vit défiler des lits doux et blancs, couverts de duvets en plumes d'oie frangés de dentelle. Elle crut sentir contre sa peau la caresse des draps satinés, entendre leur froufroutement soyeux. Une musique langoureuse montait d'un piano d'acajou, en bas, dans le salon, tandis que sur le lit, un homme et une femme nus roulaient, enlacés. Elle reconnut leurs visages.

Les joues soudain brûlantes, Rachel se sentit parcourue d'un grand frisson. Mon Dieu, comment avait-elle pu se laisser aller à des pensées aussi pécheresses ?

Elle ferma les yeux, les rouvrit et vit que le chariot s'était, entre-temps, immobilisé sur la place centrale de Miawa City.

L'étranger sauta à terre, prit la jeune femme par la taille et, d'un mouvement souple, l'enleva dans les airs. Elle fut si surprise qu'elle s'accrocha à ses épaules comme une enfant.

« Il n'est pas nécessaire que vous vous mouilliez les pieds », dit Caïn en la déposant délicatement sur le trottoir en planches.

Pendant quelques secondes, leurs deux visages furent tout près l'un de l'autre, si près que leurs lèvres auraient pu se toucher. Un peu étourdie, elle baissa les yeux et vit que le caniveau ruisselait d'une eau sale et boueuse où flottaient un rat mort et toutes sortes d'immondices.

Clignant des yeux sous le soleil, elle jeta un regard circulaire sur la Grande Rue. Il faisait chaud, trop chaud, et seuls quelques flâneurs hantaient les trottoirs. Les devantures des quelques commerces de la ville n'attiraient, à cette heure, que de rares passants — le magasin Tulle & Frères, avec son store vert et blanc tout décoloré, le Bazar Wang, la petite échoppe du coiffeur, un établissement de bains publics et quatre ou cinq bastringues. Un chariot bâché passa à vive allure, soulevant un nuage de poussière.

« Nous ferions mieux de mettre ces pots de fromage à l'abri du soleil », dit Caïn à Benjo.

Ils déchargèrent la marchandise pour la porter chez Tulle et Rachel vit que l'étranger grimaçait de douleur chaque fois qu'il déposait un cageot à terre. Le matin, alors qu'il se lavait à la pompe de la cour, Rachel avait vu que son torse portait encore les traces de multiples contusions. Les sabots du troupeau de Fergus Hunter avaient martelé sa chair déjà meurtrie par les balles.

Elle s'approcha de lui. « Pourquoi n'allez-vous pas vous montrer à Doc Henry ? Peut-être avez-vous des côtes cassées. »

Il leva la tête pour la regarder. « *Aw*, Rachel, elles ne sont pas cassées. Sinon, je le saurais. »

Et il reprit son travail comme si de rien n'était. La jeune femme recula d'un pas, l'esprit en déroute. Voilà qu'il l'appelait à nouveau « Rachel »... Mais elle n'aurait su dire si cet accès de familiarité était intentionnel ou, seulement, un moment de distraction.

« Quand nous en aurons fini, dit Caïn à Benjo, je vais aller m'acheter un cheval. Tu m'aideras à le choisir ? »

Benjo le regarda comme s'il venait de lui proposer la lune.

« Un cheval ? » s'étonna Rachel.

Caïn tendit à Benjo un autre pot de fromage. « Lady, si je suis obligé, un jour, de m'en aller rapidement de chez vous, ce n'est pas sur cette jument endormie que je réussirai à le faire...

— Oh ! »

Déconcertée, elle ne trouva rien d'autre à dire. La seule idée de le voir quitter la maison lui était insupportable.

« Les chevaux coûtent cher... »

Il prit un air étonné. « Vous croyez que je n'arriverai pas à le payer avec votre salaire ? » Faisant mine de réfléchir, il calcula à haute voix : « ... Voyons... un dollar par jour... hum ! A moins d'attaquer une banque, je ferais bien de me servir de ceci... »

Et, sur ces mots, il lança un objet en l'air. Benjo le rattrapa au vol. C'était une pochette de cuir que le garçon ouvrit avec empressement. Sa bouche s'arrondit de stupéfaction lorsqu'il découvrit à l'intérieur une liasse de billets verts.

« *Barmlich !* s'exclama Rachel. Où... où avez-vous trouvé cet argent ?

— Je le gardais dans la poche de mon manteau.

— Mais... comment l'avez-vous gagné ?

— En jouant aux courses. »

Une grosse voiture à plateau les dépassa dans un bruit de tonnerre.

« J'ai dit à mon père que vous ne vous adonniez pas à ces jeux diaboliques », dit Rachel avec raideur.

Les lèvres de l'étranger se retroussèrent pour dessiner un de ces sourires diaboliques dont il avait le secret. « Uh-Uh... », fit-il en ôtant son chapeau pour se passer la main dans les cheveux. Des cheveux aussi longs que ceux des hommes Justes, songea Rachel en le regardant. Puis il remit son chapeau sur sa tête et lui administra une petite tape pour qu'il reprenne son inclinaison insolente.

« Je vais essayer de bien me conduire aujourd'hui, Mrs. Yoder, mais je ne vous promets rien. »

Posant un bras sur l'épaule de Benjo, il ajouta : « Viens, l'ami. Allons choisir ce cheval... »

Rachel les regarda s'éloigner sur le trottoir de bois. Le cœur lourd, elle se sentit envahie par un étrange sentiment d'abandon.

« Allongez-vous. »

Marilee se hissa sur le coussin de cuir noir et écarta les genoux. Elle prit une profonde inspiration, tenta de faire le vide dans son esprit et fixa le plafond de ses yeux grands ouverts. Regarder les plafonds, elle en avait l'habitude, et ce n'était pas ce qu'elle préférait. Mais ce plafond-là, au moins, n'était pas constellé de trous laissés par les coups de revolver...

« Pour l'amour du ciel, essayez de vous détendre, grogna Lucas Henry. On dirait que vous n'avez pas l'habitude de vous coucher sur le dos ! »

Une douleur s'éveilla dans le ventre de Marilee. Elle serra les dents tandis que les doigts du médecin s'introduisaient en elle pour palper ses entrailles avec adresse et douceur.

Souffrir, encore souffrir... Comme si elle n'en avait pas l'habitude ! Les coups durs, elle connaissait, tout comme ouvrir les jambes... Il n'était pourtant pas nécessaire que Doc Henry se montre si cynique à son égard. Ses paroles l'avaient blessée. Mais, bien sûr, elle n'était qu'une putain, un objet de plaisir dont on n'imaginait même pas qu'il puisse éprouver des sentiments. A quoi s'attendait-elle d'autre ?

« Vous êtes méchant », dit-elle, en sentant les larmes lui piquer les yeux.

Elle se reprocha cet instant de faiblesse et pinça les lèvres, de peur de se laisser aller à des paroles inconsidérées. D'habitude, elle cachait mieux ses émotions.

Un calme lourd régnait dans la pièce. Il faisait chaud. Trop chaud.

Doc Henry se redressa et alla se laver les mains dans une cuvette en porcelaine. « Marilee, ma douce Marilee, pardonnez-moi, dit-il d'une voix mal assurée. Mes propos étaient tout à fait déplacés, j'en conviens. Mettez cela sur le compte de la fatigue, ou de la boisson, ou des deux... »

Elle restait là, à regarder le plafond, les jambes toujours ouvertes, bien qu'il semblât en avoir terminé avec elle. Doc était comme ça : tantôt odieux, tantôt gentleman, passant d'un état à l'autre sans crier gare. Mais elle l'aimait tel qu'il était, quoi qu'il fasse et quoi qu'il dise.

Pour lui, elle n'était rien d'autre qu'un instant de volupté, un petit quart d'heure d'abandon qu'il partageait avec elle deux fois par mois, le samedi soir, parce qu'elle lui plaisait et qu'elle savait si bien ce qui lui faisait plaisir...

Le visage du médecin apparut à nouveau au-dessus d'elle, flottant comme une apparition dans l'air chaud de la pièce. Elle vit une mèche lui barrer le front et se retint de ne pas lever une main pour la remettre tendrement en place.

« Ma foi, dit-il en souriant, vous êtes dans une situation intéressante, ma chère... »

Marilee s'assit brusquement et exhala un gémissement. « Oh non ! *Pas ça !* Je... »

Une violente nausée lui tordit l'estomac. Appuyant les deux mains contre son ventre, elle se mit à se balancer, les yeux fermés, étourdie par un vertige.

Doc Henry avait reculé de quelques pas et la regardait du coin de l'œil.

« Voulez-vous la cuvette ? »

Elle fit non de la tête et sentit la nausée se calmer peu à peu. Respirant par petits coups, comme un chaton que l'on vient de tirer hors de l'eau, elle rouvrit les yeux et le regarda avec ressentiment. « Tout ça, c'est de votre faute, Doc ! Que le diable vous emporte ! »

Il leva un sourcil finement arqué en lissant sa moustache d'un air perplexe. « Ma faute ? Quelle tortueuse logique féminine peut bien vous amener à penser de pareilles choses ?

— Ce médicament préventif que vous disiez avoir mis au point, il n'empêche rien du tout ! D'abord Gwendoline et, maintenant, moi... Seigneur ! Mme Jugs va me flanquer une belle raclée quand elle saura ça... »

Doc laissa échapper un soupir plein de courtoise compréhension. « Chaque occupation a ses aléas, ma chère... Je vais vous préparer une décoction pour votre nausée. »

La jeune femme lui lança un regard sceptique et il se mit à rire. « Marilee, Marilee ! Votre manque de foi est choquant. Ne savez-vous donc pas que nous autres, médecins, sommes des dieux ? »

Marilee ne put s'empêcher de sourire, tout en se disant qu'elle devait avoir l'air d'un petit chien qui remue la queue quand son maître lui flatte la tête. Doc Henry sortit de la pièce et elle descendit de la table en se tenant le ventre. Quand le moment vint de remettre son corset, elle eut l'impression que chaque crochet lui rentrait dans la chair. Soigneusement, elle fixa sa tournure en tapotant sur le nœud pour qu'il tombe bien. Dieu, qu'il faisait chaud !

Combien de temps parviendrait-elle encore à donner le change ? Bientôt, elle allait ressembler à une vache, il n'y avait qu'à regarder cette pauvre Gwendoline...

Un nœud se forma dans sa gorge. Que lui réservait l'avenir, à présent ? Elle ne pouvait se permettre de perdre ses attraits physiques, c'était tout ce qu'elle possédait...

Très tôt, elle avait su que toutes ses joies et toutes ses misères viendraient de ce physique-là. Elle avait un joli visage, assez joli pour briser le cœur des hommes. Et un corps qui leur donnait envie de hurler à la lune. Même son P'pa, pourtant méchant comme la gale, disait de sa petite Marilee qu'elle aurait fait danser les alligators.

Malheureusement, ses charmes ne paraissaient guère agir sur le Dr Lucas Henry. Eh bien, qu'il aille se faire pendre ! Elle avait tout essayé pour le séduire, tout, de la franchise à la sophistication la plus rouée. Mais il fallait croire qu'un gentleman de Virginie aussi bien éduqué que lui n'avait que faire d'une petite grue née dans les marais de Floride. Quand il venait à la *Red House*, pourtant, c'était toujours elle qu'il demandait, peut-être à cause de ces petites recettes bien à elle qu'elle réservait à ses meilleurs clients. Ah, elle savait leur donner du plaisir, aux hommes. Mais elle ne récoltait en retour que du mépris ou, au mieux, de l'indifférence.

Quelle idiote de s'être amourachée d'un homme comme Doc Henry ! Et, cependant, elle ne pouvait s'empêcher de continuer à l'aimer, à le désirer, à espérer. Un jour qu'elle revenait à pied d'une promenade dans la prairie, il l'avait croisée avec son buggy et s'était obligeamment arrêté pour lui proposer de la ramener en ville.

Tout en nouant son foulard rose autour de son cou, Marilee sourit en songeant à cet instant charmant. Ils avaient bavardé et, ce jour-là, elle avait cru qu'ils étaient devenus bons amis. Il lui avait même dit qu'il la trouvait jolie...

Mettre de belles robes, voilà tout ce qu'il lui restait comme plaisir dans la vie. Enfant, elle n'avait connu que la misère et le malheur. Mais elle avait fait son chemin depuis lors, Dieu merci. Doc Henry, lui, était né sur un coussin de soie, et il vivait entouré de belles choses, de ces choses qu'on peut s'offrir avec le bon argent de ceux qui ont vécu dans l'Est.

Mais ce n'était pas son argent qui la séduisait. C'était lui, uniquement lui. Elle l'aimait, voilà tout, et il n'y avait rien à faire contre cela. Ah, s'il pouvait l'épouser... Marilee poussa un soupir et se perdit dans ses rêves. Des rêves où elle s'appelait Mrs. Henry et quittait ce trou perdu du Montana pour aller vivre avec Lucas dans une grande et belle demeure de San Francisco. Ou de Chicago, qu'importe. Enfin, dans une grande ville, en tout cas. Il y aurait des tas de jolies robes dans ses armoires et la maison serait pourvue d'une salle de bain avec une baignoire en émail et des robinets d'eau chaude...

De ses doigts un peu tremblants, elle ajusta un minuscule chapeau de paille sur son chignon puis fixa sa bourse à sa ceinture. Traversant le cabinet de consultation, une pièce élégante aux murs tapissés de bibliothèques, elle poussa la porte et se retrouva dans un petit salon délicatement meublé et décoré de jolis objets, de ceux qu'on voit sur les catalogues.

Un beau coffre en bois précieux, tout incrusté de motifs en cuivre, était disposé contre un des murs. Au-dessus, Doc avait accroché un sabre d'officier, protégé par un fourreau en argent ciselé. Il lui avait dit, un jour, qu'il avait servi dans la cavalerie. C'était une des seules choses qu'elle savait de lui...

Songeuse, elle caressa le dos d'un fauteuil de cuir à oreillettes et s'approcha d'une table recouverte de maroquin pour se saisir d'un porte-plume en cristal étincelant de tous ses feux sous le soleil qui baignait la pièce. L'objet lui parut étrangement lourd et, un peu intimidée, elle le reposa doucement sur son socle. Une veste de tweed brun était accrochée au dossier de la chaise. Elle s'approcha, souleva une manche pour en humer l'odeur. Cela sentait le tabac, et aussi, le bois de santal. Pendant de longues minutes, elle demeura là, immobile, le tissu rêche appuyé contre son visage, les pensées et le cœur en déroute.

Un pas résonna dans son dos. Le cœur battant, Marilee se retourna d'un bloc. Doc Henry se tenait sur le seuil, portant un petit plateau d'argent où s'entassaient des fleurs séchées. Le soleil auréolait ses cheveux blonds d'une brume dorée et un fugitif sourire relevait les coins de sa moustache.

La jeune femme se sentit rougir. « Je... je jetais seulement un coup d'œil... »

Mais, déjà, sans l'écouter, il traversait la pièce pour regagner le cabinet de consultation. Marilee le suivit et sentit un nouvel accès de nausée lui brûler l'estomac.

Il se mit à piler la camomille dans un mortier tandis qu'elle le regardait faire. Il dit tout à coup, sans lever les yeux : « Je suppose que vous allez me demander de vous en débarrasser. »

La jeune femme demeura silencieuse, réfléchissant à ce qu'il venait de dire. Puis, avec un soupir, elle lâcha : « Seigneur, Luke, qu'est-ce qui vous fait penser ça ? »

Il leva la tête pour lui jeter un coup d'œil légèrement étonné.

« Je sais que je ne suis qu'une putain... poursuivit Marilee en s'échauffant, et personne n'a besoin de me le rappeler. Pas même vous. Mais cela ne signifie pas que je sois dénuée de sentiments, vous savez. »

Voyant qu'il s'était mis à rire, elle enchaîna, furieuse :

« Peut-on savoir ce qui vous amuse à ce point ?

— Je ris de la vie, ma douce Marilee. Car le mieux est encore d'en rire... ou de boire ! Il n'était pas dans mes intentions de vous offenser, figurez-vous. Mais je ne veux pas avoir à intervenir après que Mère Jugs aura fait son vilain travail avec une aiguille à tricoter. »

Marilee redressa le menton. « Gwendoline a gardé son bébé, je peux bien en faire autant ! »

Il était de nouveau occupé à son bureau avec ses herbes et ses mystérieux mélanges. « Bien, dit-il finalement, mais, n'attendez pas trop. Plus tard, je ne pourrai plus rien pour vous. »

Marilee vacilla. *Oh, si seulement cet enfant avait pu être de lui. Si seulement j'étais sûre qu'il soit de lui !* Et le sentiment de sa misérable condition la submergea. Elle comprit à quel point l'amour qu'elle lui portait était impossible. Elle était seule, toute seule, comme toujours. Une femme que l'on désirait mais que l'on n'aimait pas.

Ses épaules s'affaissèrent et elle lui tourna le dos pour ne pas lui montrer les larmes qui rougissaient ses yeux.

Deux mains se plaquèrent alors sur ses épaules et la firent pivoter. « Oh, Christ ! dit Doc Henry. Mais vous pleurez... »

Elle tenta de ravaler ses sanglots mais il y en avait trop. Le visage tant adoré de Lucas Henry flottait devant elle comme une lune derrière un rideau de pluie.

Il l'attira à lui avec douceur et elle enfouit son visage contre son épaule, respirant à travers ses larmes le parfum délicat de sa chemise de lin. Il la garda serrée contre lui un long moment et, pendant un instant, un espoir insensé accéléra le cœur de Marilee. Aucun homme ne lui avait manifesté jusque-là une telle attention. Peut-être que...

Elle leva la tête pour le regarder dans les yeux. Il était si grand, si séduisant. « Et si je décide de garder le bébé ? » balbutia-t-elle.

C'était une question stupide, naturellement. Que pouvait-il lui répondre ? Croyait-elle *vraiment* qu'il lui dirait : *« Dans ce cas, ma douce Marilee, nous allons nous marier. Je serai fier d'être un père pour votre bébé, cet enfant qui pourrait bien être celui de presque tous les hommes de Miawa City... »*

Tendrement, il laissa courir un doigt sur la courbe de sa joue. Mais ses paroles furent, comme toujours, directes et un peu cruelles : « Le monde est plein de bâtards, ma chère. Un de plus, un de moins ne changera pas grand-chose. »

Il se détourna et alla finir sa préparation médicinale. Puis il versa le mélange dans un flacon qu'il enveloppa d'un papier journal et lui tendit le tout. « Les doses sont écrites sur l'étiquette. Vous n'aurez qu'à en verser un peu dans votre thé. »

Elle prit le paquet et sortit un dollar de sa bourse pour payer la consultation. Il l'accepta, tout comme elle acceptait de sa main les trois dollars qu'il lui donnait le samedi soir, à la *Red House*.

Il l'accompagna galamment à la porte. Avant de partir, elle lui jeta un dernier regard par-dessus son épaule.

« Je vous verrai demain ?

— Bien sûr, ma douce Marilee. Un peu de vice nous aide à supporter les misères de ce bas-monde... »

Elle eut un petit rire sans joie et secoua la tête en faisant danser ses jolies boucles. Puis elle s'éloigna à pas lents, en prenant bien soin de bomber le buste et de balancer les hanches jusqu'à ce qu'elle entende la porte se refermer derrière elle. Alors, seulement, elle se relâcha, courbant le dos sous le poids de sa peine. Il faisait si chaud, si lourd.

La jeune femme trébucha sur le trottoir, tout près du magasin Tulle. On était en train de construire un nouveau saloon, à deux pas de là, et une odeur de pin fraîchement scié lui piqua le nez. Avisant une caisse en bois abandonnée au bord de la rue, elle s'y laissa tomber et sortit son mouchoir pour s'éponger le front, à peine consciente de l'activité qui régnait autour d'elle. La tête sur ses genoux, elle ne retint plus les larmes qui ruisselaient sur ses joues, incapable de résister davantage au chagrin qui lui broyait le cœur : elle pleurait sur toutes les blessures de la vie, sur celles du passé mais aussi de l'avenir. Un avenir qui s'annonçait sombre, solitaire. Que pouvait-elle attendre d'autre ?

Une main se posa sur son bras. Marilee leva la tête et vit une femme debout devant elle, arborant un drôle de petit bonnet noir sur ses cheveux auburn, la poitrine sanglée dans un châle et portant un tablier sur sa jupe en grosse serge marron. C'était une Juste, une de ces femmes pieuses qui venaient parfois à la ville pour vendre les produits de leurs fermes.

Deux beaux yeux gris la regardaient avec douceur.

« Êtes-vous malade, mademoiselle ? »

Marilee se redressa et tenta de respirer dans son corset trop étroit. « Voulez-vous que j'aille chercher le docteur Henry ?

— Non, non ! Ne faites pas ça... balbutia Marilee en lui saisissant le poignet. Je... je sors justement de chez lui. Ce n'est rien, je vous assure. »

Il y avait de la pitié dans le regard de l'autre et cela l'irrita. « Je ne suis pas du tout malade, insista-t-elle. Entre femmes, on peut tout se dire, n'est-ce pas ? Surtout à vous, une Juste, qui faites autant d'enfants qu'une lapine pour plaire à votre Dieu. Eh bien, figurez-vous qu'un de ces chiens d'ivrogne m'a encore engrossée. La belle affaire ! »

Non sans quelque satisfaction, elle vit l'autre tressaillir et reculer d'un pas, le visage soudain très pâle. L'air hésitant, elle resta là, debout, à la regarder, les mains enfouies dans son tablier en se mordant les lèvres. Des lèvres que bien des prostituées lui auraient enviées, gonflées et mûres comme des groseilles.

« Nous prierons pour vous et pour votre enfant, dit la femme.

— Amen, ma sœur », fit Marilee en essayant de rire.

Mais tout ce qui réussit à sortir de sa gorge fut un croassement lugubre. Du coin de l'œil, elle vit la femme Juste disparaître au coin de la rue. Tant mieux, pensa Marilee, agacée. Qu'elle s'en aille, elle et ses maudites prières.

Fouillant dans sa bourse, elle finit par en extraire un petit flacon d'eau d'iris dont elle versa quelques gouttes sur son mouchoir de dentelle pour en baigner ses yeux gonflés. Quel besoin avait-elle de pleurer ? Cela donnait des rides.

Et, sa beauté, c'était tout ce qui lui restait...

Confortablement assis dans son beau fauteuil de cuir, Doc Henry réfléchissait. Il regardait une épingle à cheveux en nacre, posée devant lui sur le buvard vert de son bureau à cylindres.

Il l'avait trouvée sur la table d'examen, tout à l'heure. C'était à Marilee, la pauvre et douce Marilee, une jolie putain au cœur tendre. Une putain qui venait lui demander de l'aide et avec laquelle il s'était conduit de manière cruelle. Il n'aimait pas ça. Pourtant, c'était son habitude.

Il avait emporté l'épingle avec lui au salon, avec une bouteille pleine de whisky. Un Rose Bud, celui qu'il préférait. Pour une fois, il avait pensé à prendre un verre mais, la plupart du temps, il buvait au goulot.

Tournant et retournant l'épingle entre ses doigts fins, il repensa à la jolie Marilee, à ses grands yeux suppliants levés vers lui. Saisissant la bouteille, il s'en versa un verre plein qu'il but d'une traite. Puis, d'un geste nonchalant, il jeta l'épingle dans le foyer vide de la cheminée.

On frappa à la porte.

Certains jours, il avait l'impression de vivre dans un puits profond et humide, sans espoir d'en sortir jamais. Certains jours...

Ses doigts se refermèrent sur la bouteille et, oubliant le verre, il but directement au goulot, laissant le liquide couler à flots dans sa gorge et lui brûler délicieusement les entrailles.

On frappa de nouveau, un peu plus fort.

Doc Henry reposa lentement la bouteille et se leva, vacillant sur ses longues jambes. Il fouilla dans sa poche à la recherche de ses lunettes, les exhuma enfin et les accrocha derrière ses oreilles avec un soin minutieux. Puis il tangua jusqu'à la porte du cabinet qu'il ouvrit toute grande en clignant des yeux devant la clarté aveuglante du soleil.

Une silhouette haute et sombre se découpait contre le ciel. Doc Henry s'effaça pour laisser entrer son visiteur et referma la porte.

« Ma parole, articula-t-il d'une voix pâteuse, que de surprises pour un humble petit médecin de campagne tel que moi ! D'abord une putain, et ensuite un desperado... »

Johnny Caïn accrocha son chapeau à la patère du portemanteau et se retourna, un drôle de petit sourire aux lèvres. Sur lui, les austères vêtements des Justes avaient une élégance surprenante. Doc Henry le regarda à travers ses cils. L'homme avait des manières civilisées mais la lueur qui dansait dans ses yeux lui donna soudain envie de boire un autre verre.

« Je suppose que vous venez vous faire retirer votre plâtre...

— Tant que vous ne sciez pas mon bras en même temps », répondit Caïn de sa voix traînante.

Le médecin tituba et se raccrocha au bureau pour ne pas tomber.

« Vous seriez étonné du nombre de choses compliquées que je suis capable de faire, même ivre-mort. »

Mais scier un plâtre n'était pas une chose compliquée. Un court instant plus tard, Caïn contemplait son bras libéré de sa chappe de plâtre, remuant les doigts pour en vérifier la souplesse.

Doc Henry ne parvenait pas à détacher ses yeux de ces doigts longs et musclés. Il se demanda si Dieu, en créant une main d'homme, avait pensé à tout le mal qu'elle pouvait faire...

« C'est la main dont vous vous servez pour tuer, n'est-ce pas ?

— Pour tuer et pour toutes sortes d'autres crimes, Doc », répondit Caïn de sa voix unie.

Lucas Henry se mit à rire.

« Cette main-là pourrait bien ne plus vous être aussi fidèle que par le passé, mon cher. C'était une mauvaise fracture et l'os est resté fragile. Je ne lui confierais pas ma vie, pour tout dire. »

Caïn haussa les épaules.

« Qu'est-ce que cela peut faire ? Je n'ai jamais imaginé terminer mon existence dans un lit, de toute façon. »

Doc Henry croisa son regard et pensa à une prairie déserte, un jour d'hiver.

« Que diriez-vous d'un verre ? » lança-t-il gaiement. Il se dirigea vers une armoire vitrée d'où il sortit une nouvelle bouteille de whisky, rangée au milieu des instruments chirurgicaux.

« Non, merci. Mais je boirais volontiers un verre d'eau.

— La cuisine est par là. Traversez le salon. »

Doc Henry suivit le desperado, emportant la bouteille avec lui. Il avait envie de se rouler une cigarette mais ses mains tremblaient trop.

Adossé à la porte, il regarda Caïn actionner la pompe puis s'asperger le visage d'eau fraîche.

« Eh bien, comment trouvez-vous notre métropole, Mr. Caïn ? Miawa City est unique en son genre, n'êtes-vous pas de mon avis ? Savez-vous que tout le monde, ici, a ouvert des paris pour savoir *qui* sera votre prochaine victime ? »

Caïn fit couler de l'eau dans le creux de ses mains et but à longs traits.

« Un journal régional a même écrit un article sur vous, reprit le médecin. On y raconte que vous avez tué votre premier homme à douze ans et que, depuis, vingt-sept victimes ont suivi la première dans la fosse. C'est vrai ? »

Caïn se tourna lentement vers lui.

« Je n'ai pas fait le compte récemment, répondit-il tranquillement. Est-ce que ce calcul comprend les trois canailles que je suis censé avoir liquidées à Tobacco Reef ?

— Diable ! Je l'ignore. »

Doc Henry se mit à rire et agita dans sa direction la main qui tenait la bouteille de whisky.

« Vous aurez probablement remarqué que notre charmante cité de Miawa s'enorgueillit de ses meutes de chiens errants et de ses tas de détritus à tous les coins de rues. Pas de shérif, ici, ce qui permet à nos honorables concitoyens d'assassiner leurs congénères en toute impunité. Vous n'aurez donc pas trop de mal à vous livrer à votre sport favori. Ah, une chose, toutefois... »

Il prit le temps de boire une longue rasade de Rose Bud et reprit : « Il se trouve que je joins à mes bons offices de médecin la réjouissante activité de croque-mort. Pemettez-moi donc de vous demander d'avoir une pensée pour moi et pour le dérangement que vous me causerez, le jour de la Grande Liquidation. »

La cuisine n'était pas grande, juste assez pour loger une vieille table et un poêle ventru. Caïn se tenait nonchalamment appuyé contre la pierre à évier, les deux mains pendant le long de sa ceinture.

« Ne vous inquiétez pas, Doc, je prendrai bien garde de tuer tout le monde sur le coup. Comme ça, pas de soins, de pansements, et tout le toutim. Une balle en plein front, du travail net. »

Lucas Henry se mit à rire mais son rire s'évanouit lorsqu'il croisa les yeux de Caïn. Il pensa alors que si jamais cet homme avait eu une âme, le diable s'en était emparé depuis longtemps.

Il se sentit alors rempli d'horreur et, aussi, d'une étrange excitation. Celle de voir se refléter dans le regard de l'autre ses propres abîmes. De toute sa vie, deux personnes l'avaient ainsi conduit à contempler à travers les brumes de son cerveau imbibé d'alcool sa propre et ténébreuse réalité : l'une d'entre elles était son frère, tué à la guerre. L'autre était une femme, et il l'avait épousée.

« Pourquoi faites-vous ça ? demanda-t-il à Caïn.

— Ça, quoi ? »

Doc Henry haussa les épaules et but une nouvelle gorgée de whisky.

« Vivre comme vous vivez. Vous ne vous êtes jamais dit que c'était une forme de suicide ?

— Comme vous, avec votre alcool ? »

D'interminables rangées de bouteilles vides flottèrent devant les yeux de Doc Henry. Des centaines, des milliers de bouteilles qu'il avait savourées et regrettées en même temps. Il comprenait, maintenant. Tuer était le whisky de Caïn. Son obsession, sa drogue. Le desperado était intoxiqué par le goût de la mort.

« Et notre chère Rachel ? dit-il soudain. Avez-vous eu une pensée pour ce qu'elle risque avec vous ? Cette jolie femme, avec ses beaux cheveux acajou et ses yeux gris si solennels qu'on dirait qu'ils voient de l'autre côté de l'âme. Elle qui est si terriblement innocente, si pathétiquement innocente. Vous pourriez la détruire totalement. »

La voix et le visage de Caïn n'exprimaient qu'un intérêt poli.

« Pourquoi vous en souciez-vous ? A moins que vous ne la vouliez pour vous ? »

Le médecin secoua la tête. « Non, mais je l'aime bien. Et quand je ne suis pas trop noyé dans mon ivresse, il m'arrive même de l'admirer, liée comme elle est par sa foi si sincère, si sévère. Vivant dans ce monde sans vraiment lui appartenir.

— Merci pour l'eau », dit Johnny Caïn.

Une fois sur le seuil, il s'arrêta et se retourna.

« Vous avez raison, Doc. J'ai l'intention de séduire Rachel Yoder. Mais pas pour les raisons auxquelles vous pensez. »

Chapitre 16

Benjo attendait près des écuries de louage, juste à l'entrée de Miawa City. Pour passer le temps, il avait lu toutes les affiches placardées sur les murs en bois : avis de recherche, programme d'une tournée de cirque, annonces de bals.

Il y avait une affiche, en particulier, que Benjo lisait et relisait inlassablement. Sur celle-là, pas de visage de hors-la-loi, non, juste un petit texte taché par la pluie et corné aux coins. On y disait que l'hiver dernier, cent cinquante-sept dollars, en billets verts et bons du Trésor, avaient été volés dans une banque de Soshoni, Wyoming. Le caissier était mort, abattu à bout portant d'une balle en plein cœur par « *un homme grand et mince, bien habillé, âgé de plus de vingt ans et parlant avec l'accent du Sud* ». L'affiche précisait que le bandit avait « *des cheveux bruns, un visage de belle apparence et des yeux bleus* ».

Benjo contemplait fixement le rectangle de papier en se demandant quel volume pouvait bien représenter une telle somme en liasse. Sûrement assez pour remplir une sacoche de cuir noir, comme celle de l'étranger.

« Es-tu en train de songer à me traîner devant le juge ? »

Le gamin sursauta et se retourna si vite qu'il s'emmêla les pieds et faillit tomber. Il vit Johnny Caïn regarder l'affiche de ses yeux bleus et froids, des yeux de tueur.

« Tu pourrais peut-être obtenir une récompense, qui sait ? dit-il de sa voix traînante. On t'invitera même à ma pendaison et on te donnera un bout de corde comme souvenir. Il paraît que ça porte chance. »

Benjo ouvrit la bouche pour se défendre d'avoir eu de telles pensées mais il se sentit si coupable qu'aucun son ne parvint à sortir de sa gorge.

Il pensa soudain à son père et son cœur se serra. Il se demanda ce qu'avait pu devenir la corde qui avait servi à le pendre.

L'étranger avait glissé un pouce dans sa cartouchière et s'était détourné pour contempler le ruisseau. Dans un taillis, près de la rive, deux geais se disputaient à grand renfort de caquètements.

« Qu'est-ce que tu désires le plus en ce monde, Benjo Yoder ? Que tu désires par-dessus tout, au point d'en avoir mal au ventre chaque fois que tu y penses ? »

Le gamin réfléchit et chercha désespérément un vœu qu'il aurait été capable de formuler. Quelque chose de beau et d'excitant, que même un étranger pourrait désirer au point d'en avoir mal au ventre. Puis il se rappela la petite merveille aperçue, un jour, dans la vitrine de chez Tulle & Frères.

« J'aimerais... une... bbb... bicyclette », articula-t-il avec effort.

Un demi-mensonge, en vérité, car, depuis qu'il avait vu cette machine d'un noir luisant, avec ses roues nickelées à rayons et sa selle en lézard, il y pensait souvent.

La réponse sembla satisfaire l'étranger et il approuva d'un signe de tête. Son regard quitta le ruisseau, s'attarda à nouveau sur les affiches de l'écurie, puis se posa sur Benjo. Le garçon déglutit si fort qu'il faillit s'étrangler.

« Est-ce que tu me traînerais devant le juge pour une bicyclette ? » demanda Johnny Caïn.

Benjo baissa la tête. Caïn arracha l'affiche du mur et la roula en boule dans son poing. Mais, au lieu de la jeter, il la donna à l'enfant.

« Allons voir ce cheval », dit-il.

Les écuries de louage étaient les seuls bâtiments un peu pimpants de la ville. La peinture d'un rouge éclatant faisait penser à une pomme mûre bien astiquée. Même lorsqu'il faisait très chaud, l'intérieur était aussi frais qu'un étang au printemps. Dans le vaste entrepôt sombre et humide flottaient des relents de foin et de crottin. Le fracas cadencé de coups de marteau montait de la cour.

Ils trouvèrent Trueblue Stone devant la forge, occupé à fixer une poignée neuve sur une bouilloire au fond noirci. Une odeur de charbon chaud flottait dans l'air lourd. Le palefrenier portait des pantalons en loques et un grand tablier de cuir qui lui descendait jusqu'aux bottes. Ses bras et son dos luisaient de sueur. Fasciné, Benjo contempla les muscles qui jouaient sous la peau, les muscles les plus gros qu'il ait jamais vus, épais et noueux comme des troncs d'arbres.

Trueblue Stone avait élaboré un langage spécial pour parler aux chevaux. Un jour, il avait expliqué à Benjo qu'il s'agissait d'une langue ancienne venant d'un lointain pays d'Afrique.

Pendant que les deux hommes discutaient, Benjo fourragea dans le tas de fers à cheval au milieu de la cour. Trueblue lui avait raconté une drôle d'histoire selon laquelle il aurait forgé un fer à cheval avec des morceaux d'une étoile tombée du ciel. Puis il l'avait jeté sur le tas et ne se souvenait plus, maintenant, comment le distinguer des autres. Benjo n'y croyait pas trop, mais il ne pouvait s'empêcher de fouiller tout de même chaque fois qu'il venait aux écuries.

Aujourd'hui, de toute façon, il avait bien d'autres préoccupations en tête. Discrètement, il creusa un trou profond dans le tas, y glissa l'affiche roulée en boule et l'enfonça aussi profondément que possible. Puis il recouvrit le tout d'un amas de fers rouillés.

Quand Trueblue en eut fini avec sa bouilloire, il emmena Caïn voir les chevaux. Cinq étaient à vendre, quatre hongres et une jument.

« Lequel préfères-tu ? » demanda Caïn.

Il fallut un certain temps à Benjo pour comprendre que cette question lui était destinée. Il en fut surpris et heureux. Mais, avec Trueblue qui se tenait planté là — un homme capable de parler aux chevaux dans une langue secrète venue d'Afrique — il sentit qu'il n'avait aucune chance de venir à bout des mots accumulés dans sa gorge. Il se contenta donc de pointer un doigt vers la jument. Elle avait un joli pelage noisette, avec une tache blanche sur le poitrail et des pattes chaussées de blanc.

L'étranger hocha la tête.

« Bon choix. C'est le meilleur du lot : une belle robe soyeuse sur des formes bien rondes, des yeux brillants, un cou puissant et une démarche agile. Tu es un expert, mon garçon. Voyons tout de même cela de plus près... »

Une vague de joie envahit le gamin tandis que Trueblue et Caïn échangeaient des considérations sur les autres chevaux. Ils palpèrent leurs jambes, regardèrent à l'intérieur de leur bouche, et poussèrent même le zèle jusqu'à examiner leur crottin. Caïn hésitait encore entre la jument — que Trueblue disait un peu capricieuse — et un hongre gris. Finalement, à la grande fierté de Benjo, ce fut la jument qui l'emporta.

Il s'ensuivit une interminable discussion à propos du prix mais les deux hommes finirent par tomber d'accord. Enchanté de cette affaire, Trueblue leur donna même une selle et une bride en prime.

Quand ils se retrouvèrent dans la chaleur étouffante et poussiéreuse de la rue, l'étranger essuya la sueur qui lui coulait le long du cou et dit : « Ma foi, j'ai la gorge sèche après tous ces palabres. Que dirais-tu d'une bonne limonade ? »

Ils partirent sur le trottoir de planches, marchant côte à côte, comme de vieux amis. Benjo sentait les regards des habitants de Miawa City peser sur eux et il se redressa, plein de fierté. Parfois, quand il regardait l'étranger, il s'imaginait être dans sa peau. Il parlait comme lui, marchait comme lui, portait son chapeau un peu penché, comme lui. Oui, à marcher, comme cela, à côté de Johnny Caïn, on était *quelqu'un*.

Quand ils furent arrivés devant les portes de *La Cage dorée*, il se sentait au comble de l'excitation. Mais il se calma quelque peu lorsque Caïn lui dit : « Tu ferais mieux d'attendre ici, sinon ta m'ma pourrait bien nous corriger tous les deux si je t'emmenais dans un endroit pareil. »

Benjo attendit que le mouvement des portes battantes se soit arrêté pour se dresser sur la pointe des pieds et risquer un œil à l'intérieur. Il faisait sombre là-dedans, et il ne put pas voir grand-chose, hormis une vieille tête d'élan accrochée à un mur et une lampe à pétrole avec un abat-jour en papier rouge.

Alors il se baissa pour regarder sous les portes. Le plancher du saloon était taché par le jus de tabac et parsemé de sciure sale. Affalé sur une table, un homme ivre-mort ronflait. Au-dessus de sa tête, une longue bande de papier tue-mouche pendait du plafond, mais elle ne semblait pas très opérante si l'on en jugeait par la demi-douzaine de mouches qui tournaient autour des cheveux graisseux de l'ivrogne. Deux autres hommes, debout près d'une table recouverte d'un feutre brun, frappaient sur des boules d'ivoire avec de longues cannes minces.

Déçu, Benjo ne vit aucune dame à la poitrine nue, comme celle que Mose Weaver lui avait décrite. Mais il aperçut le grand miroir à cadre doré ainsi que le barman, un gros homme aux lèvres rouges et aux joues pendantes. L'étranger se dirigea vers le comptoir et s'y accouda nonchalamment. A côté de lui, un prospecteur — à en juger par son cache-poussière et son grand chapeau mou — brandit une pièce en commandant haut et fort à boire. Le barman actionna un levier argenté et un liquide doré — la boisson du diable — coula dans un flot d'écume. Un verre fut poussé par le prospecteur qui l'avala d'un trait en disant d'une voix pâteuse : « A vot' bonn' santé, m'ssieurs-dames ! »

Benjo entendit soudain un tintement métallique derrière lui et des éperons racler le trottoir de planches. Il recula vivement pour libérer le passage. Son regard tomba sur d'étroits pantalons de cuir noir ornés de clous d'argent, remonta vers une chemise de daim graisseuse et une veste en peau de buffle, pour arriver enfin à un visage pâle et bouffi, terminé par une barbe en pointe.

Des yeux pâles, cruels, se posèrent sur l'enfant.

« On dirait bien que tu es en train de mettre ton nez là où ça ne te regarde pas, hein mon garçon ? »

· Woodrow Wharton renifla avec mépris puis cracha un long jet de salive si près de la tête de Benjo que celui-ci en fut tout éclaboussé.

En riant, il poussa les portes du saloon et disparut dans l'obscurité lourde de fumée et des relents aigres de la boisson du diable.

Miawa City était une ville dangereuse.

Surtout pour une femme Juste, se dit Rachel, en pensant à cette fille assise sur le trottoir, qui pleurait à chaudes larmes. L'Église recommandait aux Justes de ne pas se mêler des affaires des étrangers, même si ces derniers connaissaient les soucis et les chagrins que leur vie de péché entraînait toujours.

La fille était vulgaire avec son visage barbouillé de peinture et sa robe impudique. De plus, elle avait tenu des propos choquants. Pourtant, Rachel avait éprouvé une curieuse sympathie envers elle, comme si les larmes qui coulaient sur ses joues étaient *ses* larmes à elle, les larmes de n'importe quelle femme.

Secrètement, elle aurait voulu apprendre plus de choses de cette inconnue, cette fille perdue qui vivait à la *Red House*. Les images interdites revinrent tarauder son imagination, images de lits aux draps de soie, de corps nus et enlacés.

Rachel longea le trottoir de planches et entendit tout à coup une musique s'échapper des portes d'un saloon. C'était une musique profonde et riche qui résonnait dans l'air chaud comme le tonnerre en été.

Intriguée, elle s'arrêta pour écouter. Ce n'était qu'un accordéon, un de ces instruments à grosse panse qui faisait danser les étrangers avec ses notes tantôt plaintives, tantôt joyeuses. La musique... oh, quelle terrible tentation que la musique.

Mais il y avait d'autres dangers. Comme la devanture de chez Tulle & Frères, avec ses beaux articles qui excitaient le désir. Une fois, Benjo était resté figé devant la vitrine, émerveillé, absorbé dans la contemplation d'une bicyclette. Un autre jour, quand Ben était encore de ce monde, il y avait eu ces fameux harnais, des harnais à quatre rênes, en cuir fin, tout garnis d'argent et de cuivre, qui brillaient au soleil. Sur le chemin du retour, Ben avait dit en riant qu'il aurait fallu porter une visière pour ne pas être aveuglé par des harnais tels que ceux-là. Mais, dans le secret de son cœur, Rachel savait bien que Ben en rêvait.

Et voilà qu'aujourd'hui, il y avait cette robe dans la devanture de chez Tulle. Une robe en beau velours bleu myosotis, avec un drapé devant, et une cascade de dentelle écru sur les reins. Une pancarte précisait que la robe venait de Paris et qu'elle coûtait cinq cents dollars. *Cinq cents dollars...* Rachel tenta de s'imaginer ce que pouvait bien représenter une somme pareille, mais elle n'y parvint pas.

Quand elle pénétra dans le magasin, elle trouva Mr. Tulle en train d'asperger d'eau le plancher pour en laver la poussière. Cela sentait bon le bois mouillé. L'endroit était vraiment magique, rempli de choses tentantes, de toutes ces choses qui agrémentaient la vie des étrangers.

Bien sûr, chez les Justes, on n'avait pas besoin de tout cela. Les produits de la ferme apportaient tout ce qui était nécessaire pour se nourrir et se vêtir. Le reste, tous ces articles de luxe tant prisés par le monde extérieur, demeuraient formellement interdits.

Un jour d'août particulièrement chaud et venteux, Rachel y avait acheté une pommade pour apaiser sa peau brûlante et desséchée par le soleil. Un mélange de cire, d'huile douce et de miel qui avait fait merveille sur son visage. Malheureusement, elle avait commis l'erreur d'en parler à Fannie et Noah était venu lui faire des reproches.

Ach, vell. Il était si facile de se laisser tenter, ici, chez Tulle, si facile d'avoir envie de choses inutiles. Comme ces bas fins et aériens, ou ces peignes en écaille. Ou, encore, cette montre en or, ces bottines à petits boutons, ces cols de dentelle, ces rubans multicolores...

Elle repéra un rouleau de mousseline d'une jolie couleur jaune qui brillait comme une brume d'or au soleil. Avançant la main, elle en caressa le tissu léger.

« Eh bien, madame l'éleveuse-de-moutons. Que puis-je faire pour vous, aujourd'hui ? »

Rachel se retourna vivement, les joues en feu, comme si on venait de la surprendre en train de commettre un péché. Le nez de Mr. Tulle ressemblait à un bec de corbeau, et ses petits yeux noirs la regardaient avec méfiance, comme s'il craignait que cette paysanne n'abîme, en les touchant, ses articles de prix.

Rachel ne se sentait pas à l'aise avec Mr. Tulle — comme avec la plupart des étrangers, d'ailleurs. Vivement, elle sortit une liste d'achats de la poche de son tablier : de la farine, du porc salé, des cristaux de soude, de la semoule de maïs, du sucre brun, un bidon de pétrole, un sac de café en grains. Et, aussi... quelques mètres de cette jolie mousseline jaune...

En entendant la jeune femme évoquer ce dernier article, Mr. Tulle leva la tête pour poser sur elle un regard moqueur. « C'est pour bâcher votre chariot, je présume ? » demanda-t-il avec un sourire méprisant.

Rachel garda le silence, ainsi que le faisaient toujours les Justes lorsqu'ils se trouvaient en butte à l'hostilité ou aux moqueries du monde extérieur. Irrité, Mr. Tulle marmonna dans sa barbe quelques mots dédaigneux où il était question de « ces petits morveux de Justes qui se croyaient supérieurs aux autres ». Pour bien marquer son mécontentement, il refusa de prendre les fromages de Rachel en paiement des articles. De toute façon, avec cette chaleur, ils ne devaient déjà plus être bons, pensa-t-elle avec résignation.

De mauvaise grâce, il entassa les articles dans des cartons vides mais ne proposa pas d'aider à les transporter jusqu'au chariot. Après deux voyages épuisants, Rachel vit Benjo arriver en courant, les yeux et la bouche grands ouverts. L'air terrifié, il se jeta dans ses bras et balbutia des mots sans suite.

C'est alors, seulement, que Rachel prit conscience de la soudaine agitation qui s'était emparée de la rue. Des portes et des fenêtres s'ouvraient, des cris fusaient, des gens s'attroupaient.

Tout le monde courait vers le saloon...

Une peur affreuse s'empara de Rachel.

L'étranger... Elle savait que c'était l'étranger. Il avait tué quelqu'un ou allait le faire. Ou, encore, quelqu'un l'avait tué.

Benjo l'entraîna vers les portes battantes de *La Cage dorée* en se frayant un chemin dans la foule des badauds agglutinée sur le trottoir. Jamais Rachel n'avait pénétré dans un tel endroit et elle s'immobilisa sur le seuil, saisie par l'odeur forte du tabac, clignant des yeux pour tenter de percer l'obscurité de la salle.

Des chaises raclèrent le sol rugueux, des ombres se faufilèrent entre les tables. Sur le mur opposé, un immense miroir réfléchissait la lumière de la rue. Devant un long comptoir en bois poli, deux hommes se tenaient côte à côte. L'un d'entre eux était Johnny Caïn. L'autre, Woodrow Wharton, l'inspecteur de bétail de Fergus Hunter. Il avait un revolver à la main, pointé sur l'étranger.

« Il me semble que je vous ai parlé, sir », dit-il en crachant un long jus de tabac sur le plancher poussiéreux.

Dans la pénombre, son visage couvert de sueur flottait comme une lune blême. Johnny Caïn tourna lentement la tête pour glisser un regard vers Wharton par-dessous son chapeau. Rachel le vit esquisser un sourire carnassier, un de ces sourires qu'elle avait appris à bien connaître. Vif comme l'éclair, il s'empara d'une bouteille, la fracassa contre le rebord du comptoir et fit un pas vers Wharton. Avant même d'avoir eu le temps de comprendre ce qui se passait, Rachel vit du sang ruisseler sur la figure de l'inspecteur de bétail. Il vacilla, ahuri, et se passa la main sur la joue, regardant avec incrédulité ses doigts rouges et poisseux. La fureur lui tordit les traits et il leva le bras pour braquer à nouveau son colt sur l'étranger. Son doigt se referma sur la gâchette, prêt à tirer.

« Non ! » hurla Rachel.

Quelque chose d'argenté brilla dans la main de Caïn... Presque aussitôt, un mince nuage de fumée s'éleva vers le plafond tandis qu'une explosion déchirait l'air comme le claquement d'un fouet.

Wharton fut soulevé de terre et projeté en arrière. La bouche ouverte, il tomba dans un fracas de chaises renversées. Ses yeux pâles se révulsèrent, une écume rose moussa aux coins de ses lèvres, et son corps fut secoué de soubresauts avant de s'immobiliser totalement.

Figée, Rachel regardait la tache de sang, rouge, épaisse, s'étaler lentement sur le gilet éventré de l'inspecteur. Soudain, des doigts durs s'enfoncèrent dans son bras et la tirèrent en arrière si brutalement que ses dents s'entrechoquèrent. C'était Johnny Caïn. Il franchit les portes battantes du saloon en traînant la jeune femme à sa suite. En le voyant, tous ceux qui s'étaient massés pour assister au spectacle se dispersèrent aussitôt comme des poules dans un pré.

Rachel regarda autour d'elle frénétiquement et vit Benjo trotter derrière, sain et sauf. Alors, seulement, elle put respirer librement.

Sans cesser de la maintenir fermement, l'étranger s'engagea dans la rue juste au moment où une charrette chargée de planches arrivait dans un vacarme de sabots et de roues grinçantes. Le choc fut évité de justesse.

Quand ils atteignirent leur chariot, Caïn consentit enfin à lâcher la jeune femme. Elle croisa son regard, un regard chargé d'une telle intensité qu'il en devenait douloureux. Gênée, elle baissa les yeux.

« Vous feriez mieux de rester ici », dit-il.

Il s'éloigna dans la rue déserte tandis que Rachel et Benjo grimpaient dans le chariot. Qu'allait donc faire l'étranger, maintenant ? se demanda la jeune femme avec angoisse. Et Wharton ? Était-il *vraiment* mort ?

Miawa City ressemblait à une ville-fantôme. Tout le monde avait dû se terrer chez soi. Ici, de toute façon, il n'y avait personne pour faire régner la loi. Johnny Caïn n'aurait à répondre de ses actes devant aucun tribunal.

Mais il devrait en répondre devant Dieu.

Elle le vit sortir des écuries de louage en tenant par la bride une petite jument noisette sellée. Son visage était lisse et fermé, comme un étang gelé.

Il noua les rênes du cheval à l'arrière du chariot et grimpa sur le banc à côté de Rachel. Elle vit alors que le sang de Woodrow Wharton avait taché sa chemise.

La vieille jument reprit le chemin du retour. Un vent chaud, orageux, se leva, soulevant la poussière de la route, et des nuages sombres commencèrent à s'entasser sur les crêtes. Au loin, des éclairs zébraient le ciel.

Enfant, lorsqu'elle entendait le tonnerre, Rachel se disait que c'était Dieu qui se mettait en colère à cause de l'indignité des hommes.

Elle ne put s'empêcher d'y repenser cette fois encore, tandis que l'orage avançait vers eux à pas de géant.

Il éclata au-dessus de leurs têtes alors que le chariot s'engageait dans la cour de la ferme. Le ciel était devenu noir comme de l'encre et le vent soufflait de plus en plus fort, enroulant les jupes de Rachel autour de ses jambes tandis qu'elle se hâtait vers la pâture pour rassembler les brebis.

Avec l'aide de Benjo et de l'infatigable MacDuff, le troupeau fut rapidement conduit vers un coin sûr, là où il ne risquait pas d'être surpris par une chute d'arbre ou par le ruissellement des eaux. Rachel ne savait pas où se trouvait l'étranger ni ce qu'il était en train de faire. Durant le trajet, ils n'avaient pas échangé une seule parole.

Elle désespérait de lui. Elle désespérait de son salut. Et, pourtant, un coin de son âme à elle était soulagé, reconnaissant. Woodrow Wharton était mort.

En vain, elle tenta de recommander à Dieu cet homme qui avait assassiné son Ben. Mais c'était plus facile de prier pour Johnny Caïn, lui qui, sûrement, serait damné pour l'éternité.

Malgré l'orage, il ne pleuvait pas. Un peu de fraîcheur, néanmoins, descendait des montagnes. Accompagnée de Benjo, Rachel se rendit dans la grange. Des bouquets de lavande séchée pendaient aux poutres et leur parfum délicat se mêlait aux odeurs de foin et de bois mouillé. La vieille jument grise était occupée à manger son avoine et, dans une autre stalle, le nouveau cheval, la tête plongée dans un seau, buvait à grands traits.

L'étranger se tenait dans un angle reculé de la remise. Assis dans la paille, les épaules contre la paroi en planches, il semblait perdu dans ses pensées, les bras refermés autour de ses genoux repliés. En entendant Rachel approcher, il leva la tête et leurs yeux se croisèrent. Pendant quelques secondes, prise d'un vertige, elle crut voir jusqu'au fond de son âme tourmentée. Mais, très vite, il enfouit à nouveau son visage au creux de ses bras, comme pour mieux échapper à son regard.

La jeune femme se rapprocha et vint tout contre lui. En silence, elle contempla ses beaux cheveux noirs, ses épaules fermes, son dos musclé sous la chemise usagée — la chemise tachée du sang d'un autre homme. Quand elle posa la main sur lui, il sursauta et s'écarta.

« Ne me touchez pas ! »

Elle esquissa un nouveau geste vers lui mais il recula encore. « Je vous ai dit de ne pas me toucher ! »

Alors, elle se laissa tomber à genoux pour enlacer sa taille de ses deux bras. Le visage posé contre sa poitrine, elle sentit qu'il retenait son souffle.

« Je vous en prie, Rachel, allez-vous-en. Je me sens si sale... »

Elle savait bien qu'il ne parlait pas de la sueur qui coulait sur son cou, ni de la poussière de la route...

Il ne réussirait jamais à apprivoiser le coyote.

Prudemment, Benjo s'approcha de la fosse et se mit à siffler une petite ritournelle pour rassurer l'animal, comme il le faisait parfois avec des agneaux trop peureux. Manifestement, c'était inutile car, à chaque fois, le coyote, rempli de crainte, bondissait et montrait les crocs. Pourtant, s'il survivait, c'était grâce à l'eau et à la nourriture que Benjo lui apportait. Ce soir, il n'avait pas réussi à tuer un seul lapin ni un écureuil pour lui donner à manger. Après la scène qui s'était déroulée dans le saloon, l'idée même de tuer lui était insupportable. Il croyait encore entendre le coup de feu tiré par l'étranger, voir la fumée s'élever dans les airs, et le sang rougir le gilet de l'inspecteur de bétail.

Mais ce qui était encore pire, c'est qu'il avait eu envie de rire à ce moment-là. Oui, quand il avait vu Wharton tomber en arrière, les bras en croix, il s'était senti rempli d'une joie si sauvage, si terrible, qu'il avait eu du mal à réprimer une folle envie de rire.

Une herbe haute et épaisse, toute constellée de fleurs sauvages, cernait à présent l'entrée de la fosse. Elle avait étouffé les pas de Benjo et, pourtant, le coyote avait depuis longtemps senti son approche. Le poil hérissé, le dos arqué, il le regardait de ses petits yeux brillants et apeurés.

Benjo cueillit dans les buissons avoisinants une petite moisson d'airelles dont il remplit son chapeau. Il alla ensuite verser le tout au fond du trou. En deux coups de langue, l'animal avala les petites baies noires puis, levant à nouveau la tête, il le regarda.

Benjo se sentit coupable car il savait que le coyote avait encore faim. Il s'agissait bien d'une femelle. Quelques semaines plus tôt, elle avait mis bas trois petits et, depuis, elle était devenue toute maigre. Il se dit qu'elle allait peut-être mourir, là, avec ses petits, de faim et d'angoisse.

Pendant longtemps il s'était tourmenté en se demandant comment la faire sortir de sa prison. Un jour, enfin, une idée avait germé dans son cerveau. Il avait cueilli des branches, rassemblé quelques troncs et réuni le tout avec de la corde pour former une sorte de rampe. Plus tard, quand il s'en sentirait le courage, il la glisserait dans le trou pour que le coyote puisse y grimper.

La question demeurait de savoir *quand* il se déciderait à le faire. Car les coyotes tuaient les moutons. Et Benjo aimait chaque mouton, chaque brebis de la ferme. Certaines personnes pensaient que les moutons étaient des animaux idiots et qu'ils se ressemblaient tous. Rien de plus faux, en vérité. Chaque bête possédait ses propres caractéristiques. L'une se montrait indolente et rêveuse, l'autre plus téméraire. Il arrivait même que certaines brebis partent à l'aventure au point d'en oublier de nourrir leurs agneaux. Même leurs bêlements étaient différents si l'on prenait la peine d'écouter attentivement.

Et puis il y avait les agneaux, si fragiles, si attendrissants. Malheureusement, beaucoup d'entre eux mouraient. Ils s'étouffaient, se noyaient dans le ruisseau, tombaient dans des trous ou mangeaient des herbes empoisonnées.

Et, parfois, ils se faisaient dévorer par un coyote...

L'enfant laissa échapper un soupir. Depuis longtemps, il aurait dû prendre la vieille carabine Sharp de son père et tuer l'animal. Et voilà qu'au lieu de cela, il lui apportait de l'eau et de la nourriture. A présent, des petits étaient nés, compliquant encore la situation. Ils grandissaient, réclamant chaque jour plus de nourriture. Un jour ou l'autre il faudrait bien que lui, Benjo Yoder, décide de ce qu'il ferait d'eux.

Les libérer. Ou les tuer.

Perdu dans l'obscurité des buttes rocheuses, un coyote aboyait lugubrement à la lune. Mais, en bas, dans la vallée, les notes d'une valse joyeuse et entraînante sortaient par la fenêtre ouverte de la grande maison.

Chaque fois que Ailsa Hunter jouait du piano, Quentin Hunter s'installait dans la galerie couverte pour écouter. Elle savait bien qu'il était là et, pourtant, jamais elle ne lui avait permis de venir s'asseoir à ses côtés, dans le salon.

Il leva les yeux pour glisser un regard à travers la fenêtre. Les mains d'Ailsa semblaient flotter au-dessus des touches noires et blanches de l'instrument, sans jamais se poser. Sous l'éclat jaune des bougies, ses cheveux luisaient comme de l'obsidienne.

La musique, le spectacle et la beauté d'Ailsa, tout le remplissait de douleur et de joie en même temps. Il savait bien, au fond de lui, que c'était là des choses qu'il ne posséderait jamais.

Cette valse était l'une de ses préférées. De la pointe de sa botte, il en marquait le rythme en se laissant porter par les effluves de la musique. Il faisait chaud, ce soir. Chaud et orageux.

Soudain, des pas lourds retentirent sur les planches de la galerie. Une allumette craqua et sa fugitive lueur éclaira le visage anguleux de Fergus Hunter.

« Qu'est-ce que tu fais là, dans le noir, Quentin ? Je te croyais en ville à te distraire avec d'autres garçons de ton âge. »

La valse s'arrêta brusquement sur une note discordante et, pendant un instant, Quentin n'entendit plus que le sang qui pulsait dans ses oreilles. Puis l'obscurité se remplit des bruits de la nuit : le chant des grillons, le piétinement sourd du bétail, le vent dans les peupliers.

Quentin se détourna tristement de la fenêtre. La magie s'était envolée et Dieu sait quand Ailsa se remettrait à jouer de la musique, maintenant.

« On enterre Woody demain dans la matinée, dit Quentin. Et je ne tenais pas à assister aux obsèques avec une gueule de bois. »

Le Baron souffla voluptueusement la fumée de son cigare et émit un grognement sourd. « Woodrow Wharton n'était qu'un imbécile, mon garçon. Se mesurer à un homme comme Caïn était pure folie.

— C'est vous qui avez engagé cet "imbécile", comme vous dites, et qui l'avez mis à la tête de votre ranch. »

Le Baron resta silencieux un long moment, exhalant de longues bouffées de fumée odorante dans le noir. Puis il laissa échapper un profond soupir.

« Si j'ai choisi Wharton, c'était pour chasser ces maudits éleveurs de moutons. Il faudra bien, pourtant, que nous y parvenions sans avoir à nous trouver, à chaque fois, en travers de Johnny Caïn. »

Quentin jeta un nouveau coup d'œil par la fenêtre. Perdue dans ses pensées, Aisla Hunter se tenait toujours assise devant le piano, les mains sur les genoux, la tête légèrement penchée. Son long cou était aussi blanc que de la neige sous la lune.

« Johnny Caïn vit chez les Justes, dit Quentin. Il a peut-être épousé leur cause. »

Le Baron fit entendre un claquement de langue agacé.

« Dans ce cas, il va bientôt apprendre que l'élevage de moutons comporte de nombreux dangers. Avec cette sécheresse, un feu de prairie est vite arrivé. Si le vent souffle dans le mauvais sens, des pâturages entiers peuvent être ravagés en clin d'œil. Tu vois ce que je veux dire... »

Quentin se sentit envahi par une terrible lassitude.

« Non, Père.

— Non, quoi ?

— Pourquoi es-tu si enragé après ces pauvres gens qui ne t'ont rien fait ? »

Plissant les yeux, il chercha à distinguer le visage de Fergus dans la pénombre. Fergus Hunter, ce père dont il ne saurait sans doute jamais s'il l'aimait vraiment, lui, le bâtard d'une Indienne. Souvent, il avait l'impression que Fergus Hunter ne faisait aucune différence entre lui et les autres employés du Ranch H.

Quand, enfin, le Baron lui répondit, Quentin fut surpris de percevoir dans sa voix les accents du désespoir.

« Je suis dans de sales draps, fiston. Jusqu'au cou, pour tout dire. Le marché du bœuf ne va pas fort et les banques me harcèlent.

Chaque année, il me faut augmenter mon cheptel pour gagner la moitié des revenus de la saison précédente.

— Augmenter le cheptel ? Mais nous sommes déjà à saturation ! Nous pouvons à peine fournir assez de nourriture à tout le troupeau...

— Justement. Ces vaches, il faut qu'elles mangent. Et, avec la sécheresse, ce n'est pas une mince affaire. Voilà pourquoi ces maudits éleveurs de moutons doivent déguerpir. J'ai besoin de leurs terres.

— Et s'ils ne veulent pas vendre ? »

Le Baron se mit à rire et le bout incandescent de son cigare se braqua sur Quentin.

« Alors, c'est tout vu, mon garçon. Rappelle-toi le peuple de ta mère. Que reste-t-il de l'orgueil de cette grande race d'Indiens ? Je suppose que tu as enfin appris qu'en ce bas monde, il y a ceux qui prennent et ceux qui se font prendre. Moi, je suis du côté des gagnants. »

Quentin regarda en direction des collines. Elles se profilaient au loin comme les bosses d'un gigantesque troupeau de buffles. Il pensa à l'immensité verte de la prairie qui s'étendait aux pieds de ces montagnes, une immensité qui ne suffisait plus, à présent.

Un bruissement soyeux se fit entendre dans le salon. Quentin tourna la tête et vit Aisla debout, un candélabre à la main.

Leurs regards se croisèrent. Puis la femme de son père se détourna lentement et quitta la pièce, abandonnant le piano dans le noir.

Chapitre 17

Rachel chargea une barrique d'eau sur une petite charrette et la traîna à l'endroit où les hommes faisaient les foins.

Des andains de luzerne fraîchement coupée s'alignaient sur la prairie, exhalant un parfum riche et épicé, porté par le vent chaud. L'herbe avait été fauchée deux jours plus tôt et étalée au soleil pour sécher avant d'être mise en tas.

Benjo conduisait le chariot tandis que Mose Weaver et l'étranger chargeaient le foin à la fourche. Un peu plus loin, Noah édifiait des meules, un travail qui exigeait de l'expérience et beaucoup d'habileté.

Rachel avait toujours aimé voir ces hautes meules consteller les champs comme des pains dorés sortant du four. Chaque année, Noah et Ben avaient l'habitude de faire les foins ensemble. Chez les Justes, l'entraide était de règle entre voisins et Rachel avait été heureuse de constater que, cette année encore, malgré la présence de Johnny Caïn, Noah ne leur avait pas fait défaut. Dès l'aube, il était venu proposer ses services, accompagné de Mose.

« Cet étranger, il ne distinguerait pas un carré de haricots d'un champ de foin, ricana Noah, le premier jour. Et il manie sa fourche comme s'il avait les coudes vissés dans le dos ! »

Rachel avait souri. Et elle souriait encore, aujourd'hui, en y repensant, tandis qu'elle cheminait vers le chariot. Les hommes finirent la rangée d'andains qu'ils avaient entamée avant de s'arrêter pour boire. Une poussière piquante flottait dans l'air chaud, couvrant visages et cheveux d'une fine couche blanchâtre.

Benjo et l'étranger furent les premiers à venir se désaltérer. Avidement, ils prirent la louche pleine que leur présentait Rachel et burent à grands traits. L'eau coulait sur leurs mentons et leurs chemises trempées de sueur.

« Eh bien, Mr. Caïn, est-ce qu'il fait assez chaud pour vous ? » demanda-t-elle.

234

Il lui jeta un regard nonchalant en s'essuyant la bouche.

« Là d'où je viens, nous aurions dit que c'est encore supportable. Nous attendions que l'eau du ruisseau se mette à bouillir pour commencer à nous plaindre.

— Nnn... nous, nous dd... disons qu'il fait *vraiment* chaud quand les ro... rochers commencent à s'eff... s'effondrer », précisa Benjo.

Rachel les regarda tous les deux en riant. L'eau avait tracé des rigoles claires sur leurs joues noircies de poussière.

« Vous êtes bien les mêmes, tous les deux ! » s'exclama-t-elle en replongeant la louche dans le baquet d'eau fraîche.

Les yeux de Caïn se plissèrent et il pointa un doigt sentencieux vers le garçon.

« Non, dit-il. Lui, il est jeune. Moi, je ne suis plus qu'un vieux cheval de trait. »

Noah et Mose approchèrent à leur tour. Le diacre s'empara de la louche avec une telle force qu'il fit gicler de l'eau tout autour.

« Un dur travail est bon pour le salut des hommes », énonça-t-il avec emphase.

Mose esquissa une grimace entendue mais, quand il vit le regard sévère de son père posé sur lui, il reprit aussitôt un air des plus sérieux.

« Noah a toujours fait les plus belles meules de toute la vallée, dit Rachel. Ce sont les plus hautes et les plus solides. »

Noah la regarda. « Le Juste ne se glorifie pas de son travail. Il le fait, tout simplement. »

Puis il tourna les talons et s'éloigna en grommelant : « Il reste encore beaucoup de foin à mettre en tas avant l'hiver. Nous n'avons pas de temps à perdre. »

Comprenant l'avertissement, Mose et Benjo lui emboîtèrent le pas pour se remettre au travail.

L'étranger s'attarda un instant, les yeux fixés sur le dos rigide de Noah. « Il n'arrête pas de bougonner. Il est toujours comme ça ?

— Noah est diacre. Il se fait un devoir de nous rappeler les saintes règles », dit Rachel.

Caïn haussa les épaules. « Bah, après tout, cela ne me dérange pas. J'en ai vu d'autres. »

Rachel leva la main pour tenter de remettre de l'ordre dans les rubans de sa coiffe qui voltigeaient sous le vent brûlant. Elle sentit le regard de l'étranger posé sur elle et, embarrassée, chercha quelque chose à dire, quelque chose qui pût détourner son attention.

« Ce soir, nous aurons des *Knödel* et du pudding au lard. C'est une tradition lorsque vient la saison des foins. Et il y a du thé à la menthe qui rafraîchit dans le ruisseau. »

Elle fit pivoter la charrette et reprit la direction de la maison en courant, ses jupes dansant autour de ses jambes minces. Le regard de l'étranger pesait encore dans son dos.

Quand elle eut traversé la cour et grimpé les marches du porche, sa belle humeur s'assombrit en voyant Fannie par la porte entrouverte de la cuisine, occupée à pétrir de la pâte. Une grande marmite de bouillon frémissait sur le feu. Dans une poêle, le pudding au lard grésillait doucement et un *Apflestrudel* refroidissait sur le rebord de la fenêtre, répandant une délicieuse odeur de pomme et de cannelle.

En d'autres temps, Rachel aurait apprécié la présence d'une aide mais, aujourd'hui, elle aurait souhaité être la seule à préparer le repas.

Fannie retira du bouillon les premières boulettes cuites et se mit à en confectionner d'autres. Immobile sur le porche, Rachel la regardait, hésitant à entrer. Elle contempla les collines et vit que l'air chaud s'était condensé en une brume grise qui flottait au-dessus des gorges. De là où elle se tenait, Rachel pouvait apercevoir la silhouette élégante de l'étranger se découper dans les champs, et ses cheveux sombres flotter gracieusement sur ses épaules à chaque mouvement.

Un bruissement de jupes la fit se retourner. Les bras croisés, la bouche pincée, Fannie Weaver la toisait d'un regard méprisant. Elle n'avait jamais été bien grosse mais, à présent, elle semblait encore plus sèche, comme une chose oubliée trop longtemps dans le désert.

« Je te connais, sœur Rachel. J'ai toujours su ce que tu pensais. »

Rachel tourna la tête sans répondre.

« Tu en as encore après lui, hein ? Après notre Noah. Est-ce que tu crois que j'ai oublié combien tu l'as déjà fait souffrir ? Combien tu lui as fait honte en le laissant espérer des choses qu'il n'aurait jamais dû désirer ? Alors que, durant tout ce temps, tu avais les yeux sur un autre homme ?

— Cet autre homme, comme tu dis, c'était Ben. Mon mari. Et je n'ai jamais eu les moyens d'empêcher ton frère de penser ce qu'il voulait penser.

— Ah, c'est ce que tu dis ! Mais j'ai bien vu comment tu te conduisais avec lui, la nuit où Gertie est morte. J'ai vu comment tu l'as entraîné à pécher. »

Rachel dévisagea Fannie avec incrédulité.

« Mais je l'ai seulement pris dans mes bras pour le réconforter ! » s'exclama-t-elle.

Fannie secoua la tête d'un air entendu, tourna les talons et repartit dans la cuisine. Immobile sur le porche, Rachel, les yeux fermés, s'efforçait de retenir encore en elle un peu de la magie de cette belle journée. Puis, avec un soupir, elle poussa à son tour la porte de la maison pour aider Fannie à préparer le repas.

Le vent souffla fort, cette nuit-là. Sur la terre desséchée, le foin s'entortillait, exhalant ses derniers parfums.

Les hommes arrêtèrent leurs chevaux sur la rive nord du ruisseau, et se tinrent à l'abri d'un épais fourré de saules. Ils regardèrent en direction de la petite maison en rondins, flanquée d'une remise au toit en pente et d'un enclos à moutons délabré.

Tout était tranquille, à l'exception d'un bidon de lait que le vent avait renversé et qui roulait dans la cour en heurtant les pavés.

« Es-tu sûr d'avoir assez de cran, mon garçon ?

— Là n'est pas la question, Père. Mais, je vous le répète, toute cette opération est pure folie. La vallée est comme de l'amadou à cette époque de l'année, et ce n'est guère le moment de jouer avec le feu. »

Le rire de Fergus Hunter s'éleva dans la nuit.

« Je vois. Tu te dégonfles, c'est ça ?

— Non, sir.

— Eh bien, tu feras ce que je dis, tu entends ?

— Oui, sir. »

Les lèvres de Quentin se retroussèrent en une espèce de sourire mais, dans l'obscurité, tous les visages demeuraient impénétrables. Le fer qu'il tenait à la main, de ceux qui servent à marquer le bétail, lui sembla peser plus lourd que d'habitude. La marque du Ranch H luisait, incandescente, dans la nuit.

Il songea aux prairies qu'ils avaient traversées pour arriver jusque-là, des prairies tondues jusqu'à la racine par les moutons. La première fois que son père l'avait conduit ici, il n'était encore qu'un enfant et le Baron lui avait sellé un joli petit poney. Il se souvint que l'herbe était si haute, alors, qu'elle atteignait presque les étriers.

« Allons-y », dit le Baron en éperonnant son cheval.

Ils coupèrent à travers le ruisseau pour gagner les champs tapissés de hautes meules. Un troupeau de moutons se mit à bêler à leur passage et un chien aboya du côté de la ferme. L'un des cow-boys de Hunter tira en l'air deux coups de revolver pour disperser le troupeau et, au loin, on entendit une porte claquer.

Quentin enfonça les talons dans le ventre de sa monture pour accélérer l'allure. La peur et l'excitation faisaient battre son cœur plus vite. Levant les yeux vers le ciel, il poussa un long cri, le cri de guerre des Pieds-Noirs.

Une grosse meule se profila dans la pénombre et il tendit le bras pour approcher le fer rougi du tas de foin. L'herbe, encore fraîche et verte, s'enflamma difficilement. Au bout de quelques instants, une spirale de fumée s'éleva vers le ciel et des flammèches orange s'allumèrent un peu partout au cœur de la meule.

Du fond de l'obscurité, un coup de revolver claqua. La silhouette à cheval à côté de Quentin vacilla et sa monture se cabra, affolée.

« Aisla ! » s'écria le Baron.

Il y eut un silence, puis la voix glaciale d'Aisla Hunter s'éleva :

« Tu devras remettre mes obsèques à plus tard, Fergus. Je ne suis pas encore morte. »

Fergus tourna bride pour se rapprocher de Quentin.

« Bon sang ! Dépêche-toi donc ! »

Penché sur le cou de son cheval, Quentin cherchait le fer tombé dans le foin. Un nouveau coup de revolver éclata. Cela venait d'un chariot de berger, non loin de la maison.

Quentin entendit une balle siffler à ses oreilles, juste là où aurait dû se trouver sa tête s'il n'avait eu la bonne idée de se pencher. Il aperçut enfin le fer luisant sous la paille et avança la main pour le saisir.

Au même moment, toute la meule s'embrasa, illuminant la nuit. Contre la clarté des flammes, les silhouettes des cavaliers se détachaient avec netteté, visibles de loin.

« Laisse ce maudit fer là où il est ! rugit Fergus en éperonnant son cheval. Vite ! Fuyez ! »

Ils retraversèrent le ruisseau au galop pour s'arrêter enfin, à l'abri d'un rideau de peupliers. De là, ils tirèrent quelques coups de revolver en direction de la ferme pour s'assurer qu'ils ne seraient pas poursuivis.

Un peu plus loin, le petit groupe ralentit l'allure et se retourna. Des silhouettes affolées s'agitaient au milieu des flammes en criant.

Mais Quentin ne se préoccupait déjà plus de tout cela. Ses yeux demeuraient fixés sur Aisla. Pendant toutes ces années passées au ranch, jamais il ne l'avait vue autrement que vêtue de robes élégantes. Et jamais non plus il ne l'avait vue à cheval. Cette nuit, pourtant, elle portait une chemise d'homme aux manches retroussées et son beau visage était couvert de sueur et de poussière. Dans ses yeux sombres brillait une lueur de pure férocité.

« J'ai laissé le fer marqué à notre nom là-bas », dit Quentin à son père.

Le Baron haussa les épaules. « Ne te tracasse donc pas pour si peu. » Il poussa son cheval en direction du ranch, suivi par le reste de la petite troupe.

Mais Aisla restait à la traîne et Quentin ralentit l'allure pour demeurer à ses côtés. Il la vit retirer le chapeau d'homme qui lui couvrait le front et secouer la tête, libérant la masse sombre de ses cheveux. Sous le clair de lune, ils luisaient comme la fourrure d'une loutre.

Quentin approcha son cheval et distingua des taches de sang sur le devant de la chemise portée par Aisla.

« Pourquoi ? dit-il. Pourquoi ? »

Elle fixa sur lui ses yeux de glace, leva un bras et posa ses doigts sur les lèvres du jeune homme. Jamais encore elle ne l'avait touché.

« Quel imbécile tu fais, dit-elle lentement. Ne serait-ce pas plutôt à toi que tu devrais poser cette question ? »

« Le diable doit être content de lui, ce soir. »

Rachel détourna les yeux des cendres fumantes. Voilà tout ce qui restait des belles meules que Noah avait pris tant de peine à rassembler. Elle le regarda, son voisin et ami, qui était accouru à cheval, dès qu'il avait vu les flammes. Sa barbe était toute roussie, à présent, et, de ses yeux rougis, des larmes coulaient sur ses joues noircies par la fumée.

Rachel aperçut un fer à marquer le bétail dans le foin et se baissa pour le ramasser.

« Ce n'était pas le diable », dit-elle.

Noah fit la moue. « Tout cela ne serait pas arrivé si l'étranger n'avait pas tué cet inspecteur de bétail. »

La jeune femme jeta le fer encore chaud dans un buisson et regarda autour d'elle. Aidé de Benjo et de Mose, Johnny Caïn s'affairait à plonger dans le ruisseau de vieilles couvertures pour en recouvrir les cendres. Ainsi le vent ne propagerait pas l'incendie.

« Tu sais, Noah, dit lentement Rachel, si l'étranger n'avait pas tué cet homme, peut-être n'auraient-ils pas mis le feu à ma ferme, mais à la tienne. »

La grande main rugueuse du diacre se referma sur son bras.

« Renvoie-le, Rachel. Pour le salut de ton âme immortelle, chasse-le !

— Non. »

Il la lâcha aussitôt mais sans la quitter des yeux. Un son rauque s'échappa de sa gorge.

« Tu as dit devant toute notre communauté que tu te marierais avec moi cet automne. A présent, je me demande *qui* est cette femme que je vais prendre pour épouse. »

Elle ne répondit pas, le regard fixé sur l'étranger qui venait vers eux de sa démarche lente, élégante. L'aube qui pointait derrière les collines éclairait ses yeux d'une lueur froide.

La ferme pourrait survivre à la perte de quelques meules, pensa Rachel. Mais si l'étranger n'avait pas tiré avec son revolver, c'était peut-être toutes leurs récoltes qui auraient été anéanties.

Il s'arrêta devant elle et Noah, tournant brusquement les talons, s'éloigna à pas lourds dans le champ où se consumait encore, par endroits, un peu de foin sec.

« Cette fois, je les tuerai tous », dit l'étranger.

Rachel ferma les yeux. Elle était fatiguée, terriblement fatiguée. Au point de ne plus réussir à penser.

« Vous m'avez promis de ne tuer personne, Mr. Caïn. C'était une chose convenue entre nous. »

Il secoua la tête.

« Rappelez-vous ce que je vous ai répondu ce jour-là, Rachel. Je vous ai dit que vous m'en demandiez trop. »

Elle sentit peser sur elle le poids de son regard et détourna les yeux.

« Prenez garde, Mr. Caïn, dit-elle enfin. A ce jeu-là, vous risquez aussi de détruire mon âme. Et vous dites que j'en demande trop... »

Chapitre 18

Debout, les jambes légèrement écartées, les bras pendant mollement le long de son corps, l'étranger semblait rêver sous l'éclat brûlant du soleil de midi.

Mais, soudain, le revolver jaillit d'entre ses mains et cracha des flammes. Les six bouteilles alignées sur la barrière de clôture explosèrent en mille morceaux. Des éclats de verre, brillants comme de l'eau gelée, éclaboussèrent l'herbe.

« Vous n'en avez pas raté une ! » s'exclama Benjo, si excité qu'il en oublia ses propres soucis... et son bégaiement.

Les yeux de Caïn luisaient d'un éclat étrange qui lui donnait l'air d'un animal sauvage prêt à déchiqueter sa proie. De fins rubans de fumée s'élevaient vers le ciel.

Lentement, avec des gestes mesurés et précis, il remit son colt dans son étui.

« C'est facile, tu sais, dit-il de sa voix traînante. On réussit toujours mieux son coup quand on ne vous tire pas dessus en même temps. »

Après une brève hésitation, Benjo s'approcha de l'étranger. D'une main, il tenait une truite tachetée de noir au bout d'une ficelle et, de l'autre, une baguette de noyer. Un panier d'osier se balançait à son épaule. Le fracas des coups de feu avait suspendu tous les autres bruits de la nature mais, déjà, insectes et oiseaux reprenaient leurs chants.

Il régnait une chaleur étouffante. L'air lourd tremblait au-dessus de la terre craquelée. Benjo regarda l'étranger sortir son six-coups pour en faire jouer la gâchette à vide. Il visait la clôture comme si les bouteilles y étaient encore et tirait en faisant cliqueter le mécanisme.

Rachel avait interdit à son fils de s'approcher de l'étranger quand il s'exerçait au tir. Elle tenta même de demander à Caïn de s'abstenir mais il lui avait opposé un refus catégorique.

241

Caïn rangea le six-coups dans son étui et tourna la tête pour observer le gamin.

« On dirait que cette truite t'a donné du fil à retordre, dit Caïn, sur le ton d'une aimable conversation.

— Euh... Jjj... je... »

Dans son trouble, Benjo se mordit si fort sa lèvre contusionnée que du sang lui coula sur le menton. Il se contenta de brandir la truite encore ruisselante et les écailles scintillèrent sous le soleil.

« Viens par là », dit Caïn en posant une main sur la tête de l'enfant pour le pousser doucement vers le ruisseau.

Benjo s'assit sur une roche plate, fit glisser le panier de son épaule et posa son précieux trophée à côté de lui. Accroupi sur ses talons, l'étranger ôta de son cou son foulard bleu pour le rincer dans l'eau claire. Après l'avoir soigneusement tordu, il le tendit à Benjo.

« Nettoie ta bouche avec ça. Tu as du sang sur ta chemise. »

Benjo baissa les yeux et constata les dégâts. On aurait dit qu'il avait renversé de la confiture de cerises. Mais le foulard humide apaisa son visage brûlant.

Caïn attacha à une branche basse la ficelle, en prenant soin de laisser le poisson tremper dans le ruisseau afin qu'il garde toute sa fraîcheur. Benjo le regardait faire, tournant et retournant les mots dans sa tête, sans parvenir à en articuler un seul. Il se demanda si l'étranger avait été étonné de lui voir un visage aussi tuméfié.

Il faisait un peu plus frais, ici, sur la berge, à l'ombre des peupliers et des saules. Assis sur un tronc d'arbre, l'étranger se mit à cueillir quelques jonquilles pour en faire un petit bouquet qu'il tournait entre ses doigts, l'air songeur.

« M... Mmm... mon chapeau, articula Benjo.

— Oui, j'ai vu que tu l'avais perdu », observa calmement l'étranger.

Benjo sentit les muscles de sa gorge se nouer tandis que des larmes de frustration lui montaient aux yeux. Il lui fallut un certain temps pour surmonter sa peur et sa honte puis, d'un seul coup, les mots se bousculèrent et il put enfin raconter ce qui s'était passé.

Les jumeaux McIver étaient tombés sur lui alors qu'il pêchait au bord de l'étang. Comme toujours, ils lui avaient pris son chapeau mais, cette fois, au lieu de le lui rendre en échange d'un chapelet de supplications, ils s'étaient amusés à le remplir de cailloux pour le jeter, ensuite, au fond de l'eau. Après, ils avaient roué Benjo de coups de pied.

« Et maintenant, dit l'enfant, tout essoufflé par son récit, quand

242

Mem verra que j'ai encore ppp... perdu un chapeau, elle me corr... elle me corrigera.

— Sauf si tu lui racontes ce qui s'est passé.

— Est-ce que vvv... vous le diriez, à ma place ? »

L'étranger tritura une fleur et se mit à lui arracher les pétales un par un. Puis il releva la tête pour regarder Benjo.

« Probablement pas », dit-il.

L'enfant soupira. Son père le lui avait déjà dit : un homme, un *vrai*, ne cherche pas à justifier ses défaites par des excuses ou des explications. Il pensa à son P'pa et à la manière dont il avait corrigé ce cow-boy qui s'était permis de déchirer la jupe de sa Mem. Ensuite, il avait dit qu'il y avait des indignités qu'un homme ne devait pas supporter.

« Est-ce que vv... vous voulez bien m'app... m'apprendre à me battre ? »

Caïn jeta dans le ruisseau le bouquet de fleurs tout flétri, maintenant.

« Le problème, fiston, c'est qu'il me semble que vous, les Justes, n'avez pas le droit de vous battre. »

Benjo avala sa salive. La Voie étroite et droite exigeait de ne pas succomber à la haine ni à la violence. Pourtant s'il pouvait, ne serait-ce qu'une seule fois, tenir tête aux jumeaux McIver, leur envoyer un bon coup de poing, sa vie serait bien plus facile.

Comme s'il avait lu dans ses pensées, l'étranger hocha la tête. « J'admets qu'il est parfois nécessaire de se défendre. Mais il arrive aussi que cela ne fasse qu'empirer les choses. »

Son regard glissa vers la fronde glissée dans la ceinture du gamin. « Je pensais qu'avec une arme pareille, tu avais les moyens de tenir les autres à distance...

— Mmm... Mem m'a fait promettre de ne m'en servir que pour chasser. »

Il pensa à tous les lapins et les écureuils qu'il avait tués pour donner à manger au coyote et à ses petits. Mais c'était bien fini, à présent, puisque le coyote était parvenu à sortir du trou grâce à la rampe qu'il lui avait fabriquée.

« Est-ce que ta mère t'a interdit de te battre avec tes poings ? »

Benjo réfléchit longuement

« Elle n'y a pp... pas pensé », lâcha-t-il finalement.

Voyant que l'étranger demeurait silencieux, il se leva et tendit la main vers lui. Pour une fois, il ne bégaya presque pas. « Vvv... vous avez dit que nous étions amis. Les vrais amis s'entraident, n'est-ce pas ? »

Le visage de Caïn se ferma et une lueur douloureuse passa dans ses yeux. Mais il se leva à son tour, prit la petite main de l'enfant dans la sienne et la secoua gravement.

« Ta mère ne sera sûrement pas contente, mais je crois qu'il est temps que je t'apprenne à te battre. »

De loin, Rachel se demanda ce qu'ils étaient en train de faire. On aurait dit qu'ils dansaient. Puis elle vit le poing de Benjo s'enfoncer dans l'estomac de l'étranger.

Elle se mit à courir dans leur direction en trébuchant sur le sol inégal. L'étranger avait dû la voir venir mais il ne broncha pas.

« Tu as retiré ton poing trop tôt, dit-il à Benjo. Il faut poursuivre ton mouvement si tu veux qu'il ait de l'effet. Dis-toi que c'est la figure d'un McIver que tu as devant toi et fais-lui avaler ses taches de rousseur. »

Benjo plia son petit bras et s'apprêta à donner un nouveau coup. Mais sa mère lui saisit le poignet et le fit pivoter si brusquement qu'il faillit s'étaler de tout son long par terre. Quand elle vit les contusions de sa figure, elle eut une sorte de hoquet.

« Quel diable a bien pu t'arranger ainsi ? » s'exclama-t-elle.

Un instant, elle pensa que c'était peut-être l'étranger qui lui avait abîmé ainsi le visage mais, aussitôt, toute l'absurdité de cette hypothèse lui apparut. Elle toucha de la main l'œil tuméfié de son fils.

« Oh, mon pauvre petit *bobbli*... Qui t'a fait ça ?

— Ppp... personne. Je sss... je suis tombé.

— Ne mens pas, Benjo Yoder ! »

Il ouvrit la bouche, vacilla, jeta un coup d'œil à l'étranger. Voyant qu'il s'apprêtait à s'enfuir, Rachel essaya de le retenir mais il lui échappa et se mit à courir le long du ruisseau pour disparaître, bientôt, au coin du bois.

« Laissez-le donc tranquille, gronda l'étranger. Il essaye de grandir et, vous, vous lui faites honte en le traitant comme un gosse. »

Elle se tourna vers lui, si furieuse qu'elle ne parvenait pas à exprimer tout ce qui bouillonnait en elle. Il la regardait, un petit sourire aux lèvres. « Voulez-vous que j'aille cueillir une baguette pour que vous me corrigiez ?

« — Ne plaisantez pas avec cela ! » lança-t-elle d'une voix cinglante.

Il haussa les épaules. « Pourquoi ne voulez-vous pas lui permettre de...

— Non, je ne lui permettrai pas, Mr. Caïn ! Et je ne vous permets pas non plus d'apprendre à mon fils à se servir de ses poings contre quelqu'un !

— J'ai seulement voulu lui apprendre à ne pas se laisser rouer de coups...

— En mettant son âme en péril ? En lui apprenant la violence ?

— Allons ! On dirait que vous êtes aveugle. Ne voyez-vous pas que votre fils est *déjà* confronté à cette violence ? Vous ne pouvez continuer ainsi à ignorer le monde. Laissez-le choisir lui-même quel genre d'homme il a envie de devenir. »

Les yeux fixés sur le revolver qui pendait à la hanche de Caïn, elle lança : « Comme vous, n'est-ce pas ? On dirait que vous avez fait votre choix depuis longtemps... »

Une lueur glacée s'alluma dans les yeux de l'étranger. Prise de remords, elle s'approcha de lui. « On peut changer, Mr. Caïn, dit-elle d'une voix radoucie. Avec des prières et l'aide de Dieu. Je ne dis pas que ce ne sera pas difficile, mais... »

Il la saisit par un bras, l'attira à lui et plaqua ses lèvres sur les siennes. Quand il s'écarta d'elle, ce fut pour murmurer : « Rachel, Rachel... Qui cherchez-vous à tromper ? Vous voulez m'amener à craindre Dieu. Mais n'est-ce pas plutôt pour soulager votre conscience, le jour où vous m'accepterez dans votre lit ? »

Il emprisonna à nouveau sa bouche en un baiser dévorant, doux et brutal en même temps. Le corps de Rachel s'embrasa et elle oublia tout. Puis il la libéra enfin, sortit son revolver et cribla de balles une boîte de conserve posée sur la barrière.

Rachel appuya son front contre la panse chaude de la vache. Sa gorge était si nouée qu'elle lui faisait mal à chaque respiration. Relevant ses jupes, elle assura le tabouret de traite sur le sol et se pencha pour laver les pis gonflés de l'animal. En principe, il s'agissait du travail de Benjo mais il n'était pas revenu à la maison depuis qu'elle l'avait surpris à se battre avec l'étranger. Il tardait à Rachel de le voir de retour pour soigner ses ecchymoses avec du baume de noisettes et de la pomme de terre crue. Elle ne s'attendait guère à voir

l'enfant lui faire des confidences. Il avait préféré confier ses diffi-
cultés à l'étranger.

Elle commença à tirer en cadence les pis de la vache et le lait
mousseux jaillit dans le bidon. Rachel accomplissait ces gestes sans
même y penser car elle les connaissait depuis l'enfance. Tandis que
ses mains s'activaient, la scène qu'elle venait de vivre avec Johnny
Caïn repassait inlassablement dans son esprit. Elle se demanda
comment Ben aurait réagi s'il avait vu revenir son fils roué de coups.
Aurait-il décidé, lui aussi, de lui apprendre à se battre ?

Pourtant, la Voie étroite des Justes excluait la loi du talion.

Et elle ne vous autorisait pas davantage à embrasser un homme
qui n'était pas votre mari.

Rachel avait toujours su que l'étranger était corrompu. A cause
de ce qu'il avait vu et fait, de la manière dont il avait vécu et péché...
Pourtant, elle ne parvenait plus aussi bien qu'avant à penser en
termes de bien et de mal. Surtout quand il s'agissait de Caïn.

« Rachel... »

Elle se retourna à demi et l'aperçut, debout dans l'embrasure de
la porte, les yeux fixés sur elle. A travers les lattes mal jointes du
toit, le soleil striait son visage d'ombre et de lumière.

« Pardonnez-moi, dit-il.

— Vous n'êtes pas le seul responsable. Moi aussi, j'ai des
comptes à rendre pour ce qui s'est passé. »

Il laissa échapper un rire rauque. « On dirait bien qu'aucune
femme ne me mérite, et surtout pas une femme telle que vous. »

La vache choisit ce moment précis pour rappeler à Rachel ses
devoirs en lui balayant la figure d'un coup de queue indigné. Elle
se remit au travail tandis que les paroles de l'étranger résonnaient
encore dans sa tête. Il disait qu'il n'était pas digne d'elle. Voilà qui
ne manquait pas de sel. Elle... une paysanne qui sentait la vache.
Cela lui donnait envie de rire, peut-être seulement pour se convaincre
qu'elle n'avait pas envie de pleurer.

« Vous êtes comme Benjo ! dit-elle d'une voix légèrement tremblante. Quand le mal est fait, vous êtes prompt à vous accuser de
vos péchés. Et vous êtes désolé. Oui, désolé. Alors qu'il ne faut
vous en prendre qu'à vous-même. En attendant, n'oubliez pas que
je vous ai engagé à la ferme pour m'aider aux travaux jusqu'à la
prochaine saison. Contentez-vous de respecter ce contrat.

— Dieu tout-puissant, Rachel ! Vous savez très bien ce que je
veux de vous. Difficile de me montrer plus direct. »

Oh oui... Elle savait bien ce qu'il voulait. Et elle le voulait aussi.

246

Elle dit pourtant : « Nous sommes assez forts, l'un et l'autre, pour repousser la tentation, Mr. Caïn. Le salut de nos âmes a toujours exigé beaucoup de sacrifices et de souffrances. Il ne faut pas tout attendre de Dieu. »

Il la regarda un long moment sans rien dire puis, soudain, éclata d'un grand rire. Un rire léger, moqueur.

« Votre garçon ne s'est sûrement pas adressé à la bonne personne pour apprendre à se battre, dit-il. Avec vous, Rachel, je perds tous mes combats. »

Plus tard, ce même jour, Mose Weaver errait à travers les stèles du cimetière de Miawa City, essayant de rassembler son courage pour affronter son premier rendez-vous galant. La *Red House* se trouvait juste de l'autre côté de la route et, chaque fois qu'il posait les yeux sur la façade ornée de la lanterne rouge, Mose ne pouvait s'empêcher de penser au diacre. Il le tuerait certainement s'il savait ce qu'il s'apprêtait à faire. Et alors, il mourrait sans avoir pu sauver son âme et serait enterré ici, dans ce cimetière lugubre, parmi les étrangers.

Il lui suffit, cependant, de penser à tous les délices qui l'attendaient dans cette maison grise, là-bas, pour sentir aussitôt sa volonté vaciller. Certes, il mourrait damné mais, au moins, il aurait eu le temps de goûter d'infinies voluptés entre les douces cuisses blanches de miss Marilee.

Encore fallait-il avoir assez de cran pour franchir la porte d'entrée. Une heure plus tôt, il était arrivé en ville sur le dos de la vieille mule qui servait à travailler aux champs. Un équipage bien peu fringant, en vérité, et il était heureux que personne, ou presque, n'ait pu le voir ainsi. Il avait attaché la mule à la branche d'un tremble avant de parcourir le restant du chemin à pied jusqu'à la maison du péché. C'était le soir, mais la terre encore gorgée de soleil restituait sa chaleur et Mose avait transpiré dans ses vêtements du dimanche. Ses vêtements du monde extérieur.

Il transpirait encore lorsqu'il gravit les marches de la grande véranda entourant la *Red House*. La lueur de la lanterne jetait un halo rougeâtre sur les planches délavées par les intempéries et Mose ne put réprimer un frisson en pensant à l'enfer.

A peine avait-il heurté timidement la porte qu'elle s'ouvrit toute grande. Un petit homme chauve au visage tout jaune le toisa de ses yeux noirs et étroits. Jamais encore Mose n'avait vu d'Oriental. Fasciné, il le regarda s'incliner profondément, révélant une mince tresse noire qui partait du haut de son crâne. Le Chinois prononça quelques mots rapides qu'il ne comprit pas puis s'effaça pour le laisser entrer. Un tapis usé courait sur le plancher du hall et, au bout du couloir, un rideau de perles bleues frémissait, comme animé d'une vie propre. L'homme à la tresse agita une clochette en cuivre et ses notes aigrelettes retentirent dans toute la maison. Après quoi, il disparut dans l'ombre en glissant sur ses chaussons de soie.

A pas timides, Mose longea le couloir et passa le rideau de perles qui se mit à cliqueter doucement au-dessus de sa tête. Médusé, il contempla la pièce la plus étrange qu'il lui ait jamais été donné de voir. On y comptait tant d'objets hétéroclites qu'elle ressemblait à une sorte de bazar avec ses bustes en plâtre, ses vases de verre aux formes tarabiscotées, ses crachoirs de cuivre et tout un amoncellement de boîtes en laque. Même les meubles paraissaient ridiculement surchargés de dorures tandis que chaque pan de mur s'ornait de rubans froufroutants et de soies précieuses, aux couleurs vives et chatoyantes.

Devant le foyer, un carlin en porcelaine contemplait l'âtre vide avec philosophie tandis qu'au-dessus de sa tête, sur le manteau de la cheminée, une rangée de candélabres en forme de dragons semblait veiller solennellement sur tout ce capharnaüm. Un grand tableau, sur le mur, montrait un homme entouré de trois nymphes très dévêtues. Dans un angle, un orgue de Barbarie constellé d'étoiles d'or jetait une douce lueur.

Bouche bée, Mose avisa une petite affichette, sur le mur, qui disait : SATISFACTION GARANTIE OU SECOND JETON GRATUIT.

Il pensa d'abord que la pièce était vide. Puis quelque chose bougea du côté du poêle. Assis sur une chaise à haut dossier, un homme attendait, raide et guindé. A en juger par son Stetson poussiéreux et ses bottes pointues à talons, ce devait être un cow-boy.

Mose prit place sur un sofa recouvert de velours rouge et comprit aussitôt pourquoi le cow-boy avait choisi la chaise. Les coussins du sofa étaient si mous qu'on s'y sentait comme absorbé, presque étouffé. Intimidé, le jeune garçon posa son chapeau sur ses genoux et s'efforça de se tenir tranquille.

Du coin de l'œil, il vit que le cow-boy ne cessait de tirer sur son col de celluloïd jauni qui, manifestement, lui serrait un peu trop le cou. Il devait s'être rasé de trop près car une estafilade rouge barrait le dessous de sa mâchoire. Après avoir tiré une nouvelle fois sur son col, l'homme prit une chique de tabac dans sa poche et se mit à la mastiquer consciencieusement. Au plafond, un ventilateur brassait lentement l'air chaud.

Le rideau de perles se souleva tout à coup et une femme pénétra dans la pièce. La bouche de Mose s'arrondit de surprise.

C'était la femme la plus grasse qu'il ait jamais vue. Comprimée dans un corset et une culotte à rubans, sa chair blanche et dodue faisait penser à une grosse boulette de pâte. Elle se dirigea droit sur Mose et se pencha vers lui en gazouillant : « Bonsoir, mon joli ! » Ses deux énormes seins tombèrent en cascade sur lui et il eut l'impression d'être englouti par deux montagnes douces et tièdes. « C'est moi que tu veux, chéri ? » demanda encore la femme.

Mose avala sa salive.

« Je suis venu voir miss Marilee », articula-t-il faiblement.

Judas ! Il pouvait voir le bout de ses seins, aussi gros que des châtaignes.

La femme recula et son pas ébranla le plancher. Elle toisa le jeune homme, une main sur sa hanche rebondie.

« Marilee, Marilee... Ils la veulent tous. Mais qu'est-ce qu'elle a donc que je n'ai pas, hein ?

— C'est son poids, qu'elle a en moins, ma grosse ! » lança une voix dans son dos.

Une seconde femme venait d'entrer, si maigre, celle-là, qu'on aurait dit qu'elle n'avait jamais mangé de sa vie. Elle portait une simple jupe noire et un chemisier blanc à col montant. Après avoir jeté un regard sur les occupants de la pièce, elle se dirigea vers l'orgue de Barbarie et actionna la manivelle. Une cacophonie de notes bruyantes s'éleva, écorchant les oreilles de Mose.

La grosse putain échangea quelques paroles à mi-voix avec le cow-boy et ils quittèrent ensemble le salon. Mose tournait et retournait les bords de son chapeau entre ses doigts fébriles pendant que la femme maigre continuait d'actionner la manivelle. Un second examen de la pièce lui en révéla les défauts cachés. Sous le bouillonnement des soies et des rubans, il vit que la tapisserie à motifs fleuris était usée et tachée par endroits, le tapis turc décoloré et mangé aux mites, le plâtre du plafond lézardé. Une odeur de tabac et de bois pourri se mêlait aux relents lourds de parfums entêtants. L'odeur du péché, pensa Mose.

De violents coups ébranlèrent la porte d'entrée. On entendit des pas furtifs et une voix aussi tranchante qu'un silex aboyer un salut.

La clochette de cuivre tinta et la femme cessa brusquement de tourner la manivelle de l'orgue de Barbarie. Puis le rideau de perles s'agita et le cœur de Mose fit un bond dans sa poitrine.

Fergus Hunter venait de pénétrer dans le petit salon. Son regard se posa sur le jeune garçon mais ne s'y attarda pas. Aussitôt, la femme maigre saisit une carafe posée sur un plateau d'argent terni et s'empressa de servir un whisky au rancher.

Le Baron liquida son verre d'un trait. Il sortit ensuite un cigare de sa poche, frotta une allumette sur un coin de table et souffla sa première bouffée.

Pétrifié, Mose l'observait à travers ses cils. Fergus Hunter avait un visage long et osseux, comme si le soleil qui desséchait la vallée avait absorbé toute la chair qui se trouvait dessus. Cependant, l'homme était habillé élégamment d'un costume noir et d'un gilet de brocart au-dessus duquel moussait une cravate de soie grise maintenue par une épingle montée sur perle. L'éclairage au gaz faisait luire la chaîne dorée qui lui barrait le ventre, une chaîne épaisse, toute bardée de breloques en cristal.

Les perles du rideau tintinabulèrent à nouveau et Mose vit entrer un jeune homme qu'il reconnut aussitôt. C'était le fils du Baron, celui dont on disait qu'il l'avait eu d'une squaw Pied-Noir.

« Bonsoir, jeune Hunter », dit la femme maigre avec un drôle de petit sourire oblique. Elle avait de toutes petites dents, comme celles d'un écureuil, qui lui donnaient un air cruel.

« J'ai décidé de lâcher la bride à mon garçon pour qu'il vienne un peu faire la noce en ville, lança Hunter avec un gros rire. Si on ne les laisse pas se défouler un peu, ils deviennent querelleurs, pas vrai Quentin ? »

Deux taches rouges apparurent sur les hautes pommettes du jeune homme. Il avait l'air gêné et Mose fut traversé d'un courant de sympathie pour lui.

Mais, quand il vit que le Baron le regardait à nouveau de ses yeux durs et froids, il sentit sa pomme d'Adam se mettre à faire de drôles d'allées et venues dans sa gorge. Il déglutit péniblement et se tassa sur le sofa.

« Regardez-moi ça ! ironisa le Baron, ne dirait-on pas que voilà un de nos gentils petits éleveurs de moutons ? Je croyais pourtant que vous autres, les Justes, ne deviez jamais succomber au péché de chair ! »

Il se mit à rire de nouveau, d'un rire froid et méprisant. Mais, presque aussitôt, son attention fut détournée par une nouvelle venue qui franchissait le rideau de perles.

« Eh ! Voici la plus jolie putain de tout le Miawa ! Bonjour, ma belle... »

Quand il vit Marilee pénétrer dans la pièce, Mose se propulsa comme un ressort sur ses pieds, son chapeau à la main. Éperdu d'admiration, il la trouva plus ravissante que jamais avec ses panties garnis de dentelles, ses bas noirs et son châle en soie d'un rouge éclatant. Une autre fille lui emboîtait le pas. Elle avait des cheveux si cuivrés qu'on aurait dit que sa tête entière était en proie aux flammes.

Le Baron planta son cigare dans sa bouche pour applaudir des deux mains.

« Viens par ici, ma douce Marilee. Allons, viens, ma fille. Nous allons faire un petit tour là-haut, toi et moi. »

Il essaya de glisser un bras autour de sa taille mais la jeune femme s'esquiva gracieusement.

« Il va vous falloir attendre votre tour, Fergus Hunter. J'ai déjà un client. »

Les joues de Hunter se colorèrent légèrement sous leur hâle mais il garda le sourire.

« Bon, bon. Si c'est de ce petit avorton que tu parles, je ne crois pas que tu en auras pour longtemps ! »

Il tira sur sa chaîne et sortit de son gilet une grosse montre en or. « En attendant, je vais prendre du bon temps avec celle-là », ajouta-t-il en attirant contre lui la fille aux cheveux orange.

Mais elle l'ignora et jeta un regard langoureux au jeune Quentin. Elle avait les yeux si fardés qu'on les aurait crus couverts de suie.

« Il paraît que ta M'man portait des mocassins, gloussa-t-elle en étirant ses lèvres rouge vermillon. Ooh, nous allons peut-être bien finir tous scalpés dans notre lit ! »

La femme maigre ricana. « Au moins, il n'aura pas de mal à distinguer tes cheveux de ta chatte... Si les uns sont jaunes, l'autre ne l'est pas ! »

Ils se mirent tous à rire mais Quentin garda un visage figé.

Marilee glissa son bras sous celui de Mose et l'entraîna en haut d'un escalier dont la rampe était ornée de barreaux torsadés en bois verni. A l'étage, un énorme bougeoir en forme de chérubin était posé sur une table de marbre. Une lampe à pétrole protégée par un abat-jour garni de franges oscillait au plafond au bout d'une longue chaîne. Mose tressaillit en entendant des coups sourds et des grognements à l'étage au-dessus.

Marilee marchait devant lui en faisant onduler ses hanches. Mose entrevit son derrière nu à travers la fente de ses panties et son cœur faillit s'arrêter de battre. Judas ! Elle avait des fesses aussi rondes que celles du petit chérubin... Sous son beau pantalon à la mode du monde extérieur, il sentit son bas-ventre se nouer et devenir tout dur.

Marilee se retourna tout à coup et s'exclama :

« Par tous les saints ! Où ai-je donc la tête, ce soir ? J'ai oublié de te demander ton jeton. »

Il la fixa, l'air ahuri. « Quoi ? »

Elle leva les yeux au plafond en soupirant.

« Je t'avais pourtant dit qu'il t'en coûterait trois dollars. »

Mose fouilla dans sa poche. « Je les ai. Mais... Eh bien, je ne savais pas quand il fallait vous les donner... »

Marilee jeta un coup d'œil furtif autour d'elle et tendit prestement la main en murmurant : « C'est bon. Donne-les-moi maintenant. »

Les dollars disparurent dans sa jarretière.

« Viens avec moi, Mose Weaver, dit-elle en lui adressant son plus radieux sourire. Lorsque j'en aurai fini avec toi, je parie que tu chanteras l'Alléluia ! »

A cet instant, les bruits et les grognements cessèrent subitement à l'étage supérieur. Il y eut un bref silence et, soudain, un cri sauvage vrilla l'air, rappelant celui d'un élan en rut. Mose bondit sur ses pieds mais Marilee reprit tranquillement son chemin comme si rien ne s'était passé.

Elle s'arrêta devant une porte entrouverte et se tourna vers lui. Sans crier gare, elle glissa sa main jusqu'à son entrejambe tout en se pressant contre lui si fort qu'il sentit les crins durs de sa toison sous la soie de son pantalon.

« Tu as pris un bain, n'est-ce pas, Mose ? Je ne supporte pas l'odeur des moutons. »

Jésus, Dieu du ciel ! Comme elle sentait bon, sa Marilee ! Elle sentait le péché ! Il voulut lui expliquer qu'il s'était lavé de fond en comble avant de venir mais elle ne lui en laissa pas le temps. Son corps ondulait contre le sien de plus en plus frénétiquement et la bouche de Mose s'ouvrit pour laisser échapper un long gémissement.

Elle le poussa alors dans la chambre. A la différence du salon, la pièce était simplement meublée. Juste une commode à deux tiroirs

252

où l'on avait posé un pichet bleu émaillé et une cuvette assortie, une table de nuit équipée d'une lampe à pétrole et d'un sablier, et un lit en fer, rouillé aux coins.

Marilee s'empara du chapeau de Mose, le plaça à côté de la lampe et retourna le sablier. Un petit récipient plein de beurre fondait doucement à la chaleur de la lampe.

Mose commençait à se sentir tout étourdi. La pièce sentait l'herbe sèche, la sueur et une curieuse odeur musquée qu'il reconnut bien vite. C'était celle de ses draps quand il avait passé une nuit pleine de rêves interdits.

Il prit conscience qu'elle le regardait en souriant.

« Tu sais que tu as de beaux yeux, mon garçon ? On dirait un verre de whisky au soleil. »

Mose avança la main et tenta de faire glisser le châle de soie qui drapait le corps de la jeune femme. Elle eut un petit rire en l'attirant à lui. « Tu es costaud, Mose Weaver. J'aime ça chez un homme. »

Ses mains expertes et douces couraient sur son corps, répandant le feu du désir dans les veines de Mose. Il pencha la tête pour déposer un baiser sur ses lèvres mais elle se détourna.

« Non, non. On n'embrasse pas, ici. »

Désappointé, il la regarda sans comprendre.

« Vous voulez dire que... c'est un péché ? »

Elle rit de plus belle en lui frappant la poitrine. « Seigneur ! Ces idées que tu as ! »

Tout en parlant, ses doigts habiles dégrafèrent les boutons de son pantalon et, bientôt, elle tint son membre durci entre ses mains.

« Seigneur... Oh, Seigneur... » chantonna-t-elle en resserrant son étreinte.

Mose crut défaillir.

« Judas ! cria-t-il. Je... Oh, je... Oh, Judas ! Judas ! »

Marilee enfouit sa tête dans son cou, les mains toujours actives.

« Tu vas voir, ça va être vraiment bon. Viens, maintenant. »

Sans le lâcher, elle recula et se laissa tomber en arrière sur le lit qui se mit à grincer horriblement sous leur poids. Mose se sentit happé comme une âme damnée dans le gouffre de l'enfer. Fébrilement, ses mains cherchèrent les seins de Marilee sous les baleines rigides du corset. Elle gémit doucement et le guida pour qu'il trouve le chemin secret entre ses jambes. Mose eut l'impression que la pièce se mettait à tanguer de plus en plus vite jusqu'à exploser dans une apocalypse d'étincelles. Le sang lui battait si fort aux oreilles qu'il crut entendre mille trains traverser le lit.

Tout son corps parut se rassembler en une boule de désir qui lui brûlait le bas-ventre. Il se laissa engloutir dans la moiteur tiède de Marilee et, avant de perdre brièvement conscience, eut le temps de penser que les plaisirs interdits de ce monde avaient quelque chose de divin.

Chapitre 19

Marilee caressa tendrement le bras de Mose, juste au-dessous du coude.

« Tu n'es pas bavard aujourd'hui... »

Il ne répondit pas, tout occupé à la regarder, émerveillé par le charmant tableau qu'elle offrait avec sa robe en voiles vaporeux, de la couleur des pétunias. Le soleil filtrait à travers les larges bords de son chapeau de paille, constellant son visage fin de minuscules taches d'or.

C'était si difficile d'exprimer les sentiments qui agitaient son cœur à cette minute précise. Les Justes apprenaient toujours à dissimuler leurs émotions. Ils disaient qu'elles gaspillaient les forces de l'âme. Mais Marilee n'aurait sans doute pas compris.

Elle agita un petit éventail avec tant de vigueur que le bord de son chapeau se souleva.

« Comme il fait chaud ! Je me demande quand il va enfin se mettre à pleuvoir... »

Mose porta son regard vers les prés, en contrebas. On était seulement en juin et, déjà, la canicule avait fini par brûler toute l'herbe. Au-dessus de leurs têtes, le ciel était plombé et lourd, comme avant un orage.

Il avait d'abord pensé emmener Marilee sur les bords de l'étang de Blackie mais les buissons et les saules n'offraient pas une ombre assez épaisse. Alors ils avaient grimpé plus haut pour s'installer à l'abri des peupliers et des grands buis. Leur feuillage encore vert crissait sous le vent comme du papier séché.

Quand elle accepta de l'accompagner à ce pique-nique, Mose avait cru vivre un véritable rêve. Et pourtant Marilee était bien là, toute fraîche et joyeuse dans sa jolie robe.

Un peu plus tôt, il était venu la chercher à la *Red House* dans un élégant cabriolet noir qu'il avait loué à crédit à l'écurie de Trueblue Stone. Quand elle l'avait rejoint, il l'avait trouvée aussi belle qu'un lever de soleil. A la main, un petit panier en osier se balançait.

« Les hommes ne pensent jamais aux victuailles quand ils me proposent un pique-nique, avait-elle lancé gaiement. Alors j'ai décidé de m'en occuper moi-même. »

Elle avait ri, d'un petit rire léger, presque enfantin, et Mose s'était senti traversé par une vague de tendresse et de gratitude. Il s'était dit que, sûrement, il était tombé amoureux d'elle. Tout le long du chemin, en conduisant le cabriolet, il n'avait cessé d'y penser. Oui, il aimait Marilee. Et cette certitude avait rempli son cœur de joie.

Il la regarda à nouveau tandis qu'elle s'affairait avec le panier de pique-nique. « Ce ne sont que des choses assez ordinaires, dit-elle, du poulet frit, des pains de maïs et des beignets aux pommes. »

Mose se pencha, faisant mine d'examiner le contenu du panier. En réalité, il ne voulait que respirer et admirer la gorge ronde de Marilee qui gonflait le tulle fin du corsage.

« Avez-vous préparé tout cela vous-même ? »

Elle lui jeta un regard en coin. « Disons que j'ai voulu que ce jour soit une petite fête, quelque chose de spécial... »

Il l'observa tandis qu'elle disposait les aliments sur le kilt. Cela sentait bon. Mais Marilee aussi sentait bon. Délicieusement bon, même.

Il prit une profonde inspiration et se lança :

« J'ai aimé ce que nous avons fait l'autre soir, Marilee. J'ai tellement aimé ça que je compte vous rendre une autre visite. Dès que j'aurai réussi à me procurer trois nouveaux dollars. »

Elle lui tapota le bras gentiment. « Moi aussi, j'ai bien aimé, Mose. »

Il soupira d'aise tout en devinant qu'elle devait dire la même chose à tous les hommes qui venaient la voir. Peu importe, d'ailleurs. Il aimait l'entendre prononcer ces paroles réconfortantes...

Elle lui tendit une cuisse de poulet enveloppée dans une petite serviette en papier. A cet instant précis, un bruit de sabots résonna au loin. Mose se redressa, la main en visière, et vit trois cavaliers venir dans leur direction. Leurs chevaux portaient la marque du Ranch H.

C'étaient les hommes de Hunter.

« Sauve-toi ! » cria Marilee.

Il se tourna vers elle, soudain très pâle. « Non. Je ne vous laisserai pas... »

Elle sauta sur ses pieds et le poussa brutalement dans le dos. « Mais sauve-toi donc, espèce de fou ! Vite ! »

Il se mit debout, non pour partir mais pour mieux affronter le danger. La peur lui étreignait le ventre.

L'homme qui chevauchait en tête, un inconnu pour Mose, commença à détacher un lasso de sa selle. Les genoux du garçon s'entrechoquèrent. Ils allaient lui faire la même chose qu'à Ben Yoder ! Ils allaient le pendre à l'une de ces branches !

Il se mit alors à courir en dévalant la prairie. Les sabots des chevaux martelaient la terre desséchée derrière lui et il courut plus vite encore, tandis que des sanglots lui nouaient la gorge.

Risquant un coup d'œil par-dessus son épaule, il vit l'un des cow-boys faire tourner son lasso au-dessus de sa tête. Une seconde plus tard, Mose s'abattit dans l'herbe, ficelé comme un veau qu'on attrape pour le marquer au fer.

Il entendit les hommes s'esclaffer pendant que la corde se tendait pour le traîner sur le sol. Les cailloux et les épines lui déchirèrent la peau tandis qu'on le tirait jusqu'aux peupliers. Jusqu'à Marilee et aux ruines de leur pique-nique.

Une petite fête, avait dit Marilee...

La corde se relâcha enfin et il s'immobilisa, cherchant désespérément à reprendre son souffle. Les trois hommes avaient mis pied à terre et l'entouraient.

« Mets-toi à genoux », ordonna celui qui tenait le lasso.

Pris de nausée, Mose se mit péniblement debout. C'était seulement devant son Seigneur qu'il acceptait de s'agenouiller, pas devant des bandits de cette espèce. Mais il ne s'attendait guère à ce que Dieu lui pardonne. N'avait-il pas gravement péché en recherchant les plaisirs du monde extérieur ? Il était damné, maintenant. Les flammes de l'enfer allaient le rôtir pour l'éternité.

Mais, avant, il fallait d'abord mourir.

De sa main écorchée, il repoussa les mèches qui lui barraient le front pour contempler son futur meurtrier.

C'était un homme petit et mince, avec des favoris et une barbe grise taillée en pointe. Il portait des vêtements élégants : un gilet de velours, une cravate de soie blanche et un grand chapeau noir. A première vue, on aurait dit un homme civilisé mais ses yeux porcins, petits et opaques, révélaient toute la sauvagerie de sa nature.

Mose regarda alors les deux autres cavaliers. Il reconnut Quentin Hunter et remarqua qu'il paraissait plutôt mal à l'aise. Le second n'était qu'un cow-boy ordinaire, grand et élancé, avec des cheveux couleur de paille sous un grand Stetson gris. Il tenait Marilee serrée contre lui et Mose devina qu'elle avait dû essayer de fuir car sa jolie robe était toute déchirée et son visage portait des traces de coups.

« Qu'allez-vous lui faire ? demanda-t-elle d'une voix tremblante.

— Tu ferais mieux de te demander ce qu'on va te faire à *toi* », ricana l'homme au lasso.

C'était probablement le nouvel inspecteur de bétail, pensa Mose, paniqué. Il allait leur faire payer la mort de Wharton.

« J'ai dit à genoux ! » cria l'homme en frappant brutalement Mose au visage.

La tête du jeune garçon bascula et du sang se mit à couler de ses lèvres déchirées.

« Je crois bien que tu as besoin d'une leçon, le genre de leçon qu'on donne à un jeune coq dans ton genre... »

Il saisit Mose par les cheveux et le traîna vers le bois. Mose se débattit mais les autres vinrent à la rescousse et il se retrouva attaché à un tronc d'arbre, son pantalon et son caleçon descendus jusqu'aux genoux.

Il entendit un sifflement et se recroquevilla en attendant le choc. La lanière plombée fendit l'air et s'abattit sur lui, déchirant sa peau nue. Il se mit à hurler de douleur tandis que les coups redoublaient de force. La souffrance devint si aiguë que Mose se prit à espérer que la mort viendrait le saisir assez tôt pour le libérer d'une telle torture. Ses oreilles bourdonnaient, son corps était traversé de spasmes.

Mais la mort ne vint pas. Le corps brisé, il sombra dans un semi-brouillard et il entendit l'un des cow-boys dire : « Étends-la sur la couverture... »

Marilee se mit à crier.

Mose ouvrit péniblement les yeux. Les coups de fouet avaient cessé. « Laissez-la ! » cria-t-il tout en essayant de se défaire de ses liens.

Un rire lui répondit. On entendit des bruits de lutte mais Mose était trop loin pour voir la scène qui se déroulait dans la clairière.

La voix de Quentin Hunter s'éleva pour la première fois.

« Pourquoi faites-vous ça ? Elle est à la *Red House* tous les soirs, si vous la voulez. »

Marilee sanglotait et gémissait. Il y eut un court silence puis elle hurla. C'était un hurlement si affreux que Mose frissonna. Mon Dieu, pensa-t-il affolé, ils sont en train de la tuer...

Marilee hurla et hurla encore. Puis le silence retomba. L'un des trois hommes pénétra dans le bois et s'approcha de Mose, un revolver à la main.

Il s'amusa à en laisser courir le canon sur le visage de Mose. « Il paraît que vous avez chez vous un homme du nom de Caïn », dit-il.

Il fit une pause, attendant la réponse. Mose aurait voulu lui cracher au visage mais il n'y avait plus de salive dans sa bouche. Un sanglot se noua dans sa gorge et il baissa les yeux. Le canon froid de l'arme l'obligea à redresser la tête.

« Tu diras à ton ami Caïn que Hunter a engagé un nouvel inspecteur de bétail. Il s'appelle Jarvis Kennedy. Et tu lui diras aussi qu'à partir d'aujourd'hui, c'est un homme mort. »

L'homme leva le revolver et se mit à sourire. C'était le sourire le plus cruel que Mose ait jamais vu. Puis il se détourna lentement et quitta le bois en appelant les autres.

Mose entendit grincer le cuir des selles tandis qu'ils remontaient sur leurs montures. Puis le bruit des sabots s'évanouit dans le lointain. Un calme lourd, inquiétant, tomba sur le bois.

Marilee pleurait tout doucement et Mose l'appela, mais elle ne lui répondit pas. Il lui fallut longtemps pour parvenir à se dégager des liens qui lui cisaillaient les poignets. La peau de ses fesses et de ses cuisses était rouge et sanglante.

Il rampa jusqu'à Marilee toujours couchée sur la couverture parmi les débris épars du pique-nique. Au milieu des morceaux de poulet et de pain au maïs, Mose aperçut quelque chose qui ressemblait à des tiges de blé mûr, quelque chose qu'il n'identifia pas immédiatement jusqu'à ce que la jeune femme se soulève sur un coude pour le regarder. Ses yeux étaient affreusement tuméfiés.

« Mes cheveux, Mose. Ils ont coupé mes cheveux. »

C'était donc ça, ces brins de paille morte qui jonchaient le tissu, comme des épis coupés gisant dans un champ après la moisson. Par endroits, le crâne de Marilee avait été rasé de si près que la peau béait, sanglante.

Il leva la main vers ce qui restait de ses cheveux mutilés mais elle recula, effrayée.

« Oh, Marilee, Marilee. »

Alors elle se mit à pousser de petits cris plaintifs, comme une bête mise à mort. Mose vit que sa robe lacérée était toute maculée de sang.

Puis, tout à coup, son corps se révulsa et elle porta les mains à son ventre. Des rigoles rouges coulaient entre ses jambes et commençaient à coaguler.

Et Marilee se remit à hurler.

Mose marchait lentement en traînant ses bottes dans l'herbe, comme un vieil homme. Chaque pas était une souffrance. Il frissonnait et transpirait sous la chaleur.

Il avait la bouche sèche et amère, et des larmes de rage, de douleur et de honte ruisselaient sur ses joues. Mais ses propres maux n'étaient rien à côté de ce qu'avait dû endurer Marilee.

Lieber Gott ! Comme elle avait crié ! Et saigné. Son sang s'était répandu sur la couverture, sur sa robe, sur le siège de la voiture. Oui, tout avait été couvert de sang. Il avait conduit le cabriolet comme un fou à travers la prairie pour retourner à la ville, tandis que la colère et la peur remplissaient son cœur de fiel et le faisaient battre à grands coups.

Il l'avait prise dans ses bras, pauvre petite chose brisée et gémissante, pour la porter en courant jusqu'à la maison de Doc Henry. Le médecin n'avait pas eu besoin de beaucoup de temps pour dire que Marilee était en train de perdre son bébé. Mose ne savait même pas qu'elle était enceinte.

Cet homme. Ce nouvel inspecteur. Il avait dit en riant à Mose qu'il ne pourrait plus jamais enfourcher un cheval sans se rappeler la bonne correction qu'on lui avait administrée. Mais c'était compter sans la colère, sans la rage. Et maintenant, Mose ne sentait même pas sa souffrance. Il ne pensait qu'à une chose : trouver Johnny Caïn et lui demander de les venger.

Les éleveurs de moutons aiment à répéter qu'un malheur n'arrive jamais seul. Et, en arrivant près de la ferme Yoder, Mose put constater qu'une fois encore ce proverbe se vérifiait.

Les brebis s'étaient rassemblées dans un carré de trèfles épais. Elles s'étaient tant gavées d'herbe tendre que leurs panses ballonnées menaçaient d'exploser. On en voyait déjà une bonne douzaine à terre, l'écume au museau, leurs ventres distendus. Quatre autres gisaient sur le dos, les pattes raides, mortes.

Mose aperçut Johnny Caïn agenouillé près d'une brebis.

« Il suffit de leur donner un coup de lancette, dit Mose. Et le ballonnement disparaîtra. »

L'étranger lui lança un regard furieux. « Tu vois bien que c'est ce que je suis en train de faire... » Il se pencha sur la brebis et Mose vit alors qu'il tenait déjà une lancette à la main.

Il l'enfonça dans le flanc de la brebis qui poussa un bêlement pathétique et expira aussitôt.

« Par tous les diables ! gronda l'étranger. Voilà que je l'ai tuée ! »

Mose s'accroupit à ses côtés en serrant les dents pour ne pas crier de douleur. « Laissez-moi faire », dit-il en prenant la lancette des mains de Caïn.

Il se traîna en trébuchant vers une autre brebis et frotta son flanc à la recherche du point précis.

« C'est assez difficile, expliqua-t-il à l'étranger. Ni trop à droite, ni trop à gauche. Il faut percer au bon endroit. »

Il enfonça le petit tube creux dans le flanc de l'animal et, aussitôt, de l'air chaud et malodorant sortit en sifflant.

La brebis vacilla et reprit son équilibre avec un petit cri de soulagement. C'était juste cela, la différence entre la vie et la mort, pensa Mose. Juste un centimètre d'écart dans le flanc d'un mouton.

Il se dirigea lourdement vers une autre brebis pour recommencer l'opération. Chaque pas, chaque mouvement réveillait ses souffrances.

« Mrs. Yoder... elle s'y connaît bien pour ponctionner les brebis gonflées, dit-il à Caïn. Et le jeune Benjo n'est pas mauvais non plus. »

L'étranger laissa échapper un grognement maussade. « Ils sont tous partis. Je suis resté seul avec ces fichues boules de laine. Le garçon est chez son grand-père pour aider à la tonte et Rachel cueille des haricots avec les jumelles pour préparer la soupe de la prédication de demain. Et voilà qu'une pareille catastrophe arrive !

— C'est toujours comme ça avec les moutons, fit Mose. Le diable lui-même ne peut imaginer tous les tracas qu'ils peuvent causer. »

Le jeune homme eut un regard pour le holster qui pendait à la hanche de l'étranger. Mais ce qu'il avait à dire n'était pas facile à formuler. Il finit donc de ponctionner toutes les brebis ballonnées puis Caïn et lui menèrent le troupeau vers un coin de pâture où le trèfle était moins tentant.

Quand ce fut fini, ils s'assirent tous les deux dans l'herbe, au milieu des bêtes. Mose s'étonna d'avoir été capable d'agir et de parler avec Caïn en oubliant sa rage. C'était comme s'il y avait eu deux Mose Weaver. L'un était le Juste, l'éleveur de moutons, l'autre un client de la *Red House*, tellement différent du premier qu'il en devenait presque un étranger.

Mose se gratta la gorge.

« Avant de venir ici, Mr. Caïn... commença-t-il, est-ce que... est-ce qu'il vous est arrivé de faire quelque chose pour de l'argent ? »

Caïn ôta son chapeau et se passa la main dans les cheveux.

« Quel genre de choses ?

— Tuer un homme. »

L'étranger tourna lentement la tête et son regard parcourut le visage tuméfié de Mose, ses vêtements en loques, tout maculés de sang. Le silence tomba sur la prairie, à peine troublé par le bourdonnement des mouches, le cri d'une pie, le doux bruissement du vent dans les herbes.

« Qui est-ce ? »

Mose sursauta et bredouilla :

« Il s'appelle Jarvis Kennedy. C'est le nouvel inspecteur de bétail de Fergus Hunter. Il m'a dit de vous répéter que vous étiez un homme mort. »

Ces paroles firent sourire l'étranger. Un sourire si perfide qu'il rappela à Mose celui de l'homme au lasso. La rage et l'humiliation lui tordirent à nouveau le ventre. Il sentit les larmes jaillir sous ses paupières en repensant à Marilee. Oui, elle devait être vengée.

« Écoutez, Mr. Caïn... Ce type a violé et blessé une femme, une amie à moi. Elle travaille à la *Red House*. Kennedy et ses gars l'ont frappée si violemment qu'elle en a perdu son bébé. »

Mais l'étranger continuait de se taire. Une terrible lassitude envahit Mose. Il s'était attendu à le voir réagir, peut-être même à le voir s'indigner contre l'indignité des cow-boys du Ranch H. Mais c'était oublier que l'étranger n'était qu'un étranger. Un homme uniquement préoccupé de lui-même.

« Il a violé mon amie, insista-t-il, la voix tremblante. Avec ou sans votre aide, je le tuerai. »

Aussi vif que l'éclair, Caïn l'attrapa par le cou, le renversa en arrière et pointa le canon de son revolver contre son front.

« Primo, dit-il, d'une voix basse et dure, tu n'es qu'un idiot, mon garçon. Et secundo, je me fiche complètement de toi et de ta putain. Mais Mrs. Yoder t'aime bien et c'est la seule chose qui compte à mes yeux. »

A sa grande honte, Mose s'aperçut qu'il tremblait si fort que ses dents claquaient comme un sac d'osselets. Les yeux fermés, il attendit... attendit et, comme rien ne se passait, souleva à demi les paupières pour observer l'étranger à travers ses cils. Il vit que l'arme avait déjà regagné son étui et comprit alors que Caïn ne lui voulait aucun mal. Il avait juste cherché à lui donner une leçon.

Pourtant, il n'allait pas abandonner aussi vite. Saisissant le bras de Caïn, il balbutia :

« Je ne suis pas un idiot, vous savez. Mais je sais ce que vous voulez me faire comprendre. Je n'ai pas votre compétence. Et pourtant, croyez-moi, je veux voir Jarvis Kennedy mort.

— C'est *toi* qui seras mort, imbécile, fit l'étranger.

— Il faut qu'il paye pour ce qu'il a fait ! Vous êtes bien comme tous les autres ! Pour vous, un Juste n'est qu'un bouseux ignorant ! »

L'étranger baissa la tête comme si, soudain, elle était devenue trop lourde. Quand il la releva, son visage avait une expression lointaine.

« Ce n'est pas une question d'ignorance, Mose. Mais tu es différent, c'est tout. Toi, quand tu auras déchargé tout un barillet dans le ventre d'un homme, tu seras incapable de t'éloigner le cœur léger. C'est pour ça que tu n'as aucune chance de survivre. Parce que tu ne portes pas le goût de la mort en toi. »

Il posa sur le jeune garçon un regard vide. Pourtant Mose eut l'impression qu'une infinie souffrance était tapie au fond de cet homme, lovée au fond de son âme comme un serpent venimeux.

Il le vit se lever et s'éloigner lentement. Au bout de quelques pas, il se retourna et dit doucement :

« Je suis désolé pour ton amie, Mose. »

Les yeux de Marilee regardaient fixement la tapisserie murale, un papier décoré de rubans et de roses. La dernière fois qu'elle avait regardé ces dessins, c'était pour apprendre de Doc Henry qu'elle était enceinte. Aujourd'hui, tout avait changé. Son ventre était vide.

Elle tourna la tête et vit le médecin penché sur elle, les sourcils froncés. Il avait l'air soucieux et, curieusement, elle en éprouva une joie passagère. Cela voulait dire qu'il se préoccupait de son sort. Peut-être un peu plus que son devoir de médecin ne l'exigeait.

Lucas Henry s'assit à côté d'elle et lui prit la main.

« Marilee... »

Elle avait la gorge serrée et les mots se nouaient dans sa gorge.

« J'ai perdu le bébé, c'est ça ? » articula-t-elle avec difficulté.

Il hocha la tête en disant : « Je suis désolé, Marilee... »

La jeune femme se détourna et enfouit son visage dans l'oreiller, le corps secoué de sanglots. « Oh, Seigneur... Seigneur... »

263

Elle aurait voulu qu'il la prenne dans ses bras, qu'il la serre contre lui pour la consoler. Comme il ne bougeait pas, ce fut elle qui se jeta contre sa poitrine en s'accrochant désespérément à ses épaules.

Elle demeura ainsi un long moment, jusqu'à ce que les battements de son cœur s'apaisent. « Cela fait si mal, Luke. Je n'aurais pas cru... Mais je suis si déçue...

— Je sais, je sais... »

Il la reposa doucement sur les oreillers en disant : « Je vais vous préparer une de mes tisanes. » Puis, avec un sourire en coin, il ajouta : « Et peut-être aussi un médicament, juste par sécurité. »

Marilee porta la main à sa tête.

« Ils ont coupé mes cheveux, Luke. Mes beaux cheveux.

— Ils repousseront. »

Elle se remit à pleurer. « Cela ne lui a pas suffi de me violer, Luke. Il a aussi enfoncé le canon de son revolver et il m'a déchirée. Est-ce que... est-ce qu'il a fait beaucoup de dégâts ? Dites-moi la vérité. »

Doc Henry baissa les yeux.

« Il vous faudra du temps pour vous remettre, Marilee... »

Elle vit qu'il détournait la tête et devina qu'il ne voulait pas lui laisser voir ses pensées.

Le chagrin la submergea de nouveau. Elle n'avait plus le courage de lui demander si elle pourrait un jour avoir un autre bébé. Et, comme il se taisait toujours, elle se remit à pleurer.

Chapitre 20

Il faisait chaud.

Une chaleur brûlante, asphyxiante. L'herbe ondulait sous le vent torride et des nuages chargés de poussière alcaline avaient chassé le bleu du ciel. Le ruisseau de Miawa avait pris une teinte de lessive sale. Toujours pas une goutte de pluie, et on n'était encore qu'à la mi-juin.

Le moment de tondre les moutons était venu.

Noah Weaver observait le troupeau qui sortait en se dandinant du bassin de lavage. Leur toison était si lourde d'eau que les bêtes chancelaient sous leur poids. Il pensa que si quelqu'un répétait encore qu'il faisait aussi chaud que dans un four, il allait exploser.

Il avait fallu travailler dur pour barrer le ruisseau en amont et creuser à la pelle un trou assez profond pour que les moutons puissent s'y baigner. Mais, quand la laine était propre, on la payait plus cher et au moins, cette année, elle ne mettrait pas longtemps à sécher.

Samuel Miller avait la tâche enviable de se tenir jusqu'à mi-genoux dans le trou pour veiller à ce que les bêtes ne se noient pas en se bousculant. Il sourit à ses frères qu'il voyait ployer sous la chaleur et s'exclama : « Judas ! Il fait assez chaud pour que le diable lui-même se sente à l'aise ! »

Abram se mit à rire mais son visage s'assombrit aussitôt. « Cette sécheresse est un véritable fléau pour nos terres... »

Sol hocha la tête et crut bon de renchérir.

« Il fait plus chaud que dans un four », proféra-t-il sentencieusement.

Noah prit une profonde inspiration et serra les dents afin de ne pas crier. Pour se calmer, il se répéta intérieurement que ces jours étaient une épreuve envoyée par le Seigneur qu'il fallait donc supporter avec douceur et humilité. Oui, Dieu éprouvait sa foi et sa

265

résistance en l'exposant ainsi à un travail épuisant, à la sécheresse, à Johnny Caïn et aux errements de Rachel, tout cela à la fois.

Et, pourtant, depuis longtemps il attendait ce jour. Ce jour où, enfin, on allait tondre les moutons de la ferme Yoder. D'ailleurs, il ne s'était pas gêné pour défier l'étranger, sûr qu'il ne tiendrait pas un jour entier à ce travail épuisant. L'étranger... un orgueilleux qui se glorifiait de son impiété. La Bible avait bien raison de dire que l'orgueil est le pire des péchés, et qu'un esprit arrogant précipite une âme vers la chute. Caïn en était un exemple parfait.

Noah jeta un coup d'œil de l'autre côté du trou et vit Caïn occupé à pousser dans l'eau un agneau récalcitrant. Il dut se retenir pour ne pas sourire. *Tu ne tiendras pas, l'étranger, pas même une heure. C'est un travail bien trop dur pour toi. Nous allons voir ce que ma Rachel dira quand elle te verra baisser les bras...*

Des pensées pleines d'orgueil, elles aussi, se dit-il avec une pointe de remords. Mais la joie de voir Caïn se ridiculiser devant Rachel balaya ses scrupules.

Il essuya la sueur qui lui dégoulinait dans les yeux et regarda la prairie écrasée de soleil. Il n'y avait déjà plus assez d'herbe pour engraisser les moutons. S'il ne pleuvait pas, la terre deviendrait si dure que plus rien n'y pousserait. Les voies du Seigneur étaient parfois difficiles à comprendre.

Son regard se porta sur Mose qui s'efforçait de diriger les moutons lavés et déjà presque secs vers l'enclos où s'effectuerait la tonte. Leurs regards se croisèrent un instant puis Mose, le visage dur, fermé, lui tourna le dos.

Noah en voulait à l'étranger pour cela aussi, pour la perte de son fils. Johnny Caïn corrompait tous ceux qui s'approchaient de lui. Car Mose avait changé. Terriblement changé, même. Le diable était passé par là...

Quand il avait appris ce que les hommes du Ranch H lui avaient fait, il s'était dit aussitôt que le Seigneur avait châtié Mose pour ses nombreuses indignités. « Quand tu seras guéri, ce sera *moi* qui te fouetterai ! », avait-il dit à Mose. Son fils lui avait alors jeté un regard d'avertissement, un regard terrible. Et Noah, accablé, s'était dit que Mose était perdu pour de bon.

Perdu pour lui mais, aussi, pour Dieu et pour l'Église...

La lame se posa sur la meule avec un crissement aigu. Un bouquet d'étincelles jaillit comme une pluie d'étoiles. Penché au-dessus de la pierre, Noah esquissa une grimace ironique à l'intention de l'étranger. « Encore quelques tours, cria-t-il pour couvrir le bruit, et ces cisailles seront assez affûtées pour rentrer dans la laine comme dans du beurre fondu. »

Et alors, nous verrons, l'étranger. Nous verrons...

Une fois les moutons baignés, les hommes s'étaient rassemblés dans la remise pour l'affûtage des cisailles. Le sol avait été recouvert d'une couche de paille fraîche sur laquelle on avait étendu une toile. La tonte était un travail si éprouvant que peu d'éleveurs s'en chargaient eux-mêmes. Des équipes de spécialistes parcouraient tout le pays, depuis le Mexique jusqu'aux provinces de la Nouvelle-Angleterre. Mais, chez les Justes, il en allait autrement. La règle interdisait d'engager de tels hommes qui blasphémaient et buvaient à longueur de journée.

Samuel Miller s'empara d'une paire de cisailles, et, du pouce, en caressa prudemment les lames. Abram les lui arracha si prestement des mains qu'il faillit, au passage, couper la barbe de son frère. « Donne-moi ça ! Il est temps de commencer. D'ici la fin de la journée, j'aurai rasé de frais toutes ces boules de poils ! Vous allez voir...

— Nous n'aurons pas beaucoup de laine, cette année, dit Sol en soupirant. Il y a eu trop peu de neige cet hiver et les bêtes n'ont pas fait autant de laine qu'il faudrait. Et, maintenant, voilà la chaleur, le vent et la poussière. »

Noah répondit en *deitsch*, conscient que l'étranger écoutait et ne pouvait pas comprendre. Samuel dit quelque chose qui fit rire ses frères. Noah se joignit à l'hilarité générale, les yeux toujours braqués sur l'étranger, espérant le voir marquer sa contrariété. Mais le visage de Caïn demeurait lisse, impénétrable.

Une des bonnes choses avec la tonte, pensa Noah, c'est qu'elle réunissait famille et amis dans un travail solidaire. Chacun avait sa part à remplir tandis que les femmes s'activaient dans la cuisine, préparant d'énormes quantités de nourriture pour apaiser, ensuite, l'appétit des hommes. Il vit Mose pousser le troupeau bêlant et effrayé vers l'entrée de l'enclos et le diriger vers l'endroit où s'effectuerait la tonte. Rachel se tenait à côté, prête à actionner la barrière à chaque passage afin d'emprisonner chaque bête.

Même les enfants avaient du travail. Lévi mettait la laine en paquets, les liait et les lançait à Benjo qui en remplissait d'énormes sacs de toile.

Samuel était chargé de castrer les agneaux mâles tandis que Noah,

Sol et Abram se chargeaient de la tonte. L'étranger occupait en principe la tâche de Ben.

Noah lui tendit les cisailles encore chaudes. Caïn en fit jouer le mécanisme et les longues lames triangulaires, affûtées comme des rasoirs, claquèrent avec un bruit sec et menaçant.

Johnny Caïn n'avait pas des mains de fermier, constata Noah avec satisfaction. Il n'allait sûrement pas tarder à se blesser avec des lames telles que celles-là.

« Et, maintenant, regardez comment je m'y prends, dit-il en *englische* à Caïn. Vous n'aurez qu'à faire comme moi. Enfin... si vous y parvenez, *ja !* »

Samuel et Abram ricanèrent dans leurs barbes. Sol, lui, se contenta de hocher la tête mais une petite étincelle s'était allumée dans ses yeux gris.

« Envoie le premier mouton ! » cria-t-il à Rachel.

Une vieille brebis bien grasse franchit le sas en se dandinant et la barrière se referma aussitôt derrière elle, lui bloquant tout espoir de fuite. Noah la saisit à la poitrine et, d'un mouvement brusque, renversa la bête sur le dos. Puis il la tira à lui et la bloqua, toute gigotante, entre ses genoux.

La brebis émit un bêlement indigné et roula des yeux effrayés quand elle vit s'approcher les lames. Noah travaillait vite. Les cisailles cliquetaient frénétiquement tandis que la laine, douce et graisseuse, tombait en paquets onctueux sur la toile.

La brebis émergea de la montagne de laine en clignant les yeux, tout ébahie de se retrouver aussi nue qu'une main d'homme. Noah relâcha sa prise pour la laisser aller et lui donna une petite tape sur le derrière quand elle se remit debout. Elle s'ébroua vigoureusement puis partit en trottinant avec un bêlement embarrassé.

« A présent, montrez-nous donc un peu ce que vous savez faire », lança Noah en regardant l'étranger.

Il vit Rachel se pencher pour ne rien perdre de la scène. La barrière se leva, livrant passage à un autre mouton. Caïn se mit à genoux et se retrouva face à face avec le museau bêlant de l'animal. Il fit mine d'embrasser son nez osseux en disant « Voulez-vous m'accorder cette danse ? » Puis, au grand étonnement de Noah, il réussit à coucher la brebis sur le dos sans la moindre difficulté.

Rachel éclata de rire.

« Oh, Mr. Caïn ! Savez-vous que c'est avec un mâle que vous dansez ? »

Caïn baissa les yeux et fit la grimace. « Ma foi... Il est châtré, non ? »

Rachel rit de plus belle et les frères Miller, eux-mêmes, sourirent dans leurs barbes.

Mais pas Noah. Ses mâchoires étaient si serrées qu'elles lui faisaient mal. L'étranger ne résisterait pas une heure à ce travail-là. Non, pas une heure.

La suite sembla lui donner raison. A moitié tondu, le mouton se débattit avec tant de force qu'il réussit à s'échapper. Il se mit à courir en rond, affolé, en traînant derrière lui sa toison à demi arrachée. L'étranger le poursuivait vainement et l'enclos se transforma en un vrai champ de bataille sous les rires de Rachel et des autres. Cette fois, Noah se mêla à l'hilarité générale.

Enfin, Caïn réussit à redevenir maître de la situation. Les cisailles reprirent leur travail et, quand tout fut fini, l'animal se remit sur ses pattes en bêlant plaintivement. Des bouts de laine avaient été oubliés çà et là sur son corps tandis que, par endroits, le sang coulait de sa peau déchirée par les lames.

« J'ai bien peur d'y être allé un peu trop fort », dit l'étranger, tout déconfit.

Le petit Lévi, qui avait aussi pour tâche de désinfecter les moutons après la tonte, arriva en courant, un flacon d'acide phénique à la main.

« Je ne suis qu'un boucher », soupira Caïn en baissant la tête.

Il avait l'air si malheureux que Rachel se mit à nouveau à rire. « Vous n'êtes pas si maladroit que cela, Mr. Caïn. Vous vous y ferez vite.

— Eh bien, l'étranger ? lança Noah, enchanté de voir ses prévisions se vérifier. Il n'y aurait pas de honte à avouer que vous en avez assez. »

Caïn tourna lentement la tête pour le regarder. Ses lèvres esquissèrent un sourire froid. Un sourire diabolique, pensa Noah en réprimant un frisson.

« Pas avant qu'il ne gèle en enfer, diacre Noah ! »

Puis il se désintéressa de lui et reporta son regard vers Rachel.

Et Noah, le cœur serré, les vit échanger un sourire plein d'une tendresse complice.

Chapitre 21

Des tourbillons de poussière dansèrent devant le phaéton de Doc Henry lorsqu'il pénétra dans la cour de la ferme. L'enclos était rempli de moutons qui bêlaient misérablement. Leur peau nue et jaunâtre frissonnait malgré la chaleur.

Lucas arrêta la voiture devant la maison tandis que Rachel Yoder, sortant de la remise, venait à lui. Il lui sourit et retira son chapeau.

« Bonjour à vous, sœur Rachel. »

Il n'obtint pas de réponse mais, connaissant les habitudes des Justes, il n'en attendait pas. « J'étais dans les parages pour un accouchement. Mais voilà qu'en rentrant en ville, une de mes roues a commencé à se détacher. »

Rachel examina le phaéton.

« C'est la droite de devant, certainement, dit-elle. Noah ou Mr. Caïn pourront vous aider à réparer, je pense. Seulement nous sommes en train de tondre. Si vous êtes pressé, prenez notre vieux cheval. Sinon, vous êtes le bienvenu. Vous verrez ainsi comment on scalpe nos pauvres bêtes... »

Elle lui sourit puis s'éloigna en lui laissant le temps de prendre sa décision. Doc Henry sauta de voiture et se dirigea vers les étables basses qui s'étendaient à l'ombre de la remise. Plusieurs Justes travaillaient à la tonte en baragouinant leur langue gutturale et incompréhensible. Quand ils le virent approcher, ils se turent tous en même temps et s'arrêtèrent pour lui lancer un regard dur. Lucas se sentit aussi bien accueilli qu'une fille de joie à l'école du dimanche.

A son tour, Johnny Caïn sortit de la remise. Rachel lui toucha légèrement le bras en lui murmurant quelque chose à l'oreille et ils se mirent à rire tous les deux. Lucas trouva à la jeune femme un air étonnamment joyeux et animé. Elle semblait aussi plus jolie, plus féminine.

Elle devait être amoureuse de Caïn, pensa-t-il, ce qui ne manquerait pas de l'exposer à bien des tracas et des chagrins. Sans doute

270

aurait-il éprouvé quelque pitié pour elle si seulement il se sentait capable de s'intéresser encore à ce genre de problèmes. Mais l'amour ne le concernait plus en rien. Il en avait goûté l'ivresse et, maintenant, ne connaissait plus que celle octroyée par le whisky. Si vraiment il avait fallu qu'il s'apitoie sur quelqu'un, il aurait mieux valu que ce soit sur lui-même...

Rachel pointa un doigt dans sa direction et Caïn vint à sa rencontre. Il portait une chemise de Juste entrouverte sur sa gorge mince, brunie par les travaux des champs. Des boucles de laine s'accrochaient à ses cheveux et parsemaient ses pantalons de toile usés. A sa hanche pendait toujours le colt, juste à portée de la main.

« Hé, Doc ! Rachel me dit que vous perdez une roue ? »

Lucas laissa échapper un sifflement moqueur. « Je croyais ne plus pouvoir m'étonner de rien. Vous, un desperado, transformé en éleveur de moutons ! Que vont penser vos admirateurs, terrifiés à la seule mention de votre nom ?

— Le bon diacre Noah dit qu'un travail dur et honnête est une bonne chose pour l'âme d'un pécheur.

— Le bon diacre Noah n'a qu'une idée en tête : épouser Rachel Yoder », répondit Doc Henry.

Caïn sourit et ses yeux se posèrent sur la jeune femme qui, un peu plus loin, circulait au milieu des hommes, son tablier plein de pommes. Ses yeux s'illuminèrent comme deux lacs au soleil.

« Dieu ne donne pas toujours à l'homme ce qu'il désire, Doc. Parfois, il laisse le diable s'en occuper. »

J'espère bien que non, pensa Lucas. S'il y a un Dieu, Il veillera sur une femme telle que Rachel Yoder et Il la sauvera d'un homme comme Caïn. Mais Dieu n'existait pas. Il ne pouvait pas exister. Sinon, Il aurait empêché sa femme, l'honorable épouse du bon docteur Henry, de mourir, tuée par son mari.

Cette pensée le tortura. Debout sous le soleil, il transpirait abondamment, d'une sueur rance, imprégnée de tout le whisky qui imbibait son corps depuis si longtemps.

Il fit un effort pour revenir au présent. « Est-ce qu'il ne fait pas trop chaud pour tondre les brebis aujourd'hui ? »

Caïn regarda l'enclos où se bousculaient les moutons.

« Je crois que nous ne nous posons même plus la question... »

Il avait dit « *nous* », pensa Lucas, surpris, comme s'il s'identifiait au groupe d'hommes qui, là-bas, continuait de travailler.

« Comment va votre fracture, Caïn ? »

271

Le desperado tendit le bras et remua les doigts. « Vous avez fait du bon travail, Doc. »

Le médecin se pencha pour l'examiner d'un peu plus près.

« Hum. En attendant, vous vous êtes fait de sérieuses ampoules, on dirait. Il faudra soigner cela si vous voulez être en bonne condition face à votre prochain adversaire. »

Caïn eut un nouveau sourire. « Je suis sûr que vous avez un peu d'onguent dans votre sacoche... »

Lucas retourna à son phaéton pour y prendre le baume. Mais il pensait aussi à la bouteille de whisky qui l'accompagnait toujours dans ses déplacements. Il en porta le goulot à ses lèvres et songea à Woodrow Wharton, étendu raide mort dans le saloon de Miawa City. Son corps était resté exposé quelques heures dans un cercueil ouvert installé dans la vitrine de chez Tulle. Une pancarte, en dessous, annonçait qu'il s'agissait de la vingt-neuvième victime du pistolero Johnny Caïn.

C'était Lucas qui avait préparé le corps. Les doigts de Wharton tenaient encore si fermement le revolver qu'il n'était pas parvenu à l'enlever. Il avait donc laissé l'arme dans la main du cadavre. Mais l'ironie de ce détail lui avait arraché un sourire mélancolique.

Et voilà qu'on racontait, à présent, que Fergus Hunter avait engagé un nouvel inspecteur...

Il but une longue gorgée et replaça la bouteille dans sa sacoche avant de rejoindre Caïn. Il le trouva assis à l'ombre de la remise, son chapeau sur les genoux, épongeant son front couvert de sueur à l'aide d'un mouchoir. Ses cheveux étaient aussi longs que ceux des Justes.

Lucas lui prit la main et l'enduisit d'un onguent à l'huile de noisette. Levant les yeux, il aperçut Rachel occupée à distribuer aux hommes des sandwiches et du café. Le vent souleva une mèche échappée de son bonnet amidonné et la rabattit sur sa joue.

Caïn aussi la regardait. Dans ses yeux fiévreux brûlait la flamme d'un insatiable désir.

Il sentit peser sur lui le regard du médecin et, d'un geste vif, remit son chapeau sur sa tête avant d'en rabattre le large bord sur son visage. Comme s'il avait deviné les pensées de Lucas, il dit alors : « Eux, ils croient trouver leur salut en Dieu. Mais un homme peut aussi se sauver grâce à une femme. »

Doc Henry réfléchit. « C'est un peu comme de dire que le salut se trouve au fond d'une bouteille de whisky, Caïn... »

Ils demeurèrent tous deux silencieux un long moment, perdus dans leurs pensées.

« J'ai été marié autrefois, reprit Lucas. C'était il y a longtemps. Elle était belle, si belle. On aurait dit un joli papillon qui voletait de fleur en fleur, savourant chaque instant de la vie. C'était une femme sauvage et fragile. Je pensais... »

Il s'interrompit et leva les yeux vers le ciel plombé, comme s'il cherchait à y trouver des réponses. Il avait cru pouvoir apporter le bonheur à sa femme. Faire tout ce qui était en son pouvoir pour la satisfaire. Mais, en fin de compte, tout ce qu'il avait obtenu, c'était de la faire mourir. Parce qu'il était incapable de se changer lui-même.

« Je l'aimais tant que je disais souvent qu'elle était mon ciel sur cette terre. Mais, un jour, mon joli papillon, ma femme... »

Une souffrance aiguë lui étreignit le cœur si fort qu'il dut se retenir pour ne pas laisser échapper un cri de détresse.

« Elle s'est enfuie ? » demanda Caïn.

Les lèvres de Doc Henry se tordirent en un sourire douloureux. « Oh non. Elle m'aimait bien trop pour cela. Je l'ai tuée, tout simplement. »

S'il avait été plus ivre, ou peut-être plus sobre, il aurait pu rire de ce drame absurde. Fugitivement, il se demanda ce que Caïn pouvait bien penser d'un tel aveu. Mais ce n'était pas un homme à poser des questions.

Au bout d'un moment, il dit simplement : « Il est temps que je vous aide à changer cette roue. »

Lucas eut l'impression d'avoir plongé sa tête dans un baquet d'eau froide. Les battements de son cœur s'apaisèrent tout doucement. Il ouvrit la bouche pour dire encore quelque chose à Caïn. Quelque chose d'important. Pour lui et pour Rachel Yoder.

Mais, au lieu de cela, il se contenta de murmurer :

« Allons-y, Mr. Caïn... »

Une semaine passa mais la chaleur était toujours aussi torride. Quentin Hunter et Aisla accompagnaient le Baron au marché de Deer Lodge pour y négocier l'achat de nouvelles bêtes. Une situation plutôt ironique, pensa amèrement Quentin : acheter du bétail alors que le fourrage manquait.

Trop de vaches et pas assez de prés, voilà de quoi ils avaient parlé durant tout le trajet. Quentin accusait son père de s'entêter

273

dangereusement dans une voie sans issue. Le Baron lui répliquait d'épargner sa salive.

Et Aisla souriait.

Ou, du moins, Quentin s'imaginait qu'elle souriait. Car, pour se protéger du vent et de la poussière, elle portait un chapeau de paille noire recouvert d'une grande écharpe de mousseline transparente qui lui dissimulait à demi le visage. On aurait dit une statue antique drapée dans un suaire.

Elle conduisait son petit cabriolet rouge dans les ornières du chemin tandis que Quentin et Fergus chevauchaient de chaque côté de la voiture. La prairie s'étendait à l'infini sous un ciel lourd et cuivré.

Cette nuit-là, dans la salle à manger du nouvel hôtel de Deer Lodge, ils mangèrent du steak d'antilope pendant que le Baron, les joues empourprées par le whisky, parlait du bon vieux temps, quand on pouvait nourrir le bétail à bon compte sur des espaces ouverts, illimités. Il suffisait à l'époque d'une poignée de cow-boys, de quelques corrals et d'un fer à marquer. Oui, le bon vieux temps, répétait le Baron, quand un jeune bouvillon ne coûtait que cinq dollars et pouvait être revendu dix fois plus après avoir été engraissé pendant une ou deux saisons.

Mais ces jours-là étaient loin. Et les dollars d'hier depuis longtemps dépensés. Pour survivre, il fallait s'adapter à de nouvelles techniques d'élevage. Mais allez faire comprendre cela au Baron !

Tandis que le repas se poursuivait, Quentin observait leur reflet dans les panneaux vitrés de la porte-fenêtre. Une image sereine mais trompeuse : celle d'un homme, d'une femme et de leur fils partageant leur dîner en conversant paisiblement. La femme souriait, comme si elle écoutait, et le jeune garçon semblait incarner l'image même d'un héritier fortuné portant sur ses épaules tous les espoirs de ses parents. Ce serait lui qui gérerait le patrimoine familial et le protégerait pour les générations futures.

Quentin eut un sourire mélancolique et le reflet se brouilla. Certaines apparences n'étaient qu'illusion, quand il ne s'agissait pas purement et simplement de mensonges.

Et puis il y avait toutes ces images qui le hantaient et qu'il s'évertuait à chasser vainement de son esprit. L'horrible scène qui s'était déroulée près de l'étang de Blackie restait profondément imprimée dans sa mémoire. Ce qu'ils avaient fait, ce jour-là, à ce jeune Juste et à sa pauvre petite catin, Quentin aurait voulu l'oublier à jamais. Bien sûr, il n'avait pas participé à ces actes de sauvagerie, mais il était là et avait laissé faire les autres. Quand il y pensait, il n'osait pas lever les yeux vers son père.

Son père qui avait dit que cette petite putain blonde avait besoin d'une bonne leçon...

Dieu, comme elle avait crié !

Il sentit le regard d'Aisla posé sur lui. Un regard vide, indifférent.

« Par tous les saints ! s'exclama Fergus. J'ai connu des funérailles plus gaies que ce dîner ! »

Furieux de n'être pas écouté, il arracha la serviette de table glissée dans son col et se leva. « Je vais aller me chercher une compagnie un peu plus distrayante que la vôtre... »

Quand il fut parti, Aisla et Quentin prirent le temps de boire leur café sans échanger un seul mot. Puis ils parcoururent le couloir de l'hôtel et regagnèrent leurs chambres. Quentin partageait la sienne avec son père. Aisla en avait une autre pour elle seule. Il ne se souvenait pas l'avoir jamais vue faire lit commun avec le Baron.

Quand ils furent parvenus devant sa porte, il lança d'une voix légèrement tremblante : « Bonsoir, Mrs. Hunter.

— Bonsoir, Quentin », répondit-elle en pénétrant dans la chambre. Et elle lui ferma la porte au nez.

A pas lents, Quentin regagna sa propre chambre. La chaleur y était étouffante. Des relents de tabac à chiquer flottaient dans l'air lourd. Il ouvrit la fenêtre, suspendit sa cartouchière au-dessus du lit et retira son chapeau et ses bottes. Puis il s'étendit sur le couvre-lit, croisa les mains sous sa tête et ferma les yeux. Une nausée tenace lui tordait l'estomac.

Il entendit un chariot passer devant l'hôtel dans un bruyant grincement d'essieux. Un rire de femme monta de la rue et quelques notes de piano flottèrent dans la nuit. Un peu plus tard, un ivrogne sortit du saloon voisin en fredonnant les paroles obscènes d'une chanson à boire et il se soulagea juste sous la fenêtre de Quentin.

Il se demandait ce qu'elle faisait, seule dans sa chambre. Peut-être qu'elle dormait. A moins qu'elle ne fût en train de réfléchir, elle aussi. A sa vie, à son mari qui, une fois de plus, l'abandonnait pour aller se remplir l'estomac de whisky et finir dans le lit d'une putain.

Il avait dû s'endormir quelques instants. Des coups de feu le réveillèrent brutalement, suivis d'un fracas de verre brisé. Immédiatement, il prit son revolver et s'approcha de la fenêtre. Mais ce n'était qu'un autre ivrogne qui s'amusait à tirer sur les lampes de la rue.

Quentin remit son revolver en place et demeura quelques instants immobile, perdu dans ses pensées. Puis il se décida soudain, sortit dans le couloir et alla frapper doucement à la porte voisine.

Comme aucun bruit ne venait de la chambre, il s'apprêtait à partir lorsque la porte s'ouvrit enfin. Elle portait toujours la robe de soie pourpre qu'elle avait au dîner. Mais les boutons du col en étaient dégrafés, laissant apparaître un peu de peau d'une blancheur de nacre. Aisla tenait un verre de whisky à la main.

Elle rougit légèrement en le voyant et il eut la désagréable impression que ce n'était pas lui qu'elle avait espéré trouver sur le seuil, mais son père.

« Ces coups de feu... dit-il, ce n'était rien. Juste un cow-boy ivre qui faisait un carton sur les lampes. »

Elle ne répondit pas.

Il respira profondément. « Je voulais juste m'assurer que vous alliez bien. »

Aisla mit sa jolie main blanche sur le battant de la porte et la referma d'un coup sec.

Le soleil commençait déjà à chauffer lorsque Quentin retrouva son père près des vastes enclos du marché au bétail. Le Baron n'était pas rentré à l'hôtel cette nuit-là, et il semblait en piteux état. Ses yeux étaient cernés de rouge, ses joues couvertes d'une barbe râpeuse. Le seul fait de respirer avait l'air de lui coûter d'insupportables efforts.

Ce n'était pas le meilleur moment pour acheter du bétail. Mais le rassemblement des troupeaux, leur marquage et leur transfert dans les ranchs duraient un bon mois et certains éleveurs n'attendaient pas l'automne pour vendre. Un homme disposant d'argent pouvait donc se procurer des bœufs même pendant l'été.

Ce matin, pourtant, les corrals étaient presque vides. Le vent chassait des tourbillons de poussière dans les couloirs de triage et les barrières jetaient des ombres allongées sur la terre désertée des enclos. Seules les corrals du centre contenaient quelque deux cents bêtes, groupées autour des cuves d'eau, la tête basse sous la chaleur accablante.

« Jésus ! grommela le Baron. Où sont-ils tous ? »

Un homme de haute taille se tenait debout à l'ombre d'une citerne. Il était si maigre qu'on aurait dit un de ces pantins articulés en bois qui servaient au théâtre d'ombres chinoises.

« Tout le monde est fauché, dit-il en s'approchant. Personne ne vend parce que personne n'achète. »

Il sourit, découvrant des dents aussi jaunes qu'un champ de maïs. « Ce que vous voyez là, c'est tout ce que j'ai pu trouver dans un ranch de l'Oregon. Avec la chute du prix du bœuf et la saturation du marché, il n'y a rien de bon à espérer, cette année. »

Le Baron regardait le troupeau en plissant les yeux contre le soleil. « Ces bêtes ne valent rien, grogna-t-il. Rien que des cornes et des queues.

— Elles ont fait pas mal de chemin pour venir jusqu'ici, c'est vrai. Mais c'est du premier choix, croyez-moi. Tout ce qu'il leur faut, c'est une ou deux saisons d'engraissement. »

Il cracha par terre et reprit : « Pour ce que je vais en tirer, je préférerais ne pas me défaire de cette marchandise. Mais, je vous l'ai dit : je suis plutôt à sec ces temps-ci. »

Quentin poussa un soupir et détourna la tête. Il ne se sentait pas bien depuis la nuit dernière.

« Un type est venu les voir hier soir, reprit le maquignon, et il voulait les acheter pour la peau. Mais je n'ai pas encore accepté son offre. »

Le soleil était blanc, aussi blanc que des éclairs. Le ciel entier avait perdu toute couleur. Appuyé à la barrière d'un corral, Quentin ferma les yeux.

Il entendit le Baron dire : « Ce n'est pas dans mes habitudes de tirer avantage d'un homme quand il est dans la difficulté.

— Croyez-moi, sir, répondit l'autre, je n'ai pas l'impression de vous faire un cadeau. Tout acheteur est le bienvenu... »

La transaction fut conclue sur une parole et une poignée de mains. Le prix n'était pas exorbitant et le Baron avait fait une bonne affaire. Mais Quentin ne savait pas où il trouverait l'argent. D'ailleurs, il ne désirait même pas le savoir. Il se dit qu'il ferait mieux de réfléchir à l'organisation du transport de tout ce troupeau jusqu'au ranch. Mais il faisait trop chaud pour penser.

Ils s'apprêtaient à prendre congé lorsque le maquignon leur montra deux gros chariots qui cheminaient sur la route. Ils étaient surchargés d'énormes sacs de jute bourrés de laine.

« Vous voyez ça ? fit-il d'une voix amère. Voilà ce qui rapporte aujourd'hui. Les moutons. Je vous parie qu'avec ce qu'ils vont toucher pour un seul de ces chargements, ils pourraient s'offrir le double de mon troupeau. »

Il cracha une nouvelle fois dans la poussière et s'éloigna à pas lourds sous le soleil. Quentin et son père regardèrent en silence les chariots s'approcher de la grande place. L'homme qui tenait les rênes de la voiture de tête avait une longue barbe couleur caramel qui lui descendait jusqu'au milieu de la poitrine. Ses larges épaules tendaient jusqu'à l'usure sa chemise de grosse toile. Le conducteur du second chariot était imberbe et ne portait pas des vêtements de Juste. Au premier regard, Quentin le reconnut et son estomac se noua.

Il avait honte. Tellement honte qu'il se sentit rempli d'une incontrôlable colère contre son père.

« Regardez ! dit-il, ces Justes ont eu de la belle laine cette année. Et vous croyez encore qu'ils vont vous vendre leurs terres ! »

La mâchoire du Baron se contracta si fort que la peau blanchit sous le hâle.

« Vous espérez qu'une épidémie ravagera leurs troupeaux ou je ne sais quel fléau, poursuivit Quentin. Mais cela n'arrivera pas. Parce qu'ils sont soutenus par leur foi et qu'ils travaillent dur. Dommage que votre nouvel inspecteur de bétail ne soit pas avec nous aujourd'hui. Un homme capable de violer une femme avec le canon de son revolver ne se gênerait sûrement pas pour tirer sur des innocents. »

Son père se tourna lentement vers lui, les sourcils froncés.

« De quoi est-ce que tu parles donc ? Tu me fatigues avec tes sornettes ! »

Quentin laissa échapper un petit rire entendu.

« Voyons, Père. Ne faites pas le naïf. Puisque vous venez de conclure une bonne affaire, il vous reste encore un peu d'argent pour aller acheter à l'un de ces Justes quelques moutons. Ne serait-il pas temps de songer à vous reconvertir ? »

Le coup partit si vite qu'il n'eut même pas le temps de le voir venir. Sa mâchoire explosa et il roula dans la poussière, aveuglé par une douleur fulgurante. Presque aussitôt, il se remit sur ses pieds, les poings serrés.

Le Baron l'observait, sur la défensive.

« Tu as une langue bien pendue, fiston, dit-il lentement. Tes études t'auront au moins servi à ça ! Mais je ne crois pas que tu saches te battre. »

Quentin laissa retomber ses bras. « Je ne me bats pas avec les vieux », marmonna-t-il en ramassant son chapeau couvert de poussière. « Que je sois damné si je vous présente des excuses. »

Fergus Hunter esquissa un petit sourire cruel. « Je ne suis pas aussi vieux que tu le crois. Quant à tes maudites excuses, tu peux les ravaler. Je n'ai nul besoin de les entendre. »

Il tourna les talons et Quentin mit un moment à réaliser qu'il se dirigeait tout droit vers les chariots des Justes.

Il fit un pas en avant pour le suivre puis s'arrêta, indécis. La moitié de son visage était encore tout endolorie du coup qu'il venait de subir. Pourtant, en voyant le large dos du Baron s'éloigner dans l'air vibrant de chaleur, des sentiments confus l'envahirent : de la colère, de l'amour, du mépris et, aussi, le regret de ne pouvoir changer quoi que ce soit au destin de cet homme qui était son père.

Peut-être était-ce pour cela qu'il ne parvenait pas à le quitter.

« Seigneur, P'pa... murmura-t-il en sentant des larmes lui monter aux yeux. Qu'est-ce que vous allez encore faire ? »

Et, toute honte bue, il courut le rejoindre.

Chez les Justes, la tradition commandait tout. Elle régissait chaque action, chaque pensée, des plus essentielles aux plus ordinaires. Une tradition qui remontait si loin dans le temps que plus personne, aujourd'hui, ne se souvenait très bien comment tout cela avait commencé.

Chaque année était rythmée par les devoirs et les exigences de la Voie. Parfois, bien sûr, il fallait apporter quelques changements, parce que la survie de toute une communauté en dépendait. Ainsi en était-il de l'élevage des moutons qui avait remplacé la vie pastorale première. De nouvelles traditions succédaient aux précédentes, comme la transhumance, la tonte, l'agnelage. On s'y pliait avec respect, avec une scrupuleuse obéissance. Comme tout ce que les Justes faisaient. Et, quand tout le cycle annuel était accompli, venait le temps de la vente de la laine.

Les fermes Miller, Yoder et Weaver avaient pour coutume de partager les travaux des champs et, après la tonte, de s'associer pour la vente de la laine aux marchés voisins. Certaines bonnes années, les sacs étaient si nombreux et si lourds qu'ils remplissaient deux énormes chariots, chacun attelé de six mules.

En tant que diacre, Noah était supposé résister mieux que les autres aux tentations du monde extérieur. Il avait donc pour mission de négocier sur les marchés avec les acheteurs. Jusqu'alors, il choisissait toujours un frère Miller pour conduire le second chariot. Un matin, pourtant, il y avait de cela trois jours, il dit à Mose : « Tu seras bientôt un homme. Cette année, ce sera toi qui m'accompagnera à Deer Lodge pour traiter avec le marchand de laine. Il est temps que tu apprennes comment cela se passe. »

Mose avait bien failli en avaler son café de travers et il avait demandé : « Es-tu en train de me dire que tu me confieras l'autre chariot ?

— *Ja.* C'est ce que j'ai dit. Serais-tu devenu sourd ? »

Mose avait baissé la tête et s'était remis à manger sa bouillie frite sans plus oser prononcer un mot.

Et voilà comment, cette saison-ci, il était parti avec son père faire la tournée des fermes pour charger les sacs de laine dans les chariots. Ils pesaient lourd et il avait transpiré en les hissant sur son dos. C'était un travail qui exigeait des hommes forts, solides. Un travail qui faisait transpirer. « Les mauvaises pensées et les mauvais sentiments s'en vont avec la sueur », répétait toujours le diacre. Et Mose commençait à comprendre ce qu'il voulait dire.

Il changeait. De jour en jour, il changeait. Et il voyait la vie des siens sous un autre jour, maintenant. Ses mauvaises pensées s'effritaient comme du vieux bois vermoulu. Les Justes étaient un bon peuple. Un peuple d'âmes pures, inspirées qui suivaient la Voie de Dieu et vivaient dans la paix et le respect de l'autre. A présent qu'il connaissait mieux le monde extérieur, Mose apprenait à découvrir tout le bonheur qu'il y avait à marcher selon les commandements du Seigneur.

Pourtant, le souvenir douloureux de Marilee ne l'avait pas quitté. Sans cesse il pensait à elle. Et à ses propres péchés. Le châtiment de Dieu n'avait pas tardé à s'abattre sur lui.

Ils terminèrent leur tournée par la ferme Yoder et, là-bas, il se passa quelque chose qui lui fit mal et le réconforta à la fois. Oh, rien qu'une toute petite chose, en vérité. Et cependant, dès lors, il se sentit mieux.

Cela se produisit juste après que le dernier sac eut été hissé sur l'énorme pile, aussi haute qu'une meule de foin. Ils se tenaient dans la cour de la ferme, Noah, l'étranger et lui, étirant leurs bras douloureux tandis que la sueur leur coulait dans les yeux. Mrs. Yoder était sortie de la maison en portant une bassine pleine de maïs qu'elle lançait aux poules qui picoraient dans la paille, devant la remise. D'un geste ample du bras, elle faisait pleuvoir les grains que le vent transformait en petits nuages jaunes. Les rubans de sa coiffe tournoyaient autour de son fin visage et une mèche de cheveux d'un beau roux foncé voltigeait joliment sur son front.

Mose tourna la tête vers l'étranger et il saisit son regard posé sur

Rachel Yoder. C'était un regard chargé de désir, lourd et brûlant comme l'air pendant un feu de prairie. A son tour, Rachel leva les yeux sur Caïn, des yeux brillants, pleins de lumière. Une complicité profonde liait ces deux êtres, une même fascination mutuelle et, plus que tout, une attraction irrésistible.

Noah aussi avait vu ce regard, car son visage blêmit et une ride se creusa sur son front. Pour la première fois, Mose considéra son père sous un angle nouveau. Ce n'était plus le diacre sévère aux pensées rigides, mais un homme désespéré par un amour qui ne lui serait jamais rendu. Alors, à cet instant, à cet instant précis, Mose se sentit solidaire et il partagea sa douleur et son chagrin.

Mrs. Yoder posa sa bassine, essuya ses mains sur son tablier et vint vers eux, souriante. Avec cette manière taquine qu'elle adoptait toujours quand elle s'adressait à lui, elle dit gaiement : « Eh bien, notre Mose, il paraît que tu vas accompagner le diacre Noah chez les sauvages et les pervers du monde extérieur ? N'est-ce pas introduire le coyote dans le poulailler ? »

Mose s'efforça vainement de sourire. Depuis ce terrible après-midi à l'étang de Blackie, il n'avait plus guère envie de plaisanter sur ce sujet.

« Tu ressasses trop ce qui t'est arrivé, mon garçon. Dis-toi que c'est un mauvais rêve que tu finiras par oublier. »

Mose sursauta en entendant les paroles de l'étranger. C'était vraiment déconcertant de voir ainsi ses pensées les plus secrètes mises à nu. Personne n'avait entendu, heureusement. Mrs. Yoder parlait avec son père et elle riait en retirant des flocons de laine de la barbe du diacre. Le vieux Noah s'appliquait à prendre l'air sévère mais Mose voyait bien qu'il était heureux.

Le regard de l'étranger se posa à nouveau sur elle puis glissa vers la colline, derrière la maison. Le jeune Benjo, flanqué de son colley, poussait un troupeau de brebis vers un pré, en contrebas. L'espace d'un instant, Mose vit les yeux de l'étranger se voiler, comme alourdis par de fugitifs regrets.

« Un jour comme celui-ci mérite qu'on s'en souvienne, dit-il lentement. Il se creuse une place dans votre âme pour y vivre à jamais.

— Oui, sir », approuva Mose, ne sachant si l'homme s'était adressé à lui ou s'il se parlait à lui-même.

Et, alors, il entendit une chose sidérante. Il entendit son père rire parce que Mrs. Yoder menaçait de lui couper la barbe pour en faire un balai, tellement il avait les poils longs et épais.

Oui, le diacre Noah riait...

Mose le regarda. Un homme solide, le diacre, avec des bras si puissants qu'ils pouvaient lever un sac de cent kilos sans y paraître. Un homme si fort, si sûr de sa foi que même les anges n'y auraient rien trouvé à redire.

Ja, un homme fort, ce Noah Weaver. Et bon, aussi, malgré son excessif souci des saintes règles.

Mose regarda et regarda le visage de son père tout plissé de rire. Il se remémora les paroles de l'étranger et pensa lui aussi que ce moment resterait à jamais gravé dans son cœur.

Plus tard, après que les sacs de laine eurent été tous chargés, les deux chariots avaient pris le chemin de Deer Lodge tandis qu'une chaleur de plus en plus étouffante tombait du ciel plombé. Au détour de la route, ils avaient vu Gracie Zook arriver en courant, un panier à la main. Sa jupe et ses rubans flottaient joliment derrière elle.

Mose ouvrit la bouche pour la saluer mais il vit qu'elle l'ignorait, passant devant son chariot sans même tourner la tête. C'était vers Noah qu'elle se dirigeait et, tout essoufflée, elle lui tendit le panier en riant.

« Oh, diacre Noah, je suis contente d'avoir pu vous rattraper à temps ! Voici tout un tas de bonne nourriture pour votre voyage. Une bonne nourriture de chez nous. Comme cela, vous ne serez pas obligés d'aller dans ces horribles endroits *englische* pour manger... »

Le diacre la remercia tandis que Mose criait : « Bonjour à toi, Gracie Zook ! »

Mais elle ne lui répondit pas et s'éloigna comme elle était venue.

Mose poussa un soupir. La dernière fois qu'il avait essayé de lui parler, elle lui avait dit qu'elle ne voulait plus jamais le voir. *Ach, Vell !* Quel caractère, cette Gracie Zook ! Et elle n'allait sûrement pas changer d'avis, maintenant.

Pourtant, jamais encore elle n'avait apporté à manger au diacre Noah pour son voyage au marché de la laine...

Mose était en train de penser à Gracie, à sa manière de rougir quand elle était émue, à sa poitrine qui se soulevait sous son corsage. Il était en train de penser à Gracie et cela le fit sourire.

C'est alors qu'il vit Fergus Hunter se mettre en travers de la route, obligeant le diacre à tirer sur les rênes de l'attelage pour ne pas lui passer sur le corps. Les mules de tête se cabrèrent, bloquant le second chariot. Pendant quelques minutes, Mose fut occupé à retenir ses mules et la voiture tangua si fort que le chargement menaça de tomber. Quand il leva enfin les yeux, il vit que le fils de Fergus Hunter était venu rejoindre son père.

Leurs regards se croisèrent puis se quittèrent presque aussitôt avec gêne. Le rouge de la honte empourpra le front de Mose au souvenir de ce qu'on lui avait fait subir, attaché à un arbre, le pantalon descendu jusqu'aux chevilles. Le fils de Hunter était là. Il avait tout vu...

Ils s'étaient arrêtés près du marché au bétail. Mose parcourut des yeux les corrals et les enclos à moitié vides, craignant d'y apercevoir la silhouette du nouvel inspecteur engagé par Hunter. Mais il n'y était pas. Pourtant la peur continuait encore de lui tenailler le ventre.

Les yeux du Baron, semblables à de sombres agates, scrutèrent Noah par-dessous les bords du chapeau.

« Je crois que vous êtes un de ces prêcheurs auxquels j'ai parlé l'an dernier. Vous vous en souvenez certainement. Il s'agissait de me vendre vos terres. »

Le vent se leva, soulevant des nuages de poussière chargés des odeurs lourdes du bétail. Mose jeta un coup d'œil inquiet à son père mais le diacre, s'il était effrayé, gardait un visage impassible.

Il demeura silencieux un long moment, assez longtemps pour que l'on puisse penser qu'il ne répondrait pas, selon la coutume des Justes face aux étrangers. Pourtant, contre toute attente, il dit soudain :

« *Ja*, vous nous avez parlé. Je me rappelle fort bien. Mais nous n'avons pas changé d'avis. »

La bouche mince de Fergus Hunter s'étira en un sourire cynique.

« Allons, allons, Prêcheur. Les temps ont changé. Et j'ai entendu dire que, cette année, vous avez eu pas mal de malheurs. Un incendie, entre autres. »

Noah garda le silence, immobile comme une pierre.

Le rancher poussa un profond soupir. « L'ennui, c'est que les malheurs n'arrivent jamais seuls. »

Il sortit un cigare de sa poche, en coupa l'extrémité avec ses dents et cracha le morceau dans la poussière. « Je dois admettre que je ne connais pas grand-chose à l'élevage de moutons. Mon affaire à moi, c'est plutôt les bêtes à cornes. »

Il frotta une longue allumette sur la jante de fer d'une des roues du chariot.

« Mais un homme a toujours quelque chose à apprendre, reprit-il en tenant toujours l'allumette enflammée. On m'a dit, par exemple... »

Il s'interrompit pour allumer son cigare et aspira à plusieurs reprises jusqu'à ce que la pointe rougisse. « ... On m'a dit que rien ne s'enflamme mieux que la laine de mouton. Surtout quand elle est encore toute fraîche. »

Fergus leva lentement l'allumette et la flamme ondula sous le vent. Une terreur folle submergea Mose. Une seule allumette jetée parmi les sacs de jute, et tout s'embraserait comme une torche.

Le fils du Baron esquissa un geste comme pour écarter la flamme. Mais sa main retomba et il regarda l'allumette se consumer lentement.

« Nous ne vous vendrons pas nos terres, étranger, dit Noah. Et vous n'aurez pas raison de nous. Le Seigneur a dit à Abraham : *"Ne crains pas, je serai pour toi un bouclier, ta récompense sera très grande."* Genèse, chapitre 15, premier verset. »

Le silence retomba. Tous avaient les yeux fixés sur la flamme qui rongeait la fine lame de bois. Puis, d'un brusque mouvement du poignet, le rancher éteignit l'allumette et la jeta à terre.

Sans plus un mot, il se détourna et s'éloigna vers les enclos.

Quentin Hunter fit un pas en avant.

« Il ne l'aurait pas fait, dit-il sourdement. Il voulait seulement... Non, il ne l'aurait pas fait... »

Noah ne répondit pas, ne le regarda même pas. Il rassembla ses rênes et se redressa sur son siège.

« Hue ! cria-t-il à ses mules.

— Hue ! » cria Mose en écho, mais d'une voix plus étranglée.

Et, tandis que les deux chariots s'ébranlaient, il sentit son cœur se gonfler de fierté.

Oui, il était fier de son père.

La lueur de la pleine lune inondait la ferme et Mose n'eut aucun mal à repérer la fenêtre qu'il cherchait. Il ramassa une poignée de petits cailloux qu'il lança contre les vitres.

« Gracie ! appela-t-il doucement. *Wo bist du ?* »

La fenêtre s'ouvrit en grinçant. « Va-t'en, Mose Weaver ! Je t'ai pourtant dit que je ne désirais plus te voir !

— Eh bien, de quoi te plains-tu ? Il fait nuit, tu ne peux me voir. Enfin, pas *vraiment*. Ou, alors, ferme les yeux. Je voulais seulement... »

Du fond de la maison, une voix ensommeillée et grognon s'éleva : « *Vas geht ?* »

La fenêtre se referma bruyamment. Mais pas tout à fait, cependant. Mose vit qu'un petit interstice séparait encore les deux battants.

Le cœur lourd, il s'appuya contre les rondins de la maison, en proie à une sourde mélancolie. *Pourquoi ne me pardonnes-tu pas, Gracie Zook ? Est-ce que l'amour n'efface pas tous les péchés ? Faut-il entretenir la colère dans son cœur ? Faut-il attendre d'être mort pour que l'on vous montre un peu d'indulgence ?*

Il se baissa et se mit en quête d'une pierre de bonne dimension. Quand il l'eut trouvée, il se redressa et la jeta avec force dans la fenêtre, visant avec soin l'espace laissé entrouvert. La pierre tomba sur le plancher de la chambre avec un bruit sourd.

Presque aussitôt, Mose entendit un gémissement.

« Gracie ! »

Il se mit à courir et escalada la fenêtre si vite qu'il en déchira son pantalon après un clou. « Oh, mon Dieu, Gracie, balbutia-t-il en s'engouffrant par l'embrasure, est-ce que... est-ce que je t'ai tuée ? »

Un visage blanc flotta dans la pénombre. « Par tous les saints, Mose Weaver ! Tu es donc devenu fou ?

— Laisse-moi entrer, je t'en prie !

— Tu es déjà à moitié dedans, grand idiot ! »

Il crut entendre comme un rire dans la voix de Gracie et prit cela comme une invitation. Un froissement de draps s'éleva dans un coin de la chambre. Gracie s'était recouchée.

Alors il se laissa tomber doucement sur le plancher, retira sa veste et ses bottes et alla se glisser dans le lit à côté d'elle. Par une nuit aussi chaude, les draps de flanelle lui semblèrent aussi rugueux que du foin.

Ils restèrent étendus dans le noir, silencieux, immobiles. Leurs corps ne se touchaient pas. Pas avant qu'ils aient prononcé leurs vœux de mariage.

La nuit, pourtant, était propice aux confidences. Cela faisait plus d'un an que Mose et Gracie se courtisaient et ils se connaissaient bien, assez bien pour deviner les moindres sentiments de l'autre.

« Gracie ? Tu dors ? » chuchota Mose.

Elle garda le silence un long moment puis se redressa sur un coude. « Tu sais ce que je crois, Mose ? Je crois que tu ne crains plus le Seigneur. Voilà pourquoi tu fais toutes ces choses mauvaises.

— Tu te trompes, Gracie. Je crains Dieu. »

Oui, il le craignait, et il craignait aussi les flammes de l'enfer. Et, maintenant, il avait peur de perdre sa jolie, sa tendre Gracie.

285

Tout comme il avait perdu son père. Car il n'avait guère d'espoir de se réconcilier avec lui à présent.

Il tendit le bras dans l'obscurité pour prendre la main de Gracie. « Viens... murmura-t-il, allons nous promener. »

Sans même attendre sa réponse, il sauta hors du lit, chercha ses bottes et sa veste à tâtons et gagna la fenêtre. Il savait bien qu'elle le suivrait. Quand elle s'accrocha à lui pour sortir, il vit que des petites marguerites étaient brodées sur le devant de sa chemise de nuit.

L'herbe, sous leurs pieds, froissait doucement. Le vent, encore chaud, poussait des rubans de nuages devant la vieille lune, ronde et pleine. Dans la blancheur de la nuit, un bouquet de roses sauvages luisait au bord du ruisseau.

Ils cheminèrent côte à côte et ce fut Gracie qui glissa sa main dans celle de Mose.

« Ne t'inquiète pas, ma Gracie, dit-il. J'essaie de comprendre, moi aussi... Et je change. Je change tellement ! »

Il aurait voulu lui parler de ce qui était arrivé à Deer Lodge, ou, encore, de la manière dont son père avait bravé les menaces de Hunter. Mais il ne trouvait pas les bons mots. Un jour, peut-être, il y parviendrait. Mais pas maintenant.

« Je crois que tu resteras toujours un peu sauvage, dit Gracie. C'est dans ton cœur et dans ta tête. »

Il l'obligea à pivoter pour le regarder. « Est-ce que... est-ce que tu pourras vivre avec moi, malgré... malgré tout ça ? »

La jeune fille hocha la tête. Elle était comme cela, sa Gracie. Elle avançait dans la vie en traçant un sillon profond et droit.

Il fourragea alors dans la poche de sa veste et en sortit une photo de lui, encadrée par un ruban de carton. Il avait posé devant l'objectif, vêtu de ses vêtements à la mode du monde extérieur, ses beaux vêtements commandés par correspondance.

Quand elle vit de quoi il s'agissait, Gracie laissa échapper un petit hoquet de surprise. « Tu veux me donner cette... chose interdite ?

— Lorsque j'aurai prononcé mes vœux et que je serai devenu pour toujours un Juste, ce sera un souvenir du temps où j'étais jeune et sauvage. »

Il eut un petit rire en haussant les épaules. « Fais-en ce que tu veux. Brûle-la, si c'est ce que tu désires... »

Elle serra la photo entre ses mains jointes. « Je la garderai, je crois, dit-elle gaiement. Je pourrai toujours te la jeter à la figure quand tu feras l'important à la maison ! »

Ils se mirent à rire tous les deux et un soulagement indicible allégea le cœur de Mose. Gracie avait parlé d'avenir. D'un avenir ensemble. Il ne l'avait pas perdue.

Elle se pencha vers lui et posa un baiser furtif sur sa joue.

« Gracie ?

— Quoi donc, mon gentil sauvage ?

— Je crois bien qu'à partir de demain, je vais me laisser pousser la barbe. »

Chapitre 22

Cela commença par le tambourinement d'un bec de pivert. Puis vint le murmure cristallin du ruisseau courant sur les rochers. Le roulement sonore des roues du chariot ébranla la terre desséchée, jouant avec les ululements du vent chaud.

Et la musique vint. Elle flotta d'abord comme une berceuse puis son rythme s'emballa et tous les bruits se mirent à l'unisson. C'était une musique brillante, exubérante, joyeuse. L'âme de Rachel, exaltée, s'envolait vers le ciel, plus haut, toujours plus haut.

La musique cessa.

Un sourire heureux flottait encore sur les lèvres de la jeune femme tandis que la voiture cahotait sur le sentier tracé par les moutons. La piste courait sur les flancs boisés des montagnes pour rejoindre les carrés d'herbe grasse, en altitude.

C'était là que les moutons paissaient en été. Les fermes Yoder, Miller et Weaver avaient toujours réuni leurs troupeaux pour la transhumance. Les bêtes étaient marquées à l'oreille puis conduites dans la montagne, gardées à tour de rôle par les hommes de chaque ferme.

Ben n'avait jamais aimé la vie solitaire des bergers. Il disait qu'il ne pouvait rester longtemps seul avec lui-même. Mais, pour Rachel, les choses en allaient autrement. Elle aimait ces journées où le temps coulait comme une eau limpide, des journées de paix, remplies de musique.

Mais les femmes n'allaient jamais avec les troupeaux dans la montagne. Elles devaient seulement assurer le ravitaillement des bergers. Et, aujourd'hui, c'était au tour de Rachel.

Le chariot chargé de sacs de sel pour les moutons, de boîtes de café, de haricots et de lard, grimpait les pentes en cahotant. Le soleil filtrait à travers les branches des pins, éclaboussant d'or l'herbe parsemée de pieds d'alouette et d'ancolies. Les sabots de la jument foulaient en cadence le chemin terreux bordé de fougères. Certains jours, pensait Rachel, la vie n'était qu'une mélodie.

C'était l'étranger, maintenant, qui gardait le troupeau et il l'attendait sûrement, là-bas, dans la montagne. Oui, il l'attendait.

Pourtant, quand il était parti, Rachel s'était sentie comme soulagée. Cette séparation était salutaire pour leur âme... et pour sa vertu de femme.

Car, depuis quelque temps, les choses semblaient échapper à son contrôle. Comme ce jour, dans le champ, où l'étranger l'avait prise par la taille pour déposer un baiser sur ses lèvres. Pendant tout le temps des foins, puis de la tonte, elle n'avait eu d'yeux que pour lui. Des transformations secrètes s'opéraient dans son corps. Et elle savait bien que le péché n'était pas loin.

« Dès que je serai dans la montagne, lui avait dit Caïn, vous croyez que la tentation s'éloignera de vous. Mais c'est oublier que votre Jésus a été poursuivi par Satan jusqu'au désert. Je penserai à vous, Rachel. Et vous penserez à moi... »

Les poings sur les hanches, elle l'avait défié du regard.

« Ce que je pense, Mr. Caïn, c'est qu'un mois passé là-haut avec les moutons vous apprendra beaucoup sur les vertus de l'abstinence et de la solitude. »

Mais elle avait parlé aussi pour elle, évidemment.

Il avait ri et une petite flamme avait dansé dans ses yeux.

« Lady, je n'ai pas besoin d'aller si loin pour savoir ce que sont les tortures de l'abstinence... »

Ils se tenaient debout dans l'enclos, au milieu du troupeau bêlant, tandis que les autres hommes s'affairaient à la tonte. Jamais autant qu'à cet instant, Rachel n'avait été plus près de lui dire qu'elle l'aimait.

Mais son rire avait attiré les regards de ses frères et elle s'était éloignée aussitôt.

Plusieurs jours après, alors qu'il se préparait à partir pour la transhumance, il lui avait dit : « Je veux que ce soit vous qui veniez m'apporter les provisions. Vous, et personne d'autre.

— Mais vous savez bien que rien n'aura changé. Nous serons toujours ce que nous sommes.

— Promettez-moi, Rachel, que c'est vous qui viendrez. »

Alors elle lui avait souri.

« Je vous le promets, Mr. Caïn. »

Le chariot roula sur une grosse pierre et les boîtes de provisions s'entrechoquèrent.

« Est-ce que tout va bien, là-haut ? » cria-t-elle à Benjo, perché au-dessus du chargement.

Elle n'obtint qu'un borborygme pour réponse et se mit à sourire. D'une voix qu'elle s'efforça de rendre sévère, elle lança :

« Retire tes doigts de ce gâteau, Benjo Yoder ! Si tu continues à tout manger, il ne restera plus rien là-haut ! »

Ils sortirent de l'ombre silencieuse et veloutée des grands arbres pour pénétrer dans une clairière pleine de lumière. La remorque qui servait d'abri au berger apparut à la lisière du bois, bien installée sous les frondaisons de grands pins. Le tuyau noir qui sortait du toit luisait sous le soleil. Un peu plus loin, sur le pré, quelques moutons mâchonnaient paresseusement l'herbe grasse. MacDuff était là, les oreilles pointées, la langue pendante, surveillant chaque mouvement. Dès qu'il entendit le chariot approcher, il se précipita en aboyant joyeusement.

Ils détachèrent le cheval, lui donnèrent à boire et l'attachèrent à une longue corde pour qu'il puisse pâturer. Puis ils déchargèrent les provisions et allèrent examiner le troupeau. Les bêtes étaient beaucoup plus belles maintenant que leur laine commençait à repousser. Rachel caressa la tête d'une brebis et sentit sous sa main sa toison toute neuve, soyeuse et fine.

« Qu'as-tu fait de ton berger ? demanda-t-elle à l'animal en contemplant ses grands yeux si tendres et si vides à la fois. Il est peut-être parti chasser une grouse... » dit-elle à Benjo.

Ils s'enfoncèrent tous deux dans les pins à sa recherche.

Un bêlement angoissé s'éleva au fond du bois et une voix d'homme se mit à égrener un chapelet de jurons. « Espèce de chienne vicieuse ! Stupide animal ! Tout ce que tu mérites, c'est de te noyer ! »

Rachel contourna un bosquet et faillit éclater de rire devant le tableau qui s'offrait à elle. Une brebis bien grasse était tombée dans un trou d'eau. Les pattes embourbées, elle gigotait en bêlant misérablement tandis que Caïn s'arc-boutait derrière elle pour pousser de toutes ses forces sur son derrière laineux.

« Alors, Mrs. Yoder ? cria-t-il en l'apercevant. Vous allez rester là longtemps, perdue dans vos nuages, ou vous venez aider le pauvre pêcheur que je suis à sortir cette idiote de son trou ? »

Mais Benjo qui, comme tous les garçons de son âge, adorait patauger, accourait déjà pour lui prêter main-forte. La brebis sortit enfin, s'ébroua, tout étourdie, et se mit à tourner en rond dans la clairière en continuant de bêler. Puis, comprenant enfin qu'elle était libre, elle partit au trot rejoindre le troupeau.

Caïn essuya son visage maculé de boue. « Il ne doit y avoir qu'un seul trou d'eau dans tout le Miawa, maugréa-t-il, et il a fallu que cette damnée boule de laine tombe dedans ! »

Ils regagnèrent la clairière tous trois, marchant côte à côte. Comme une famille, pensa Rachel. Elle avait envie de chanter. De tels moments, aussi paisibles, aussi chaleureux, étaient nimbés de pureté. Comme un matin après la pluie, quand le monde semble lavé de toutes ses souillures.

Elle glissa un regard vers l'étranger. Sa peau était hâlée par le soleil de la montagne et ses yeux avaient un éclat plus brillant que jamais.

« Eh bien, Mr. Caïn, êtes-vous content de nous voir ? »

Il lui adressa un sourire désarmant. « Je suis heureux de voir quiconque est capable de me faire un bon café...

— Et comment se sont passés ces derniers jours ? »

Il esquissa une petite grimace.

« Mardi dernier, je me suis mis à parler aux moutons mais leur réponse ne m'est parvenue que le vendredi suivant... J'ai commencé à me faire du souci quand je me suis dit, ce matin, que leurs paroles ne manquaient pas de bon sens. »

Rachel éclata de rire et aperçut à travers les pins l'éclat d'une peau rougeâtre. Elle pensa d'abord que c'était un daim mais l'animal était trop gros pour cela. Puis elle réalisa qu'il y en avait d'autres, beaucoup d'autres, en train de brouter les touffes d'herbe qui poussaient au pied des arbres.

« Les vvv... vaches de Hunter ! » s'exclama Benjo en pointant le doigt.

C'était un petit troupeau d'une quinzaine de bêtes, environ.

« Voici quelques jours, ces bêtes ont décidé de se joindre à nos brebis sans y être invitées, dit Caïn. J'ai essayé de les chasser mais elles sont revenues.

— L'été est si chaud, cette année, soupira Rachel. Il semble que tout le monde soit à court de fourrage. »

En effet, au second regard, elle vit que les vaches étaient efflanquées et affamées. Il n'y avait pas d'inconvénient à partager les alpages avec elles mais Fergus Hunter, sans doute, ne voyait pas les choses d'un même œil.

Cette pensée la traversa comme un nuage passe devant le soleil.

Et son regard se porta sur le revolver qui pendait à la hanche de l'étranger.

Je le tuerai pour vous, si vous voulez.

Cette fois, je le tuerai pour de bon.

De sa vie, elle n'avait eu peur, car Dieu avait toujours été à ses côtés. Mais, depuis, bien des choses étaient advenues. Ben avait été lâchement assassiné, un troupeau paniqué s'était rué sur son fils, et des hommes sans scrupules étaient venus, une nuit, incendier son champ de foin. A présent, elle ne pouvait s'empêcher de penser que, peut-être, Johnny Caïn réussirait à les protéger. Johnny Caïn et son revolver.

Ils se mêlèrent au troupeau et commencèrent à examiner les brebis et les agneaux. D'incessantes catastrophes menaçaient à tous moments les moutons. Il fallait les surveiller sans relâche.

« Nous avons perdu deux agneaux cette nuit, dit Caïn. Il semble que ce soit l'œuvre d'une femelle coyote. Elle doit être en train d'apprendre la chasse à ses petits. »

Benjo qui s'était arrêté pour caresser une brebis se raidit instantanément. Il se tourna vers l'étranger, les yeux agrandis par la frayeur. « Nnn... non... Non ! » balbutia-t-il misérablement. Et, tournant brusquement les talons, il s'enfuit dans les bois.

« Je ne sais pas ce qui se passe avec lui, observa Rachel, songeuse. Il n'était pas comme cela avant. Maintenant, dès qu'on parle de coyotes, il se met dans tous ses états. »

Caïn regardait le garçon courir, l'air perplexe. « Il a sans doute vu dernièrement un agneau se faire prendre, suggéra-t-il.

— Oh ! J'espère bien que non ! »

Elle frissonna en évoquant ses propres souvenirs de ventres déchiquetés, de membres arrachés. « Benjo aime tant les animaux ! Et les coyotes peuvent se montrer si cruels avec les agneaux...

— Cela fait partie de la vie », laissa tomber Caïn.

Rachel le regarda et vit que ses traits avaient pris une expression froide, sévère. La vie n'avait pas été tendre avec lui. Et voilà qu'il se retrouvait aujourd'hui dans un monde où les agneaux se faisaient éventrer, où le ciel oubliait de déverser la pluie sur la terre desséchée, où les champs de foin s'embrasaient, enflammés par des mains criminelles. Où l'on pendait un innocent à la branche d'un arbre.

Mais le visage de Caïn s'était déjà radouci. Il leva la main, et doucement, caressa du doigt la joue de Rachel.

« N'ayez pas peur des coyotes, vous et votre garçon, dit-il d'une voix où perçait la tendresse. Je m'en chargerai. »

Benjo se tenait près du ruisseau, cherchant à attraper un poisson pour le souper. L'étranger alla le rejoindre pendant que Rachel s'apprêtait à préparer le repas du soir. Elle fit du café frais et entreprit de déballer et de ranger les provisions qu'elle avait apportées. Au fond de l'un des cartons, soigneusement enveloppé dans du papier, se trouvait le cadeau qu'elle destinait à Caïn.

La mousseline jaune jeta des reflets chatoyants lorsqu'elle la libéra de son emballage. Elle l'avait achetée sur un coup de cœur à Miawa City, ce jour maudit où l'étranger avait de nouveau tué un homme. A présent, la mousseline avait été assemblée et cousue pour former de coquets rideaux froncés que Rachel comptait suspendre aux fenêtres du chariot. Elle était certaine que l'étranger saurait apprécier cette attention.

Naturellement, il n'aurait pas été question d'offrir une telle chose à un Juste. Mais ce n'était qu'une babiole, une jolie petite chose qui égayerait les journées solitaires des bergers.

Elle venait juste de rabattre la table pour y dresser le couvert lorsqu'un bruit de bottes résonna sur les marches de bois. Rachel posa vivement la cafetière et se tourna joyeusement vers la porte, savourant à l'avance le plaisir de l'étranger quand il verrait les rideaux.

Il pénétra dans le chariot, sentant bon le soleil et... le savon. Il s'était lavé dans le ruisseau pour faire meilleure figure...

« Alors ? Vous avez pris du saumon ?

— Deux beaux saumons rouges... »

Il la regarda. « Vous et Benjo dormirez ici, cette nuit. De toute façon, je passe toutes mes nuits dehors pour monter la garde. Ces maudits coyotes ne se tiennent jamais tranquilles.

— J'ai une surprise pour vous, lâcha-t-elle, toute souriante. J'en ai même deux ! L'une est un *Apfelstrudel*, mais je crains que Benjo ne l'ait sérieusement entamé durant le trajet ! L'autre... »

Elle fit un ample geste du bras pour lui montrer les fenêtres. « Juste une petite chose... »

Elle avait les yeux posés sur les rideaux et ne s'aperçut pas tout de suite qu'il ne disait rien. Quand elle se retourna, elle vit que l'étranger était devenu soudain très pâle. Ses yeux sombres et durs la transpercèrent.

Puis, sans un mot, il fit demi-tour et sortit du chariot.

Rachel prépara les saumons mais il ne revint pas pour le dîner.

Plus tard ce soir-là, étendue sur la couchette à côté de son fils, elle ne dormait toujours pas et récitait ses prières en silence, à la manière des Justes.

Son regard se posa sur la fenêtre où filtrait un rayon de lune.

Les rideaux avaient disparu.

Le cri plaintif d'un cougar la réveilla. Elle se redressa et se mit à la recherche d'une boîte d'allumettes. Benjo s'agita mais continua de dormir.

A tâtons, elle trouva ses bottillons et son châle qu'elle drapa autour de sa chemise de nuit. Mais elle attendit d'avoir quitté le chariot pour allumer la lanterne.

MacDuff se tenait au pied des marches, le poil hérissé, les babines retroussées. Dans la clairière, plusieurs moutons s'agitaient déjà avec des bêlements plaintifs pour donner l'alerte. Le cri du cougar avait quelque chose de terrible, pensa Rachel. On aurait dit le hurlement d'une femme.

Elle s'immobilisa, aux aguets, mais tout ce qu'elle entendit fut le bruit du vent dans les hautes cimes des arbres. MacDuff gronda puis se recoucha, les oreilles en arrière.

La lanterne jetait une pâle lueur sur le sol et fit danser les ombres des grands pins. Elle passa au milieu du troupeau et se mit à chantonner une berceuse comme elle le faisait toujours pour calmer les bêtes.

Quand Ben partait dans les alpages, l'été, il emportait toujours avec lui sa vieille Sharp pour protéger le troupeau des cougars, des coyotes et des ours. Mais la carabine avait disparu de la remise.

Et Johnny Caïn ne revenait toujours pas.

S'il n'était pas de retour avant le matin, elle enverrait Benjo dans la vallée chercher Noah car les moutons ne devaient pas demeurer sans surveillance.

Les bêtes s'étaient apaisées et avaient repris leurs doux rêves d'herbe grasse. Pourtant, Rachel préféra ne pas regagner le chariot. Elle souffla la lanterne et la nuit profonde et bleue l'engloutit aussitôt.

La lune flottait au-dessus des crêtes, blanche et dure, comme une agate. Rachel pencha la tête en arrière et se perdit dans la contemplation émerveillée du ciel tout piqué d'étoiles.

Soudain, un mouvement furtif se fit entendre à la lisière du bois. Tous les sens en alerte, Rachel plissa les yeux et vit une haute silhouette avancer vers elle, noire sur le noir de la forêt. Elle sut aussitôt qu'il s'agissait de Caïn.

Il vint vers elle, les pans de son long manteau flottant derrière lui, une boule de tissu jaune chiffonnée dans sa main crispée.

C'était tout ce qui restait des rideaux...

Le cœur battant, Rachel recula d'un pas. Aussitôt, l'étranger s'arrêta.

« Je ne voulais pas vous blesser, dit-il d'une voix si basse qu'elle dressa l'oreille pour l'entendre.

— Je sais... »

La boule de mousseline tomba à ses pieds en voletant. Rachel tendit la main et leurs doigts s'entrelacèrent. Ils restèrent ainsi de longues minutes, immobiles, puis il l'attira à lui, refermant ses bras autour d'elle comme deux ailes protectrices.

Ils se laissèrent tomber dans l'herbe sèche. La tête appuyée contre la poitrine de Caïn, Rachel sentait son souffle chaud lui caresser la nuque.

« J'ai toujours cru que les moutons étaient blancs, murmura-t-il. En fait, ils sont gris. On les distingue à peine dans la nuit.

— Les coyotes, eux, savent les voir de loin. »

Il ne répondit pas et elle demanda alors : « Vos parents étaient pauvres, n'est-ce pas ? »

Toujours pas de réponse, mais elle ne s'en inquiéta pas. C'était un silence bien plus éloquent, bien plus vibrant que toutes les paroles du monde.

Un bruissement d'ailes traversa l'air au-dessus de leurs têtes, suivi d'un glapissement strident. Elle leva les yeux et aperçut un hibou passer devant la lune.

« Je ne sais pas parler de ma vie, Rachel, dit alors l'étranger.

— Eh bien, contentez-vous de rester là, tout contre moi. »

Il resserra les bras autour d'elle. Le silence retomba, peuplé de tous les bruits de la nuit, de toutes ces vies tapies dans l'ombre de la montagne qui menaient leurs combats quotidiens.

Puis les mots vinrent enfin, douloureux, terribles.

« Il y avait cet orphelinat dans l'est du Texas... avec une grande grille de fer au bout d'une longue allée. Ils m'ont dit que c'était là qu'ils m'avaient trouvé, un beau matin, attaché au portail par une corde, comme un chien abandonné. »

Elle prit sa main au creux des siennes et l'enveloppa tendrement, comme si elle tenait un oiseau blessé. Sa main si belle, pleine de cicatrices, rude et douce à la fois. Une main qui savait caresser. Et aussi tuer.

« Chaque printemps, on nous présentait à l'église dans l'espoir qu'une bonne âme voudrait bien nous adopter. »

Un rire désabusé s'échappa, comme un sanglot, de sa gorge.

« Oh, Rachel ! Nous étions si pathétiques avec nos petites figures bien lavées, nos cheveux plaqués en arrière et nos misérables sourires qui mendiaient un peu d'affection. Nous espérions tous être choisis pour ne pas retourner à l'orphelinat. »

Il soupira.

« Mais on nous y ramenait toujours. Alors ils ont commencé à nous louer aux fermiers de la région pour les aider dans leurs travaux car cela coûtait cher de nous nourrir. »

Il s'interrompit mais elle ne le pressa pas. Elle savait bien qu'il avait besoin de temps pour retrouver le fil de ses souvenirs. Des souvenirs si cruels qu'il avait dû les enfouir au plus profond de sa mémoire.

« L'été de mes dix ans, j'ai été loué par un certain Silas Cowper, un éleveur de porcs. Il aimait raconter qu'il avait eu des esclaves autrefois, avant la guerre et je crois bien que c'était vrai car il me traitait comme le plus misérable d'entre eux. Alors je me suis sauvé à la première occasion mais il m'a rattrapé avec ses chiens, des chiens qu'il entraînait à mordre. Il m'a traîné dans les étables pour m'attacher par les bras et les chevilles à une poutre. Il y avait ce crochet au-dessus de ma tête, ce crochet où il suspendait les carcasses. »

Sa voix se brisa et, contre sa joue, Rachel sentit les battements de son cœur s'accélérer. On aurait dit un oiseau en cage.

« Après, il a embroché un cochon vivant après le crochet et il l'a laissé là, au-dessus de moi, à crier et à saigner sur moi. Il a mis deux jours à mourir. »

La gorge de Rachel était serrée, sa poitrine lourde de larmes retenues. Elle aurait voulu lui dire qu'elle ne savait pas... qu'elle ne pouvait pas savoir. Mais parler lui était impossible.

« Quand le porc a fini par mourir, Cowper l'a plongé dans un tonneau d'eau bouillante en m'expliquant que c'était pour mieux en détacher la peau. Il me disait qu'il me ferait subir la même chose si je me sauvais de nouveau. Et je l'ai cru. Oui, Rachel, je l'ai cru. »

Il eut une sorte de hoquet étranglé, comme Benjo, parfois, quand trop d'émotions le submergeaient. « Je me suis dit que si je ne voulais pas finir sur ce crochet comme le malheureux cochon, il fallait m'assurer que Cowper ne pourrait pas me rattraper. Alors, quand il m'a enfin libéré, j'ai attendu le soir. Il y avait une fourche dans la grange. Je l'ai prise et je suis allé l'enfoncer dans son ventre pendant qu'il dormait. Et pour être certain qu'il soit bien mort, je m'y suis repris à trois fois. »

Rachel lui saisit la main, la porta à ses lèvres et se mit à la couvrir de baisers. Il n'était qu'un enfant, à cette époque. Rien qu'un enfant, à peine plus âgé que Benjo. Et il avait été obligé de vivre toutes ces terribles choses.

Il la prit par les épaules pour la regarder.

« Mais vous pleurez, murmura-t-il. Je vous en prie, Rachel, ne pleurez pas. Je ne le mérite pas. »

Elle baissa les yeux et les larmes se mirent à ruisseler sur ses joues.

« Je vous aime », balbutia-t-elle.

Il tressaillit et s'écarta légèrement d'elle. Elle regarda sa bouche, belle et dure à la fois. Et puis il y avait ses yeux qui luisaient dans le noir. Des yeux si jeunes et si vieux.

« Ne dites pas ça, Rachel.

— C'est trop tard. »

Il ramassa la boule de mousseline jaune toute chiffonnée et commença à la pétrir entre ses doigts fébriles.

« J'ai tué une femme », dit-il.

Elle tressaillit.

« C'était une danseuse, poursuivit Caïn. La veille, je lui avais donné un jeton de trois dollars pour coucher cinq minutes avec elle. Je ne me souviens même pas de son nom. »

Rachel tendit la main vers son visage. « Arrêtez, Johnny, arrêtez, je vous en prie... »

Mais il continua, sa voix métallique, désincarnée, égrenant froidement les mots comme s'il s'agissait de quelqu'un d'autre.

« Le lendemain, un pistolero qui avait entendu parler de moi m'a défié pour se prouver qu'il était le meilleur. Je ne le connaissais même pas. Les coups de feu ont commencé à pleuvoir. J'ai riposté et puis je l'ai vue sortir du saloon en courant. Il y avait de la fumée et de la poussière tout autour de nous. Je l'ai vue, Rachel, mais je n'ai pas arrêté pour autant. Pas avant que le barillet de mon revolver ne soit vide. Sinon, j'étais un homme mort. »

Sa poitrine se souleva, exhalant un long gémissement, comme si l'air qu'il respirait lui brûlait les poumons. Entre ses doigts, la mousseline n'était plus qu'un amas de lambeaux déchiquetés.

297

« Une de mes balles l'a frappée en pleine poitrine. Elle portait une jolie robe jaune, du même tissu que celui-là... Et il y avait du sang dessus. Tant de sang que la robe était devenue toute rouge. »

Il ouvrit la main et laissa les morceaux flotter jusqu'au sol. Rachel eut soudain très froid. Un brouillard hivernal glacé les enveloppait tous les deux.

« Je suis allé vers elle et je l'ai regardée mourir. Ensuite, je suis parti. J'ai pensé alors que j'aurais dû ressentir quelque chose. De l'horreur, de la pitié. J'ai *essayé* d'être malheureux pour elle, Rachel, mais cela n'a pas marché. Tout était vide à l'intérieur de moi. Je me sentais seulement fatigué. Si fatigué. »

Il posa un doigt sur les lèvres de la jeune femme, comme pour l'empêcher de parler.

« Il y a une malédiction sur moi, Rachel. Je porte malheur à tous ceux qui m'approchent. »

Doucement, elle écarta sa main.

« Si vous vous présentez au Seigneur, le cœur plein d'un repentir sincère, Il vous pardonnera tous vos péchés. Même les plus impardonnables. »

Elle l'entendit pousser un profond soupir.

« Je suis un tueur, Rachel. J'ai tué, tué, sans jamais m'arrêter. Et, maintenant, je suis comme les coyotes, comme les loups. Je tue, sans même y penser, parce que c'est tout ce que je sais faire. »

Il se mit à sourire, d'un sourire qui fit frissonner Rachel.

« Je ne crois pas que Dieu ait assez de pardon en Lui pour un homme tel que moi.

— Ce n'est pas vrai, Johnny. Croyez-moi, Dieu peut tout pardonner. »

Elle prit sa tête contre sa poitrine, caressant doucement ses cheveux, comme une mère caresse son enfant. Il se dégagea doucement pour la regarder.

« Voulez-vous faire quelque chose pour moi, Rachel ? Je vous en prie, laissez vos cheveux tomber librement sur vos épaules... »

Elle enleva sa coiffe et les lourdes mèches auburn s'échappèrent en boucles serrées jusqu'à sa taille.

Caïn la contempla un long moment, les yeux brûlants de désir. Il tendit la main et saisit une mèche épaisse pour la porter à ses lèvres.

Puis il se leva en disant : « J'ai besoin d'être seul. »

Rachel le regarda s'éloigner en direction du bois. Elle poussa un long soupir et regagna le chariot du berger.

Le matin, elle prépara le petit déjeuner : du fromage, du lait et du pain. Le soleil se levait, baignant de rose la laine des moutons, embrasant l'herbe de reflets rougeâtres. L'odeur des pins, humides de rosée, flottait dans l'air encore léger tandis que les chants des courlis résonnaient dans les profondeurs du bois.

Benjo semblait avoir oublié les coyotes. Il bombardait Caïn de questions sur tout et sur rien et Rachel avait bien du mal à lui faire avaler son petit déjeuner.

L'étranger était apparu à l'aube, le visage fermé, le regard fuyant. Assis à la table, un bol de café entre les mains, il répondait par monosyllabes à l'enfant.

Une seule fois, seulement, il s'adressa à Rachel, après que Benjo fut sorti, le chien sur les talons, pour aller voir le troupeau.

« Envoyez quelqu'un pour me remplacer, Rachel, dit-il sans la regarder. Et laissez-moi partir. »

Elle secoua la tête.

« Non, Johnny. Parce que je vous aime. Bientôt, je vous montrerai à quel point je vous aime. »

Il l'aida à préparer le chariot puis vint le moment de regagner la vallée. Avant de quitter la clairière pour s'enfoncer sous les pins, elle se retourna une dernière fois.

Il était debout, à côté de la cabane de berger, à la regarder.

Bientôt, pensa Rachel. *Bientôt...*

Elle ne retourna plus dans la montagne. Mose Weaver fut chargé d'approvisionner le camp et, lorsque vint le mois de juillet, ce fut son tour de prendre la relève.

Rachel sut alors que l'étranger allait revenir.

Enfin... s'il revenait.

Elle envoya Benjo à la ferme de son grand-père pour aider Sol à peindre la nouvelle barrière qui remplaçait celle détruite par le troupeau fou de Hunter. Puis elle fit chauffer de l'eau et sortit la grande bassine métallique émaillée pour se laver les cheveux dans la cour.

Vers la fin de l'après-midi, elle attendait toujours, son corps frissonnant d'une douce anticipation. Dans le parc à béliers, des coups furieux résonnèrent contre la barrière. Rachel courut vers l'enclos et vit un vieux bélier tourner en rond en bêlant furieusement, les naseaux fumants, ses cornes imposantes raclant le sol. Au loin, dans la pâture, d'autres bêlements lui répondirent.

« Ce n'est pas encore le moment, Ézéchiel, dit Rachel amusée, en tendant la main pour gratter le crâne de l'animal. La saison des accouplements n'est pas encore venue... »

Le vieux bélier lui jeta un regard chargé de reproches, bêla encore une ou deux fois plaintivement et alla se terrer dans un coin de l'enclos, l'air boudeur. Rachel sourit. « Encore un peu de patience... »

Elle retourna dans la cour et glissa une main sous sa coiffe pour tenter de remettre de l'ordre dans ses cheveux fraîchement lavés. Mais ce fut peine perdue. Des mèches soyeuses, couleur de miel, s'échappaient du bonnet et dansaient sur son front.

« Rachel... »

Elle fit volte-face. L'étranger se tenait devant elle, vêtu de son long manteau noir, les cheveux flottant sur ses épaules. Son visage hâlé était creusé de cernes.

La jeune femme ouvrit la bouche comme si l'air lui manquait. « Johnny... Vous êtes revenu à la maison... J'étais sûre que vous reviendriez... »

Il eut un lent sourire.

« Est-ce vraiment ma maison, ici, Rachel ?

— Aussi longtemps que vous le désirerez. »

Alors elle tendit la main vers lui et il la prit pour y déposer un baiser. Ils se mirent à rire, comme deux enfants heureux de se retrouver et elle l'entraîna vers la maison. Sur le seuil, il la souleva dans ses bras et traversa la cuisine à grands pas, jusqu'à la chambre. Ils tombèrent sur le couvre-lit bleu et blanc, haletants, toujours accrochés l'un à l'autre, leurs doigts fébriles arrachant leurs vêtements qui tombèrent en voltigeant sur le plancher.

Et puis ils furent nus, leur peau brûlante assoiffée de caresses. Rachel encercla de ses bras les épaules de Caïn et il enfouit son visage au creux de son cou.

« Rachel... »

Elle s'arqua contre lui, vibrante, le cœur chargé d'une joie si intense qu'elle aurait voulu crier à la terre entière son bonheur. Leurs bouches avides se cherchaient, leurs mains s'étreignaient.

Puis il fut en elle, si puissant et si abandonné à la fois, tandis qu'elle le serrait contre ses seins durcis par le désir. Et la musique éclata dans la tête de Rachel. La plus belle de toutes. Celle de la vie et de l'amour.

Fannie Weaver marchait rapidement sur le sentier qui courait dans le bois séparant sa ferme de celle des Yoder. Les pins et les mélèzes étalaient leurs branches aux aiguilles épaisses au-dessus de sa tête, filtrant les rayons du soleil couchant.

Il n'y avait pas de telles forêts dans l'Ohio, pensa Fannie. Voilà encore une chose qu'elle regrettait. Elle détestait les bois et leur ombre lui rappelait la nuit, obscure, pesante. Étouffante.

D'ailleurs, elle détestait tout, ici, dans cette région barbare. Oui, elle haïssait le Miawa. Assurément, Dieu ne voulait pas que la haine empoisonne le cœur des hommes. Mais Il ne pouvait pas en vouloir à Fannie, car seul le diable devait avoir créé un pays aussi terrible, aussi désespérant que le Montana.

Un nuage voila le soleil et le sentier s'assombrit encore. Fannie resserra frileusement son châle sur ses épaules et frissonna. Comme toujours, à l'approche du soir, une angoisse sourde lui tenaillait le ventre. Elle n'avait qu'une hantise : être surprise par la nuit alors qu'elle n'avait pas encore regagné la maison.

Elle ralentit le pas, essoufflée, buta sur une racine et trébucha, manquant de peu de renverser le panier de mûres qu'elle tenait à la main.

C'était une idée de Noah, naturellement. Il y avait de beaux buissons de mûriers près de leur ferme et bien trop de mûres pour qu'ils puissent toutes les manger ou les mettre en conserve. Alors Noah avait dit qu'il fallait partager ce que Dieu donnait en abondance.

Partager avec Rachel...

Elle sortit du bois derrière la remise des Yoder et se sentit immédiatement mieux sous les rayons encore chauds du soleil. Après avoir couru comme ça dans les bois, ses vêtements étaient en désordre et elle s'arrêta au pied du porche pour remettre de l'ordre dans sa tenue et rentrer quelques mèches sous sa coiffe.

La porte de la cuisine grinça légèrement quand elle la poussa. Chez les Justes, les maisons demeuraient toujours ouvertes car on se faisait un devoir de ne rien dissimuler aux yeux de la communauté. Les amis, les voisins étaient les bienvenus à toute heure du jour.

La cuisine était vide et Fannie en éprouva une secrète satisfaction. Si Rachel avait été là, elle l'aurait invitée à quelque *klatching* en lui servant du café. Et Fannie, qui avait toujours aimé bavarder, se serait laissé tenter. Le temps aurait passé sans qu'elle s'en aperçoive et, ensuite, il lui aurait fallu courir dans le bois pour rentrer chez elle avant que la nuit tombe.

Puisque Rachel était occupée dehors à quelque corvée, tout ce qui lui restait à faire, c'est de poser le panier sur la table et de s'en aller.

Elle s'arrêta quelques instants sur le seuil pour regarder autour d'elle et examiner la cuisine. Tout était en ordre, à l'exception d'une grande cuvette en émail bleu, posée contre un mur, et d'une serviette encore humide accrochée à la hâte sur le dossier d'une chaise. Fannie se demanda ce qui avait amené Rachel à se laver alors qu'on n'était pas encore samedi. *Ach, vell*, pensa-t-elle en entrant, Rachel Yoder n'avait jamais respecté les règles.

Elle fit un pas vers la table pour y déposer le panier et entendit alors un gémissement. Elle crut que c'était le vent jusqu'à ce que le bruit se produise une nouvelle fois, une sorte de feulement qui venait de la chambre.

A pas feutrés, Fannie traversa la cuisine et se dirigea vers la porte entrouverte.

Elle vit Rachel, étendue sur le lit, les jambes écartées, les mains agrippées aux barreaux métalliques du lit. Son corps était arqué à l'extrême et, de sa gorge, sortait ce terrible feulement tandis que l'étranger...

Oh, Seigneur ! Il se tenait à genoux au-dessus d'elle, nu et couvert de sueur. Et il...

Fannie suffoqua et se retourna si vivement qu'elle se cogna au chambranle de la porte. Le panier lui échappa des mains et les mûres s'éparpillèrent sur le sol. Elle les écrasa sous ses bottillons en s'enfuyant, traversa la pièce à la vitesse de l'éclair et courut dehors.

Elle n'alla pas plus loin que la remise. Là, le souffle court, elle s'effondra sur les genoux, saisie d'une violente nausée. Quand elle eut vomi, elle demeura prostrée sur le sol, la tête entre les bras, les yeux fermés.

Ce qu'elle venait de voir resterait à jamais gravé dans son esprit. Que Dieu la protège ! Quelle scène horrible ! Ce monstre... cet étranger... il abusait de Rachel.

Oui, le diable avait fait d'elle sa prostituée.

Chapitre 23

Ils avaient vécu des heures magiques.

Remplies de caresses, de rire, d'amour. La passion qui les dévorait les avait entraînés dans un univers bien à eux, loin, très loin du présent et de ses inquiétudes. Un cyclone aurait secoué la ferme qu'ils ne l'auraient pas entendu.

Les murs de la chambre résonnaient encore de leurs soupirs, de leurs murmures. Puis, quand, enfin, ils avaient été rassasiés d'amour, ils étaient restés étendus, leurs doigts enlacés, leurs regards soudés, savourant chaque seconde de cette paix retrouvée, échangeant encore de doux aveux, des baisers, des caresses.

La vitre s'était obscurcie, la nuit avait enveloppé toutes choses. Alors ils s'étaient levés, main dans la main.

Et, en entrant dans la cuisine, ils avaient vu les mûres écrasées sur le sol.

Rachel préparait un gâteau au fromage blanc.

Une chose étrange et folle, vraiment, que d'être là, dans la cuisine, à battre des œufs en neige alors qu'on approchait de minuit. Mais il fallait bien qu'elle occupe ses mains, sinon elles se seraient mises à trembler.

Chaque fois qu'elle posait les yeux sur les taches sombres qui maculaient le sol, près de la porte de la chambre, son estomac se contractait. Un flot de pensées confuses, apeurées, réveillait une migraine tenace qui lui martelait les tempes et elle se mettait à tourner sa cuillère deux fois plus vite.

C'est Père qui viendra le premier. Non, non. C'est plutôt au diacre d'intervenir quand un membre de notre communauté a péché. Noah, lui, je pourrai l'affronter. Ce sera dur, très dur. Il faudra bien, pourtant, que je les affronte tous, Dad, mes frères, et Mem.

Pauvre Mem. On la critiquera encore, on dira d'elle que sa fille a été mal élevée...

Rachel versa les œufs fouettés dans la jatte pleine de fromage blanc, remua le tout et remit du bois au feu. Benjo et Johnny Caïn étaient dehors pour une dernière tournée d'inspection avant la nuit. Ils n'allaient pas tarder à rentrer.

Elle était en train de glisser le plat à l'intérieur du four lorsque Benjo fit irruption dans la cuisine, l'air complètement paniqué. Il ne sut que balbutier des mots incompréhensibles mais, déjà, Rachel s'était précipitée à la fenêtre pour scruter les ténèbres de la cour. La porte de la remise était entrouverte et la lueur d'une lanterne projetait des ombres qui tournaient et s'agitaient...

Les ombres d'hommes en train de se battre...

Elle se jeta dehors avec une telle précipitation que sa hanche heurta violemment le montant, lui arrachant un cri de douleur. Le vent s'était levé et s'engouffrait dans sa jupe tandis qu'elle courait à travers la cour. Les portes de la remise battaient et des bruits de lutte s'élevaient dans la nuit. On entendait des cris, des grognements, des halètements, des paroles inarticulées. Puis le choc sourd des poings sur la chair.

Elle s'immobilisa, pantelante, sur le seuil. Ils étaient tous là, ces Justes qui prétendaient l'aimer : ses trois frères et Noah Weaver. Ils frappaient l'étranger à coups redoublés, oubliant la Voie, oubliant les commandements de Dieu.

Elle vit Sol, son gentil frère Sol, prendre son élan et asséner un coup de poing si violent que la tête de Caïn bascula en arrière tandis qu'il allait heurter la porte d'une stalle. Rachel eut un hoquet et porta les mains à sa bouche. L'homme qu'elle aimait par-dessus tout était en train de se faire massacrer par quatre hommes fous de colère. Du sang coulait des lèvres fendues de Caïn, l'une de ses pommettes avait éclaté sous les coups. Ses yeux étaient tuméfiés et à demi fermés, sa chemise pendait en loques et de la paille jonchait ses cheveux emmêlés.

Et, pourtant, il ne se défendait pas. Il restait là, à regarder ses agresseurs sans chercher à se battre.

« Arrêtez ! cria Rachel en *deitsch*. Arrêtez immédiatement ! »

Mais Sol fit la sourde oreille. Son poing droit s'écrasa contre la figure de l'étranger puis frappa à nouveau au creux des reins. Caïn gémit de douleur, chancela, et tomba à genoux. Noah Weaver profita de l'occasion pour lui lancer un coup de pied dans le ventre de son gros brodequin clouté.

Une colère terrible submergea Rachel. Si terrible qu'elle avait l'impression de voir danser des flammes devant ses yeux. Saisissant un râteau, elle courut sur eux en criant : « Arrêtez ! Arrêtez ! »

Le calme qui suivit tomba comme un molleton sur tous les acteurs de la scène. Comme pétrifiés par quelque méchante fée, ils restaient là, les bras ballants, leurs mâchoires contractées, leurs yeux pleins d'éclairs. La mèche de la lampe à pétrole se mit à trembloter, dessinant des silhouettes grotesques sur les murs de planches. Au cours de la lutte, un bidon s'était renversé et l'odeur douceâtre du lait flottait dans la remise.

Appuyé contre la porte d'une des stalles, Benjo contemplait la scène, le visage blême, les yeux écarquillés. Le spectacle de son fils terrorisé redoubla la fureur de Rachel. Il avait fallu qu'il assiste à tout cela !

« Sortez de ma ferme ! gronda-t-elle. Sortez ! Laissez-nous ! »

Caïn s'était redressé lentement et, du revers de la main, il essuya sa bouche toute maculée de sang. Noah fit un pas en avant.

« Rachel, je t'en prie..., dit-il en tendant gauchement une main vers elle.

— Ne prononce pas mon nom ! »

Ignorant le râteau, Samuel marcha droit sur elle. Sa barbe se dressait, tout hérissée. Il pointa le bras en direction de Caïn et cria : « Il ne reste rien de ton nom, maintenant qu'il a fait de toi sa putain ! »

Elle lui lança un regard terrible.

« Retire immédiatement ces mots infâmes, Samuel Miller !

— Non ! Je ne le ferai pas ! »

Il approcha son visage si près de celui de la jeune femme qu'elle sentit son souffle quand il parla. « Tu l'as laissé te traîner dans la boue. Même un porc ne voudrait pas entrer dans ton lit, à présent ! »

Un rictus méprisant retroussa ses lèvres. Il cracha par terre. « J'en ai assez de lui et de vous deux ! »

Il la bouscula violemment en sortant de la remise et Abram lui emboîta le pas. Au passage, il lança un regard dédaigneux à sa sœur en disant : *Celui qui a vécu dans le péché mourra dans le péché !*

— Et que faut-il dire de ce que vous avez fait ce soir, toi, notre Abram, et toi, notre Samuel ? cria-t-elle. Vous aussi aurez à en répondre au jour du Jugement dernier. »

Elle se tourna vers son frère Sol, contempla ses mains écorchées et gonflées d'avoir donné tant de coups. Des larmes lui montèrent aux yeux.

305

« Quant à toi, murmura-t-elle douloureusement, comment as-tu pu te laisser entraîner ainsi ? »

Sol leva sa grosse tête et la regarda bien en face. « Pour détruire une mauvaise herbe, dit-il sentencieusement, il faut en arracher la racine. » Puis il quitta la remise à pas lourds, comme un très vieil homme.

De ces Justes qui prétendaient l'aimer, il ne restait que Noah.

« Va-t'en d'ici, dit-elle, et ne remets plus jamais les pieds dans ma maison.

— Il te voulait et il t'a prise, répondit Noah d'une voix étranglée. Le diable t'a prise et tu l'as laissé faire. Comment n'as-tu pas pensé à Ben ? S'il vous a vus de là-haut, en train de forniquer... »

Elle chancela mais se ressaisit aussitôt et garda la tête haute. « Ce qu'il aura vu, c'est votre méchanceté à *vous*. Battre un homme désarmé, à quatre contre un, le cœur plein de haine et de vengeance. Oui, voilà ce que Ben a vu. »

Le diacre leva les mains pour implorer, ses grandes mains de paysans abîmées par les rudes travaux des champs. Il fit un pas vers elle en chancelant et des larmes brillèrent dans ses yeux, dans sa barbe. « Oh, Rachel... Tu te rappelles cette nuit où ma Gertie est morte. Tu as dit alors que je t'étais cher. Voilà les mots que tu as prononcés, Rachel. Tu m'as dit : "Tu seras toujours dans mon cœur, Noah." Et tu m'as laissé croire que, s'il n'y avait pas eu Ben, tu aurais été à moi... »

Elle secoua la tête accablée. Ainsi, pendant toutes ces années, il avait espéré que...

Mais l'heure n'était plus aux souvenirs.

« Tu as été aussi cruel que les autres, Noah, lança-t-elle durement. Je ne veux plus jamais te revoir. »

Il lui jeta un regard incrédule et ses bras retombèrent le long de son corps. On aurait dit que quelque chose s'était écroulé à l'intérieur de lui, comme un arbre rongé au cœur.

Il s'éloigna, traînant ses brodequins dans la paille comme un homme malade. Sur le seuil de la porte, il se retourna une dernière fois.

« Et lui, Rachel ? Lui, un étranger, un tueur... Que peut-il t'offrir sinon la souffrance et la damnation éternelle ? Méfie-toi, ma sœur. Il te détruira ! »

Assis dans la cuisine, l'étranger levait son visage blessé vers Rachel. Un pot d'onguent à la main, elle badigeonnait ses plaies d'une décoction à la renoncule sauvage, une recette que lui avait enseignée *Mutter* Anna Mary.

Quand elle l'avait aperçu tout à l'heure, à genoux, dans la remise, l'image de leur première rencontre lui était revenue à l'esprit. Elle le revoyait traverser le champ en titubant, une balle dans le flanc, ses yeux fous pleins de terreur.

Mais, ce soir, son regard n'exprimait plus aucune peur. Aucune tendresse, non plus. Il était fermé, comme tourné vers l'intérieur.

Elle soigna ses blessures avec calme et efficacité, appliquant sur ses yeux tuméfiés une tisane de sureau qui faisait merveille pour apaiser la douleur et dégonfler les tissus meurtris. Tout en travaillant, elle psalmodiait les prières *Brauching* apprises d'Anna Mary, celles qui étaient censées opérer des miracles. Mais, pour cela, il fallait avoir une foi inébranlable. Et, ce soir, Rachel ne s'en sentait plus vraiment capable.

Il lui prit les mains et les serra dans les siennes.

« Cela suffira, Rachel... »

Elle ne répondit pas et se contenta de le regarder, toujours remplie d'une folle colère contre ses frères et contre Noah. Elle libéra doucement ses mains et l'aida à se défaire de sa chemise déchirée, tachée de sang. Le ventre de Caïn était meurtri et violacé. C'était là que le coup de pied de Noah l'avait atteint.

Blotti près du fourneau, Benjo ne les quittait pas des yeux. Il tressaillit violemment quand elle l'appela.

« Va remettre de l'ordre dans la remise, dit-elle doucement. Et n'oublie pas de fermer les portes.

— Mmm... Mais il fait nuit dehors !

— Va ! » répéta-t-elle, plus fermement, cette fois.

Il se mit à balbutier des protestations inarticulées et finit par quitter la maison en traînant les pieds, le visage maussade.

Rachel se pencha vers l'étranger pour l'entourer de ses deux bras. Il posa la tête sur sa poitrine. « Ne t'inquiète pas, ma chérie. J'ai pris de plus mauvais coups que ça !

— Oh, Johnny, murmura Rachel. Je t'aime. Je t'aime tant... »

Elle prit son visage entre ses mains et plongea son regard dans ses yeux bleus. Elle y lut une sorte de résignation, et aussi de la tristesse.

« Avant que tes frères ne me tombent dessus avec leurs poings et leurs bons sentiments, je leur avais dit que je voulais t'épouser. »

Elle tressaillit violemment et laissa retomber ses mains le long de son corps. Jamais elle n'avait imaginé qu'il ferait une telle chose. C'est vrai, un désir incontrôlable les avait jetés l'un vers l'autre pour leur faire franchir la ligne du péché. Et, malgré toutes ses inquiétudes, elle ne parvenait toujours pas à regretter ces inoubliables instants. Pourtant, jusqu'à maintenant, elle croyait être la seule des deux à penser à l'avenir.

Elle cligna des yeux pour retenir ses larmes, mais ce fut peine perdue. Alors, incapable de parler, elle se pencha sur lui et l'embrassa.

« Rachel, je veux que tu deviennes ma femme. »

La jeune femme ferma les yeux, tout étourdie. Puis elle secoua tristement la tête et balbutia : « C'est impossible, Johnny. Dans notre communauté, nous ne devons nous marier qu'entre Justes. Sinon, nous sommes bannis à jamais par nos amis, notre famille. Et nous perdons tout espoir d'une vie éternelle après la mort. Nous perdons notre âme. »

Il l'attira à lui et se pencha pour déposer un baiser sur son front, les yeux emplis de larmes, les lèvres tremblantes. Elle noua ses bras autour de son cou, blottit sa joue au creux de son épaule et sanglota désespérément. Toutes les épreuves, tous les combats de sa vie refluaient en un flot amer, libérant son cœur de ses anciens fardeaux.

Elle ne sut combien de temps ils demeurèrent ainsi enlacés. Un roulement, dans la cour, les fit sursauter et ils se séparèrent. Qui pouvait bien venir, à cette heure ? se demanda Rachel, à nouveau inquiète. MacDuff aboya, puis Benjo cira un nom qu'elle reconnut.

Mose... Mose Weaver... Il était pourtant censé garder le troupeau dans la montagne.

Ils se munirent d'une lanterne et sortirent précipitamment de la maison. Mose descendait le chemin menant à la ferme, conduisant un léger buggy. Il tira sur les rênes et s'arrêta dans un nuage de poussière. Au premier regard, Rachel crut qu'il était seul. Mais elle aperçut au fond de la voiture une silhouette recroquevillée. Approchant la lampe, elle distingua du sang sur des pantalons de toile et un petit visage jeune et osseux, coiffé d'une tignasse brune.

« Miséricorde ! Lévi ! Oh, mon Dieu, que s'est-il passé ? »

Le garçon tenta de s'asseoir et grimaça de douleur.

« Ne t'en fais pas, notre Rachel, dit vivement Mose. Il n'est pas en danger. Ça va mieux à présent, il ne saigne plus... »

Mais sa pâleur démentait le calme qu'il s'efforçait d'afficher. Il avait dû avoir peur, très peur, pensa Rachel en l'observant. D'une voix un peu haletante, il expliqua que Lévi s'était tiré une balle dans le pied en voulant prendre sa carabine pour abattre le coyote qui rôdait autour des agneaux. Le coup était parti avant même qu'il ait eu le temps de viser.

« Je dois le conduire immédiatement chez Doc Henry, reprit Mose, mais il faut que quelqu'un aille veiller sur le troupeau cette nuit. Et puis il y a ce maudit coyote. C'est toujours le même... Il boite mais il est rusé. On dirait qu'il devine les réactions des hommes. »

Benjo tressaillit violemment et des paroles indistinctes sortirent de sa gorge. Il détala comme un lièvre, heurtant l'étranger au passage. Il courut si vite qu'il en perdit son chapeau et ne prit même pas le temps de le ramasser.

Rachel frissonna. La peur que semblait manifester Benjo à l'égard des coyotes était peut-être excessive mais certainement pas déplacée. Même en partant sur l'heure, il ne serait pas possible d'atteindre le camp avant l'aube car, de nuit, le chemin de montagne était périlleux. Les coyotes aimaient chasser à la pointe du jour, quand la lumière rasait les bois et les champs, protégeant leur approche. Il serait peut-être déjà trop tard lorsqu'ils parviendraient là-haut.

« Dès que j'aurai remis ce maladroit *Schussel* au Doc, reprit Mose en désignant Lévi du menton, je reviendrai garder le troupeau. »

Rachel réussit à sourire pour le rassurer. Il était brave, ce jeune Mose. Et sérieux. Bien plus que son père ne se l'imaginait.

« Mr. Caïn veillera sur les moutons, dit-elle, ne te mets pas martel en tête. Tout ira bien. »

Mose hocha lentement la tête.

« Et toi, ne t'inquiète pas pour Lévi. Il n'a rien de grave. »

Comme pour confirmer ces paroles, le jeune frère de Rachel émit quelques borborygmes en adressant à Rachel un sourire un peu tremblant. Elle déposa un baiser sur son front pâle, murmura quelques mots de réconfort puis s'écarta. Mose tira sur les rênes pour faire tourner le buggy dans la cour. Un instant plus tard, on entendit les sabots du cheval ébranler les planches du petit pont de bois.

Rachel regarda la voiture s'éloigner au détour du chemin. Il lui sembla que Lévi avait agité la main et elle lui répondit d'un ample geste du bras. Le vent s'était levé, dispersant la poussière de la cour. Les moutons seraient agités par une nuit semblable. Ils pouvaient même être saisis d'une panique collective et se jeter du haut d'une falaise.

Elle se détourna pour regagner la maison.

« Je vais préparer quelques sandwiches, dit-elle à l'étranger. Tu en auras besoin, là-haut. Heureusement que c'est la pleine lune sinon tu ne réussirais jamais à trouver ta route. »

Il saisit son bras pour l'obliger à se retourner.

« Les coyotes peuvent bien manger tous les maudits moutons du Montana. Je ne partirai pas avant de savoir ce qu'ils vont te faire, Rachel. »

Le cœur de la jeune femme se serra. Elle aurait préféré qu'ils n'en parlent pas maintenant.

« Lorsqu'une femme s'unit à un homme hors des liens du mariage, c'est un grave péché, Johnny. Mais nous pensons que tous les péchés peuvent être pardonnés. »

Il la scruta, l'air préoccupé.

« Et comment obtiendras-tu ce pardon ?

— En m'agenouillant devant toute la communauté pour confesser mes fautes. Je demanderai alors l'absolution à notre Église et promettrai de ne plus jamais recommencer. Après cela, personne n'en parlera jamais plus. »

Il sut qu'elle ne lui avait pas tout dit. Comme elle restait silencieuse, il demanda doucement :

« Et nous, Rachel ? »

La sensation de froid intérieur augmenta encore et elle frissonna. « Tu devras partir pour ne plus jamais revenir », dit-elle dans un souffle.

Les mots flottèrent dans l'air de la nuit comme des oiseaux noirs et menaçants. L'étranger ne fit pas un mouvement. Il resta là, devant elle, silencieux, le visage vide. Elle aurait voulu se jeter dans ses bras, lui crier son amour, sa révolte. Mais elle n'osa pas.

« Eh bien, Mrs. Yoder, dit-il enfin. Avant de m'en aller pour ne plus revenir, je crois que je ferais bien d'aller tuer ce coyote. Ce sera mon cadeau d'adieu. »

Il fit demi-tour et se dirigea vers la remise pour seller la petite jument qu'il avait ramenée de Miawa City. Rachel attendait, immobile. Elle avait l'impression que plus rien n'était réel, que toutes ces épreuves avaient fait d'elle quelqu'un d'autre. Était-ce cela, déjà, le début de la damnation ?

Tournant les talons, elle s'apprêta à regagner la cuisine pour préparer les sandwiches quand elle entendit les sabots du cheval fouler le sol. Elle se retourna pour voir Caïn sortir en tirant la jument par une rêne. Il s'arrêta, flatta le museau de l'animal et, d'un bon rapide, se mit en selle.

« Johnny ! »

Sans un mot, sans un regard, il s'éloigna dans la nuit.

Rachel s'effondra sur les marches du porche et se recroquevilla, la tête enfouie au creux de ses bras.

Elle avait l'impression que tout était cassé à l'intérieur de son corps.

Le vent agitait durement les cimes des arbres et s'engouffrait en silence entre les branches. Ses hululements rappelaient le cri d'un coyote. Benjo frissonna malgré la chaleur. Il aurait voulu avoir son manteau et son chapeau.

La peur lui nouait le ventre. Il avait pris leur vieille jument de trait et la chevauchait à cru le long du bois de saules et de peupliers. Le chantonnement familier du ruisseau s'élevait dans son dos mais pour combien de temps encore ? Bientôt la piste se perdrait dans la montagne et il aurait encore bien plus peur que maintenant.

Les lacets de sa fronde s'enroulaient autour de ses doigts. Nichée dans sa paume, une pierre de bonne taille attendait d'être lancée au moment venu. Jusqu'ici il n'avait encore tué que des animaux de petite taille. Le plus gros était un castor, mais l'épaisseur de sa peau avait amorti le choc. Irrité, l'animal s'était mis à frapper si fort du plat de sa queue qu'on avait dû l'entendre jusqu'à Miawa City.

Et puis il y avait eu aussi le cheval de cet inspecteur de bétail, cet homme méchant qui voulait tuer l'étranger. Mais, là, c'était une autre histoire...

« Sors de là, mon garçon. »

Le cœur de Benjo ne fit qu'un bond. Judas Iscarioth ! Il était si profondément plongé dans ses pensées qu'il n'avait pas vu venir le cheval de Caïn. Comment avait-il retrouvé sa trace ? Cet homme était vraiment inquiétant. Il semblait tout savoir.

Benjo enfouit la pierre et la fronde dans la ceinture de son pantalon et talonna la jument pour sortir de l'ombre. Sous la lune pâle, la silhouette de l'étranger se découpait contre les bois, noire, menaçante. L'enfant le regarda en se mordillant les lèvres, incapable de parler. Il n'y avait pas de mots pour dire ce qu'il ressentait.

« Est-ce que ta mère sait que tu es ici ? » demanda Caïn d'une voix tranquille.

Benjo déglutit. « J... je lui ai éc... écrit... »

Avant de partir, il avait ramassé un morceau de charbon dans la remise pour tracer, d'une main malhabile, trois mots sur le panneau d'une stalle : « PARTI AVEC CAÏN ». Ensuite, il avait enfermé MacDuff dans l'étable aux agneaux pour qu'il ne le suive pas.

L'étranger laissa aller les rênes sur le cou de son cheval, tourna la tête et se remit doucement en route en esquissant un léger signe de la main. Benjo comprit qu'il lui demandait de le suivre.

Ils cheminèrent en silence sur la piste, l'un derrière l'autre. Il y en aurait pour des heures à grimper là-haut. Mais, depuis que l'étranger était là, Benjo avait moins peur. C'était étrange de cheminer ainsi dans la nuit, sans presque rien voir du paysage alentour. Heureusement, il y avait la lune, ronde, luisante, avec des petits trous sombres à l'intérieur, comme un gros fromage frais.

Quand il tombait et se faisait des bleus, son père lui répétait toujours en riant qu'il avait l'air de s'être battu avec un lynx dans un fourré d'églantiers. S'il avait vu le visage de l'étranger, aujourd'hui, il aurait sûrement dit la même chose.

Le souvenir de ce qui s'était passé dans la remise revint le hanter. Johnny Caïn aurait été capable, lui, d'affronter un lynx à mains nues. C'était un tueur, un homme terrible et dangereux. Un héros. Et pourtant, alors que les coups pleuvaient sur lui, il ne s'était pas défendu...

Jamais encore il n'avait vu ses oncles ou le diacre dans un tel état de fureur. Benjo ne savait trop ce que l'étranger avait bien pu faire pour qu'ils se fâchent ainsi.

Les mots jaillirent alors de ses lèvres sans même qu'il s'en rende compte : « Vous les avez laissés vous battre... Vous êtes resté là, et vous les avez laissés vous battre... »

Johnny tourna la tête mais Benjo ne vit pas son visage dans la pénombre. « Je croyais qu'on t'avait appris qu'un Juste ne devait pas se défendre, dit-il.

— Mais vous n'en êtes pas un ! »

Il vit Caïn hausser légèrement les épaules. « Peu importe. Je ne frapperai jamais quelqu'un qu'*elle* aime... »

Benjo réfléchit quelque temps à cette réponse. Finalement, la jugeant satisfaisante, il décida de ne plus y penser.

Ils poursuivirent leur route sous la lune. Le vent apportait les bonnes odeurs de l'été, de l'herbe chaude et des pins. Des nuages passèrent dans le ciel et le chemin s'obscurcit encore.

« La nuit sera longue, dit l'étranger en ralentissant l'allure pour chevaucher aux côtés de l'enfant. Nous avons encore pas mal de chemin devant nous. Pourquoi n'en profiterais-tu pas pour me raconter ce qui t'est arrivé avec ce coyote ? »

Ces paroles frappèrent Benjo comme un coup de fouet. Une

sourde angoisse lui glaça le cœur. Comment pouvait-il savoir ? Personne, non, personne ne l'avait jamais vu s'occuper du coyote blessé.

Il se demanda s'il était obligé de répondre. Après réflexion, il décida qu'il en avait envie. Cela le soulagerait de tout raconter et, surtout, il serait enfin délivré de ce terrible sentiment de culpabilité qui le rongeait. Alors il parla. Ce fut difficile, au début les mots s'étranglaient dans sa gorge. Sans cesse, il jetait des coups d'œil inquiets en direction de l'étranger. Mais Caïn ne disait rien.

« J... je sais. J'aurais dd... dû le tuer avec la Sharp. Seulement... c'était trop dur. Je l'avais sauvé... alors je ne pouvais pas le faire mourir, après. »

L'étranger soupira. Il avait l'air triste, maintenant. « Tu ne pourras jamais changer la nature, Benjo, dit-il simplement.

— Je nn... je ne veux pp... pas que vous lui tiriez dessus !

— Quelqu'un doit le faire. Si ce n'est pas moi, alors ce sera toi...

— Non !

— On ne peut pas laisser cette femelle et ses petits tuer tous les agneaux. Sinon, bientôt, il n'en restera plus et vous n'aurez plus rien à manger cet hiver. C'est à toi de décider... »

Benjo sentit des larmes lui monter aux yeux. Il se sentait redevenir un tout petit enfant et, pendant un moment, il eut envie de se blottir dans les bras de sa mère et d'oublier tous ses soucis.

Puis il se ressaisit. Du revers de la main, il essuya furtivement ses larmes en espérant que l'étranger ne l'avait pas vu pleurer.

Le sentier s'aplanissait à présent. Au détour d'un bosquet de pins, ils entendirent flotter un tintement de clochettes dans le vent. Ils approchaient enfin du camp.

Lorsqu'ils pénétrèrent dans la clairière, le ciel s'éclaircissait. Benjo poussa un soupir de soulagement en voyant le troupeau... Mais les moutons paraissaient nerveux. Ils bêlaient, piétinaient l'herbe en tournant en rond, tandis que des busards les survolaient, leurs ailes sombres et menaçantes se découpant contre le ciel.

Et puis ils découvrirent les agneaux.

Il y en avait quatre, étendus à terre dans un amas confus de laine sanguinolente, de chair éventrée, d'os broyés. Un faible gémissement monta dans la nuit et Benjo, horrifié, vit que l'une des petites bêtes vivait encore, la gorge béante.

Johnny Caïn sauta à terre, sortit son couteau et l'acheva.

Maintenant, Benjo n'avait qu'un désir : fermer les yeux pour ne plus voir cet atroce massacre. Il s'obligea pourtant à regarder les agneaux égorgés. Un frisson le parcourut et il pensa qu'il allait se mettre à vomir. Puis tout devint clair dans sa tête. Le poids qui oppressait sa poitrine s'allégea soudain.

Il humecta ses lèvres desséchées et dit à l'étranger :

« Je vv... je veux que vous tuiez le coyote. »

Johnny Caïn se contenta de hocher la tête. Ils emportèrent les carcasses à l'écart du camp puis allèrent compter les moutons.

Il en manquait deux bonnes douzaines.

Malgré une longue heure de recherche dans les bois, ils ne les retrouvèrent jamais.

Benjo s'éveilla à l'aube. Il aimait cette heure, quand le vent s'apaise et que la terre s'immobilise, attendant l'arrivée du soleil. Un oiseau pépia dans les arbres, puis ce fut à nouveau le silence.

Il se redressa pour regarder à côté de lui. L'étranger n'était plus là. Ils avaient dormi à la belle étoile et, à peine allongé sur la couverture, Benjo avait sombré instantanément dans le sommeil.

Il sauta sur ses pieds pour regarder autour de lui avec inquiétude. Au détour d'un bosquet, il respira, soulagé. L'étranger se tenait assis au pied d'un arbre, son fusil sur les genoux.

En silence, l'enfant se glissa à ses côtés. Maintenant que le moment était venu, il se sentait moins sûr de sa décision. L'étranger ne disait rien mais un lien invisible semblait être établi entre eux, une sorte d'accord tacite. Pour se donner du courage, Benjo se répéta les paroles que son père lui disait souvent : *Quand on fait une erreur, l'important est de savoir en tirer les conséquences.*

Le temps passa lentement. Au-dessus des crêtes rocheuses, le ciel commençait à se teinter de rose. Soudain, le coyote fut là, pointant son museau à travers les herbes de la clairière. Benjo retint son souffle en reconnaissant la femelle et ses trois petits. Johnny Caïn tira deux fois, rechargea, tira encore. Tout fut terminé en un instant. Les coyotes roulèrent dans l'herbe et s'immobilisèrent, raides morts.

Ils traversèrent la clairière. Un filet de fumée flottait encore dans l'air. Apeurée, une pie s'envola sous leur nez dans un éclat d'ailes noir et blanc. L'herbe frémissait sous la lumière dorée du soleil.

Benjo regarda les corps inertes des quatre coyotes. Le vent courut sur leur fourrure tachée de sang, comme s'il leur redonnait vie. Incapable de se maîtriser plus longtemps, Benjo se mit à pleurer et, cette fois, il ne se souciait même plus que l'étranger le voie.

« C'était dans sa nature », dit Johnny Caïn.

Chapitre 24

Rachel Yoder franchit la porte d'un pas vif. Elle s'immobilisa sur le porche, le visage sombre, et regarda les rayons du soleil couchant allumer des reflets d'or sur les montagnes.

C'est alors qu'elle le vit sortir de la remise et traverser la cour, marchant à pas lents, les yeux baissés.

Elle prit Benjo par le bras et l'entraîna dans la cuisine si vite que c'est à peine si les pieds de l'enfant touchèrent le sol. Là, elle l'installa avec quelque brusquerie sur une chaise, le regarda et, au lieu de lui donner la correction qu'il méritait, noua autour de lui ses deux bras pour le serrer contre sa poitrine.

« Trois jours..., murmura-t-elle. Trois jours que tu ne m'as donné aucune nouvelle.

— Mem... », protesta Benjo en essayant d'échapper à son étreinte.

Elle recula d'un pas pour mieux l'observer. Il avait les joues toutes rouges, tant il détestait ces transports excessifs qu'il appelait « de la sensiblerie à l'eau de rose tout juste bonne pour les filles ».

« Je t'interdis de retourner là où paissent les moutons sans ma permission », dit Rachel d'une voix pas tout à fait aussi sévère qu'elle l'aurait souhaité.

Il lui jeta un coup d'œil surpris, comme s'il pensait que le message tracé sur le mur de la remise aurait dû suffire à rassurer sa mère. Un message qu'elle n'avait découvert que bien plus tard, après une nuit épouvantable passée à le chercher.

Elle caressa tendrement ses cheveux emmêlés. On aurait dit qu'il ne s'était pas peigné depuis trois jours et, d'ailleurs, c'était probablement le cas.

« Benjamin Yoder, je me suis fait du mauvais sang à cause de toi. Tu es un méchant garçon. »

Il se mordilla les lèvres et un filet de salive coula d'un coin de sa bouche.

« Caïn et mm... moi, nous avons t... tué le coyote. »

315

Rachel retint un soupir. Décidément, elle avait du mal, parfois, à comprendre son fils. Après des semaines passées à bondir chaque fois qu'on parlait de coyotes, il lui annonçait à présent la nouvelle comme s'il s'agissait d'une grande aventure.

Elle s'affaira encore autour de lui, essuya la poussière de son visage du coin de son tablier et finit par poser la question qui lui brûlait les lèvres. « Mr. Caïn est revenu avec toi ?

— Il a dit qu'il d... dormirait dans la remise ce... ce soir. »

L'enfant leva des yeux inquiets vers sa mère. « Est-ce qq... que je serai ff... fouetté ? »

Rachel réprima un sourire et le serra à nouveau dans ses bras. « Je devrais, mon Benjo. Je devrais. Mais je ne le ferai pas. »

Ensuite, elle l'obligea à prendre un bain et l'envoya faire ses corvées du soir. Puis elle alla dans la chambre pour revêtir une coiffe et un tablier propres.

Quand vint l'heure du souper, elle se souvint de ce que Johnny aimait et prépara des épis de maïs rôtis et un steack de gibier.

Mais il ne vint pas.

Le lendemain matin, elle alla le trouver dans la remise.

Il tenait le sabot gauche de sa jument appuyé contre sa cuisse et, à l'aide d'un crochet, en retirait toute la terre et les cailloux ramassés sur les chemins de montagne.

En la voyant, il tressaillit et une lueur s'alluma dans ses yeux. Leurs regards se croisèrent puis il baissa la tête et reprit son travail.

Immobile, silencieuse, elle restait là à le regarder, tout à la joie de le revoir. Durant ces trois jours et ces trois longues nuits, elle avait cru qu'il ne reviendrait plus. C'était si bon de pouvoir le contempler maintenant, d'admirer à nouveau cette bouche si belle et si dure qui l'avait couverte de baisers, ses longs cheveux noirs qu'elle avait tant aimé prendre dans ses doigts, ses mains fines et fortes à la fois... ses mains qui avaient parcouru chaque parcelle de son corps, éveillant sous leurs caresses des incendies de plaisir et de passion.

Et puis elle eut mal à nouveau parce que l'avenir demeurait encore lourd, menaçant. Prise de vertige, elle ferma les yeux et s'appuya contre la porte, le cœur serré. La remise sentait le lait aigre, le foin et le fumier. Les rayons du soleil levant filtraient à travers les planches disjointes, éclaboussant la paille de taches roses et orange . En d'autres temps, Rachel aurait aimé plus que tout cette heure

316

où le monde s'embrase d'un feu nouveau. Mais, aujourd'hui, elle se sentait si douloureusement oppressée que les mots ne parvenaient même pas à franchir ses lèvres.

Elle rouvrit les yeux et le regarda, encore et encore. A un moment ou à un autre, il avait dû trouver le temps de s'acheter de nouveaux vêtements à Miawa City car il avait abandonné sa tenue de Juste. Il portait une chemise blanche à col dur et une veste couleur de rhubarbe, ornée de boutons fantaisie. Son pantalon noir, à fines rayures grises, moulait ses jambes élancées et musclées. Ce n'était plus un éleveur de moutons que Rachel avait devant elle, mais un homme élégant, vêtu à la mode extérieure.

Un étranger.

Elle aurait voulu tendre la main et le toucher, poser la tête sur sa poitrine, lui dire qu'elle l'aimait. Qu'elle l'aimerait toujours.

Le silence s'éternisa, plein de souvenirs, de pensées douces-amères, d'aveux étouffés.

Caïn reposa le sabot de la jument sur le sol et lui donna une petite tape affectueuse sur l'encolure. Puis il s'empara d'une brosse et commença à lui étriller le poil. Rachel se dit qu'il se préparait à un long voyage. Elle respira profondément et réussit enfin à parler.

« Où vas-tu aller ? »

Il haussa les épaules.

« On verra bien. J'ai toujours été un vagabond. »

Elle ne pouvait quitter ses mains des yeux, ses mains longues et fines. Il mettait dans tous ses gestes, même les plus simples, une sombre application, une élégance qui lui ressemblaient.

Il leva un instant les yeux vers elle, posa ses deux bras sur l'encolure rousse de la jument, et dit lentement :

« Je suis revenu parce que je voulais te voir une dernière fois, Rachel. Là-haut, dans la montagne, j'ai pensé à nous et je me suis demandé si je devais rester. »

Il secoua la tête, laissa retomber ses bras, et reprit : « J'ai décidé qu'il valait mieux ne plus nous voir. Jamais. »

Mais elle ne voulait pas en entendre davantage. Courant vers lui, elle posa ses doigts tremblants sur sa joue en murmurant : « Johnny, écoute-moi...

— Non. *Toi*, écoute-moi. Un jour ou l'autre, mon passé me rattrapera. Quelqu'un apparaîtra au détour de ce chemin, rongé de haine, obsédé par le désir de me tuer. Quelqu'un qui sera juste un peu plus rapide que moi, ou un peu plus jeune, et qui visera mieux.

317

Il m'abattra d'une seule balle et, vous, Benjo et toi, vous ne pourrez qu'assister à la scène, sans rien pouvoir faire. »

Rachel soupira. « Tu n'as donc rien appris, étranger ? J'ai foi en Dieu et je t'aime. Quand notre heure est venue, nous ne pouvons rien y changer. Un éclair pourrait te frapper, ici, dans cette cour et je ne pourrais rien faire non plus. »

Il recula et la couva d'un regard brûlant de désir. La tristesse qui voilait ses yeux avait disparu.

« Rachel... Rachel... Je m'inquiète tant pour toi. Que va-t-il t'arriver à présent ? »

Elle détourna la tête, la gorge nouée. « Je devrai me confesser devant toute la communauté dimanche prochain, à la prédication... »

Et promettre de ne plus jamais te parler, de ne plus jamais te voir. De ne même plus penser à toi.

Il y eut un long silence.

« Accompagne-moi », dit-elle brusquement.

Caïn tressaillit et fixa sur elle un regard incrédule.

« Jésus ! Crois-tu que je vais supporter cela ? Te voir ainsi humiliée devant tous alors que... »

Elle tenta faiblement de sourire et posa un doigt sur sa bouche pour l'interrompre.

« Je t'en prie, Johnny. J'ai *besoin* de toi. »

Il resta silencieux. Alors elle se détourna et s'éloigna lentement. Elle allait sortir de la remise quand la voix de Caïn s'éleva dans son dos.

« Dis-moi, Rachel. Crois-tu vraiment que ce que nous avons fait est un péché ? »

Elle s'immobilisa quelques instants puis reprit son chemin sans rien dire.

Car elle ne connaissait pas la réponse.

Le soleil ressemblait à une boule de cuivre fondu dans le ciel d'un bleu pur. Le vent chaud faisait onduler l'herbe jaunie et soulevait les larges bords du chapeau noir que Rachel portait sur sa coiffe, comme chaque dimanche.

Lorsqu'ils traversèrent le pont qui franchissait le ruisseau, elle se retourna, comme toujours, pour lancer un dernier regard à la ferme en se disant qu'aujourd'hui, peut-être, sa vision en serait différente. Mais rien n'était changé. La maison lui apparut aussi paisible, aussi rassurante que toujours. Elle se demanda s'il en serait éternellement ainsi.

Ils étaient seuls dans le chariot, l'étranger et elle. Un peu plus tôt, Sol était venu la chercher avec son buggy mais, oubliant sa colère envers lui et ses autres frères, elle lui avait gentiment tapoté la joue et l'avait renvoyé en lui confiant Benjo. Ce serait déjà assez difficile pour l'enfant de voir sa mère agenouillée devant tout le monde. Elle voulait lui épargner, en plus, d'être la cible de tous les regards lorsque, tout à l'heure, elle pénétrerait dans la grange pour aller prendre sa place entre les longues rangées de coiffes et de chapeaux noirs.

Le vieux cheval secoua son harnais en avançant pesamment. Pansé et sellé de frais, la jeune et fringante jument de Caïn, attachée par une longe, trottait derrière le buggy d'un pas beaucoup plus allègre. Quand le moment serait venu, après la prédication, Caïn partirait sur ce cheval pour ne plus revenir. Chaque fois qu'elle y pensait, Rachel se mordait la lèvre pour ne pas se mettre à pleurer. Devant eux, la route écrasée de soleil était d'une blancheur aveuglante. Une route bien trop courte.

Je dois le faire. Je le dois. Pour mon fils, pour ma famille. Pour Ben, qui attend que je le rejoigne dans l'éternité. Sinon, il n'y aura plus de place pour moi à la table du Seigneur.

Autrefois, il y avait des années de cela, elle avait prononcé ses vœux, le cœur rempli d'une foi qu'elle croyait alors inébranlable. Elle avait promis de renoncer au monde extérieur et au diable. De vivre honnêtement en cheminant sur la Voie étroite et droite, la voie du Christ et des Saintes Écritures, d'obéir à l'Église jusqu'à sa mort.

Ces vœux, on allait lui demander aujourd'hui de les renouveler après s'être confessée. Mais, cette fois, il n'y aurait plus la même joie au fond d'elle. Car elle allait perdre à jamais l'homme qu'elle aimait plus que tout. Ce serait comme un nouveau deuil dans sa vie.

Et pourtant je dois le faire. Pour le salut de mon âme.

Bien sûr, elle pourrait aussi se séparer de tout cela. Rejoindre le monde extérieur en suivant l'étranger. Mais, comme la branche de l'arbre, elle avait toujours été attachée à son église, à sa famille, à Dieu. Si elle s'en séparait, elle mourrait. Et le Seigneur ne lui pardonnerait pas de rompre une seconde fois ses promesses...

Elle leva les yeux vers Johnny Caïn mais il ne tourna pas la tête et cela la blessa. Elle pensa qu'il lui en voulait, qu'il ne l'aimait déjà plus comme avant.

Mais je dois le faire. Je le dois...

Ce dimanche-là, la prédication devait se dérouler chez Noah Weaver. Des rangées de buggys et de chariots s'alignaient déjà dans le pré, derrière la grange. Caïn engagea leur voiture sur l'étroite piste creusée d'ornières puis s'arrêta à l'entrée de la cour, les doigts serrés sur les rênes. Il gardait la tête baissée et Rachel eut envie de se jeter dans ses bras pour lui demander pardon de tout le mal qu'elle lui causait.

« Quand tu entendras le cantique, dit-elle doucement, alors tu sauras que c'est fait. Et tu pourras partir... »

Il serra les poings et leva les yeux vers elle pour lui lancer un regard douloureux.

« Rachel... Au diable, tout ça ! Ce ne sont que des sornettes. Si c'est ce que te demande ton Dieu, alors je préfère ne jamais Le connaître. »

Elle voulut toucher sa main mais il s'écarta.

« Ne parle pas ainsi, Johnny. Ne rejette pas le Seigneur à cause de moi, je t'en supplie ! »

Il se mit à rire, d'un rire dur, rempli d'amertume. Rachel se détourna et sauta à terre, le cœur lourd. L'évêque Isaiah Miller traversa la cour à sa rencontre. Sans un mot, il lui fit signe de la suivre et elle marcha à ses côtés en sentant le regard de Caïn peser dans son dos.

Elle avait envie de se retourner, de le regarder pour voir dans ses yeux s'il l'aimait encore. Ses jambes fléchirent et elle trébucha.

« Père, dit-elle dans un souffle. C'est trop dur. Je crois que... que je ne pourrai pas le supporter. »

Isaiah se rapprocha d'elle pour passer un bras autour de ses épaules. Il était rare qu'il se livre à de tels actes de familiarité, même avec les siens. C'était un geste à la fois tendre et maladroit et Rachel se sentit un peu réconfortée.

« Tu te sentiras mieux lorsque tu auras retrouvé le chemin de la vertu, ma fille. »

Ils restèrent un moment là, au milieu de la cour, enlacés.

Puis, à pas lents, ils reprirent leur chemin vers la grange.

D'une voix que l'émotion faisait trembler, l'évêque Isaiah lisait à haute voix un passage de la Bible qui racontait l'histoire d'un fils prodigue, d'un berger fidèle et d'une brebis égarée.

Rachel Yoder se tenait agenouillée sur la paille de la grange, face à toute l'Église, à sa famille, à ses amis. La tête inclinée, elle s'efforçait d'écouter les Écritures avec humilité, avec soumission, sans plus penser à rien d'autre.

Mais ce fut peine perdue. Au lieu de la joie, de l'extase, son cœur ne contenait plus que du vide. Elle leva les yeux et contempla l'assemblée à travers ses cils. Il y avait sa Mem, au milieu des autres femmes, qui pleurait silencieusement. A ses côtés, Velma et Alta l'encadraient comme des serre-livres assortis. Le jeune Lévi, sa jambe blessée posée sur un coussin, baissait la tête, le front barré d'une ride soucieuse. Sol tenait ses grosses mains crispées sur sa Bible tandis que ses deux autres frères, Samuel et Abram, affichaient une même expression de réprobation sévère.

Et puis il y avait Noah. Ce bon Noah. Il regardait Rachel de ses grands yeux bruns et doux où brillait encore un espoir incertain.

A présent, l'évêque psalmodiait des psaumes invitant à la pénitence et au salut.

Heureux l'homme qui ne suit pas le conseil des impies, ni dans la voie des égarés ne s'arrête...

Heureux celui qui se plaît dans la voie de Yahvé et murmure sa loi jour et nuit...

Toute sa vie de Juste était là, devant elle. Pourtant, par les portes de la grange restées grandes ouvertes, la lumière du soleil inondant la cour l'appelait au-dehors. Là-bas, sur le chemin, un homme attendait les premières notes du cantique et il partirait.

Avec lui, l'amour et la vie — une autre vie — s'enfuiraient aussi.

Mon âme est collée à la poussière, vivifie-moi selon ta parole...

Fais-moi comprendre la voie de tes préceptes, je méditerai sur tes merveilles...

Isaiah Miller referma la Bible. Il se tourna vers sa fille, toujours agenouillée au milieu de l'assemblée :

« Rachel Yoder, si tu crois pouvoir te présenter devant notre Dieu tout-puissant avec un cœur repentant, alors confesse maintenant tes péchés et ils te seront pardonnés. »

La paille lui piquait les genoux et elle remua, mal à l'aise. Le vent chaud exhalait les bonnes odeurs de la grange. Le silence pesait lourd, solennel. Une hirondelle pénétra par les portes ouvertes et voleta jusqu'à son nid, tout en haut de la charpente. D'une voix hésitante, Rachel commença sa confession.

« Je confesse que je n'ai pas su me garder vertueuse. J'ai introduit un étranger dans ma maison et j'en ai fait un membre de ma famille, nous exposant, moi et mon fils, à son influence corruptrice et à toutes les tentations du monde extérieur. »

Mais ce n'était pas vrai, pensa-t-elle. L'étranger s'était montré bon avec eux. Il avait travaillé dur, sans jamais rien demander.

« Je confesse le péché de fornication... »

Il avait été comme un enfant dans ses bras, plein de confiance et de sincérité. Lui, l'homme qui avait dû traverser tant d'horreurs, il s'était laissé apprivoiser comme un agneau.

« Je confesse le péché d'orgueil car j'ai pensé pouvoir sauver, à moi seule, l'âme de cet homme. Alors que Dieu seul décide de nos destins... »

Il avait protégé la vie de Benjo, traité les brebis avec douceur et tendresse, veillé sur eux tous jour et nuit pour les protéger de tous les dangers.

« Je confesse... je confesse... »

Les paroles sortaient de sa bouche, froides, mécaniques. Elle les connaissait par cœur pour les avoir déjà entendues dans la bouche d'autres Justes condamnés à la pénitence.

Mais son esprit vagabondait encore. Elle pensait à Caïn, à sa vie tourmentée, à tous les périls qui le guettaient. Si elle l'abandonnait, il reprendrait sa route errante et chaotique. Et, un jour, il mourrait, solitaire et méprisé, dans la sciure d'un quelconque saloon.

Par contraste avec l'austère pénombre de la grange, le soleil paraissait si aveuglant qu'elle cligna des yeux. Sa coiffe lui pesait, aussi lourde, tout à coup, qu'un gros rocher. Les rubans lui serraient le cou. Il faisait chaud, trop chaud. Elle sentit la sueur lui tremper le front mais ses mains restaient glacées et elle les enfouit dans son tablier.

Rachel se tut. Saisie de vertige, elle ferma les yeux. D'autres paroles lui montèrent aux lèvres et, celles-là, venaient tout droit de son cœur.

« Je pense au temps qui s'écoule, à la douce certitude du retour des saisons, aux merveilles renouvelées de la vie. A la naissance de nos agneaux, aux champs couverts de foins mûrs, à cette laine soyeuse qui nous donne notre pain. Je pense à tout cela et, en même temps, je sais que je ne parviendrai pas à vivre sans lui. »

Un silence stupéfié suivit cette déclaration. Mais Rachel n'en eut cure. A présent qu'elle était lancée, plus rien ne pouvait l'arrêter.

« Il est différent, dites-vous. Parce que c'est un étranger. Mais si Dieu aime toutes Ses créatures, alors Il aime aussi ceux qui ne croient pas en Lui. »

Sans même s'en apercevoir, elle s'était mise debout. Un murmure effaré courait dans l'assistance, des coiffes et des chapeaux frémissaient de saisissement. Elle entendit l'évêque prier à voix basse.

« Cet homme a besoin de moi. Et moi de lui. L'amour qui nous unit est pur et vrai. Dieu ne peut condamner une telle chose... »

Elle vit sa Mem, le visage noyé de larmes, ses frères, Noah, les épaules voûtées, tous ces êtres qu'elle avait chéris depuis toujours. Une effroyable mélancolie s'empara d'elle mais il n'était plus l'heure de s'y attarder. D'une voix tremblante, elle poursuivit :

« J'ai beau chercher dans mon cœur la honte que je devrais éprouver pour ce que j'ai fait, mais je n'en trouve pas. Pardonnez-moi, Mem, Père, et vous, mes frères et sœurs dans le Christ. Pardonnez-moi, mais mon cœur est trop plein d'amour pour lui. »

Épuisée, elle s'arrêta. Des pieds raclèrent le plancher, un banc grinça. On aurait dit que tous les assistants avaient retenu leurs souffles.

Le premier pas fut le plus dur.

Ensuite, elle se mit à courir.

Elle ne l'aperçut pas immédiatement, tant la lumière du soleil était aveuglante. La crainte qu'il ne fût déjà parti la transperça et ses genoux fléchirent. Elle tomba dans la poussière de la cour, prostrée, tandis que les larmes si longtemps retenues ruisselaient sur ses joues.

Un érable solitaire se dressait à l'entrée du chemin. C'était un vieil arbre couronné de frondaisons épaisses qui jetaient une ombre miséricordieuse sur le sol brûlé par l'été.

Il était assis, le dos appuyé contre le tronc ridé, ses deux bras enlaçant ses genoux repliés. Quand elle le vit, Rachel l'appela de toutes ses forces. Il tourna la tête et la regarda, incrédule, comme s'il ne croyait pas encore à ce bonheur retrouvé.

Sautant sur ses pieds, il courut à sa rencontre et s'agenouilla pour la serrer contre lui tandis que ses mains, ses mains si douces et si dures à la fois, lui caressaient les cheveux.

Il s'écarta légèrement d'elle pour la regarder et elle lut dans ses yeux un amour si fort, si vrai, qu'une joie indicible la submergea, guérissant en un instant toutes les blessures de son âme.

« Viens avec moi, dit-il. Je veux que tu deviennes ma femme. »

De la grange s'élevèrent les premières notes d'un cantique funèbre.

« Mem ! »

Benjo jaillit dans le soleil et courut vers eux, une main posée sur son chapeau, sa veste volant au vent.

« Mem ! Attends-moi ! »

Il se jeta dans les jambes de sa mère en bégayant des mots incompréhensibles. Elle le serra contre sa poitrine en murmurant doucement :

« Nous rentrons à la maison, mon Benjo. »

Ils montèrent dans le buggy et reprirent la route qui conduisait à la ferme. Quand la grange des Weaver fut hors de vue, quand la musique du lugubre cantique cessa de résonner à leurs oreilles, Rachel arracha sa coiffe. Elle la tint un instant en l'air puis la laissa aller dans le vent. Le petit cylindre blanc voleta au-dessus du chemin comme un papillon avant de tomber à terre pour se mettre à rouler dans l'herbe sèche.

Le lendemain, ils partirent de bon matin.

Le prêtre qui desservait Miawa City ainsi que les paroisses voisines n'était pas attendu avant un mois. Aussi poursuivirent-ils leur chemin jusqu'à la réserve indienne des Pieds-Noirs pour être mariés par la missionnaire qui y avait élu domicile.

La cérémonie se déroula dans une étroite cabane en rondins, avec deux Indiens pour témoins. Cela fut bref. Rachel ne put s'empêcher de se remémorer le jour de son mariage avec Ben, un jour de fête, plein de rires et de chants. Selon une vieille coutume des Justes, le fiancé devait aider sa promise à préparer le repas de noces en tuant des poulets. De bonne heure, Ben s'était présenté sur le seuil de sa porte, un poulet à chaque main, leurs plumes piquées dans ses cheveux à la place du chapeau, les joues bariolées de peinture rouge. Oh, comme ils avaient ri, sa famille et elle, en le voyant ainsi...

Plus tard, après la prédication, quand les dernières notes du cantique de mariage avaient retenti, son père avait béni leurs mains jointes.

Aujourd'hui, il n'y aurait pas de rires, pas de chants, pas de bénédiction. Mais, pour Rachel, c'était bien le même engagement.

Ils promirent de se vouer à jamais un même amour, de prendre soin l'un de l'autre dans la richesse comme dans la pauvreté, jusqu'à ce que la mort les sépare.

Puis ils reprirent le chemin de la maison.

De *leur* maison.

Noah se tenait sur le porche, les yeux fixés sur la maison, ne sachant comment s'y prendre.

Les Justes n'avaient pas coutume de frapper aux portes avant d'entrer mais il voulait être certain de ne pas tomber, comme la pauvre Fannie, sur le spectacle abominable des actes de fornication auxquels se livrait l'étranger avec Rachel.

Sa Rachel...

Il serra les poings. Rien que d'y penser, une rage féroce lui mordait le cœur. S'il l'avait vue ainsi, possédée par le diable, il l'aurait peut-être tuée. Un lourd sentiment de honte l'accabla aussitôt, à cette pensée. Car la haine était un péché. Mais il y avait des jours où il ne pouvait s'en empêcher.

Noah ferma les yeux, le corps parcouru de tremblements. Il avait envie de hurler vers le ciel sa colère, sa frustration.

Rachel, notre Rachel, comment as-tu pu faire cela ? Quitter ta famille, tes amis, abandonner la Voie qui, seule, sauvera ton âme de l'enfer.

Il poussa un profond soupir et s'efforça de remettre de l'ordre dans le chaos de ses pensées. S'il était là, aujourd'hui, c'était parce qu'il avait son devoir de diacre à remplir. *Ja.* Il fallait qu'il parle une dernière fois à Rachel. Après quoi, comme l'ordonnait la règle des Justes, il ne devrait plus jamais prononcer son nom.

Il frappa à la porte à deux reprises avant qu'elle ne s'ouvre enfin. En voyant Rachel apparaître sur le seuil, Noah sursauta. Elle avait encore sa robe de Juste, sans tablier et sans châle. Le col était entrouvert, laissant apparaître la peau du cou. Pire, elle ne portait pas de coiffe. Ses longs cheveux bouclés enveloppaient ses épaules et ses bras comme un kilt aux chatoyants reflets pourpres.

Il contempla fixement cette tenue impudique et avala sa salive. Mais ce qui le bouleversait le plus à cet instant précis, c'est qu'il ait pu se demander l'espace d'un instant quelle sensation l'on pouvait éprouver à enfouir son visage dans de tels cheveux. On aurait dit de la soie...

Elle se tenait là, belle comme un démon, clignant des yeux contre l'éclat éblouissant du soleil. En voyant Noah, elle sursauta, elle aussi.

« Toi ! »

Il la regarda en silence, incapable de sortir de sa gorge tous les mots qui s'y précipitaient. Ses yeux contemplaient ce visage adoré, un visage que le péché semblait avoir encore embelli. Le teint était animé, les lèvres pleines, gonflées. Elle avait le regard brillant, vibrant d'une vie nouvelle.

Il prit sa respiration et réussit enfin à articuler : « Rachel Yoder, je... »

Puis il s'arrêta en réalisant tout d'un coup qu'elle ne s'appelait plus Yoder puisqu'elle avait épousé l'étranger.

Bah, peu importe, d'ailleurs, puisque l'Église ne reconnaissait pas ce mariage impie. Aux yeux des Justes, elle demeurerait à jamais Rachel Yoder. Jusqu'au jour de sa mort, une mort qui la conduirait tout droit en enfer.

Il se redressa et tenta de donner à sa voix le ton dramatique qui convenait.

« Rachel Yoder... tu as été mise au *bann* par tous les membres de l'Église. Désormais, nous t'éviterons tant que tu ne te seras pas repentie. Nous ne te ferons plus de place à notre table, nous ne t'adresserons plus jamais la parole. Aucun de nous n'aura le droit de prononcer ton nom. Si tu ne te repens pas, tu es morte pour nous. »

Il vit ses yeux se remplir de larmes, ses mains se crisper sur sa jupe. Elle baissa la tête sans rien dire et demeura là, prostrée, enfermée dans son chagrin. A nouveau, un sentiment de honte envahit Noah. Mais il se ressaisit en se disant qu'il réussirait peut-être encore à percer une brèche dans cette âme égarée par le malin.

Quand elle releva enfin la tête, il vit avec contrariété que son regard s'était affermi.

« Tu as accompli ton devoir, diacre Noah, et tes paroles resteront gravées dans mon cœur. Il faut pourtant que tu saches. Je ne me repentirai jamais. »

Dissimulé jusque-là par les ombres de la cuisine, l'étranger avança alors en pleine lumière. Noah tressaillit. Bravement, il releva le menton et contempla cet homme qui lui avait volé sa Rachel. Mais, comme toujours, on ne pouvait rien lire sur ce visage impénétrable.

« Je ne sais pourquoi vous avez fait cela, étranger, dit-il d'une voix que l'émotion faisait trembler. Enlever une femme à sa famille, à sa vie, à son Dieu... N'y a-t-il donc pas assez d'autres créatures de votre espèce à mettre dans votre lit ? Si vraiment vous l'aimiez, jamais vous ne l'auriez entraînée sur le chemin de la damnation. »

L'étranger bougea. Il leva une main et la posa sur l'épaule de Rachel pour l'attirer contre lui, comme pour bien montrer qu'elle était sienne, maintenant. Une nouvelle vague de haine submergea Noah et, cette fois, il n'en éprouva pas de honte.

« Il n'est pas question de damnation, dit l'étranger. Je croyais que vous étiez l'ami de Rachel. Aucun Dieu digne d'être vénéré ne pourrait rejeter une âme telle que la sienne. »

Noah fronça les sourcils. Il connaissait Dieu. Il connaissait la Vérité. Et il savait où se trouvait la Lumière. Il n'y avait qu'une seule route menant au salut. La Voie étroite et droite indiquée par les Écritures.

Jugeant inutile d'argumenter avec cet incroyant, il reporta son regard sur Rachel. Sa Rachel, avec ses cheveux lascivement épandus sur ses épaules, sa bouche gonflée de baisers. Sa Rachel qu'il ne reconnaissait plus.

« Mérite-t-il que tu lui sacrifies ton âme, Rachel ? »

Elle plongea ses beaux yeux gris dans ceux de Noah. Des yeux où il lut de la douleur mais aussi de la force.

« Je l'aime, Noah. »

Les épaules de Noah s'affaissèrent. Tout était consommé à présent. Il se détourna et descendit les marches, traînant lourdement ses pieds comme si on lui avait attaché des poids de cinq livres aux chevilles.

Il avait traversé la moitié de la cour lorsqu'elle le rappela.

« Noah ? »

Aussitôt il fit volte-face, animé d'un espoir fou, incontrôlable. Peut-être qu'il avait réussi, finalement. Peut-être qu'elle...

« Dis à Père et à toute ma famille que je les aime, que je les aimerai toujours. »

Il vacilla, pris de vertige, ouvrit la bouche pour dire quelque chose mais aucun son ne parvint à sortir de sa gorge. Alors il se contenta d'un hochement de tête et reprit son chemin à pas lents.

Il avait presque déjà atteint le petit pont de bois lorsque, incapable de s'en empêcher, il se retourna une dernière fois.

Elle se tenait encore sur le porche et l'étranger la serrait contre lui. Le vent souleva ses longues mèches pourpres qui se mirent à onduler comme des serpents sous le soleil, caressant le visage de Caïn.

Noah ferma les yeux et s'éloigna sur le chemin caillouteux, le corps voûté, comme un vieillard.

Chapitre 25

Ce fut un été doux et amer à la fois.

La nuit, quand elle s'éveillait, elle le trouvait toujours en train de la regarder. Il murmurait son nom et posait sa bouche sur la sienne, une bouche chaude, vibrante de désir. Et la faim qu'il avait d'elle réveillait la passion de Rachel. Elle était sans défense devant un amour aussi fort, aussi exigeant.

C'était quelque chose qu'elle n'avait jamais imaginé, sa vie avec lui. Certains jours, elle le regardait, assis à la table de la cuisine, à la place de Ben, mangeant la bouillie du matin. Et, au lieu d'avoir honte, de regretter son choix, elle se sentait au contraire envahie par un bonheur presque intolérable parce qu'elle se disait qu'il était là, dans sa vie, pour toujours. Qu'il était son homme.

Parfois, aussi, elle aimait l'observer tandis qu'il se rasait, quand la lame repoussait la mousse savonneuse pour révéler les lignes fermes et séduisantes de son visage.

Mais, souvent aussi, elle constatait à quel point il était différent. Et ces différences, elle le savait, ne disparaîtraient jamais. Comme ce fameux jour où il l'avait vue sortir de la maison portant deux grands seaux d'eau pour aller arroser son potager. Il lui avait dit qu'il lui construirait une éolienne pour acheminer l'eau jusqu'au jardin mais elle avait répondu, en femme Juste qu'elle était toujours : « Dieu, dans sa bonté, nous procure l'eau dont nous avons besoin. Pourquoi, encore, lui en demander plus ? »

Il l'avait contemplée d'un air perplexe puis il s'était mis à rire et l'avait embrassée.

En épousant un étranger, elle devenait sans doute à son tour une *Englischer*. En fait, cela ne changeait pas grand-chose à ses yeux car, tout au fond de son cœur, elle pensait, ressentait les mêmes choses qu'avant. Bien sûr, elle ne portait plus sa coiffe. Mais elle savait bien que Johnny la préférait ainsi.

Les Justes disaient parfois : « *Oh, das hahmelt mir ahn* », ce qui signifiait que certains souvenirs pouvaient parfois demeurer si intenses qu'ils en devenaient presque douloureux. Et c'était bien ce qui lui arrivait à présent. Souvent, elle évoquait les jours heureux du passé : quand elle servait la soupe aux haricots, après la prédication, quand elle écoutait la voix d'Ezra Fischer lancer la première note d'un cantique, quand elle était assise sur le kilt décoré de dahlias bleus, *klatching* avec sa mère et ses belles-sœurs en tenant dans ses bras un bébé joufflu. Et puis il y avait eu aussi cette fois où elle avait déposé dans la main de *Mutter* Anna Mary le premier cocon du printemps, tremblant d'une vie nouvelle prête à éclore.

Mais, après la joie venait la douleur et elle refermait le livre de ses souvenirs parce qu'ils appartenaient à une autre vie, à une autre Rachel.

Certains jours, quand elle regardait Benjo, son cœur se serrait en pensant aux épreuves qui les attendaient encore. Car si elle avait été exclue de la communauté, Benjo, lui, demeurait un Juste à part entière. Un jour viendrait où il devrait prononcer ses vœux et, alors, on lui demanderait de renier sa mère, d'oublier jusqu'à son nom. S'il refusait, s'il ne choisissait pas le chemin de la Voie, alors lui aussi serait perdu pour Dieu.

Comme elle.

Elle l'aimait.

Oui, elle aimait plus que tout, plus que son âme, même, cet homme venu du monde extérieur qui avait bouleversé sa vie.

Elle avait tant besoin de cet amour que cela l'effrayait parfois. Certains jours, la peur rampait en elle, chassant l'ivresse qui exaltait son cœur. Johnny Caïn ne croyait pas en un monde meilleur après la mort, il vivait pleinement dans l'instant. Et, jusqu'à ce jour d'hiver où il était venu, chancelant, à travers la pâture, il avait vécu comme une pierre qui roule. Elle se disait alors que, peut-être, un matin, il se réveillerait en pensant qu'il en avait assez, que d'autres routes, d'autres aventures, d'autres femmes l'attendaient encore.

Alors elle se précipitait à sa recherche, si tourmentée que les larmes lui montaient aux yeux. Quand elle le trouvait enfin, elle se jetait dans ses bras, toute tremblante. Et, chaque fois, il la serrait tendrement contre lui, en murmurant des mots de réconfort, et il renouvelait sa promesse de l'aimer toujours.

Un matin qu'elle était occupée à accrocher le linge, il était venu

vers elle en disant : « Je vais en ville aujourd'hui. Notre Benjo viendra avec moi. »

Elle les avait regardés partir, le cœur en fête, parce qu'il avait dit
notre Benjo, comme un Juste.

Ils ne revinrent pas avant le crépuscule. Dans le fond du chariot
reposait un objet de grandes dimensions, enveloppé dans de la grosse
toile. Et, sur les genoux de Benjo, il y avait un autre paquet.

Johnny voulut qu'elle vienne avec lui dans la chambre, juste lui
et elle.

« Ouvre », avait-il dit en lui tendant le paquet.

Fébrilement, elle avait dénoué la ficelle, écarté le papier brun. Il
y avait une robe à l'intérieur, une robe en velours de soie bleu myosotis, ourlée d'une belle dentelle ivoire.

La robe de chez Tulle.

Timidement, elle avança la main pour caresser le tissu mais la
retira aussitôt en s'exclamant :

« Mais cela a dû coûter une fortune ! J'ai vu l'affiche dans la
vitrine... »

Il lui sourit. « Tulle voulait s'en débarrasser et j'ai obtenu une
forte réduction. »

Elle ne sut pas s'il lui mentait pour ne pas gâcher son plaisir. En
pensant au prix de la robe, elle se sentit mal à l'aise.

« Combien as-tu obtenu comme réduction ?

— Il n'est guère poli de demander le prix d'un cadeau. On ne
te l'a jamais appris ?

— Oh Johnny, quel fou tu fais ! Nous ne pouvons pas nous permettre un tel achat ! »

Il l'enveloppa d'un regard cajoleur. « Tu es si jolie quand tu te
mets en colère... »

A bout d'arguments, elle souleva délicatement le vêtement et le
posa contre son corps, consciente du regard de Johnny sur elle.
Judas ! Comme cette robe était belle !

Mais l'inquiétude subsistait.

« Dis-moi où tu as trouvé cet argent ? »

Il eut un petit geste négligent de la main.

« Je possède une coquette somme dans une banque à San Francisco. Dorénavant elle est à toi aussi. Tu partages tous mes biens
sur cette terre. »

Serrant toujours la robe contre sa poitrine, elle balbutia :

« Mais... ce n'est pas du mauvais argent, n'est-ce pas ? Tu... tu
n'as pas volé de banque ? »

Cette fois, il éclata de rire. « Rachel ! Rachel ! Crois-tu qu'un homme qui s'en prendrait aux économies des pauvres travailleurs de ce pays irait mettre son argent dans une banque ? »

Prise de court, elle se mordit la lèvre en réfléchissant.

« Je ne sais pas », dit-elle finalement.

Johnny se leva et déposa un baiser sur son front. « Et, maintenant, j'ai une autre surprise pour toi... »

Elle se laissa tomber sur le lit et contempla le tissu soyeux de la robe, aussi beau qu'un ciel de printemps. Dehors, il y eut une succession de chocs, de grognements, d'ahanements. Puis Johnny et Benjo pénétrèrent dans la chambre en portant le grand objet qu'elle avait aperçu dans le fond du chariot. Des pieds de bois dépassaient de la grosse toile.

Ils posèrent le tout près de l'armoire et Benjo sortit de la pièce en refermant doucement la porte derrière lui.

Rachel se leva, ne sachant que faire, à la fois impatiente et craintive.

« Ferme les yeux », dit son mari.

Elle obéit et entendit qu'il enlevait la toile et la pliait. Puis il posa les mains sur ses épaules pour la faire pivoter. « Regarde, ma chérie... »

Elle regarda... et vit sa propre image reflétée dans un immense miroir encadré d'acajou. Jamais, encore, elle ne s'était vue avec autant de netteté car, chez les Justes, il n'était pas de règle de s'admirer et aucun miroir n'était toléré. Tout juste pouvait-on s'apercevoir dans le reflet d'une vitre ou à la surface d'un étang calme.

Elle vit une femme de petite taille, plutôt maigrichonne, vêtue d'une robe brune, d'un tablier et d'un châle. Ses cheveux roux foncé étaient nattés et ramenés au-dessus de la tête. Elle avait le visage rose d'émotion et, dans ses grands yeux gris, un étonnement naïf, comme celui qu'on voit dans le regard d'un lapin surpris par le rayon d'une lanterne.

Il prit une des coiffes alignées soigneusement sur l'étagère, ces coiffes qu'elle conservait bien qu'elle n'en portât plus. Dans le miroir, elle vit son mari se placer derrière elle pour déposer la coiffe sur ses cheveux.

« C'est comme ça que je t'ai vue la première fois, Rachel. Comme ça que je t'ai aimée.

— Même avec ma tenue de Juste ?

— Je n'ai vu que toi. »

C'était toujours sa façon à lui de lui dire qu'il l'aimait. D'une manière indirecte et, pourtant, si émouvante. La façon d'un homme, pensa-t-elle.

Leurs regards se rencontrèrent dans la glace, un regard chargé d'amour. Il se pencha au-dessus d'elle, ses longs cheveux noirs caressant sa joue, son souffle chaud contre son oreille. Une vague de désir embrasa ses veines.

« Johnny... »

Mais, déjà, il l'avait soulevée dans ses bras pour la déposer sur le lit. Quand ils eurent fait l'amour, ils restèrent longtemps enlacés, silencieux, savourant chaque seconde de leur bonheur, sans plus penser aux ombres des lendemains.

Plus tard, quand il fut parti, Rachel se glissa dans la robe et se contempla dans le grand miroir. L'image qu'il lui renvoya lui donna le tournis. Cette femme si séduisante dans ce fourreau de velours bleu frangé d'ivoire, ce ne pouvait pas être elle... C'était une étrangère.

Le souffle un peu court, encore étourdie, elle retira vivement la robe, comme si elle lui brûlait la peau.

Un jour, elle la porterait, rien que pour lui.

Mais pas tout de suite...

Elle était assise sur le porche, cet après-midi-là, la baratte coincée entre ses genoux, tournant la manivelle énergiquement pour faire le beurre. Levant les yeux, elle vit une femme Juste approcher sur le chemin.

Aussitôt, elle s'immobilisa, le regard fixé sur cette mince silhouette un peu voûtée qui traversait le pont. Dès la première seconde, elle avait su qu'il s'agissait de sa mère.

Son cœur se serra. Il avait dû se passer quelque chose de grave dans la famille, quelque chose de terrible pour que sa Mem brave ainsi les interdits de la communauté. Une mort, sans doute. Quoi d'autre aurait pu amener Sadie Miller à rompre le *bann*, exposant ainsi son âme immortelle aux menaces de la damnation ?

Oubliant beurre et baratte, Rachel se leva, toute tremblante, le sang battant à ses oreilles.

Sadie Miller s'arrêta au bas des marches, l'air effrayé, comme si elle venait subitement de réaliser ce qu'elle était en train de faire. Sa coiffe blanche, bien amidonnée, luisait sous le soleil.

« Qui est-ce ? » demanda aussitôt Rachel.

Sa mère lui jeta un regard incertain et secoua la tête. « Non, non, nous allons tous bien. Il n'y a que ton frère Lévi qui souffre encore un peu de sa jambe. »

Rachel se sentit aussitôt plus légère. Mais, très vite, une autre inquiétude s'empara d'elle. Elle cligna des yeux pour observer l'extrémité de la route, craignant d'y voir apparaître d'autres silhouettes.

« S'ils venaient à te voir, Mem, ce serait terrible... Ils te banniraient de l'Église. »

La loi était si sévère, en effet, que même l'évêque Isaiah Miller n'hésiterait pas à condamner sa propre épouse à un implacable exil. Elle n'aurait plus le droit de partager son lit, ni sa table, et devrait continuer à vivre rejetée par tous.

Sadie leva la tête pour regarder sa fille. C'était la seule de toute la famille à ne pas avoir les yeux gris.

« Je ne reviendrai pas, dit-elle. Mais il fallait que je te voie encore une fois, que je voie comment tu vas. »

Une infinie tendresse, une immense gratitude envahit le cœur de Rachel. Mais elle se sentait si triste aussi pour sa Mem, que toutes les bonnes âmes de la communauté ne devaient pas se priver de critiquer. Perdre sa fille, enlevée par les tentations du monde extérieur, n'était-ce pas la preuve d'une mauvaise éducation ?

« C'est très dur parfois, répondit Rachel, mais je suis tellement heureuse le reste du temps que cela ne compte pas. »

Elle fit une pause et reprit : « Je l'aime tellement, Mem ! Il est tout pour moi ! »

Elle ne savait pas si sa mère pouvait comprendre. Chez les Justes, on n'avait pas l'habitude de parler d'amour, de manifester ses sentiments. Le mariage de Sadie et d'Isaiah avait été une union paisible et morne, dominée par le souci de la règle.

Sa mère lui dit alors : « Cet amour que tu portes à l'étranger, il est à la fois extraordinaire et nuisible. Nuisible parce que tu as tout abandonné pour lui, même le salut de ton âme. Et extraordinaire parce que je crois que ton cœur est resté pur, malgré ta désobéissance. »

Rachel demeura silencieuse. Jamais elle n'aurait cru que sa Mem puisse se montrer aussi compréhensive, elle qui restait toujours si effacée, si soumise à la Voie et à l'autorité de son mari l'évêque.

« Je ne sais si Dieu est toujours aussi bienveillant qu'on nous le dit, reprit Sadie, car Il nous dresse parfois les uns contre les autres. Mais le Christ a dit : *"Le frère livrera son frère à la mort, et le*

333

père son enfant. Les enfants se dresseront contre leurs parents et les feront mourir."

— Oh, Mem ! »

Sadie eut un petit rire étranglé et triste.

« Une chose est certaine, je n'étais pas la mère qu'il te fallait. Toutes ces années, je t'ai vue grandir, *ja*, et, même après ton mariage, après la naissance de ton fils, je continuais de t'observer en me disant : Est-ce là ma fille ? Vois-tu, je n'arrivais pas à comprendre comment une nature telle que la mienne avait pu mettre au monde une femme aussi déterminée que toi. Quand je te regarde, parfois, je pense à ces cantiques que l'on chante toujours de la même manière. Tu es comme cela, Rachel. Tout d'un bloc, toujours la même, malgré les épreuves. Il m'arrive de t'envier cette force. »

Elle fit une nouvelle pause, tout essoufflée d'avoir tant parlé, elle qui avait, depuis longtemps, appris à se taire et que, de toute façon, personne n'écoutait jamais.

Des larmes jaillirent des yeux de Rachel et elle dégringola les marches pour se jeter dans les bras de sa mère. Elles s'étreignirent avec émotion, avec maladresse aussi, car elles n'avaient jamais connu de tels transports, même lorsque Rachel n'était qu'une enfant.

« Je t'aime, Mem », murmura Rachel.

Sadie s'écarta et s'essuya le coin des yeux à l'aide de son tablier. Puis elle plongea ses yeux bruns et doux, des yeux voilés par tant d'années de travail ingrat, d'anonyme servitude.

« Tu ne seras jamais morte pour moi, notre Rachel. Ni pour ton P'pa, ni pour tes frères, même s'il nous faut à présent continuer à vivre en t'ignorant. Tu seras toujours avec nous, dans nos cœurs. »

Rachel hocha lentement la tête. Puis Sadie Miller se détourna et, sans autres façons, repartit comme elle était venue sur le chemin inondé de soleil.

Quentin Hunter se tenait sur la galerie couverte de la grande maison. De là, on pouvait embrasser du regard un vaste paysage, voir les crêtes déchiquetées des montagnes ourler l'horizon, contempler la prairie, infinie, mouvante, qui s'étendait comme un océan sous le ciel lumineux.

Il songea au pays de ses ancêtres. Mais c'était une pensée mélancolique et, aujourd'hui, il n'avait pas envie d'être triste.

Il se sentait nerveux, inquiet, comme à l'approche d'un orage. Avec un petit soupir, il se détourna de la barrière et rentra dans la maison. Il fallait qu'il voie son père. En traversant le hall, il entendit la voix du Baron, éraillée par le tabac, sortir par la porte entrouverte du bureau. Comme à son habitude, il maugréait, et pestait contre la sécheresse.

Puis la voix métallique d'Ailsa s'éleva à son tour. D'un ton uni, elle lui dit que ses méthodes n'étaient pas les bonnes et qu'il fallait en changer s'il ne voulait pas s'exposer à la ruine.

« Il n'y a pas d'autres moyens ! aboya le Baron. Tout a déjà été hypothéqué.

— Cet argent est à moi, Fergus, répondit Ailsa paisiblement. Il provient de ce que ma pauvre famille a pu me léguer. Je ne te donnerai pas un sou de plus. J'en aurai besoin lorsque je partirai d'ici. »

Quentin s'immobilisa. Il eut l'impression qu'une main glacée se refermait sur lui.

Le Baron poussa un grognement étouffé. « Tu ne partiras pas de ce ranch, tu entends ? Jamais tu ne me quitteras ! Sinon, gare à toi ! Il faut toujours que tu prennes plaisir à me tourmenter, espèce de garce ! »

Quentin se dirigea vers le bureau, frappa à la porte et entra sans attendre d'y être invité.

Il vit son père assis dans son grand fauteuil recouvert de cuir brun, trônant derrière l'imposant bureau en bois de noyer. Il avait posé ses bottes poussiéreuses et maculées de bouse de vache sur le maroquin vert de la table, parce qu'il savait que cela irritait sa femme.

Toujours élégante, Ailsa portait une robe de soie couleur de châtaigne. Elle s'était installée dans un fauteuil à bascule de style bostonien dont les dorures ajourées captaient les rayons du soleil qui filtrait à travers les rideaux en dentelle. Son visage demeurait lisse, impénétrable. Belle, intouchable, voilà ce qu'était Ailsa, pensa Quentin en l'enveloppant d'un regard ardent.

« Ah, te voilà, mon garçon ! lança le Baron en agitant son cigare dans sa direction. J'étais justement en train de dire à ta mère que nous avions une foutue déveine depuis quelque temps, hein ? »

Il avait fallu que leur querelle soit drôlement sévère pour qu'il parle de lui comme s'il était son fils. Quentin devinait que c'était sûrement ce qu'elle détestait le plus : se voir associée, elle, une femme élégante et civilisée de l'ancien monde, à un Indien demi-sang, un sauvage, en somme.

Il est vrai que les bravades agressives du Baron n'avaient jamais été à la hauteur de sa cruauté sournoise à elle.

« Si le prix du bétail ne remonte pas bientôt, il sera inutile de payer le transport des bêtes jusqu'au marché, reprit Fergus Hunter. Savez-vous ce qu'ont touché ces maudits prêcheurs pour la laine de leurs satanés moutons ? »

Il frappa un coup de poing rageur sur le bureau. « Ils s'en sont mis plein les poches, ces damnés bâtards ! Ah ah ! Je te parie bien, oui, que leur Dieu est avec eux... Il leur rapporte gros ! »

Les lèvres d'Ailsa esquissèrent un sourire courtois mais ses yeux violets demeuraient indéchiffrables.

« J'ai entendu dire qu'ils ont été obligés de conduire leurs moutons dans les collines, reprit le Baron, de plus en plus rouge. Ah, bravo ! Et que nous restera-t-il, à nous ?

— Qu'est-ce que ça peut faire ? » articula la voix posée, impersonnelle, d'Ailsa.

Le Baron faillit avaler son cigare de fureur.

« Ce que cela fait ? Par le sang du Christ, j'ai sué sang et eau des années durant et, maintenant, tu me demandes de regarder péricliter mon domaine sans réagir ? Voilà plus de cent ans que ma famille élève du bétail dans cette vallée. Le garçon...

— Le garçon ! » ricana Ailsa.

Au grand effroi de Quentin, elle s'était mise à rire. « Rien n'a été fait pour le garçon. Il n'y a guère que lui pour le croire... »

Sa jolie tête pivota lentement sur son long cou mince et elle posa ses yeux glacés sur Quentin. Il sentit sa respiration lui manquer et pensa qu'il allait enfin savoir pourquoi il avait été amené ici, dans cette maison, quatorze ans auparavant. Il allait découvrir quel marchandage diabolique cette femme avait bien pu soutirer du Baron.

« Tu as toujours cru représenter quelque chose pour lui, dit-elle lentement, tu pensais qu'il était attaché à ta mère. Détrompe-toi. Il avait une nouvelle squaw chaque hiver. Et il répétait : "Un bon vêtement en peau de buffle et une squaw docile, voilà ce qu'il faut pour passer l'hiver dans le Montana." N'est-ce pas, Fergus ? »

« Elle ment ! » s'exclama le Baron.

Quentin vacilla et dut s'appuyer au mur pour ne pas tomber. Il avait l'impression qu'on venait de lui arracher le cœur.

« C'est lui qui m'a amené ici, balbutia-t-il. Mon p... le Baron m'a amené ici lui-même, parce qu'il le voulait.

— Erreur, répliqua Ailsa. Tu es venu au ranch parce que je lui ai demandé de le faire. C'était le prix à payer pour que je reste ici.

— Bon Dieu, tu vas te taire ! tonna Fergus.

— Mais pourquoi ? » demanda Quentin en la regardant.

Elle avait un sourire malicieux et son teint, habituellement si pâle, s'était légèrement coloré de rose.

« Quand nous nous sommes mariés, il m'avait promis d'abandonner ses maîtresses à peau rouge. Pendant un temps, il a tenu parole. Jusqu'à ce fameux hiver où je me suis retrouvée enceinte et où il a mis ta mère dans son lit. C'est à ce moment-là que tu as été conçu. »

Ailsa souleva ses élégantes épaules avec indifférence. « Mais j'ai eu ma revanche, reprit-elle. Mon enfant n'a pas vécu parce que j'en ai voulu ainsi. Ton père n'aura jamais le fils légitime dont il rêvait pour bâtir sa dynastie, assurer une descendance respectable. »

Sa voix devint cruelle. « Tout ce qu'il lui est resté, c'est toi... le fils d'une squaw. Et, chaque fois qu'il pose les yeux sur toi, il se souvient de ce que ses mensonges et ses infidélités lui ont coûté. »

Elle se tut enfin, lisse et glaciale. Puis elle se leva et vint vers lui pour poser ses longs doigts sur son bras. Il frémit, autant de dégoût que de désir. Elle qui ne le touchait jamais...

« Pourquoi ne demandes-tu pas à ton père qui héritera de ce ranch après sa mort ? » susurra-t-elle d'un ton mielleux.

Quentin la regarda quitter la pièce de sa démarche ondulante et gracieuse. Le soleil brûlant baignait le bureau d'éclats d'or et, pourtant, Quentin avait l'impression d'être en hiver.

Le Baron toussota.

« Ne crois pas un mot de ce qu'elle te raconte, fiston. Elle est complètement folle. Ça fait des années qu'elle est folle. »

Quentin dut puiser ce qui lui restait de forces pour pivoter sur ses talons et regarder son père.

« Qui aura le ranch à votre mort ? »

Fergus pointa son cigare dans sa direction.

« En voilà une question ! J'ai l'air mûr pour le cimetière ? »

Sa peau avait pris une teinte cramoisie, ses yeux étaient injectés de sang. « Tu es mon fils, reprit le Baron. Au diable la couleur de ta peau ! »

Quentin avait envie de le croire. Il *désirait* tant le croire. Mais en vérité, dans le monde des Blancs, aucune place ne lui serait jamais accordée. Avec amertume, il se dit qu'il l'avait toujours su. Il n'était qu'un Indien, un inférieur. Même aux yeux de son père.

« Oublie tout ça, grommela le Baron, et dis-moi plutôt ce qui t'amenait ici. »

Il fallut quelques instants à Quentin pour pouvoir parler.

« Je suis allé faire un tour à cheval pour inspecter le troupeau, ce matin. Il y avait un bouvillon mort. Mais ce n'était pas à cause de la soif. Ses pattes étaient toutes gonflées. »

Le Baron s'agita. Une ride accusée lui barra le front.

« Ne viens pas me dire en plus que les bêtes sont malades ! Si jamais c'est le cas, ce sont encore ces maudits prêcheurs qui ont empoisonné l'herbe avec leurs moutons !

— Vous savez bien que ce n'est pas vrai.

— Pour une fois dans ta vie, écoute-moi sans discuter. Cette terre est à moi. Ils me l'ont volée. Je vais faire en sorte que les choses rentrent dans l'ordre ! »

Il tira si fort sur son cigare que ses joues se creusèrent et lui donnèrent le masque d'un squelette. Puis, d'un geste nerveux, il désigna plusieurs petits sacs de toile dans un coin. Quentin n'y avait pas prêté attention jusqu'ici mais, lorsqu'il les vit, il eut très peur.

« Ce soir, dit le Baron avec satisfaction, nous allons faire un petit feu de joie chez nos voisins. »

Son père avait perdu la raison, pensa Quentin ses mains soudain moites et glacées. Ce qu'il projetait était une monstrueuse erreur.

« Vous débarrasser des Justes ne fera pas remonter le prix du bœuf », plaida-t-il en sachant fort bien que le Baron ne l'écouterait pas.

Il le vit se lever et s'approcher d'un pas coléreux. Saisissant Quentin par le bras, il brandit sous son nez l'un des sacs de toile.

« Si tu veux le ranch, mon garçon, il est temps que tu te battes pour lui...

— Johnny Caïn a épousé cette veuve pour laquelle il travaillait, dit Quentin. La ferme lui appartient, maintenant. Il ne s'en ira pas. Un homme tel que lui ne cède jamais. Et je vous rappelle qu'il sait mieux que quiconque se servir de son revolver.

— Bah... Ce n'est qu'un homme. Et, comme tout homme, il a ses faiblesses. »

Quentin ferma les yeux. « Je ne veux pas être mêlé à ça, Père.

— Et pourtant c'est bien ce qui arrivera ! rétorqua le Baron d'une voix dure. Tu feras ta part ou tu n'auras rien ! »

Quentin baissa la tête. Il savait ce que cette menace signifiait. Un vide terrible se creusa au fond de lui, un vide irréparable.

Comme si l'un de ses ancêtres dont lui parlait sa mère était revenu de l'au-delà pour lui voler son âme.

Chapitre 26

Un coyote hurla dans la montagne où les ténèbres s'épaississaient de plus en plus. Benjo Yoder frissonna et jeta un coup d'œil à Mose, craignant qu'il ne se moque de lui. Mais Mose était occupé à tourner la grouse, embrochée sur une baguette de coudrier. La chair grésillait au-dessus du feu de camp, répandant une fumée âcre chassée par le vent du soir.

Les moutons s'étaient regroupés, serrés les uns contre les autres, apeurés. Les brebis appelaient leurs petits qui répondaient par des bêlements plaintifs. L'obscurité était une protection pour eux, pensa Benjo, alors que les êtres humains, pour se défendre de leurs terreurs ancestrales, allumaient des feux pour repousser les ombres de la nuit.

Il se sentait fier d'avoir été envoyé au camp pour approvisionner Mose. Bientôt, il serait assez grand pour devenir berger à son tour et il attendait ce jour avec impatience. Mais, pour l'instant, sa Mem ne voulait pas en entendre parler.

Il observa Mose qui, à l'aide de son canif, ouvrait deux boîtes de viande destinées aux chiens. MacDuff se jeta dessus mais le colley de Mose, une femelle nommée Lady, flaira prudemment son assiette avant de consentir à y plonger son museau. C'était déjà un vieux chien au pelage parsemé de taches grises qui peinait pour courir après le troupeau. Benjo avait entendu un jour le diacre Noah menacer de l'abattre à la fin de l'été.

Son cœur se serra et il repensa au coyote tué par Johnny Caïn. Il se répéta pour la millième fois qu'il valait mieux que l'animal soit mort puisqu'il tuait les moutons. Mais, des coyotes, il y en avait d'autres, bien d'autres. Et en repensant à cette femelle et à ses petits, il sentit les larmes lui monter aux yeux.

Pour dévier le cours de ses pensées, il demanda à Mose :

« Est-ce qq... que l'ours est revenu ? »

Hier, à la prédication, il avait entendu le diacre raconter qu'un ours avait tué l'une de ses bêtes.

339

« Non », répondit Mose.

Il tapota la crosse de sa Winchester et ajouta : « S'il se montre, je l'attends ! »

Il fit une grimace ironique en désignant la fronde qui pendait de la ceinture de Benjo. « Et toi, tu seras David contre Goliath... Avec ta fronde, tu es bien capable de tuer un géant, non ? »

Benjo lui tira la langue. Mais il tenait sa fronde toujours prête. D'ailleurs, c'était lui qui avait tué la grouse pour le dîner.

L'oiseau avait pris une belle couleur dorée et les gouttes de jus qui s'en échappaient allumaient des étincelles dans les flammes et répandaient une odeur délicieuse.

Brusquement, un même frisson de panique courut dans le troupeau. Benjo pensa tout d'abord que c'était les étincelles qui affolaient les bêtes. Il leva la tête et vit alors les hommes sans tête surgir de la nuit sur leurs chevaux.

MacDuff lança un aboiement d'alerte mais ce fut la vieille Lady qui chargea la première, les babines retroussées. Un bras sombre se leva et cracha du feu. Le chien hurla puis s'écroula, petit tas de fourrure sanglante.

« Salauds ! » hurla Mose en se jetant sur sa Winchester. Il y eut un sifflement aigu dans la nuit et la balle lui fracassa le bras avant même qu'il n'ait eu le temps de lever son arme. Il hurla de douleur et tomba à terre, recroquevillé. Son bras avait littéralement explosé sous l'impact dans une gerbe de sang et d'éclats d'os.

Les cavaliers se répandirent dans la clairière en chassant les moutons affolés. Mose pleurait et gémissait, sans plus pouvoir bouger. Une peur mortelle envahit Benjo et il sauta sur ses pieds, sa fronde à la main.

Il comprit pourquoi il avait cru apercevoir des hommes sans tête. Leurs visages étaient dissimulés sous des sacs de toile percés de deux trous à la hauteur des yeux. La marque du Ranch H se lisait avec netteté sur la croupe des chevaux.

Brandissant des gourdins, ils galopaient en rond au milieu du troupeau et abattaient leurs bâtons sur les malheureuses bêtes. MacDuff poursuivit un cheval alezan, les crocs en avant, essayant de mordre la jambe du cavalier.

L'homme se retourna et frappa le chien avec une telle violence qu'il vola en arrière et se mit à glapir lugubrement. Puis il se figea dans une posture bizarre, la patte arrière retournée, l'os pointant sous la luxuriante fourrure.

Benjo ajusta sa fronde et la fit tournoyer au-dessus de sa tête. La pierre partit comme un obus dans l'air de la nuit et atterrit dans l'œil du cavalier. L'homme hurla, lâcha son gourdin et se mit à se balancer en gémissant, la tête entre les mains. Du sang coulait entre ses doigts.

Œil pour œil ! exulta Benjo.

Un autre homme arriva en galopant vers le feu de camp, une torche éteinte à la main qu'il enflamma. Puis il repartit dans un tonnerre de sabots, tenant haut la torche au-dessus de son visage masqué.

« Non, P'pa. Non ! » cria le cavalier monté sur le cheval alezan.

Bien qu'il soit à moitié aveugle, il éperonna sa monture pour se lancer à la poursuite de l'autre mais il retomba sur sa selle et s'affaissa avec un cri de souffrance. A la place de son œil, il n'y avait plus qu'un trou béant, rempli de sang.

L'homme à la torche riait. Il se pencha vers un mouton et les flammes léchèrent sa toison. En quelques secondes, l'animal s'embrasa comme de l'étoupe. Poussant des bêlements pitoyables, il s'enfonça dans le troupeau, enflammant au passage les autres animaux.

La scène se transforma bientôt en un gigantesque et terrible bûcher. Les moutons se tordaient dans les flammes en jetant des cris horribles, d'autres, encore épargnés, couraient se perdre dans l'obscurité du bois. Les silhouettes des cavaliers se découpaient contre le brasier géant, ombres de cauchemar, porteuses de mort.

Un seul cavalier ne participait pas à cette danse infernale. Immobile sur son cheval, il observait la scène, un fusil de chasse à la main. Soudain, Benjo le vit talonner son cheval et se diriger vers lui.

Dans sa course folle, le troupeau en flammes avait incendié la forêt de pins. La clairière tout entière brûlait à présent, rongée par des flammes immenses qui zébraient la nuit de rouge. Une fumée opaque, noire, montait vers le ciel, chargée des relents écœurants de chair et de laine brûlées. L'air était devenu irrespirable.

L'homme toussota en arrêtant son cheval juste devant Benjo. Il avait posé son fusil de chasse sur le pommeau de la selle et tenait son doigt crispé sur la gâchette. Des cris d'agonie résonnaient dans la nuit, le feu grondait comme un orage et dévorait tout sur son passage. Benjo pensa à l'apocalypse et se dit que sa dernière heure était venue.

Il vit l'étranger le regarder d'un œil intéressé.

« Tu connais un certain Johnny Caïn, hein, mon garçon ? » lanca-t-il d'une voix coupante.

La poitrine de l'enfant, contractée par la terreur, l'empêchait de respirer. Il dut faire un effort surhumain pour aspirer un peu d'air et réussir à sortir quelques sons de sa gorge.

« C'est mon père », répondit-il.

Sous le masque de toile, il ne pouvait pas voir le visage de l'homme sourire. Et, pourtant, il était certain qu'il lui souriait. D'un sourire perfide, cynique.

« Dans ce cas, dis-lui que je l'attends. S'il ne se montre pas, c'est moi qui viendrai le chercher, où qu'il se trouve. »

Il se mit à rire et le son grinçant de ce rire se mêla aux craquements et aux bruits de mort qui perçaient la nuit.

Il tira sur les rênes de son cheval et fit demi-tour. Mais, avant de disparaître, avalé par l'épaisse fumée crachée par les flammes, il se retourna une dernière fois pour lancer à l'enfant un regard menaçant.

« Dis-lui bien que je l'aurai et que sa dernière heure a sonné. »

Le sang de Mose continuait de couler. Une flaque visqueuse, d'un rouge sale, s'étalait dans l'herbe en dessous de lui.

Benjo s'agenouilla à ses côtés et Mose fixa sur lui des yeux agrandis par la peur et la souffrance. « Il faut que tu me redescendes, petit. Vite. Sinon, je vais mourir. »

L'enfant hocha vigoureusement la tête pour que Mose soit bien sûr qu'il avait compris. Il avait l'impression qu'un nœud coulant lui serrait la gorge et il se demanda fugitivement si c'était cela qu'avait ressenti son père quand ils l'avaient pendu. Cette affreuse sensation de sentir sa gorge se rétrécir de plus en plus.

Il ne s'apercevait même pas qu'il pleurait. Retirant son manteau, il en enveloppa le bras de Mose en serrant étroitement. Mais ce n'était plus un bras. Juste une sorte de bouillie de chair éclatée, d'os fracassés.

Puis il courut vers MacDuff. La patte du chien était cassée en deux endroits et l'os avait percé la peau. Il geignait doucement, les flancs pantelants.

Il ne sut pas où il trouva la force de les traîner tous les deux pour les hisser dans le chariot. Il fallait qu'ils partent au plus vite. Toute la montagne était en flammes, maintenant. Une pluie de cendres tombait du ciel noir, l'herbe et les pins, desséchés par toute une saison de sécheresse, s'embrasaient au moindre souffle de vent.

Benjo fit claquer les rênes sur la croupe de la jument apeurée. Lentement, le chariot s'éloigna sur la piste caillouteuse.

Lorsqu'ils furent un peu plus en sécurité, il se retourna.

Et, en contemplant une dernière fois le brasier immense qui s'élevait vers le ciel, il pensa à l'enfer.

Rachel s'arrêta net dans la cour, un seau plein de lait mousseux à la main. Le chariot qui dévalait le sentier arrivait beaucoup trop vite. Il amorça un dernier virage sur les chapeaux de roues et passa le pont dans un grondement de tonnerre.

La porte de la maison claqua dans son dos et elle se retourna. Son *Englischer* de mari avait, lui aussi, entendu le vacarme et il tenait déjà son revolver à la main.

Quand elle reconnut le chariot et son conducteur, elle lâcha le seau et se mit à courir, affolée. Benjo tira sur les rênes et la voiture s'immobilisa dans un grincement de roues fatiguées. La vieille jument baissa la tête, épuisée, ses flancs couverts de sueur.

Le cœur de Rachel se mit à battre follement lorsqu'elle vit une forme allongée au fond de la remorque. Le cauchemar ne finirait donc jamais...

Elle se pencha vivement et, à la vue de Mose tout couvert de sang, elle crut qu'il était mort. Mais le jeune garçon bougea la tête et ouvrit les yeux, encore conscient. A côté de lui, gisait le chien MacDuff. Il gémissait doucement.

Rachel prit Benjo dans ses bras et le serra contre elle. L'enfant avait le visage blême sous une couche de cendres et de suie sur laquelle les larmes avaient tracé de longs sillons blanchâtres.

Mose parvint à faire le récit des événements et Benjo se souvint du message donné par l'homme sans tête. Il le répéta à Caïn en butant sur chaque mot, mais sans rien omettre, de peur que cela puisse avoir des conséquences terribles.

Le visage totalement inexpressif, Caïn détela la jument et la conduisit à l'écurie pour lui donner à boire. Puis il revint en tirant derrière lui son jeune cheval et finit de le seller. Ses gestes étaient précis, méthodiques. Cette fois, il ne prit même pas la peine de dire qu'il allait tuer ces hommes. Il se contentait seulement d'agir.

« Je vais avec toi », dit Rachel.

Il fit un signe d'approbation. « Toi et Benjo, vous vous mettrez à l'abri là où je vous le dirai. Tu as entendu ce que le garçon a dit. Ce tueur menace de venir me chercher jusqu'ici. Tant que je ne l'ai pas abattu, vous êtes en danger.

— Johnny... »

Elle lui toucha le bras. Sous le voile de la chemise, ses muscles étaient tendus à l'extrême. Il fit un pas en arrière pour se tenir hors de sa portée et tourna la tête pour terminer de préparer son cheval.

« Jésus a souffert dans sa chair, murmura Rachel, mais Son cœur n'a jamais fléchi. Je sais que tu veux nous protéger, Johnny, mais ne te laisse pas à nouveau dévorer par la haine. Je... »

Sans même la regarder, il l'interrompit durement :

« Tu te souviens de ce que je t'ai raconté, là-haut, au campement ? De cet éleveur de cochons que j'ai tué ? Mais je ne t'ai pas dit ce que j'avais ressenti quand je lui ai enfoncé ma fourche dans le ventre. Après, j'ai regardé son corps sanglant et j'ai su que je continuais encore à avoir peur de lui, même après la mort. Il m'avait brisé pour toujours, Rachel. Il avait fait de moi son esclave pour le restant de ma vie. »

Il tira sur une courroie d'un geste sec et tourna la tête. Ses yeux bleus et glacés plongèrent dans ceux de Rachel. Elle frissonna. C'était comme de regarder un jour d'hiver balayé par le blizzard.

Il ne changera pas, pensa-t-elle, avec désespoir. Il ne changera jamais...

« Je vais être obligé de couper son bras », dit Doc Henry à Rachel Yoder.

Il l'observa du coin de l'œil et nota qu'elle ne portait plus sa coiffe amidonnée. Mais, à part cela, elle était telle qu'il l'avait toujours connue, innocente et volontaire à la fois, un mélange qui ne manquait pas de charme, en vérité. Pourtant, il était difficile d'imaginer que le desperado Johnny Caïn ait pu épouser une telle femme.

Elle porta la main à sa bouche pour étouffer un cri et serra son fils plus étroitement contre elle. Debout près de la fenêtre, Caïn regardait à travers les vitres sales la rue déserte. Il attendait, parfaitement calme, parfaitement prêt. Un fauve guettant sa proie.

Lucas soupira et reporta son attention sur le jeune garçon étendu sur la table d'examen. Dans son visage creusé par la souffrance, ses yeux restaient vifs et lucides. Doc Henry lui prit le poignet pour en tâter le pouls et reposa doucement sa main.

« Il va falloir que je l'opère, dit-il encore. Mais il s'en tirera. »

Il jeta un petit coup d'œil entendu à Benjo et demanda : « Et ce chien ? Il est à toi ? »

L'enfant remua et sa bouche s'ouvrit, mais aucun son n'en sortit.

« Bien, bien, opina le médecin comme s'il avait parfaitement compris. Il s'appelle MacDuff, c'est bien cela ? Ma foi, je l'ai examiné et je crois que je pourrai arranger ça. Mais il est probable qu'il ne courra plus aussi vite qu'avant.

— Les lapins des environs seront certainement heureux d'apprendre la nouvelle », dit Rachel.

Elle esquissa un sourire mais les coins de sa bouche retombèrent aussitôt. L'air soucieux, elle caressa les cheveux de Benjo tandis que ses lèvres murmuraient une prière silencieuse. L'enfant serrait encore sa fronde entre ses doigts crispés.

Deux heures plus tôt, Lucas Henry avait nettoyé et cousu l'orbite droite de Quentin Hunter, une orbite vide. L'œil en avait été arraché par une pierre lancée précisément par cette fronde.

Doc Henry pensa que les Hunter avaient bien mérité pareille infortune. Et c'était encore trop peu. Ils avaient mis le feu à un troupeau de moutons, incendié la moitié de la montagne. Et voilà qu'un petit enfant, armé de sa seule fronde, avait su se défendre comme un homme.

La porte s'ouvrit brusquement et Noah Weaver apparut sur le seuil, fouillant la pièce des yeux.

Lucas s'avança vers lui mais le diacre l'écarta d'un geste ferme.

« Où est-il ?

— Écoutez, il vaut mieux le laisser reposer pour l'instant. Il a subi un choc terrible et il n'est pas question de le transporter où que ce soit car il a déjà perdu beaucoup de sang. Je devrai l'amputer dès que possible. »

Autant parler à un mur... Noah Weaver se pencha, glissa ses larges mains sous le corps frêle de son fils et le souleva comme s'il s'agissait d'un sac de plumes.

Il le porta jusqu'à la porte comme un bébé. Des larmes ruisselaient de ses joues et lui mouillaient la barbe.

« C'est mon fils, dit-il. Je le ramène à la maison. »

Rachel se leva et tendit la main vers lui. « Noah... »

Il posa sur elle un regard absent, ouvrit la porte et s'enfonça dans la rue déserte, Mose inerte dans les bras.

Ils demeurèrent pétrifiés un long moment et l'on n'entendait plus que le bruit de leurs respirations. Puis Caïn quitta la fenêtre, marcha vers la porte et disparut à son tour.

« Il ne m'a même pas dit au revoir », murmura Rachel.

Doc Henry hocha la tête.

« Cela vous étonne ? C'est parce qu'il sait qu'il va revenir... »

Et, calmement, il alla refermer la porte et se remit au travail.

Johnny Caïn avançait au milieu de la route poussiéreuse, écrasée de soleil. Ses yeux à demi ouverts scrutaient les flaques de lumière, guettant chaque mouvement. Il écoutait, aussi. Plusieurs fois, il n'avait eu la vie sauve que parce qu'il avait perçu un bruit quasi inaudible, le froissement d'un tissu, le souffle d'une respiration.

Il vit le coiffeur se précipiter vers le saloon de *La Cage dorée* et, aussitôt, il sut qu'il allait avertir les autres de son arrivée. Son ventre se noua et une excitation qu'il connaissait bien embrasa ses veines comme un liquide de feu. Il avait peur, comme à chaque fois, mais cela le stimulait.

Il s'arrêta en face du saloon, juste de l'autre côté de la rue, et s'appuya contre la rampe où l'on attachait les chevaux.

Et il attendit.

Jarvis Kennedy bondit comme un diable entre les portes battantes, un colt dans chaque main, crachant le feu. Mais Caïn avait vu la pointe de ses bottes sous les portes à claire-voie. Il plongea derrière l'abreuvoir en bois et son revolver jaillit comme par magie dans sa main, déchargeant les six balles de son barillet presque en même temps. Les projectiles traversèrent la rue en sifflant pour aller ricocher dans la poussière ou sur les murs, faisant pleuvoir un peu partout des éclats de bois vermoulu.

Les autres ripostèrent dans une orgie de feu et de plomb. On aurait cru que toute une armée s'était mobilisée pour mettre à mort un seul homme.

Chacun des gestes de Caïn procédait d'un enchaînement parfait. Le colt se blottissait dans sa paume, en épousait les contours exacts comme s'il était, lui aussi, fait de matière vivante. Il visait, tirait, visait, tirait, semant l'hécatombe dans les rangs de ses adversaires.

Et il souriait.

Sa première balle traversa la gorge de Jarvis Kennedy. Un sang vermeil gicla de la plaie et se déversa sur le plastron de sa chemise blanche. La deuxième le frappa dans le dos car l'impact l'avait fait pivoter sur lui-même. Il fut projeté à l'intérieur du saloon et les portes claquèrent sur son passage tandis qu'il s'affalait, raide mort, dans la sciure sale.

Mais, déjà, Caïn avait repéré d'autres tireurs sur sa droite. Il visa, tira, et un homme qui venait de sortir d'une ruelle, un fusil à la main, s'écroula instantanément. Mais, avant de mourir, il avait eu le temps, lui aussi, de faire feu. Les plombs criblèrent la mangeoire.

Un autre apparut, sur la gauche, cette fois. Il portait un lourd fusil de chasse, une arme de gros calibre. Les balles, tels de petits obus, fracassèrent la mangeoire, trouant les murs des maisons sur leur trajectoire. Caïn se jeta à terre et se mit à ramper dans la poussière. Dans sa main, le colt jetait des lueurs métalliques. La silhouette de son ennemi s'inscrivit dans son champ de mire et son doigt enfonça la gâchette. Frappé de plein fouet, l'autre lâcha son fusil, se plia en deux et tomba à genoux en poussant un hurlement de douleur. Puis il tomba face contre terre, les bras en croix, et ne bougea plus.

Le silence retomba sur Miawa City. Des rubans de fumée s'étiraient encore au-dessus de la route, et le vent les chassa en soulevant de petits tourbillons de poussière. Une odeur de soufre flottait, âpre, suffocante. L'homme qui venait d'être abattu avait les cheveux blancs et il paraissait élégamment vêtu. Son colt toujours levé, prêt à tirer, Caïn attendit, tendu comme un tigre. Il savait qu'il y avait encore quelqu'un dans la ruelle.

Un homme jeune avec de longs cheveux noirs et un bandage autour de la tête apparut au détour d'une maison, les mains en l'air.

« Je n'ai pas d'arme ! » cria-t-il.

Sa voix se cassa. « C'est mon père ! Je vous en prie... »

Caïn n'esquissa pas un mouvement, ne cilla même pas. Il regarda le jeune homme tomber à genoux et retourner doucement le corps de l'homme tombé à terre, révélant la déchirure sanglante qui lui trouait le ventre. Mais Caïn savait que le coup mortel avait été une balle en plein front.

Il attendit, attendit encore, tandis que le jeune homme soulevait de terre le corps inanimé de son père et s'éloignait à pas lourds.

Le calme qui suit la mort est différent de tous les autres, pensa-t-il. Il y a en lui une sorte de beauté terrible. C'est un calme qui suspend toutes les sensations, qui annihile les émotions.

Et Caïn continua d'attendre.

Soudain, il entendit un claquement dans son dos. Il fit volte-face et son arme bondit dans sa main en crachant le feu.

La balle frappa Rachel de plein fouet et la souleva de terre. Puis elle retomba comme une poupée désarticulée, ses longs cheveux flottant autour d'elle comme les ailes d'un oiseau blessé.

Une douleur terrible éclata dans sa poitrine et un goût de sang lui remplit la bouche. Elle ne pouvait plus respirer et tombait... tombait... dans un puits sans fin.

Et, tandis que le monde, autour d'elle, se colorait de rouge, elle sentit une vague glacée lui balayer le cœur.

Je suis en train de mourir, pensa-t-elle.

Elle essaya d'ouvrir les yeux et vit son *Englischer* de mari, penché sur elle, le visage blême, les yeux brillants comme des tisons brûlants.

Johnny...

Elle avait de plus en plus froid. Ses yeux se révulsèrent et un voile noir remplaça l'incendie des rouges.

Je suis en train de mourir, pensa-t-elle encore une fois.

Puis ce fut le néant.

Chapitre 27

Assis dans la poussière, la tête de Rachel sur les genoux, Johnny la regardait mourir.

Du sang sortait en bouillonnant de la plaie qui lui trouait la poitrine et une écume rose moussait aux coins de sa bouche. Elle posa sur lui un regard vitreux puis ses yeux se révulsèrent et le sang reflua de son visage, le laissant froid et blanc comme du marbre.

Johnny.

Il se mit à sangloter comme un enfant.

« Ne meurs pas, Rachel, je t'en supplie ! »

Elle resta inerte et ses lèvres bleuissaient déjà. Il l'avait tuée. Il avait tué le seul amour de sa vie...

Un petit trottinement affolé résonna derrière lui mais il ne se retourna même pas. Regarder Benjo lui aurait été trop insupportable.

Il enfouit son visage dans les cheveux de Rachel et se mit à geindre. C'était une plainte affreuse qui rappelait le cri d'un animal dont les pattes auraient été broyées entre les mâchoires d'un piège. Benjo n'avançait pas. Pétrifié, il contemplait la scène, son petit visage creusé par la souffrance et l'incompréhension.

Puis Caïn se redressa. Il reposa doucement le corps sanglant de la jeune femme et se leva brusquement. A quoi bon rester ? Elle était morte.

Inlassablement, les mêmes images repassaient devant ses yeux. Il la voyait tomber lentement les bras en croix. Il la voyait mourir. Sa femme.

Il baissa les yeux et aperçut le colt toujours blotti au creux de sa main. Pendant qu'il la regardait mourir, il ne s'était même pas rendu compte qu'il tenait encore son arme.

C'était une belle arme, sombre et luisante. Parfaitement mortelle. Voilà tout ce qui lui restait, maintenant.

Il s'éloigna sans se retourner, sans un regard pour Benjo, marchant

349

comme un automate, ignorant les passants effrayés qui l'observaient, tapis dans l'ombre des portes.

Et, tel un fantôme, il s'évanouit dans l'air chaud et la poussière de la route.

A chacune de ses respirations, la blessure crachait du sang en émettant un faible gargouillis.

Le Dr Lucas Henry laissa échapper un soupir en contemplant la jeune femme étendue sur le divan de la salle d'examen. Il n'y avait plus rien à faire. Juste s'asseoir, là, à côté d'elle, à boire et à la regarder mourir.

Le petit était recroquevillé dans un coin, les genoux repliés sous le menton. De temps en temps, sa tête tressautait, ses yeux s'agrandissaient et des hoquets étranglés sortaient de sa gorge. Mais jamais il ne réussit à articuler un seul mot.

Lucas pensa qu'il essayait de lui demander de sauver sa mère. Seulement on ne pouvait plus rien faire pour elle. Incapable d'expliquer une telle chose à l'enfant, il fit mine de l'ignorer.

Renversant la tête, il porta à ses lèvres le flacon de Rose Bud. Aussitôt le liquide de feu courut dans ses veines, enflamma son cœur et sa tête. Pendant quelques secondes, il eut l'illusion que rien n'était arrivé, qu'il n'y avait pas de femme agonisante, là, sur son divan, que la mort, même, n'existait pas.

Des pas traversèrent le salon et il se retourna en vacillant légèrement.

« Caïn ? »

Mais ce n'était pas le desperado. C'était miss Marilee, sa jolie petite putain de la *Red House*. Elle était vêtue d'une robe de taffetas noir, sans doute parce qu'elle pensait que c'était cela, la tenue d'une femme honnête et respectable.

« Je suis venue vous aider à la préparer », dit-elle d'un ton solennel.

Il y avait même des larmes dans ses jolis yeux bleus et, pourtant, pensa Lucas, deux femmes aussi différentes que Marilee et Rachel Yoder ne pouvaient certainement pas se connaître.

« Elle n'est pas encore morte », dit-il, laconique.

Marilee le contempla d'un air perplexe.

« Mais, alors, pourquoi ne la soignez-vous pas ? »

Doc Henry eut un sourire dédaigneux face à tant d'ignorance. Il avala une nouvelle rasade de Rose Bud et répondit, en prenant bien soin de ne pas trébucher sur les mots :

« Parce qu'elle a une balle de calibre 44 logée dans le poumon, juste à côté de l'artère, et que cette balle, en perçant la cavité pleurale, y a introduit de l'air. Et, pour couronner le tout, elle a provoqué une insuffisance valvulaire. Est-ce que cela répond à votre question, miss Marilee ? »

Et il se remit une nouvelle fois à boire. Il faisait cela délibérément, pour la scandaliser, parce que, en ce qui le concernait, il y avait déjà longtemps qu'il se méprisait lui-même.

« Votre charmante petite tête de linotte comprendra peut-être mieux ceci : cette femme, Rachel Yoder, est en train de mourir, et je ne peux rien faire pour l'en empêcher. »

Marilee se pencha sur la blessée en faisant craquer le taffetas de sa robe.

« Pourriez-vous retirer la balle ?

— Nn... non. Ou bien... peut-être. »

Il étouffa un renvoi et ferma les yeux pour empêcher les murs de se mettre à tanguer.

« Ce serait un miracle si j'y parvenais, dit-il. Et, de toute façon, elle en mourrait très probablement. »

Elle le fixa de ses grands yeux bleus, une expression butée sur le visage. « Je pense que vous avez peur d'essayer, Doc. Vous avez peur parce que vous savez bien que, pour pouvoir opérer, il vous faudra abandonner un bon moment votre satanée bouteille de whisky ! »

Il secoua la tête d'un air désolé.

« Ah, miss Marilee, ma douce Marilee !... »

Le sang lui martelait si fort les tempes qu'il lui semblait entendre un millier de tribus sioux lancer en même temps leurs tam-tams de guerre. « Je commence à penser que votre douceur n'est qu'une apparence... », dit-il en s'inclinant exagérément devant la jeune femme.

Elle leva le menton, l'air décidé.

« Voyez-vous, Doc, je peux être très gentille quand je le veux, et aussi très désagréable lorsque cela s'avère nécessaire. Mais je ne serai jamais lâche. »

Il la regarda puis s'apprêta à glisser la main vers la bouteille pour en ingurgiter une nouvelle gorgée. Son bras demeura suspendu en l'air, saisi de tremblements.

Non, il ne pouvait pas l'opérer. Peut-être y serait-il parvenu si

351

son cerveau n'avait pas été embrumé par des années d'alcoolisme intensif, si ses mains ne tremblaient pas comme celles d'une vieille femme.

C'était trop tard. Bien trop tard.

Et pourtant...

Saisi d'une terrible migraine, il se passa une main sur le front en clignant des yeux.

« Allez-y, Doc, insista Marilee. Vous pouvez le faire, je le sais. »

Il lui jeta un regard incrédule, comme si elle avait été une apparition descendue du ciel pour lui apporter quelque message divin. Marilee, la petite putain de la *Red House*, en savait finalement peut-être bien plus long que lui sur les mystères de l'âme humaine.

Poussant un profond soupir, il dit : « C'est bon, je vais... je vais essayer. »

Il jeta un coup d'œil autour de lui, l'air soudain terrifié. Les miracles, c'était bon pour des gens comme les Justes. Ou pour les enfants. Dommage qu'il ne soit pas encore assez fou pour y croire.

Ses yeux tombèrent sur le fils de Rachel, toujours accroupi dans un coin de la pièce, le visage vibrant d'espoir.

« Faites sortir ce garçon d'ici ! » lança-t-il d'une voix dure.

Il renversa la tête et se mit à boire, cherchant dans le whisky cette frange étroite qui sépare l'euphorie aveugle du sombre désespoir, la foi du cynisme.

Une sueur aigre coulait sur son front et sur sa chair tremblante. Lui-même pouvait sentir l'odeur âcre de l'alcool qui s'échappait de son corps.

Un rire le parcourut et il jeta la bouteille à demi vide en disant : « Eh bien, Marilee, ne croyez-vous pas qu'il serait grand temps que nous nous mettions à prier ? Pensez-vous que Dieu écoutera les prières d'un ivrogne et d'une catin ? »

Elle lui fit le plus doux des sourires.

« J'ai toujours pensé que ce sont les prières des pécheurs que Dieu écoute en premier. Car ce sont eux qui ont le plus besoin d'aide. »

Il la contempla avec une surprise sincère.

« Vous parlez comme une Juste, Marilee... »

De grandes colonnes de fumée noire s'élevaient au-dessus de la prairie en flammes. Le feu se propageait sur les crêtes, rampait au creux des vallons, dévorait les forêts, embrasait herbes et buissons, annihilant toute vie sur son passage. Le colossal brasier illuminait le paysage de lueurs fauves et une pluie de cendres, d'escarbilles et d'étincelles s'envolait en tourbillonnant vers le ciel.

Le vent avait tourné au sud, poussant l'incendie vers la prairie et vers les terres du Ranch H où paissait le bétail.

La grande maison n'était plus qu'un tas de ruines fumantes lorsque Quentin Hunter stoppa son cheval à l'entrée du chemin. L'orgueilleux panneau de bois surmontant l'entrée de la propriété avait flambé, lui aussi. Seule la rangée des majestueux peupliers bordant l'allée avait échappé, par miracle, à l'appétit des flammes.

C'est là qu'il la trouva.

Elle avait dû sauver les chevaux. En tout cas, elle avait sauvé le sien. Quentin déchaussa les étriers et sauta à terre pour marcher à sa rencontre. Elle ne tourna même pas la tête. Ses yeux contemplaient fixement les restes calcinés et fumants de la maison où elle avait vécu quatorze ans.

L'œil de Quentin — le seul qui lui restait — exprimait une souffrance constamment ravivée. Cette vision partielle le déséquilibrait et il avait du mal à marcher droit. Chancelant, il posa un bras sur l'épaule d'Ailsa pour se rattraper mais elle recula aussitôt. Son visage était maculé de suie et une odeur de soufre s'échappait de ses vêtements.

« Il est mort, dit Quentin. Caïn l'a tué. »

Elle demeura immobile, aussi immobile qu'un totem, pensa Quentin en la regardant. Brusquement, des larmes jaillirent de ses yeux et ruisselèrent sur ses joues noircies, en les striant de fines lignes blanches.

« Pourquoi ? » demanda Quentin.

Elle eut une moue de dédain. « Oh, toi ! Stupide garçon ! Tellement stupide, en vérité ! N'as-tu donc pas compris que je l'aimais ? Crois-tu que je serais restée, si je ne l'avais pas aimé ? Oh, *tellement* aimé ! »

Elle appuya ses deux poings serrés contre sa bouche, étouffant un cri de douleur. Puis elle se détourna vivement, courut à son cheval et sauta en selle. Le vent souleva les bords de sa jupe, révélant de longs bas noirs et des bottines à boutons.

Elle était différente, comme cela, chevauchant comme un homme, le visage passionné.

Il ne l'avait jamais vue ainsi et se répéta que c'était parce qu'il ne la connaissait pas, qu'il ne la connaîtrait jamais.

Il contempla ses traits si beaux, si froids, à présent creusés par un incompréhensible chagrin. « Où allez-vous ? »

Il pensait qu'elle ne lui répondrait pas.

« Je ne sais pas, dit-elle.

— Reviendrez-vous ?

— Peut-être. »

Il la regarda s'éloigner, il la regarda de son unique œil, jusqu'à ce qu'elle ne devienne qu'un minuscule point à l'horizon.

Il se dit qu'elle ne reviendrait jamais.

Mais qu'il l'attendrait toujours.

Benjo courait dans les rues de Miawa City à la recherche de Johnny Caïn. Un gigantesque nuage noir avait obscurci le soleil. Benjo pensa à une histoire que racontait souvent son grand-père Isaiah les jours de prédication. Cela se passait en des temps futurs, quand les hommes connaîtraient toutes sortes de désastres et de prodiges : temblements de terre, famines, apparitions célestes. Ces jours terribles-là, disait l'évêque, Jésus reviendrait et, ensuite, la mort disparaîtrait de la terre.

En regardant toute cette fumée qui montait dans le ciel, Benjo se demanda s'il s'agissait d'un signe de Dieu. Peut-être qu'Il allait faire un miracle et aider Doc Henry à sauver sa mère.

Ses brodequins soulevaient de petits nuages de poussière tandis qu'il se dirigeait vers l'écurie de louage. La rue était complètement déserte et il avait peur. Peur de se retrouver seul à jamais.

C'est alors qu'il le trouva, assis près du ruisseau longeant la grange de Trueblue Stone, le dos appuyé contre le panneau de bois recouvert d'affiches. Il était si immobile que Benjo se demanda s'il dormait. Il voulut l'appeler mais sa langue était comme paralysée. Il pensa qu'il en serait toujours ainsi, que, sa vie durant, les mots resteraient collés au fond de sa gorge.

Il fit du bruit en avançant parce qu'il savait que Johnny Caïn avait son revolver à la main et qu'il tirait plus vite que tous les hommes du Montana et peut-être de la terre entière.

Alors qu'il approchait sans quitter l'étranger des yeux, il le vit lever son arme, enfoncer le canon dans sa bouche et serrer les dents dessus.

Benjo se mit à courir. Il courut de toutes ses forces et se jeta dans les bras de Caïn en agrippant la main qui tenait le revolver. Sous le choc, le canon sortit de sa bouche mais il demeura pointé sur sa tête, prêt à tirer.

L'étranger posa sur l'enfant un regard éclairé d'une lueur sauvage.

Ils étaient si brillants qu'ils jetaient des éclats, comme du verre brisé sous le soleil. Benjo vit la main qui tenait le revolver se lever à nouveau, et les doigts se crisper sur la gâchette.

« Je l'ai tuée, dit Caïn d'une voix étrangement douce. J'ai tué ta mère. »

Benjo secoua la tête avec force et des larmes jaillirent de ses yeux. Les mots s'empilaient dans sa poitrine et l'étouffaient. Parfois, même, il avait l'impression qu'ils allaient un jour lui paralyser le cœur.

Il fit un violent effort et ses lèvres se retroussèrent si violemment que ses dents s'entrechoquèrent avec un petit claquement mat.

« Ppp... Père ! » cria-t-il.

Il prit la main de Caïn entre les siennes et tira dessus de toutes ses forces pour l'écarter de sa trajectoire. Le coup partit et la balle alla se perdre dans l'immensité du ciel. L'étranger sursauta comme s'il venait de se réveiller d'un mauvais rêve. L'étreinte de ses doigts se relâcha autour de la crosse et Benjo en profita pour s'emparer du revolver. Il le fit tournoyer au-dessus de sa tête comme s'il s'agissait de sa fronde et le lança loin, très loin.

L'arme décrivit une longue courbe dans le ciel assombri, au-dessus des branches de saules et des buissons, et frappa l'eau du ruisseau dans une gerbe scintillante avant de couler à pic.

Alors l'étranger se mit à crier. A crier et à crier encore. C'était de drôles de cris, comme les miaulements d'un lynx blessé, qui montaient dans l'air épais et chaud.

Ils cessèrent aussi abruptement qu'ils avaient commencé et l'étranger s'effondra en sanglotant, la tête dans les bras, le corps secoué de violents tremblements.

Benjo se blottit contre lui, enlaçant sa taille de ses deux bras. Il prit une profonde inspiration et ouvrit la bouche.

« Ddd... Doc Henry... Il va fff... faire un... un... »

... miracle.

Lucas pénétra dans son salon en s'essuyant les mains. C'est alors qu'il aperçut Johnny Caïn sur le seuil de la porte ouverte. Le fils de Rachel l'accompagnait.

Ses grands yeux sombres trouaient son petit visage crispé et pâle. Sa main se blottissait dans la grande main de Caïn. Le desperado avait ce regard halluciné et vide de ceux qui ont traversé l'enfer et regardé la mort en face.

« Le garçon dit qu'elle est encore en vie, lâcha Caïn. Que vous tentez de la sauver. »

Lucas haussa les épaules.

« J'ai réussi à extraire la balle que vous lui avez logée dans le poumon et à réparer quelques-uns des dommages. Mais elle n'est pas encore tirée d'affaire. Je ne sais pas si elle survivra au traumatisme de l'opération. De plus, il y a un risque de pneumonie. »

Le médecin se sentait trop épuisé pour être encore capable de mentir, de donner de faux espoirs. Comme il s'y attendait, l'opération s'était révélée longue, difficile. Mais, quand il avait retiré la balle, Rachel Yoder avait manifesté encore quelques signes de vie. Il s'était senti alors presque aussi puissant que Dieu.

Pour l'instant, en tout cas, il avait surtout besoin d'une bonne rasade de whisky.

« Elle est installée dans mon lit, dit-il à Caïn. Allez-y. Et si vous savez encore prier, ça pourra toujours servir... »

Appuyé contre la porte, une bouteille de Rose Bud à moitié vide à la main, Lucas Henry contemplait la rue déserte. Une brume noirâtre souillait l'horizon au sud. Au-dessus des terres du Ranch H, un vilain nuage en forme de champignon montait vers le ciel.

Le léger craquement du taffetas se fit entendre dans le dos de Doc Henry et il respira les effluves délicieux d'un parfum au miel. Miss Marilee de la *Red House*.

Elle se glissa près de lui en disant : « Ce Johnny Caïn, en voilà un qui aime sa femme, pour sûr. Ça sera bien difficile pour lui si elle meurt après ce qu'il lui a fait.

— Qui a dit que l'amour était une chose facile ? » rétorqua Doc Henry en contemplant sa bouteille de whisky d'un air fataliste.

Marilee haussa les épaules et les anneaux d'or qui pendaient à ses oreilles tintèrent joliment. Elle demeura silencieuse un moment. Quand elle parla, sa voix était rêveuse, lointaine.

« Je sais seulement une chose, Lucas, c'est qu'il y a toutes sortes d'amour. Du plus pur au plus égoïste, du plus inaltérable au plus éphémère. Il sauve ou il damne. Mais le plus beau, je crois, c'est celui que vous retourne l'être aimé, celui qui vient en récompense de votre propre dévotion. »

Elle soupira. « Cet amour-là me fait envie, Doc...

— J'ai connu cette chance autrefois, répondit-il. Et c'est à cause de cela qu'elle est morte. »

Il avait prononcé ces mots d'un ton léger, comme si toute cette histoire n'avait plus d'importance. Mais, tout au fond de lui, il sentit ses vieilles blessures se remettre à saigner. Il se tourna vers elle et reprit : « Je suis un tueur, ma chère. Comme Johnny Caïn. »

Marilee pâlit et fixa sur lui des yeux élargis par la surprise. Mais, déjà, il parut se désintéresser d'elle pour regarder les nuages qui, là-bas, bouchaient de plus en plus l'horizon.

« Lucas...

— N'allez pas mettre de stupides idées dans votre jolie petite tête, miss Marilee. Je ne bois pas parce que j'ai tué ma femme. C'est parce que je buvais qu'elle est morte. Vous saisissez ? »

Il leva la bouteille de Rose Bud et contempla la rue à travers le liquide ambré. Puis il en avala une longue gorgée et s'essuya les lèvres du revers de la main.

« Elle m'avait demandé d'arrêter et je le lui avais promis. Mais je n'étais pas sincère, naturellement. Un ivrogne ne tient jamais ses promesses. Une nuit, en rentrant à la maison, je l'ai trouvée en train de faire sa malle. Elle en avait assez et voulait me quitter. Nous nous sommes disputés. J'étais ivre, comme toujours. Alors je l'ai frappée, et elle a perdu l'équilibre. Elle a roulé dans l'escalier et son joli petit cou s'est brisé. »

Marilee posa une main sur la sienne mais il l'écarta.

« Après cela, on m'a chassé de l'armée et je suis resté sept ans à la prison de Leavenworth. Mais j'ai trouvé ma punition à moi. C'est de vivre en enfer tous les jours sans jamais réussir à mourir. »

Elle secoua vigoureusement la tête et l'éclat d'une larme scintilla sur la frange de ses cils.

« Vous pouvez vous accuser de tous les péchés de la terre, Doc, ça ne changera rien pour moi. Je vous aime. Et cela aussi ne changera jamais. Même si je sais que vous ne m'aimerez jamais. »

Lucas ferma les yeux, réprimant un soupir. Il ne savait pas comment lui faire comprendre que sa passion pour le whisky l'emportait maintenant sur tout le reste.

« Vous ne savez pas ce que vous dites, jolie Marilee. Toutes les femmes pensent qu'elles réussiront à changer un homme en les aimant. Mais cela n'arrive jamais. Je ne briserai peut-être pas votre charmant petit cou mais l'âme humaine est pleine de ressources, surtout pour faire le mal. Je finirai bien par vous détruire. »

Elle se frappa violemment la poitrine et s'exclama :

« C'est vous qui ne comprenez pas, Lucas ! La vie m'a déjà blessée plus que de raison. Je n'ai plus rien à perdre, voyez-vous. »

Il la regarda. La discussion avait animé son visage et rosi son teint. Ses yeux bleus avaient la couleur d'un ciel d'été. Elle était douce et jolie, et il pensa qu'elle était sincère.

Le silence s'installa entre eux. Puis Marilee soupira en disant : « Il faut que je rentre à la *Red House*, maintenant. Mais je reviendrai un peu plus tard vous tenir compagnie. »

Il eut un petit sourire entendu. « Nous ne sommes pas samedi soir, que je sache !

« Tss tss, Doc, fit-elle en lui tapotant le bras, ne serai-je donc jamais qu'une putain à vos yeux ? N'êtes-vous donc pas capable de faire la conversation à une femme ? Même telle que moi ? »

Cette fois, il se mit à rire franchement et sentit un petit coin de son cœur se réchauffer. Mais, parfois, le whisky produisait sur lui le même effet et il ne pouvait pas toujours faire la différence.

Marilee l'observa de ses yeux doux et un peu tristes.

« Je reviendrai, Doc. Je suis une personne très décidée, vous savez. »

Il la regarda s'éloigner dans la rue de sa démarche un peu ondulante, sa jupe noire virevoltant autour de ses hanches rondes. Aujourd'hui, pour la première fois, il avait remarqué que, malgré son ignorance, elle était dotée d'un courage admirable. Seulement elle l'aimait et il imaginait difficilement pouvoir lui rendre la pareille.

Et pourtant... Pourtant... Il se sentait si fatigué, certains jours. Fatigué de sa solitude, de ses propres chaînes. Fugitivement, il se mit à espérer qu'elle tiendrait parole et reviendrait.

Ses yeux suivirent la fine silhouette jusqu'à ce qu'elle eût tourné dans la ruelle qui menait à la *Red House*. Il vit alors un chariot approcher dans un nuage de poussière. Au premier regard, il reconnut les vêtements et le chapeau d'un Juste.

L'homme arrêta la voiture au bout de la rue et descendit. Il marcha à pas lourds en direction du cabinet du médecin, sa longue barbe sombre ébouriffée par le vent chaud où flottaient des relents de fumée charriés du sud. Puis il s'arrêta devant la maison, son chapeau à la main, l'air hésitant.

Lucas posa sa bouteille et descendit les marches du perron à sa rencontre. Il se dispensa des formules de politesse d'usage car il savait que les Justes n'en attendaient aucune.

« Si vous êtes là pour voir Rachel Yoder, je peux vous dire qu'elle est toujours en vie pour l'instant. Mais son état demeure critique. Si vous voulez, vous pouvez la voir. »

De pâles yeux gris se posèrent sur lui.

« Non, dit l'homme. Ma fille est morte pour moi. Mais, si elle meurt vraiment, *ja*, alors venez m'en avertir. »

Lucas hocha lentement la tête en se demandant ce que l'homme avait voulu dire. Pourtant, il avait l'impression que le simple fait d'être venu jusqu'ici avait représenté pour lui un effort surhumain.

Rachel ouvrit les yeux. Ce qu'elle vit en premier, ce fut son *Englischer* de mari, agenouillé à côté du lit. Debout, à côté de lui, se tenait Benjo, les joues humides.

Elle lui sourit et voulut respirer profondément mais, aussitôt, une douleur atroce lui déchira les poumons. La pièce s'assombrit et tout devint flou. Son corps était aussi glacé que si l'on avait été en hiver.

Et cependant c'était l'été. Oui, elle se souvenait que c'était l'été. Son mari lui prit la main pour la porter à ses lèvres. « Rachel... » Elle aspira un peu d'air mais la douleur était insupportable.

« Tu m'as tuée, Johnny Caïn. Tu m'as tuée, toi et ton revolver. »

Il posa sa tête au creux de son cou et elle sentit la chaleur de son souffle sur sa peau.

« Si je pouvais mourir à ta place, Rachel. Oh, Dieu ! Laisse-moi mourir pour toi. »

Il ne comprenait pas, pensa-t-elle. Elle ne craignait pas la mort. Dans un autre monde, le Père bien-aimé l'attendait pour la serrer dans ses bras. Elle retrouverait son Ben et tous ceux qui avaient gagné le ciel avant elle. Ensemble, ils partageraient une félicité éternelle.

Oui, c'était ce qu'elle croyait. Ce qu'elle avait toujours cru. Et pourtant une mélancolie indicible lui étreignait le cœur lorsqu'elle pensait à tout l'amour qu'elle laissait derrière elle, à tous ces instants de bonheur et d'actions de grâces qui faisaient le sel de la vie. Comme de prendre dans ses mains un agneau nouveau-né, ou de regarder le visage souriant de son fils chéri. De sentir les odeurs enivrantes d'un champ de foin fraîchement coupé et, aussi... aussi... les bras de son homme l'envelopper de chaleur, d'amour, de réconfort. Les bras de son *Englischer* de mari...

Elle chercha à parler mais des sons inarticulés sortirent de sa gorge. Une petite main se glissa dans la sienne, celle de Benjo.

« Sois fort..., murmura-t-elle. Et sois bon, mon fils... Dieu ne t'abandonnera jamais... »

Elle tourna la tête et ses lèvres effleurèrent les cheveux de Johnny, toujours prostré contre elle.

« Je t'aime... N'oublie pas que je t'aime, Johnny. »

Il eut un cri de désespoir. « Rachel ! Ne meurs pas ! Je t'en supplie ! Pardonne-moi... »

Il ne comprenait pas. Il n'y avait rien à pardonner. Parce qu'elle l'aimait de cette sorte d'amour qui pardonne tout.

« Je suis une Juste, dit-elle lentement. Je serai toujours une Juste dans mon cœur... »

Et puis, parce que le simple fait de parler réveillait en elle d'insupportables souffrances, elle ferma les yeux.

Et attendit paisiblement la mort.

La nuit enveloppait Miawa City de silence et d'ombres bleutées. Mais, dans la maison de Doc Henry, une lampe restait allumée au chevet d'une femme endormie. Un homme était assis près du lit, dans une bergère en cuir. Sa tête dodelinait à chaque fois qu'il succombait à un bref accès de sommeil.

La musique du vent la réveilla. Le vent qui gémissait dans les tuyaux du fourneau, qui sifflait en s'engouffrant sous les toits de tôle et secouait l'enseigne du saloon, de l'autre côté de la rue.

Elle soupira et découvrit avec soulagement qu'elle respirait sans souffrir. Mais il y avait encore ces vertiges qui lui donnaient l'impression de se balancer au-dessus du lit, et ces souvenirs qui flottaient épars dans sa tête, mélangeant passé et présent.

L'homme, dans le fauteuil, tressaillit et se pencha vers elle. Ses joues étaient couvertes d'une barbe naissante et ses yeux, bordés de rouge, avaient une expression hagarde. Un bonheur indicible alluma des feux dans son regard quand il la vit émerger enfin du coma.

« Bienvenue dans notre monde, lady. Je savais bien que tu m'aimais trop pour ne pas mourir... »

Elle lui sourit et ses yeux parcoururent la pièce faiblement éclairée par la lampe à pétrole.

« Benjo ? murmura-t-elle d'une voix encore mal assurée.

— Il dort. Je vais le chercher.

— Non, non... Plus tard... »

Elle ferma les yeux et tenta de rassembler les sensations mélangées qui s'éparpillaient encore au fond de sa mémoire. Elle avait traversé des océans de lumière, volé au-dessus de paysages magnifiques, entendu une musique céleste.

« Johnny... J'ai rêvé. Oh, cette musique... C'était enchanteur. J'avais envie de rester là-bas mais je n'ai pas pu. Je suis revenue à cause de toi et de Benjo. »

Il lui prit la main et la serra dans la sienne.

« Rachel, mon amour... Tu as eu une pneumonie et tu as failli mourir tant de fois que nous avons renoncé à faire le compte, Doc Henry et moi. Il a dit qu'il allait écrire un article dans une revue médicale car il avait maintenant la preuve scientifique que les miracles existent... »

Elle rouvrit les yeux et vit qu'il lui souriait, de ce sourire tendre qu'elle lui connaissait bien.

« Je t'aime...

— Je t'aime, moi aussi. »

Elle avait cru qu'ils seraient séparés à jamais et voilà qu'ils se retrouvaient réunis, avec toute une vie devant eux à partager, tout cet amour à se donner. Son regard se posa sur lui et elle vit qu'il ne portait plus de cartouchière ni de revolver. Quand elle l'interrogea, il dit doucement :

« Mon colt est quelque part au fond du ruisseau de Miawa City. Et il y restera. Mais je ne peux pas te promettre qu'un jour ou l'autre, je ne remettrai pas la main sur une arme pour tuer à nouveau. C'est ma nature, Rachel. Je ne serai jamais un Juste, même pour tout l'amour que j'ai pour toi. »

Elle tendit la main pour toucher sa joue.

« Je sais qui tu es, Johnny Caïn. Je l'ai toujours su. Mais le passé est le passé et Dieu, avec son miracle, nous a donné un futur. Tu as changé, mon amour. Regarde-toi. Tes yeux... ils ne sont plus les mêmes. »

Il lui sourit et prit sa main pour la porter à ses lèvres.

« Mon passé pourra toujours me rejoindre, et je ne le fuirai pas. Je ne peux rien te promettre, Rachel, mais ce que je sais... c'est que tu m'as appris à croire de nouveau à la vie, à l'amour. Je voudrais... »

Il s'arrêta et secoua la tête, comme s'il ne parvenait pas à trouver les mots justes.

« Et que veux-tu, mon *Englischer* de mari ? » demanda-t-elle tendrement.

Il déposa un baiser sur son front couvert d'une fine sueur.

« ... je voudrais rentrer à la maison avec toi, élever des moutons et regarder notre Benjo devenir un homme. Passer le reste de ma vie à t'aimer. Simplement cela...

— Simplement cela ? répéta-t-elle en souriant. Tu demandes beaucoup, Étranger ! »

Il l'embrassa et elle tressaillit de plaisir en retrouvant le goût de ses lèvres, douces et dures à la fois. Son sourire était si tendre, si fragile qu'elle trouva presque douloureux de le regarder. « Ce que je sais de l'amour, dit-il, c'est toi qui me l'as appris. Je ne crois en rien mais je crois en toi. »

Il l'enlaça et la serra contre lui en la berçant comme une petite fille.

« Il y avait ce cantique que l'on chantait à l'église quand j'étais enfant. C'est drôle, je croyais l'avoir oublié et, maintenant, il me revient en mémoire... Quelques notes de musique, un refrain...

— Chante-le-moi, Johnny. »

Il se mit à le fredonner à mi-voix et Rachel reconnut aussitôt les premières mesures. Alors elle chanta avec lui :

J'étais perdu et je suis retrouvé.
J'étais dans le noir et j'ai vu la lumière.